L' ENCICLOPEDIA
DELLA CUCINA ITALIANA

L'ENCICLOPEDIA DELLA CUCINA ITALIANA

Opera realizzata da:
De Agostini Editore S.p.A.
Direzione di progetto: Elisabetta Cametti
Responsabile editoriale: Anna Brasca
Capo redattore: Andrea Elli

Coordinamento generale a cura di:
Istituto Geografico De Agostini
Direttore Generale Varia, Illustrati e Iniziative Speciali: Roberto Besana
Area Iniziative Speciali De Agostini
Direttore: Paolo Andreoni
Realizzazione dell'Opera a cura di: Luca Serafini *(responsabile editoriale),*
Sonia Frassei *(coordinamento redazionale),* Maurizio Antonini *(coordinamento grafico),*
Gian Lorenzo Forzani *(coordinamento tecnico-editoriale),* Elisabetta Tosco,
Fernanda Tosco *(redazione),* Andrea Grazzani *(impaginazione),*
Sabrina Guidetti *(segreteria di redazione)*

Redazione dell'opera: Ready-Made
Nadine Bortolotti e Caterina Caravaggi con la collaborazione
di Donatella Nicolò *(curatori),* Valeria Meloncelli *(revisione)*
Progetto grafico: Apotema

Design copertina: Lowe Pirella

Scelta dei vini in collaborazione con: LE GUIDE DE L'ESPRESSO. VINI D'ITALIA **VINI D'ITALIA**

Iconografia a cura di: Servizi Editoriali Iconografici De Agostini diretti da Ada
Mascheroni, con la collaborazione di Laura Cavalieri e Maristella Mussini

© 2006 Istituto Geografico De Agostini S.p.A., Novara

Stampa e legatura: ILTE S.p.A., Moncalieri (TO)

Gruppo Editoriale L'Espresso SpA - Divisione la Repubblica
Via Cristoforo Colombo, 149 - Roma

Supplemento al numero odierno de *la Repubblica*
Direttore responsabile: Ezio Mauro
Reg. Trib. Roma n. 16064 del 13/10/1975

Quest'opera è stampata su carta prodotta con cellulose
senza cloro gas provenienti da foreste controllate e certificate,
nel rispetto delle norme ecologiche vigenti

L' ENCICLOPEDIA DELLA CUCINA ITALIANA

11.
Torte

LA BIBLIOTECA DI REPUBBLICA

AVVERTENZE

❋ Le ricette riportate nel volume sono normalmente per 6 persone, salvo alcune eccezioni dovute alle caratteristiche degli ingredienti o alla complessità della preparazione.

❋ Per ogni ricetta sono riportati sia il tempo di preparazione sia il tempo di cottura. In alcuni casi, oltre ai tempi di preparazione effettivi (pulizia, lavaggio, taglio ecc. dei diversi ingredienti), viene fornito anche il tempo di alcune operazioni complementari quali la lavorazione della pasta, il raffreddamento, la macerazione, l'ammollo o il riposo.

❋ Il grado di difficoltà di esecuzione delle ricette è indicato con una scala che prevede quattro livelli: bassissima, bassa, media ed elevata.

❋ Le preparazioni di base, come pasta frolla, sfoglia, pan di Spagna ecc., vengono trattate in modo dettagliato nelle scuole delle diverse sezioni, per evitare inutili ripetizioni nelle ricette.

❋ Nel caso di ricette tradizionali di cui è possibile localizzare l'origine viene data l'indicazione della regione di appartenenza.

❋ Per quanto riguarda l'abbinamento enologico che accompagna ogni ricetta si è cercato di indicare un vino del Nord e uno del Centro-Sud. Nel caso, inoltre, di una ricetta tipica o regionale, il primo vino appartiene, quando è possibile, al territorio in oggetto.

Sommario

Le torte
nella cucina italiana

La storia delle torte si lega strettamente a quella del pane, da cui tali dolci hanno avuto origine attraverso l'aggiunta di altri ingredienti, tra cui il miele, che si può considerare il primo dolcificante della storia. Riservate alle festività religiose, a celebrazioni o comunque a grandi occasioni, le prime elementari torte, costituite da un impasto a base di farina di grano e di avena, latte, uova e vino cotto, risalgono al mondo greco e romano, in cui si confezionavano dolci arricchiti da frutta secca, come per esempio le mandorle, i datteri e le noci, da frutta fresca, tra cui in particolare i fichi e le mele cotogne, o anche da formaggio fresco, che venivano cotti al forno per essere poi serviti a fette.

Tali elementari preparazioni non subirono grandi trasformazioni nel corso del primo Medioevo, periodo in cui l'arte dolciaria era praticamente assente, se si esclude la produzione che avveniva nei conventi, dove i monaci e le monache avevano accesso a un ricco approvvigionamento di materie prime e confezionavano dolci abbastanza elaborati che vendevano ai pellegrini di passaggio. Con l'arrivo degli Arabi, invece, venne introdotto un importante cambiamento in questo campo della gastronomia con l'uso dei profumi e delle essenze – come testimonia ancora oggi la pasticceria siciliana in preparazioni come la famosa Cassata (il cui nome, non a caso, deriva da un vocabolo arabo, *quas at*, che significa "scodella") – che insieme all'arrivo dello zucchero di canna e alle tante spezie provenienti dall'Oriente, tra le quali in primo luogo la vaniglia, arricchirono sempre più l'arte della pasticceria.

Per quanto riguarda le torte in particolare, tuttavia, è il XIII secolo a segnare una svolta fondamentale nella produzione dolciaria, con le tante, monumentali ed elaborate preparazioni che venivano realizzate dai maestri pasticcieri per i sontuosi banchetti dell'aristocrazia.

Nei secoli seguenti, accanto alle semplici ricette regionali realizzate con modesti ingredienti di base e poco altro, si andò affermando una pasticceria sempre più raffinata: furono elaborati impasti di base come la pasta sfoglia, la pasta brioche, la pasta frolla e altre ancora, fece il suo ingresso nell'arte dolciaria il cacao e fu creata una grande varietà di creme, con cui nacquero, verso la fine del XVII secolo, le torte farcite, regine indiscusse, ancora oggi, della pasticceria. È in questo periodo, infatti, che sorsero i primi negozi adibiti alla vendita di paste, dolci e torte, che nel giro di un secolo si trasformarono nelle rinomate e frequentatissime pasticcerie delle grandi città europee caratteristiche dell'Ottocento.

Con il termine "torta" si indica una serie di preparazioni che possono essere tra loro molto diverse nella forma, nella composizione e nella disposizione degli ingredienti. Comunemente le torte si dividono in due grandi categorie: le torte asciutte, o secche, e le torte farcite. Le prime prevedono un semplice impasto di base e si servono subito dopo che sono state tolte dal forno - dopo averle lasciate intiepidire o raffreddare - senza apportarvi altri interventi, se non una leggera spolverizzata di zucchero a velo o di cacao in polvere. Nelle torte farcite, invece, alla pasta vengono aggiunti ripieni più o meno cremosi, prima o dopo la cottura del dolce nel forno.

Nella prima categoria di torte sono compresi celebri dolci regionali divenuti ormai internazionali, come il Panettone e il Pandoro; semplici ma deliziose preparazioni come la Torta genovese, la Torta paradiso e il Pan di spagna, classiche preparazioni come le ciambelle e i plum-cake, nelle tante varianti che si possono realizzare aggiungendo all'impasto di base un ingrediente aromatizzante come per esempio il caffè, il cocco, i canditi o il cacao; e tutta una serie di torte regionali, soffici, come per esempio la Gubana friulana, o croccanti, come la Sbrisolona lombarda.

La categoria delle torte più elaborate, caratterizzate da una pasta base e da creme, glasse, sciroppi, marmellate, frutta o altri ingredienti a piacere, si divide invece ulteriormente in due tipologie di preparazioni: le torte in cui gli ingredienti che arricchiscono l'impasto sono aggiunti, prima o dopo la cottura, tra strati di pasta o mescolati all'impasto (raggruppate in questo volume sotto la denominazione di "torte farcite"), e le torte in cui la farcia è disposta su una base di pasta, ovvero le classiche e intramontabili crostate.

Simbolo delle feste e delle ricorrenze speciali, le torte farcite comprendono preparazioni spesso elaborate, ricoperte e decorate, come le celebri Saint-Honoré e Sachertorte, o, per rimanere nell'ambito della ricchissima tradizione regionale italiana, la Torta Gianduia o la Torta di Chiavari. Fa inoltre parte di questa categoria tutta una serie di torte più semplici da realizzare, arricchite spesso dall'aggiunta di frutta fresca, come per esempio la classica Torta di mele, o come la più originale Torta di cachi.

Composte da una base di pasta frolla, brisée o sfoglia su cui è posto uno strato di crema, di confettura o di frutta, le crostate sono semplici e facili da preparare, pur costituendo, nella loro semplicità, dei veri capolavori.

Il galateo prevede che a fine pasto, prima della frutta, vengano serviti esclusivamente dolci al cucchiaio, riservando le torte a cerimonie e anniversari. Tuttavia negli ultimi decenni queste ultime hanno acquistato una diversa collocazione gastronomica, diffondendosi in tutte le classi sociali e venendo proposte in tutte le occasioni, dal pasto in famiglia alla cena con gli amici, in una qualunque delle tipologie sopra descritte.

Per scegliere il tipo di torta che è meglio servire a seconda dell'occasione o della sequenza del menù, è bene riferirsi in particolare all'ultima portata del pasto. Dovendo scegliere, per esempio, tra una torta asciutta e una torta farcita, sarà più opportuno optare per una ciambella o un plum-cake se la torta segue una preparazione in umido e servire invece una torta cremosa nel caso il dessert segua una preparazione arrostita.

L'importante, sia che si tratti di torte asciutte, di torte farcite o di crostate, è che queste non chiudano mai un menù troppo ricco, in modo da poter essere gustate al meglio.

Infine, va detto che le torte non si servono soltanto a fine pasto, ma anche in tanti altri momenti della giornata: per esempio con il tè, per merenda, per la prima colazione o per un pic-nic estivo.

Torte asciutte

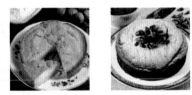

Torte: gli ingredienti di base

*Brioche, plum-cake, ciambelle, torte soffici e secche
e in generale tutti i dolci costituiti sostanzialmente da un
impasto di base leggermente arricchito da altri elementi, sono
realizzati con un numero limitato di ingredienti fondamentali.*

DEFINIZIONE

▶**Glutine**. Formato dalla reazione prodotta dalla farina di frumento quando viene a contatto con l'acqua, il glutine è una proteina complessa che crea un reticolo all'interno della massa di farina e acqua rendendola compatta, elastica e capace di trattenere i gas che si sviluppano al suo interno. In questo modo i gas trattenuti formano bolle, dando all'impasto lievitato la caratteristica struttura spugnosa.

Gli ingredienti di base ricorrenti negli impasti delle torte sono:
la farina, il lievito, la fecola, le uova, il burro, la margarina, il cioccolato e lo zucchero.
Dalla qualità di queste materie prime, oltre che, naturalmente, dalla loro lavorazione, dipende il successo di ogni preparazione.

FARINA

La farina che viene in genere utilizzata per la realizzazione delle torte è la farina di frumento tipo 00, ma si possono realizzare dolci e torte anche con farine di altro tipo, tra le quali in particolare la farina integrale, la farina di mais e la farina di castagne.

Farina 00

Detta anche "fior di farina", è una farina ricca di glutine, che risulta particolarmente adatta alla preparazione di torte e impasti delicati, come la pasta sfoglia, e in generale dei classici impasti di base, come la pasta frolla, la pasta brisée e altri.
La farina di frumento di buona qualità presenta una consistenza di polvere impalpabile liscia o leggermente granulare, risulta scorrevole al tatto, deve presentare un colore bianco e omogeneo, deve avere un odore gradevole ed essere esente da odore di stantio o di rancido e da qualsiasi altro odore estraneo.
Se si acquista confezionata, è preferibile scegliere una farina che abbia 6-8 mesi al massimo di scadenza.
Dopo l'acquisto, deve essere conservata in luogo fresco e asciutto, poiché in presenza d'acqua gli enzimi in essa contenuti comincerebbero a scomporla, rendendola inutilizzabile.

Farina autolievitante

Si tratta di farina di grano tenero già miscelata a una giusta quantità di lievito istantaneo, indicata per la preparazione pratica e veloce di torte soffici.

Farina integrale

Si tratta di farina di frumento non setacciata, che contiene quindi ogni parte del chicco macinato, compresa la crusca. Di alto valore nutrizionale, ricca di glutine e, soprattutto, di cellulosa, la farina integrale - e, in misura leggermente minore, quella semintegrale - è indicata in modo particolare per la preparazione di dolci decisamente più rustici.

Farina di mais

Detta anche farina di granturco o farina gialla, la farina di mais può essere, a seconda del tipo di macinazione, a grana grossa, a grana fine, detta "fioretto",

e a grana molto fine, detta "fumetto". Mentre la prima viene usata esclusivamente per la preparazione della polenta, le farine più fini, mescolate a farina bianca in dosi variabili, sono usate per la realizzazione di diversi dolci, perlopiù regionali, come per esempio il Dolce vicentino o la Polenta dolce tipica delle Marche.
Perché sia di buona qualità, la farina di mais deve avere un colore vivo e un odore gradevole e deve scorrere facilmente fra le dita quando viene versata a pioggia. Dal momento che irrancidisce facilmente, va consumata sempre il più fresca possibile.

Farina di castagne

Ingrediente tradizionale della cucina delle zone appenniniche della Lunigiana, della Liguria, della Toscana e dell'Emilia, dove

---

IL CONSIGLIO

▶ Al momento dell'acquisto scegliete una confezione di farina che riporti la data di scadenza più lontana possibile. Una volta aperta la confezione, la farina va conservata in luogo fresco (intorno ai 15 °C), ventilato e asciutto, in un sacchetto di carta o di tela, lontano da fonti di calore e scostata dalla parete e va consumata entro breve tempo, per evitare che si formino larve.

azione lievitante. Usato soprattutto in passato per la panificazione e per la preparazione di dolci impegnativi come il panettone, viene talvolta utilizzato ancora oggi per la realizzazione di pane e focacce e, in pasticceria, per la preparazione di pani dolci.

Lievito di birra

Così chiamato perché una volta era ricavato dai residui della lavorazione della birra, questo tipo di lievito ha oggi quasi del tutto sostituito quello naturale, dal momento che rende il processo di lievitazione molto più veloce e più semplice. Dopo averlo sciolto in un poco di acqua o di latte tiepidi, lo si impasta con qualche cucchiaio di farina, quindi lo si mette a lievitare in un luogo tiepido e coperto, dopodiché lo si amalgama agli altri ingredienti dell'impasto e si rimette a lievitare il tutto.
Il lievito di birra si trova in commercio in panetti da 25 g o da 42 g e va conservato in frigo, ben coperto, per non più di 15 giorni. Si trovano in vendita anche bustine di lievito di birra essiccato: in questo caso il lievito, che è in forma granulare, va riattivato prima dell'utilizzo lasciandolo nell'acqua a 40 °C per circa 10 minuti.

viene usata per preparazioni tipiche, come il celebre Castagnaccio, questa farina è caratterizzata da un sapore leggermente dolce.
Reperibile nella stagione invernale, va consumata velocemente perché è facilmente attaccabile dalle larve.

LIEVITO
Il lievito utilizzato per la preparazione delle torte può essere naturale, di birra oppure artificiale.

Lievito naturale
È costituito da un panetto preparato con poca farina e acqua tiepida impastate insieme e lasciate riposare per 2 settimane in modo che i microrganismi presenti nella farina e nell'aria svolgano la loro

---

IL CONSIGLIO

▶Un tempo nella preparazione casalinga dei dolci si usava utilizzare il bicarbonato di sodio. Oggi l'impiego di questa sostanza è ormai molto limitato, poiché il lievito artificiale già pronto in bustina è più facile da dosare e non altera il sapore delle preparazioni, come invece fa, seppure di poco, il bicarbonato.

Lievito artificiale

È ottenuto dosando
e miscelando varie sostanze
chimiche in polvere come
il bicarbonato di sodio,
il cremortartaro e il carbonato
di ammonio. Si trova
in commercio già pronto
in bustine da 16 g; deve essere
setacciato insieme alla farina
in modo che si distribuisca
uniformemente.
Una volta pronto, l'impasto non
deve essere lasciato riposare:
al contrario, va utilizzato
immediatamente, poiché il lievito
chimico, che agisce in cottura,
perde in breve tempo gran parte
del suo potere lievitante.

FECOLA E MAIZENA

La fecola è una sostanza
amidacea ricavata per
essiccamento da radici, rizomi
e tuberi di alcune piante.
In pasticceria viene utilizzata
soprattutto la fecola di patate,
che per la sua consistenza
finissima e impalpabile, usata
in sostituzione a una certa parte
del quantitativo di farina
permette di confezionare dolci
lievitati particolarmente leggeri.
In alcune preparazioni la
funzione svolta dalla fecola
di patate è affidata all'amido
di mais, detto anche"maizena".
La fecola di patate e l'amido
di mais si trovano comunemente

nei negozi e nei supermercati
e si conservano molto bene
e a lungo in un luogo fresco
e asciutto.

UOVA

Le uova utilizzate nella
preparazione dei dolci sono
le uova di gallina di categoria A.
Queste si possono acquistare
nei negozi di alimentari
e nei supermercati, oppure
direttamente dal produttore.
Se si acquistano in negozio
o al supermercato, la freschezza
delle uova è verificabile grazie
a una serie di preziose e utili
indicazioni riportate sulla
confezione, quali la data
di confezionamento
e di deposizione e la data
di consumo preferibile.
Per valutare la freschezza delle
uova acquistate fuori dai canali
abituali ci sono diversi sistemi.
Si può, per esempio, immergere
le uova in una soluzione di acqua
e sale: se vanno a fondo hanno
meno di 3 giorni, se restano
sospese a metà del liquido
hanno 5-6 giorni, se affiorano
è meglio scartarle; oppure,
se la ricetta non prevede che
si debbano separare i tuorli dagli
albumi, si possono sgusciare le
uova su un piattino: se il tuorlo
rimane semisferico e ben
centrato nel bianco,
le uova sono freschissime.

▲ **Ciambella: preparazione**

1 Per realizzare una ciambella ai mirtilli per 4 persone, montate 150 g di burro con 50 g di zucchero, poi incorporatevi, uno per volta, 3 tuorli; unite 200 g di farina, 50 g di fecola, la scorza grattugiata di 1 limone e 1 bustina di lievito sciolta in 2 dl di latte tiepido; mescolate e unite 300 g di mirtilli.

2 Montate a neve 3 albumi e incorporateli con una spatola al composto.

3 Versate in uno stampo imburrato e infarinato e cuocete nel forno già caldo a 190 °C per 40 minuti.

ATTREZZATURA

1 Stampo a cerniera
2 Stampo a cerniera
   per ciambelle
3 Stampi per soufflé
4 Stampi per kogelhupf
5 Stampo per pandoro
6 Ciotole in metallo
7 Ciotole in vetro
8 Stampo per ciambelle
9 Spargizucchero
10 Stampi per plum-cake
11 Fruste
12 Cucchiai in legno
13 Gratella
14 Spatola in gomma
15 Spatola in legno

MARGARINA

Di aspetto simile al burro, la margarina è un grasso solido ottenuto da un'emulsione di acqua e grassi, che possono essere di origine animale, vegetale o mista.

La margarina utilizzata per uso domestico è fatta con prevalenza di oli vegetali, quella mista è utilizzata per uso industriale, mentre quella cosiddetta "da pasticceria" e venduta all'ingrosso contiene elevate percentuali di grassi animali. Usata in sostituzione del burro, la margarina vegetale permette di ottenere preparazioni più in linea con la moderna dietetica, in quanto risulta priva di colesterolo.

CIOCCOLATO

Il cioccolato è composto da pasta di cacao, con percentuale non inferiore al 35%, burro di cacao, almeno il 18%, e zucchero, a cui possono essere aggiunti latte, miele, sostanze aromatiche o frutta secca.

In base alla percentuale di cacao e di burro di cacao presenti, o di latte, nel caso del cioccolato al latte, si ottengono prodotti e sapori diversi, che è importante conoscere dal momento che alcuni tipi di cioccolato risultano più adatti di altri per preparazioni specifiche.

IL CONSIGLIO

▶Il cioccolato va conservato lontano da altri alimenti, in un posto fresco e asciutto. È meglio evitare di riporlo in frigorifero o a una temperatura inferiore ai 13 °C, altrimenti si formano delle macchie di umidità in superficie quando viene riportato alla temperatura ambiente. Per romperlo, è bene usare un tagliere pulito e asciutto e un coltello grande. Quando si spezzetta il cioccolato per miscelarlo, è importante che venga rotto in pezzi il più possibile della stessa dimensione, affinché si possa sciogliere in modo uniforme.

BURRO

Il burro si ricava dalla sostanza grassa del latte vaccino, ovvero dalla crema o panna che affiora naturalmente o che viene separata meccanicamente con la centrifugazione. Quello che si trova normalmente sul mercato è il burro di centrifuga, che a fronte di un aroma standardizzato offre maggiori garanzie igieniche rispetto al burro di affioramento. Quest'ultimo, infatti, se fresco, risulta più aromatico, ma essendo prodotto con panne non pastorizzate può essere soggetto a processi di irrancidimento e risulta poco conservabile.

In generale, un buon burro deve avere un colore bianco giallognolo omogeneo, odore e sapore tipici e poco accentuati. Saggiandolo con un coltello, inoltre, deve separare solo piccolissime gocce d'acqua.

Il cioccolato al latte, per esempio, che è ottenuto con l'aggiunta di latte in polvere, non può sostituire il cioccolato fondente nella preparazione di ricette da forno, in quanto il suo contenuto di cacao è troppo basso, mentre il cioccolato bianco, che si ottiene miscelando solo burro di cacao, latte e zucchero, viene per lo più utilizzato per le creme.

Gocce di cioccolato

Reperibili in diverse misure e sapori, amare, fondenti, al latte e bianche, mantengono intatta la forma a goccia anche dopo la cottura, per cui vengono utilizzate soprattutto nella preparazione di biscotti e torte.

Cacao

Il cacao è la polvere di cioccolato puro che rimane come residuo dopo la "spremitura" del burro di cacao, macinata e setacciata. Per la preparazione di prodotti da forno, è consigliabile setacciarlo insieme agli altri ingredienti secchi oppure diluirlo con un po' di acqua bollente prima di incorporarlo agli altri ingredienti.

Cioccolato da copertura

Molto fine e dall'aroma intenso, presenta un'alta percentuale di cacao che ne caratterizza l'aspetto lucido e la consistenza omogenea e cremosa. Si trova in vendita nei negozi specializzati nei gusti amaro, fondente o bianco. Non va confuso con quello comunemente impiegato per glasse e decorazioni, che, ottenuto mediante l'aggiunta di altri grassi, è più economico e di più facile impiego, ma risulta inferiore per sapore e consistenza.

Cioccolato fondente

Si tratta di cioccolato puro con l'aggiunta di un po' di zucchero. Quanto più elevate sono le percentuali di cacao, tanto migliore è la qualità del cioccolato. I migliori risultati in cucina si ottengono quando si impiega un cioccolato che presenta un contenuto di cacao pari al 50%.

Cioccolato amaro

Composto solamente da pasta di cacao (nella percentuale minima del 70%) e burro di cacao, ha sapore amaro e intenso. Nella realizzazione di prodotti da forno, 30 g di questo cioccolato possono essere sostituiti con 20 g di cacao amaro e 15 g di burro. Anche la dose di zucchero della ricetta dovrà essere adattata di conseguenza.

IL CONSIGLIO

▶Il cioccolato al latte e il cioccolato bianco sono molto sensibili al calore, per cui occorre prestare particolare attenzione quando li si fonde. Il consiglio è di farlo sciogliere a bagnomaria mantenendo la temperatura tra i 110 e i 120 °C.

ZUCCHERO

Il tipo più usato per la confezione di dolci, torte, creme, sciroppi e confetture è lo zucchero semolato: raffinato e bianco, può essere fino ed extrafino ed è facilmente solubile. Caratterizzato da cristalli più grossi e quindi meno facilmente solubile del semolato è lo zucchero cristallizzato, utilizzato per decorare la superficie di alcuni dolci e per spolverizzare il fondo e le pareti delle tortiere. Finissimo e quasi impalpabile è invece lo zucchero a velo, che per la sua capacità di amalgamarsi meglio agli ingredienti di base risulta perfetto per la preparazione di creme crude, meringhe, panna montata, glasse e pasta di mandorle. Talvolta aromatizzato alla vaniglia, viene utilizzato per spolverizzare torte e dolci. Prima dell'uso va sempre setacciato. Poiché teme molto l'umidità, deve essere conservato all'asciutto. Lo zucchero di canna, o zucchero bruno, è zucchero grezzo derivante dalla canna di zucchero. Di sapore particolare, con lieve retrogusto di caffè, si utilizza soprattutto nella preparazione di dolci di frutta cruda o secca e per la confezione di impasti più rustici, per esempio con farina integrale. Lo zucchero in zollette, per finire, viene utilizzato, strofinato sulla scorza di arance o limoni, per assorbirne e conservarne l'essenza, oppure viene imbevuto di liquore e servito in alcune preparazioni flambé per far durare più a lungo la fiamma.

La cottura dello zucchero

Per preparare sciroppi, creme, glasse, caramelle, decorazioni e rivestimenti, la cottura dello zucchero registra diverse fasi, a cui corrispondono determinati usi dello stesso. Per verificare il grado di cottura dello zucchero ci si serve di un apposito termometro, altrimenti si osservano le progressive trasformazioni, descritte di seguito.

Velatura

Dopo aver posto lo zucchero in una casseruola con una dose di acqua, in genere il 30% della dose dello zucchero, si mescola per scioglierlo parzialmente, quindi si mette a cuocere a fuoco basso, mescolando costantemente e passando il cucchiaio sulle pareti del tegame per evitare che si formino cristallizzazioni. Nel momento in cui alzando di taglio il cucchiaio dopo averlo immerso nel recipiente lo si ritira rivestito da un velo di sciroppo, lo zucchero è pronto per la preparazione di altri sciroppi.

Filo sottile

Quando lo sciroppo arriva a 105 °C, ovvero quando prendendone un po' tra le dita bagnate con acqua fredda e aprendo e chiudendo le dita si forma un filo che poi si spezza, lo zucchero è pronto per la preparazione di creme al burro, confetture e gelatine.

Filo grosso (o filo forte)

Portando lo sciroppo a 107,5 °C, ovvero al punto in cui ripetendo l'operazione sopra descritta si forma tra le dita un filo grosso e resistente, lo zucchero è pronto per le stesse preparazioni dello stadio precedente.

Piccola palla (o piccola bolla)

Per questo grado di cottura, adatto alla preparazione del fondente, della pasta di mandorle e dei marrons glacés, lo sciroppo deve raggiungere i 117,5 °C. Introducendovi uno stecco precedentemente immerso nell'acqua fredda, tuffandolo in acqua fredda e lavorando con due dita lo zucchero che vi aderisce, si forma una pallina morbida.

Grande palla (o grande bolla)

Portando lo zucchero a 121 °C e ripetendo l'operazione sopra descritta, si forma una pallina soda e consistente: lo zucchero è pronto per la preparazione di caramelle mou, mandorlati e croccanti.

Piccolo cassé

Portandolo a 132 °C e ripetendo l'operazione precedente, lo zucchero si attacca ai denti. Si usa per preparare caramelle.

Gran cassé (o caramella)

Portandolo a 145 °C e ripetendo l'operazione sopra descritta, lo zucchero si spezza ed è pronto per preparare dolcetti, caramelle e zucchero filato.

Caramello

Il caramello si raggiunge quando lo zucchero comincia ad assumere un leggero colore dorato e a diffondere un gradevole odore. Proseguendo ulteriormente la cottura, lo zucchero diventa sempre più scuro e comincia a fumare: togliendolo dal fuoco e aggiungendo progressivamente acqua si trasforma nel cosiddetto "liqueur", che serve per dare colore a creme e sciroppi.

Babà dell'Artusi

Ingredienti per 4 persone

❈ 260 g di farina ❈ 30 g di lievito di birra

❈ 1 dl di latte ❈ 70 g di burro

❈ 2 uova e 1 tuorlo

❈ 70 g di zucchero a velo ❈ 0,5 dl di Marsala

❈ 1 cucchiaio di cedro candito a pezzetti

❈ 1 bustina di zucchero a velo vanigliato

❈ 80 g di uva sultanina già ammollata

❈ 1 dl di panna ❈ 0,5 dl di Rum ❈ sale

DIFFICOLTÀ
Media

PREPARAZIONE
30 minuti
più 2 ore e
50 minuti di
riposo
dell'impasto

COTTURA
40 minuti

VINO
Moscato
Passito di
Pantelleria
(bianco,
Sicilia)

Erbaluce
di Calusco
Passito
(bianco,
Piemonte)

Impastate 50 g di farina, il lievito e 4 cucchiai di latte tiepido, formate un panetto e mettetelo in una ciotola. Coprite con un telo e fate lievitare in un luogo tiepido per 30 minuti.

Lavorate quindi le uova e il tuorlo con lo zucchero, 200 g di farina e un pizzico di sale. Unite 60 g di burro fuso, il panetto di lievito, la panna tiepida, il Marsala e il Rum.

Lavorate a lungo, poi unite l'uva sultanina e il cedro candito e fate lievitare per altri 20 minuti.

Versate il composto in uno stampo imburrato e infarinato, coprite con un telo e fate lievitare per 2 ore. Cuocete nel forno a 200 °C per 40 minuti, fate intiepidire nel forno spento, sformate il babà e, prima di servirlo, cospargetelo di zucchero a velo vanigliato.

1 Amalgamate uova, tuorlo, zucchero, farina, sale, lievito, panna, Marsala, Rum, uvetta e cedro candito.

2 Mettete il composto in uno stampo e fate lievitare per 2 ore.

3 Sfornate il dolce e decoratelo, cospargendolo con lo zucchero a velo vanigliato.

Benzone

Ingredienti per 4 persone

❀ 310 g di farina ❀ 4 uova ❀ 100 g di fecola di patate
❀ 160 g di burro ❀ 2,5 dl di latte ❀ 300 g di zucchero
❀ 1 bustina di lievito per dolci ❀ 100 g di uva sultanina
❀ la scorza di 1 limone biologico ❀ 50 g di frutta candita
❀ la scorza di 1 arancia biologica ❀ latte

DIFFICOLTÀ
Bassa

PREPARAZIONE
20 minuti
più 20 minuti
di ammollo
dell'uva
sultanina

COTTURA
30 minuti

REGIONE
Toscana

VINO
Elba Moscato
(bianco,
Toscana)

Malvasia
delle Lipari
(bianco, Sicilia)

Ammorbidite l'uva sultanina in acqua calda per 20 minuti, sgocciolatela e infarinatela.

Sbattete le uova con lo zucchero e unite 150 g di burro fuso. Lavorate bene e aggiungete l'uva sultanina, le scorze lavate e grattugiate di limone e arancia, i canditi spezzettati, il lievito, la fecola e 300 g di farina, poca alla volta. Impastate, aggiungendo un poco di latte, se necessario.

Ungete uno stampo a bordi alti con il burro rimasto e distribuitevi il composto; quindi mettete lo stampo nel forno già caldo a 220 °C e fate cuocere per circa 30 minuti. Sfornate e servite tiepido.

Buccellato

Ingredienti per 8 persone

❀ 520 g di farina ❀ 150 g di zucchero
❀ 2 dl di latte ❀ 20 g di lievito di birra
❀ 2 uova ❀ 50 g di uva sultanina già ammollata
❀ 2 cucchiaini di semi di anice
❀ 30 g di burro ❀ sale

DIFFICOLTÀ
Bassa

PREPARAZIONE
20 minuti
più 3 ore
di riposo
dell'impasto

COTTURA
1 ora

REGIONE
Toscana

VINO
Moscadello di
Montalcino
(bianco,
Toscana)

Alto Adige
Moscato Giallo
(bianco,
Trentino-Alto
Adige)

Impastate 500 g di farina, lo zucchero, 1 uovo, 20 g di burro fuso, il latte, il lievito sciolto in poca acqua tiepida e un pizzico di sale e lavorate fino a ottenere un impasto morbido.

Unite quindi i semi di anice e l'uva sultanina strizzata e fate lievitare l'impasto, coperto, in un luogo caldo per circa 2 ore.

Riprendete l'impasto e dategli la forma di un rotolo, disponetelo a ciambella in uno stampo imburrato e infarinato e praticate sulla superficie un'incisione nel senso della lunghezza con la punta di un coltello. Coprite quindi con un telo e lasciate lievitare in luogo tiepido per 1 ora.

Spennellate la superficie del dolce con l'uovo rimasto leggermente sbattuto e cuocetelo nel forno già caldo a 180 °C per circa 1 ora. Servitelo tiepido, inzuppandolo a piacere nel vino bianco.

LA RICETTA TRADIZIONALE

▶ Esistono diverse versioni di questo dolce tipico di Lucca, in cui si può aggiungere al burro anche un poco di lardo tritato. Per tradizione nelle campagne lucchesi i padrini e le madrine offrono questo dolce ai propri figliocci nel giorno della Cresima.

Castagnaccio

Ingredienti per 4 persone

❋ 300 g di farina di castagne
❋ 4 cucchiai di olio d'oliva extravergine
❋ 50 g di uva sultanina
❋ 1 rametto di rosmarino
❋ 50 g di pinoli ❋ sale

DIFFICOLTÀ
Bassa

PREPARAZIONE
30 minuti
più 20 minuti
di ammollo
dell'uva
sultanina

COTTURA
45 minuti

VINO
Recioto della
Valpolicella
(rosso,
Veneto)

Elba Aleatico
(rosso,
Toscana)

Fate ammorbidire l'uva sultanina in una terrina con poca acqua tiepida per 20 minuti.

Mescolate in una ciotola la farina di castagne con poco sale e 3 cucchiai d'olio; lavorando con una frusta, aggiungete poco per volta l'acqua fredda necessaria per ottenere una pastella non troppo densa e senza grumi. Aggiungete i pinoli, tenetendone da parte alcuni per la decorazione, e l'uva sultanina.

Ungete lo stampo con l'olio rimasto, distribuitevi sul fondo metà degli aghi di rosmarino, quindi versatevi il composto precedentemente preparato e unite il restante rosmarino.

Cuocete il castagnaccio nel forno già caldo a 180 °C per 45 minuti. Sformatelo e cospargete la superficie con uva sultanina e pinoli. Servite in tavola, caldo o freddo, a piacere.

Ciambella a rucch'l'

Ingredienti per 6 persone
❀ 510 g di farina
❀ 125 g di zucchero
❀ 20 g di lievito di birra
❀ 1 cucchiaio di latte
❀ 1,5 dl di olio d'oliva extravergine
❀ 20 g di burro ❀ sale

DIFFICOLTÀ
Bassa

PREPARAZIONE
20 minuti
più 3 ore
di riposo
dell'impasto

COTTURA
1 ora

REGIONE
Basilicata

VINO
Greco
di Bianco
(bianco,
Calabria)

Orvieto
Classico
Amabile
(bianco,
Umbria)

Disponete 500 g di farina a fontana sul piano di lavoro, mettetevi al centro il lievito di birra spezzettato e diluito nel latte, un pizzico di sale e 1 dl d'olio.

Lavorate a piene mani, aggiungendo acqua sufficiente a ottenere un impasto omogeneo e sodo. Fate lievitare per 2 ore.

Riprendete la pasta, lavoratela ancora per qualche minuto e formate

con essa una ciambella. Sistematela in uno stampo precedentemente imburrato e infarinato.

Mettete a lievitare la ciambella per circa 1 ora, poi irroratela con l'olio rimasto e fatela cuocere nel forno già caldo a 170 °C per 1 ora.

A cottura ultimata, spolverizzate la ciambella con lo zucchero e rimettetela nel forno per qualche minuto. Lasciatela intiepidire e servite.

1 Disponete la farina a fontana e mettetevi al centro il lievito di birra, diluito nel latte, il sale e l'olio.

2 Dopo aver formato con la pasta una

ciambella, sistematela in uno stampo, precedentemente imburrato.

3 Spennellate la ciambella con l'olio rimasto e infornatela.

Ciambella ai canditi

Ingredienti per 6 persone

❋ 270 g di farina ❋ 130 g di zucchero ❋ 120 g di burro
❋ 80 g di mandorle spellate ❋ 80 g di ciliegie candite ❋ 80 g di datteri canditi
❋ 80 g di latte ❋ 40 g di uva sultanina già ammollata ❋ 40 g di miele ❋ 1 uovo
❋ 1/2 bustina di lievito per dolci ❋ 3 cucchiai di gelatina di albicocche ❋ sale

DIFFICOLTÀ
Bassa

PREPARAZIONE
30 minuti
più 1 ora
e 30 minuti di
raffreddamento
della ciambella

COTTURA
1 ora

VINO
Elba Ansonica
Passito
(bianco,
Toscana)

Valle d'Aosta
Chambave
Moscato
Passito
(bianco,
Valle d'Aosta)

Disponete a fontana 250 g di farina setacciata con il lievito, lo zucchero e un pizzico di sale e ponete al centro 100 g di burro a pezzetti e il miele; lavorate bene l'impasto.

Trasferite il tutto in una ciotola, riformate la fontana e in essa rompete l'uovo unendo il latte, quindi lavorate l'impasto fino a ottenere un composto cremoso e liscio.

Incorporate all'impasto le ciliegie e i datteri tritati, poi versatelo in uno stampo imburrato e infarinato, distri-buitevi sopra l'uva sultanina strizzata. Contornate la ciambella con le mandorle conficcate disposte per metà nella pasta.

Cuocete la ciambella nel forno già caldo a 180 °C per 1 ora, o finché inserendo uno stecchino al centro ne uscirà asciutto. Sformatela e fatela raffreddare sopra una gratella.

Fate fondere a fuoco basso la gelatina di albicocche con 1 cucchiaio d'acqua, spennellate la ciambella con lo sciroppo ottenuto e servite.

Ciambella al cacao

Ingredienti per 6 persone
* 300 g di farina * 250 g di zucchero
* 60 g di cacao amaro * 2 dl di latte
* 170 g di burro * 10 g di bicarbonato di sodio
* 2 uova * 20 g di zucchero a velo

DIFFICOLTÀ
Bassa

PREPARAZIONE
30 minuti

COTTURA
55 minuti

VINO
Recioto
di Soave
(bianco,
Veneto)

Controguerra
Passito Bianco
(Abruzzo)

Setacciate insieme la farina, il cacao, lo zucchero, il bicarbonato e raccoglieteli in una terrina.

In un tegamino fate fondere 150 g di burro, quindi versatelo nella terrina con gli altri ingredienti. Aggiungete le uova e il latte tiepido, mescolando fino a ottenere un impasto liscio e omogeneo.

Versate il composto nello stampo precedentemente unto con il burro rimasto. Fate cuocere la ciambella nel forno già caldo a 180 °C per 50 minuti circa. Togliete dal forno e lasciatela intiepidire.

Cospargetela di zucchero a velo e adagiatela su un piatto da portata. Servite in tavola.

IL CONSIGLIO

▶ Per completare in modo goloso questa ciambella potete cospargerla con una ricca salsa preparata con 120 g di cioccolato fondente sciolto in 2 cucchiai di acqua a cui avrete incorporato a caldo 60 g di panna liquida.

Ciambella al latte

Ingredienti per 6 persone

❄ 400 g di farina ❄ 150 g di zucchero
❄ 70 g di burro ❄ 2,5 dl di latte
❄ 2 uova ❄ 1 dl di Marsala secco
❄ 1 limone biologico
❄ 1 bustina di lievito per dolci ❄ sale

DIFFICOLTÀ
Bassa

PREPARAZIONE
25 minuti

COTTURA
45 minuti

VINO
Colli Orientali
del Friuli
Verduzzo
Friulano
(bianco,
Friuli-Venezia
Giulia)

Frascati
Cannellino
(bianco,
Lazio)

Disponete la farina a fontana sulla spianatoia e versatevi al centro una presa di sale, il lievito, lo zucchero, una grattugiata di scorza di limone lavata, le uova e 50 g di burro ammorbidito e diviso a pezzetti.

Amalgamate gli ingredienti versando a poco a poco prima il latte e poi il Marsala e continuate a lavorare l'impasto fino a ottenere un composto morbido e liscio, aggiungendo poca acqua tiepida se necessario.

Ungete uno stampo per ciambelle con il burro rimasto, versatevi l'impasto e livellatelo, quindi cuocetelo nel forno già caldo a 180 °C per 45 minuti o finché uno stecchino inserito al centro ne uscirà asciutto.

IL CONSIGLIO

▶ Potete profumare il dolce aggiungendo mezza fialetta di aroma alle mandorle al latte dell'impasto. Prima di servire cospargete la ciambella con qualche mandorla tritata.

Ciambella al profumo di cioccolato

Ingredienti per 6 persone

❄ 350 g di farina ❄ 175 g di zucchero ❄ 3 dl di latte
❄ 60 g di cioccolato fondente ❄ 180 g di burro
❄ 3 uova e 1 albume ❄ la scorza di 1 arancia biologica
❄ 0,5 dl di Grand Marnier ❄ 1 bustina di lievito per dolci
❄ 20 g di granella di zucchero ❄ sale

DIFFICOLTÀ
Bassa

PREPARAZIONE
30 minuti

COTTURA
50 minuti

VINO
Brachetto
d'Acqui
(rosso,
Piemonte)

Vernaccia di
Serrapetrona
Dolce
(rosso,
Marche)

Sbattete in una terrina i 3 tuorli con lo zucchero fino a renderli spumosi. Mescolatevi 160 g di burro fuso e, a poco a poco, 330 g di farina alternandola al latte.

Unite un pizzico di sale, la scorza lavata e grattugiata dell'arancia, il liquore e continuate a sbattere. Amalgamatevi il lievito e 3 albumi montati a neve. Versate l'impasto in uno stampo imburrato e infarinato, spalmatelo con un poco dell'albume rimasto e cospargetelo con la granella.

Mettete lo stampo nel forno già caldo a 180 °C e fate cuocere per 45 minuti. Sformate la ciambella, distribuitevi sopra il cioccolato grattugiato e servite.

Ciambella all'anice

Ingredienti per 8 persone

❋ 520 g di farina ❋ 200 g di zucchero
❋ 2 uova e 1 albume ❋ 140 g di burro ❋ 2 dl di latte
❋ la scorza di 1 limone biologico ❋ la scorza di 1 arancia biologica
❋ 1 bustina di lievito per dolci ❋ 1 bustina di zucchero a velo
❋ 40 g di semi di anice ❋ sale

DIFFICOLTÀ
Bassa

PREPARAZIONE
30 minuti
più 1 ora di
riposo della
pasta e 4 ore
di riposo della
preparazione

COTTURA
40 minuti

VINO
Chianti
Vin Santo
(bianco,
Toscana)

Trentino
Vino Santo
(bianco)

Sbattete in una ciotola le uova con lo zucchero, la scorza di limone, i semi d'anice e 120 g di burro fuso.

Versate 500 g di farina in una terrina, mescolatela con il lievito e 1/2 cucchiaino di sale, poi unitevi il composto preparato e lavorate il tutto, unendo poco alla volta il latte tiepido.

Trasferite la pasta sulla spianatoia, lavoratela brevemente e ricavatene un grosso cilindro; unite le estremità ottenendo un cerchio di pasta a forma di ciambella.

Sistemate la ciambella in uno stampo imburrato e infarinato, ricopritela con un telo e fatela lievitare per circa 1 ora, finché avrà raddoppiato il suo volume. Spennellatela poi con l'albume sbattuto e cuocetela nel forno già caldo a 180 °C per circa 40 minuti.

Togliete la ciambella dal forno e servitela dopo circa 4 ore spolverizzata di zucchero a velo e decorata sulla superficie e al centro, con scorza d'arancia lavata e tagliata a stelline e a listarelle sottili.

Ciambella all'uva sultanina e pinoli

Ingredienti per 8 persone

❀ 700 g di farina ❀ 150 g di zucchero ❀ 150 g di pinoli
❀ 150 g di cedro candito tagliato a dadini
❀ 120 g di burro ❀ 150 g di uva sultanina
❀ 25 g di lievito di birra ❀ 1 tuorlo ❀ 2 dl di Rum
❀ 2 cucchiai di semi di anice ❀ sale

DIFFICOLTÀ
Bassa

PREPARAZIONE
30 minuti
più 20 minuti
di ammollo
dell'uva
sultanina e
30 minuti di
riposo della
ciambella

COTTURA
40 minuti

VINO
Moscato d'Asti
(bianco,
Piemonte)

Molise
Moscato
(bianco,
Molise)

Fate ammorbidire l'uva sultanina in una ciotola con il Rum per 20 minuti. Sciogliete il lievito in 1 dl d'acqua tiepida.

Disponete la farina a fontana sul piano di lavoro e versate al centro lo zucchero, il cedro, l'uva sultanina sgocciolata e strizzata, i pinoli, 100 g di burro, il lievito, i semi di anice, un pizzico di sale e 4 dl d'acqua tiepida. Impastate per 10 minuti. Formate una ciambella e mettetela in una tortiera unta con il burro rimasto; lasciatela lievitare per 30 minuti.

Sbattete il tuorlo e passatelo con un pennello da cucina su tutta la superficie del dolce. Quindi mettete la ciambella nel forno già caldo a 200 °C e fate cuocere per 40 minuti circa.

LA VARIANTE

▶ Se volete dare alla ciambella un profumo più intenso e aromatico, anziché i semi di anice aggiungete all'impasto 1/2 cucchiaino di miscela di garofano e cannella in polvere.

Ciambella alla siciliana

Ingredienti per 6 persone

❁ 520 g di farina ❁ 150 g di zucchero

❁ 120 g di burro ❁ 5 uova ❁ 1 dl di latte

❁ 1/2 bustina di lievito per dolci

❁ la scorza grattugiata di 1 limone biologico

❁ 10 g di zucchero in granella

DIFFICOLTÀ
Media

PREPARAZIONE
30 minuti

COTTURA
50 minuti

REGIONE
Sicilia

VINO
Malvasia delle Lipari (bianco, Sicilia)

Trentino Moscato Giallo (bianco, Trentino-Alto Adige)

Setacciate 500 g di farina con il lievito sulla spianatoia; disponetela a fontana, aggiungete lo zucchero e la scorza di limone. Mettetevi al centro 1 uovo, 100 g di burro fuso e un poco di latte tiepido. Impastate gli ingredienti con la punta delle dita, se necessario aggiungendo ancora un poco di latte fino a ottenere un impasto elastico e omogeneo.

Lavorate per 8-10 minuti, dividete la pasta in 3 parti di uguale grandezza, tenendone da parte un pezzetto della dimensione di una noce, quindi formate con le mani 3 filoncini, intrecciateli fra di loro e adagiateli sulla placca da forno, imburrata e infarinata, chiudendoli a ciambella.

Formate sopra la ciambella 3 incavi, a distanza regolare, premendo con il dorso di un cucchiaio e adagiatevi 1 uovo, lavato e asciugato, in ognuno. Con il pezzetto di pasta tenuto da parte formate con le mani delle listarelle, incrociatele sopra le uova e premete le estremità sulla pasta per fissarle. Spennellate la ciambella con l'uovo rimasto sbattuto, e cospargetela con lo zucchero in granella.

Mettete la ciambella nel forno già caldo a 180 °C e fatela cuocere per circa 50 minuti.

Ciambella alle noci

Ingredienti per 4 persone

❀ 130 g di farina ❀ 160 g di burro ❀ 150 g di zucchero a velo
❀ 3 uova ❀ la scorza grattugiata di 1 limone biologico
❀ 100 g di gherigli di noce ❀ 1/2 bustina di lievito per dolci
❀ 1 pizzico di cannella in polvere ❀ noce moscata
❀ 1-2 cucchiai di miele ❀ sale

DIFFICOLTÀ
Bassa

PREPARAZIONE
30 minuti

COTTURA
40 minuti

VINO
Orvieto
Classico Dolce
(bianco,
Umbria)

Malvasia di
Bosa Dolce
Naturale
(bianco,
Sardegna)

Tritate 75 g di gherigli di noce e tenete da parte il resto per decorare la ciambella.

Mettete in una ciotola 150 g di burro diviso a pezzetti e lavoratelo a lungo con una spatola finché diventerà una crema chiara. Unite allora, poco alla volta e alternandoli fra loro, la scorza grattugiata del limone, lo zucchero a velo, le noci tritate, la cannella, un pizzico di sale e una grattugiata di noce moscata.

Aggiungete, uno alla volta, le uova e continuate a mescolare. Unite infine, 120 g di farina mescolata al lievito. Versate il composto nello stampo imburrato e infarinato e livellatelo.

Mettete la ciambella nel forno già caldo a 180 °C e fatela cuocere per 40 minuti. Sfornatela, trasferitela su un piatto da portata, decoratela con i gherigli di noce tenuti da parte "attaccandoli" al dolce con il miele, quindi servite.

1 Con un coltello ben affilato tritate le noci per la decorazione.

2 Mettete in una ciotola 150 g di burro e con la spatola riducetelo a una crema chiara.

3 Unite al burro le uova senza smettere di mescolare.

Ciambella allo yogurt

Ingredienti per 6 persone

❈ 330 g di farina ❈ 100 g di yogurt

❈ 3 cucchiai di olio d'oliva extravergine ❈ 3 uova

❈ 1 bustina di lievito per dolci ❈ 100 g di zucchero

❈ 10 g di cacao amaro ❈ 0,5 dl di Rum

❈ la scorza grattugiata di 1 limone biologico

❈ 20 g di burro

DIFFICOLTÀ
Bassa

PREPARAZIONE
20 minuti

COTTURA
50 minuti

VINO
Prosecco di
Valdobbiadene
Extra Dry
(bianco,
Veneto)

Orvieto
Amabile
(bianco,
Umbria)

In una terrina lavorate le uova con lo zucchero; aggiungete lo yogurt e, poco alla volta, 320 g di farina setacciata assieme al lievito, il cacao e la scorza di limone.

Mescolate per amalgamare bene gli ingredienti e aggiungete l'olio e il liquore, sempre mescolando.

Versate il composto in uno stampo per ciambelle, imburrato e infari-

nato, e cuocetelo nel forno già caldo a 180 °C per circa 50 minuti. Servite in tavola la ciambella tiepida o fredda.

LA VARIANTE

▶ Per un impasto più ricco e cremoso aggiungete anche 100 g di ricotta fresca. Prima di incorporarla, lavoratela in una ciotola insieme allo yogurt e a 2 cucchiai di miele di acacia.

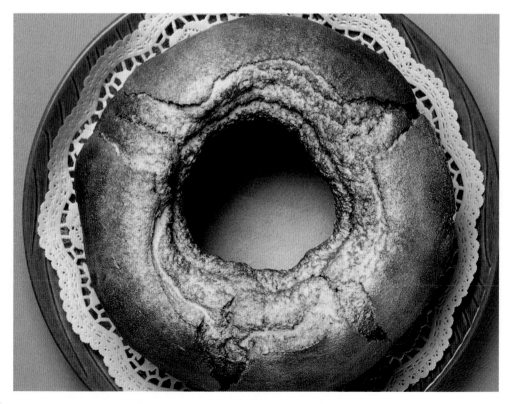

Ciambella delicata al miele

Ingredienti per 6 persone

❋ 200 g di farina ❋ 240 g di miele ❋ 80 g di burro

❋ 5 uova ❋ 100 g di fecola di patate

❋ 130 g di mandorle

❋ 0,5 dl di Brandy

❋ 1 bustina di lievito per dolci

❋ essenza di mandorle

DIFFICOLTÀ
Bassa

PREPARAZIONE
25 minuti

COTTURA
50 minuti

VINO
Alto Adige
Moscato Giallo
(bianco,
Trentino-Alto
Adige)

Moscadello
di Montalcino
(bianco,
Toscana)

Ponete il miele in una casseruola, fatelo sciogliere a bagnomaria, poi travasatelo in una terrina e unitevi, uno alla volta, i tuorli, 60 g di burro, fuso a parte, il lievito, il liquore, 180 g di farina e la fecola di patate e a-malgamate bene il tutto.

Aggiungete anche qualche goccia di essenza di mandorle e le mandorle, tostate in un padellino e tritate grossolanamente. Mescolate accuratamente con una piccola frusta e infine incorporatevi gli albumi, montati a neve fermissima.

Imburrate e infarinate uno stampo da ciambella, versatevi il composto e cuocete il dolce nel forno già caldo a 180 °C per 50 minuti.

Lasciate raffreddare la ciambella su una gratella, poi sformatela su un piatto da portata e servite a fette.

Ciambella della Valtellina

Ingredienti per 6 persone
- ❄ 420 g di farina ❄ 250 g di burro
- ❄ 200 g di fichi secchi ❄ 50 g di cedro candito
- ❄ 200 g di uva sultanina ❄ 120 g di zucchero
- ❄ 200 g di nocciole sgusciate
- ❄ 70 g di nocciole pralinate
- ❄ 15 g di lievito di birra ❄ 3 uova
- ❄ 3 cucchiai di latte ❄ sale

DIFFICOLTÀ
Media

PREPARAZIONE
30 minuti
più 20 minuti
di ammollo
dell'uva
sultanina e
1 ora e 10
minuti
di riposo
dell'impasto

COTTURA
55 minuti

REGIONE
Lombardia

VINO
Moscato
di Scanzo
(rosso,
Lombardia)

Primitivo
di Manduria
Dolce Naturale
(rosso,
Puglia)

Fate ammorbidire l'uva sultanina in una ciotola con acqua tiepida per 20 minuti.

Sciogliete in un'altra ciotola il lievito con il latte tiepido. Impastate 400 g di farina con lo zucchero, un pizzico di sale, le uova, 230 g di burro diviso a pezzetti e il lievito diluito con il latte. Lavorate gli ingredienti, coprite e lasciate lievitare in un luogo tiepido per 1 ora.

Tostate le nocciole nel forno già caldo a 180 °C, privatele della pellicina e tritatele. Tagliate il cedro candito a dadini; sgocciolate l'uva sultanina e asciugatela; tritate i fichi.

Riprendete l'impasto, lavoratelo ancora un poco, amalgamatevi l'uva sultanina, il cedro candito, le nocciole e i fichi tritati. Distribuitelo nello stampo, imburrato e infarinato, e lasciate lievitare in luogo tiepido per 40 minuti.

Mettete lo stampo nel forno già caldo a 180 °C, fate cuocere la ciambella per 50 minuti. Quindi sformate la ciambella, lasciatela intiepidire, adagiatela su un piatto da portata e disponetevi sulla sommità una coroncina di nocciole pralinate.

Ciambella di castagne

Ingredienti per 6 persone

* ❋ 600 g di farina di castagne
* ❋ la scorza grattugiata di 1 arancia biologica
* ❋ 40 g di lievito di birra
* ❋ 4 dl di latte
* ❋ 100 g di uva sultanina
* ❋ 70 g di burro
* ❋ sale

DIFFICOLTÀ
Bassa

PREPARAZIONE
30 minuti
più 20 minuti
di ammollo
dell'uva
sultanina
e 30 minuti
di riposo
dell'impasto

COTTURA
55 minuti

VINO
Moscato di
Sardegna
Spumante
(bianco,
Sardegna)

Oltrepò Pavese
Moscato
(bianco,
Lombardia)

Imburrate uno stampo da ciambella. Mettete ad ammorbidire l'uva sultanina in una terrina con acqua tiepida per 20 minuti.

Scaldate il latte, toglietelo dal fuoco, aggiungetevi il lievito di birra sbriciolato e fatelo sciogliere.

Setacciate la farina di castagne in una ciotola, unite la scorza d'arancia grattugiata, un pizzico di sale, l'uva sultanina strizzata e tritata, il latte con il lievito sciolto e mescolate.

Aggiungete quindi il burro rimasto, fuso a parte, e mescolate ancora, ottenendo un impasto molto morbido. Versatelo nello stampo e fatelo lievitare per 30 minuti in luogo tiepido.

Mettete la torta nel forno già caldo a 170 °C e fatela cuocere per circa 45 minuti, quindi toglietela dal forno, sformatela e servitela tiepida o fredda, a piacere.

Ciambella di ricotta

Ingredienti per 4 persone

❀ 370 g di farina ❀ 140 g di burro ❀ 125 g di ricotta ❀ 125 g di zucchero
❀ 70 g di uva sultanina ❀ 1 uovo e 2 tuorli ❀ 0,5 dl di Rum
❀ la scorza grattugiata di 1 limone biologico ❀ 1 cucchiaio di lievito per dolci
❀ zucchero in granella ❀ sale

DIFFICOLTÀ
Bassa

PREPARAZIONE
30 minuti
più 50 minuti
di ammollo
dell'uva
sultanina

COTTURA
45 minuti

VINO
Malvasia
delle Lipari
(bianco,
Sicilia)

Alto Adige
Moscato Giallo
(bianco,
Trentino-Alto
Adige)

Mettete a bagno l'uva sultanina in una ciotola di acqua tiepida per 20 minuti. Sgocciolatela e lasciatela quindi in ammollo nel Rum per 30 minuti circa.

Disponete sul piano di lavoro 300 g di farina setacciata insieme al lievito e impastatevi dapprima 125 g di burro ammorbidito e la ricotta, poi i tuorli, l'uovo intero, lo zucchero, la scorza di limone e un pizzico di sale. Lavorate fino a ottenere un impasto quanto più possibile liscio e omogeneo.

Stendete la pasta a uno spessore di 3 cm e modellatela in modo da ottenere una cilindro che disporrete in uno stampo da ciambella imburrato e infarinato.

Strizzate l'uva sultanina, passatela nella farina rimasta, scuotendo quella in eccesso, e distribuitene metà sulla pasta.

Mettete nel forno già caldo a 200 °C e fate cuocere per circa 45 minuti. Sfornate e decorate con la granella di zucchero e l'uva sultanina rimasta.

1 Preparate l'impasto con la farina setacciata, il burro a tocchetti, le uova, lo zucchero, unite la ricotta, la scorza di limone grattugiata e un pizzico di sale.

2 Modellate la pasta a cilindro e mettetela nello stampo.

3 Distribuite l'uva sultanina e lo zucchero sulla ciambella prima di cuocerla nel forno.

Ciambella mantovana

Ingredienti per 6 persone
❋ 200 g di farina ❋ 200 g di zucchero

❋ 170 g di burro ❋ 3 uova

❋ 100 g di mandorle dolci

❋ 1 bustina di lievito per dolci

❋ zucchero a velo ❋ sale

DIFFICOLTÀ
Bassa

PREPARAZIONE
30 minuti

COTTURA
40 minuti

REGIONE
Lombardia

VINO
Oltrepò Pavese
Moscato
(bianco,
Lombardia)

Moscato
di Pantelleria
(bianco,
Sicilia)

Sbucciate le mandorle e tritatele finissime, lasciandone da parte alcune. Imburrate con 20 g di burro uno stampo per ciambelle e cospargetelo con le mandorle tritate.

Mettete il burro rimasto ammorbidito e tagliato a pezzetti in una ciotola e, con un cucchiaio di legno, lavoratelo energicamente sino a ridurlo in crema; unitevi poco alla volta lo zucchero, le uova, un pizzico di sale e, facendola scendere da un setaccio, la farina, alla quale avrete mescolato il lievito.

Quando gli ingredienti saranno bene amalgamati, versate il composto nello stampo, livellatelo, mettetelo nel forno già caldo a 180 °C e fatelo cuocere per 40 minuti.

Sfornate il dolce e, prima di portarlo in tavola, cospargetelo con lo zucchero a velo e le mandorle rimaste.

LA RICETTA TRADIZIONALE

▶ Questo dolce natalizio dalla pasta piuttosto asciutta, noto anche come "bussolano", si mangiava inzuppandolo nel vino. Nell'impasto, però, al posto del burro si usava il grasso di cottura del cotechino e non erano previste le mandorle.

Ciambella moretto

Ingredienti per 4 persone
❋ 100 g di burro ❋ 6 uova

❋ 100 g di zucchero

❋ 100 g di cioccolato fondente

❋ 2 cucchiai di latte ❋ 100 g di mandorle

❋ 30 g di farina

DIFFICOLTÀ
Bassa

PREPARAZIONE
30 minuti

COTTURA
1 ora e
10 minuti

VINO
Vernaccia di
Serrapetrona
Dolce
(rosso,
Marche)

Brachetto
d'Acqui
(rosso,
Piemonte)

Imburrate e infarinate uno stampo per ciambella. Scottate, per 1 minuto, le mandorle in abbondante acqua in ebollizione; sgocciolatele, privatele della pellicina, asciugatele e tritatele finemente.

In una casseruola fate fondere a bagnomaria il cioccolato fondente, diviso a pezzetti, con il latte. In una terrina lavorate il burro rimasto con lo zucchero, mescolando fino a ottenere un composto bianco e spumoso.

Aggiungete i tuorli e unite, poco alla volta, il cioccolato fuso, le mandorle tritate e la farina rimasta. Mescolate, facendo amalgamare gli ingredienti. Incorporate, infine, gli albumi montati a neve ben ferma.

Versate il composto nello stampo, livellatelo, mettetelo nel forno già caldo a 160 °C e fate cuocere per 1 ora circa.

Ciambella pugliese

Ingredienti per 6 persone

* 150 g di pasta da pane
* 150 g di patate
* 200 g di zucchero
* 6 uova
* 4 cucchiai di olio d'oliva extravergine
* 100 g di farina
* 20 g di burro

DIFFICOLTÀ
Media

PREPARAZIONE
30 minuti
più il tempo di
preparazione
della pasta da
pane e 13 ore
di riposo
dell'impasto

COTTURA
50 minuti

REGIONE
Puglia

VINO
Moscato
di Trani Dolce
(bianco,
Puglia)

Elba Moscato
(bianco,
Toscana)

Lessate le patate, sbucciatele e passatele allo schiacciapatate, raccogliendo il purè in una terrina; amalgamatevi l'olio, le uova e 180 g di zucchero e incorporateli alla pasta da pane.

Lavorate energicamente il composto ottenuto, aggiungendo la farina necessaria a ottenere una pasta soda; fatene una palla, mettetela su un telo infarinato, avvolgetevela e lasciatela riposare per 12 ore in luogo tiepido.

Lavorate nuovamente la pasta con le mani per 5 minuti, quindi formate una ciambella e disponetela in uno stampo con il foro centrale imburrato e fate lievitare la ciambella in un luogo tiepido per circa 1 ora.

Cuocete la ciambella nel forno già caldo a 180 °C per circa 50 minuti, sformatela e spolverizzatela immediatamente con lo zucchero rimasto in modo che questo si sciolga a contatto col calore. Servitela tiepida o fredda guarnendola, a piacere, con panna montata.

Ciambella romagnola

Ingredienti per 8 persone

* 500 g di farina * 3 uova e 1 tuorlo
* 1 dl di latte * 180 g di zucchero
* la scorza grattugiata di 1 limone biologico
* 15 g di cremor tartaro
* 5 g di bicarbonato di sodio
* 100 g di burro
* 50 g di granella di zucchero

DIFFICOLTÀ
Bassa

PREPARAZIONE
30 minuti

COTTURA
30 minuti

REGIONE
Emilia-Romagna

VINO
Albana di
Romagna
Dolce
(bianco,
Emilia-Romagna)

Castel
San Lorenzo
Moscato
(bianco,
Campania)

Rompete in una terrina le uova intere e aggiungetevi lo zucchero, il burro ammorbidito e la scorza di limone, montando bene gli ingredienti con una frusta.

Disponete la farina a fontana sulla spianatoia, versate al centro il latte e gli ingredienti in precedenza amalgamati e iniziate a impastare, unendo man mano anche il bicarbonato e il cremor tartaro.

Mettete l'impasto su una teglia imburrata, creando un buco al centro per darle la classica forma di ciambella; spennellate la superficie con il tuorlo sbattuto e ricopritela con la granella di zucchero.

Cuocete la ciambella nel forno già caldo a 180 °C per circa 30 minuti; fate raffreddare prima di servire.

IL CONSIGLIO

▶ È possibile ottenere il medesimo effetto di lievitazione del dolce sostituendo al cremor tartaro e al bicarbonato di sodio una bustina di lievito per dolci.

Colomba di Pasqua

Ingredienti per 6 persone

❄ 530 g di farina ❄ 220 g di burro ❄ 150 g di zucchero

❄ 1 dl di latte ❄ 30 g di lievito di birra

❄ 70 g di frutta candita ❄ 5 tuorli

❄ 70 g di uva sultanina già ammollata

❄ la scorza grattugiata di 1 limone biologico ❄ sale

Per la guarnizione ❄ 1 tuorlo ❄ 10 g di zucchero in granella

❄ 30 g di mandorle pelate ❄ zucchero a velo

DIFFICOLTÀ
Media

PREPARAZIONE
40 minuti
più 2 ore
di riposo
dell'impasto

COTTURA
55 minuti

VINO
Asti Spumante
(bianco,
Piemonte)

Molise
Moscato
Spumante
(bianco,
Molise)

Mescolate 500 g di farina con il lievito sciolto nel latte tiepido e amalgamate bene. Unitevi poi i tuorli, lo zucchero, 1 pizzico di sale, 200 g di burro a pezzetti e la scorza di limone.

Lavorate a lungo il composto con energia, finché sarà diventato liscio ed elastico. Copritelo con un telo e fatelo lievitare, in luogo tiepido, per 30 minuti. Quindi lavoratelo ancora un poco e incorporatevi l'uva sultanina, strizzata e passata in poca farina e la frutta candita a pezzetti.

Mettete l'impasto in uno stampo a forma di colomba, imburrato e infarinato, riempiendolo non oltre la metà. Fate lievitare ancora il dolce, in luogo tiepido, finché avrà raddoppiato il suo volume.

Spennellate la colomba con il tuorlo e distribuitevi sopra le mandorle e lo zucchero in granella, poi cuocetela nel forno già caldo a 200 °C, per 15 minuti circa; abbassate la temperatura a 180 °C e continuate la cottura per altri 40 minuti. Togliete la colomba dal forno, sformatela sul piatto da portata e, quando sarà fredda, spolverizzatela con lo zucchero a velo e servitela.

Dolce al caffè e all'uva sultanina

Ingredienti per 4 persone

❄ 200 g di farina ❄ 4 dl di caffè forte ❄ 200 g di zucchero

❄ 20 g di cacao ❄ 100 g di uva sultanina già ammollata

❄ 90 g di burro ❄ 2 uova ❄ 1/2 bustina di vanillina

❄ 1/2 cucchiaino di bicarbonato ❄ 20 g di lievito per dolci

❄ un pizzico di cannella ❄ noce moscata

❄ 1/2 cucchiaino di chiodi di garofano in polvere

❄ 1 bustina di zucchero a velo ❄ sale

DIFFICOLTÀ
Media

PREPARAZIONE
30 minuti

COTTURA
1 ora e
15 minuti

VINO
Recioto della
Valpolicella
(rosso,
Veneto)

Cesanese
del Piglio Dolce
(rosso,
Lazio)

Versate il caffè in una casseruola, unite 100 g di zucchero, il cacao e l'uva sultanina tagliata a pezzettini. Ponete sul fuoco e portate a bollore il composto continuando a mescolare; abbassate la fiamma e cuocete per circa 15 minuti.

Sbattete 70 g di burro in una ciotola con una frusta, aggiungendovi poco per volta lo zucchero rimasto, fino a ottenere una crema ben montata e spumosa. Unitevi la vanillina e incorporatevi le uova, uno alla volta, continuando a sbattere per altri 5 minuti.

Sempre mescolando delicatamente, unite al composto la crema di caffè e la farina setacciata formando un impasto unico. Da ultimo, passate al setaccino fine il bicarbonato, il lievito, 1/2 cucchiaino di sale, un pizzico di cannella, una grattata di noce moscata e i chiodi di garofano in polvere. Mescolateli bene e profumatevi la preparazione.

Disponete il composto in una tortiera imburrata e cuocete il dolce nel forno già caldo a 180 °C per 1 ora. Fatelo intiepidire, cospargetelo con lo zucchero a velo e servite.

Dolce bicolore

Ingredienti per 6 persone

✤ 170 g di farina ✤ 100 g di fecola di patate ✤ 150 g di zucchero
✤ 220 g di burro a pezzetti ✤ 1 dl di panna ✤ 50 g di cacao amaro ✤ 3 uova
✤ 1 bustina di vanillina ✤ 1 bustina di lievito per dolci ✤ 10 g di zucchero a velo
✤ 1 dl di panna montata ✤ 30 g di scagliette di cioccolato

DIFFICOLTÀ
Media

PREPARAZIONE
30 minuti
più 1 ora
e 30 minuti di
raffreddamento
della
preparazione

COTTURA
50 minuti

VINO
Asti Spumante
(bianco,
Piemonte)

Moscato
di Sardegna
Spumante
(bianco,
Sardegna)

Lavorate in una terrina 200 g di burro fino a renderlo gonfio e spumoso; incorporatevi i tuorli, lo zucchero e la vanillina. Unitevi 150 g di farina, il lievito e la fecola setacciati e la panna; dividete l'impasto in 2 parti uguali e incorporate a una il cacao setacciato.

Montate gli albumi a neve ferma, divideteli in 2 parti, incorporateli ai 2 impasti e metteteli in 2 tasche da pasticciere con bocchetta liscia. Distribuite uno strato di 1,5 cm di impasto al cacao in una tortiera del diametro di 24 cm imburrata e infarinata, copritelo con uno strato di impasto chiaro, formate con il rimanente impasto chiaro un bordo di circa 3 cm e mettetevi al centro l'impasto al cacao rimasto.

Cuocete la torta nel forno già caldo a 180 °C per circa 50 minuti, poi toglietela dal forno e sformatela dopo 5 minuti. Fatela raffreddare, spolverizzatene la superficie con lo zucchero a velo e decoratela con ciuffetti di panna montata e con le scagliette di cioccolato fondente.

1 Amalgamate il burro con i tuorli, lo zucchero e la vanillina.

2 Distribuite in una tortiera imburrata e infarinata, con una tasca da pasticciere, il primo strato di impasto al cacao.

3 Completate con l'ultimo strato di composto al cacao rimasto.

Dolce di cocco

Ingredienti per 6 persone
❊ 200 g di farina ❊ 180 g di zucchero ❊ 1 bustina di lievito per dolci
❊ 80 g di burro ❊ 1 uovo ❊ la scorza grattugiata di 1/2 limone biologico
❊ 1,25 dl di latte ❊ 80 g di polpa di noce di cocco tritata
❊ 10 g di zucchero a velo

DIFFICOLTÀ
Bassa

PREPARAZIONE
20 minuti

COTTURA
45 minuti

VINO
Oltrepò Pavese
Moscato
(bianco,
Lombardia)

Molise
Moscato
Spumante
(bianco,
Molise)

Setacciate 180 g di farina a fontana in una capiente ciotola, poi aggiungetevi al centro il lievito e lo zucchero.

In una scodella sbattete leggermente l'uovo con il latte e 60 g di burro, fuso a parte, e versate il composto al centro della farina.

Unite anche la scorza di limone grattugiata e la polpa di noce di cocco tritata, lavorando tutti gli ingredienti sino a ottenere un composto omogeneo ed elastico.

Versate il tutto in una tortiera imburrata e infarinata e fate cuocere il dolce nel forno già caldo a 180 °C per circa 45 minuti o finché la torta sarà ben asciutta e dorata e uno stecchino inserito al centro ne uscirà asciutto.

Toglietela dal forno e dopo qualche minuto sformatela su un piatto da portata. Prima di servirla, cospargetela di zucchero a velo e tagliatela a fette, accompagnandola, a piacere, con panna montata aromatizzata con un pizzico di cannella.

1 Aggiungete alla farina setacciata lo zucchero e il lievito.

2 Versate il composto di uova, latte e burro nella farina mescolata allo zucchero e al lievito.

3 Unite la polpa di cocco e la scorza di limone e amalgamate bene prima di trasferire l'impasto nella tortiera.

Dolce di miele all'uso di Ferrara

Ingredienti per 6 persone

✻ 150 g di farina ✻ 100 g di zucchero ✻ 6 cucchiai di miele
✻ 1/2 bustina di lievito per dolci ✻ 50 g di uva sultanina
✻ 0,5 dl di Brandy ✻ 1 chiodo di garofano ✻ 2 uova
✻ 2 cucchiai di olio d'oliva extravergine ✻ cannella
✻ 10 g di zucchero a velo ✻ 50 g di gherigli di noce
✻ il succo e la scorza grattugiata di 1/2 limone biologico

DIFFICOLTÀ
Bassa

PREPARAZIONE
30 minuti
più 20 minuti
di ammollo
dell'uva
sultanina

COTTURA
45 minuti

REGIONE
Emilia-
Romagna

VINO
Albana
di Romagna
Passito
(bianco,
Emilia-
Romagna)

Recioto
di Soave
(bianco,
Veneto)

Sbollentate i gherigli di noce, privateli della pellicina e passateli al tritatutto. Fate ammollare in acqua tiepida l'uva sultanina per 20 minuti.

Setacciate la farina con il lievito. Sbattete le uova in una terrina finché saranno spumose; unitevi lo zucchero, il miele e l'olio, poi lavorate il composto per qualche minuto con un cucchiaio di legno.

Aggiungete, poco alla volta, la farina setacciata e continuate a lavorare con il cucchiaio fino a ottenere un impasto liscio e omogeneo.

Unite all'impasto la scorza grattugiata e il succo di limone, il Brandy, l'uva sultanina strizzata, i gherigli di noce tritati, poi insaporite con il chiodo di garofano e un pizzico di cannella.

Ungete una teglia dai bordi alti, foderatela con carta da forno e versatevi l'impasto. Cuocete il dolce nel forno già caldo a 180 °C per 45 minuti, fatelo intiepidire, sploverizzatelo di zucchero a velo e servite in tavola.

Dolce di yogurt e cacao

Ingredienti per 4 persone

❋ 100 g di farina ❋ 180 g di zucchero

❋ 50 g di cacao amaro

❋ 2 dl di latte ❋ 3 uova

❋ 125 g di yogurt bianco al naturale

❋ 1 bustina di vanillina ❋ 1 cucchiaino di lievito per dolci

❋ zucchero a velo

DIFFICOLTÀ
Bassa

PREPARAZIONE
30 minuti
più 1 ora e
30 minuti di
raffreddamento
della
preparazione

COTTURA
45 minuti

VINO
Colli Orientali
del Friuli
Verduzzo
Friulano
(bianco,
Friuli-Venezia
Giulia)

Frascati
Cannellino
(bianco,
Lazio)

In una terrina sbattete a lungo le uova con lo zucchero, unite il cacao, la vanillina, il latte mescolato con lo yogurt e il lievito. Da ultimo aggiungete, poco alla volta, la farina, mescolando bene dopo ogni aggiunta.

Versate il composto ben amalgamato in una tortiera larga 22 cm e alta 4 cm. Poi passate il recipiente nel forno già caldo a 180 °C e fate cuocere la torta per circa 45 minuti.

Togliete la torta dal forno, lasciatela intiepidire, sformatela su un piatto da portata e, quando sarà fredda, spolverizzatela abbondantemente con lo zucchero a velo.

L'INGREDIENTE

▶ **Vanillina.** Principale componente aromatico della vaniglia. Dato il suo costo molto elevato, viene di solito sostituita con la vanillina artificiale o altri oli essenziali come l'eugenolo presente nei chiodi di garofano.

Dolce vicentino

TORTE LE RICETTE

Ingredienti per 6 persone

❋ 140 g di farina ❋ 200 g di farina di mais

❋ 1 bustina di lievito per dolci ❋ 150 g di zucchero ❋ 5 dl di latte

❋ 100 g di uva sultanina ammollata ❋ 10 fichi secchi

❋ 100 g di cedro candito a dadini ❋ 0,5 dl di Grappa ❋ 15 g di burro

DIFFICOLTÀ
Bassa

PREPARAZIONE
20 minuti

COTTURA
1 ora e
15 minuti

REGIONE
Veneto

VINO
Colli Euganei
Fior d'Arancio
Passito
(bianco,
Veneto)

Moscato di
Trani Dolce
(bianco,
Puglia)

In una casseruola mescolate 120 g di farina, la farina di mais, il lievito e lo zucchero. Unite il latte molto caldo continuando a mescolare fino a ottenere un composto simile a una densa polenta. Fate cuocere a fuoco basso per 15 minuti.

Aggiungete poi l'uva sultanina, il cedro candito, i fichi secchi tagliati a dadini e la Grappa e proseguite la cottura ancora per 20 minuti circa a fuoco basso, mescolando con un cucchiaio di legno affinché non attacchi sul fondo.

Imburrate e infarinate una teglia, versatevi dentro il composto, mettetelo nel forno già caldo a 180 °C e fatelo cuocere per circa 40 minuti.

LA RICETTA TRADIZIONALE

▶ Questo dolce, noto anche come "pinza de la marantega" (cioè della befana) in origine veniva cotto avvolto in uno strato di foglie di cavolo nelle ceneri dei falò dell'Epifania.

Frustenga

Ingredienti per 6 persone

❃ 250 g di farina di mais ❃ 50 g di uva sultanina già ammollata
❃ 6 fichi secchi ❃ 6 noci ❃ 3 cucchiai di sapa
❃ 7 cucchiai di olio d'oliva extravergine
❃ 30 g di pangrattato ❃ sale

DIFFICOLTÀ
Bassa

PREPARAZIONE
30 minuti

COTTURA
1 ora
e 10 minuti

REGIONE
Marche

VINO
Verdicchio dei
Castelli di Jesi
Passito
(bianco,
Marche)

Sambuca di
Sicilia Passito
(bianco,
Sicilia)

Portate a ebollizione 2,5 l d'acqua salata, versatevi a pioggia la farina di mais e cuocete per 40 minuti, mescolando in continuazione, fino a ottenere una polentina abbastanza morbida. Toglietela dal fuoco e lasciatela intiepidire.

Sgocciolate l'uva sultanina, tagliuzzatela con i fichi secchi e incorporateli alla polentina tiepida. Sbollentate i gherigli di noce, privateli della pellicina e tritateli. Aggiungete la sapa, 6 cucchiai d'olio e le noci e amalgamate il composto mescolando.

Ungete con l'olio rimasto e spolverizzate con il pangrattato una tortiera rotonda di 24 cm di diametro; versatevi il composto, livellate la superficie con il dorso di un cucchiaio, irroratela con l'olio rimasto e coprite con un foglio di carta da forno.

Cuocete la Frustenga per 30 minuti nel forno già caldo a 180 °C. Sfornatela, capovolgetela su un grande piatto da portata, decoratela, a piacere, con qualche gheriglio di noce e qualche fettina di fico.

L'INGREDIENTE

▶ **Sapa.** Antica preparazione a base di mosto cotto, ancora presente in alcune tradizioni locali. Si può utilizzare mosto di uva bianca o nera, facendolo bollire fino a ridurlo a un ottavo della quantità originaria. Si usa, oltre che come ingrediente nella preparazione di alcuni piatti, anche come bevanda, diluita con acqua.

Kugelhupf

Ingredienti per 8 persone

✽ 320 g di farina ✽ 80 g di burro

✽ 60 g di zucchero

✽ 60 g di uva sultanina ✽ 50 g di mandorle

✽ 30 g di lievito di birra ✽ 2 uova e 2 tuorli

✽ 1 limone biologico ✽ 20 g di pangrattato

✽ 2 cucchiai di Rum

DIFFICOLTÀ
Bassa

PREPARAZIONE
30 minuti
più 20 minuti di
ammollo
dell'uva
sultanina e
2 ore di riposo
dell'impasto

COTTURA
1 ora

REGIONE
Friuli-Venezia
Giulia

VINO
Ramandolo
(bianco,
Friuli-Venezia
Giulia)

Moscadello
di Montalcino
Vendemmia
Tardiva
(bianco,
Toscana)

Ammorbidite in acqua tiepida l'uva sultanina per 20 minuti, nel frattempo, sbollentate le mandorle e privatele della pellicina.

Disponete 300 g di farina a fontana sulla spianatoia, unite al centro lo zucchero, il lievito sciolto in poca acqua tiepida, 2 uova intere e 2 tuorli, 60 g di burro, fuso a parte, la scorza del limone grattugiata e il Rum. Amalgamate bene gli ingredienti, poi incorporate all'impasto l'uva sultanina strizzata e asciugata.

Lavorate l'impasto per 5 minuti, poi formate una palla, copritela con un telo e fatela lievitare in luogo tiepido per 1 ora.

Imburrate uno stampo scanalato con il foro centrale; cospargetelo di pangrattato, disponete sul fondo le mandorle e riempitelo con l'impasto fino a metà. Coprite e fate lievitare per 1 ora. Mettete il dolce nel forno già caldo a 180 °C e fatelo cuocere per circa 1 ora.

Mattonella glassata al limone

Ingredienti per 6 persone

❋ 140 g di di farina ❋ 2 uova

❋ la scorza e il succo di 1 limone biologico

❋ 1/2 bustina di lievito per dolci

❋ 2 cucchiai di Rum

❋ 80 g di zucchero a velo

❋ 50 g di burro ❋ sale

DIFFICOLTÀ
Media

PREPARAZIONE
20 minuti
più 1 ora
e 30 minuti di
raffreddamento
della
preparazione

COTTURA
40 minuti

REGIONE
Umbria

VINO
Orvieto
Classico Dolce
(bianco,
Umbria)

Alto Adige
Moscato Giallo
(bianco,
Trentino-Alto
Adige)

Mettete le uova leggermente sbattute in una terrina con la scorza di limone e un pizzico di sale; lavorate con la frusta per 2-3 minuti, quindi incorporate, poco alla volta, la farina setacciata con il lievito, il burro, fuso a parte, e metà del Rum. Montate il composto finché risulterà liscio e omogeneo.

Foderate uno stampo rettangolare con un foglio di carta da forno e versatevi il composto, livellandolo con una paletta.

Fate cuocere nel forno già caldo a 200 °C per 8-10 minuti, quindi riducete la tempertura a 180 °C e proseguite la cottura per altri 30 minuti.

Togliete il dolce dal forno, sformatelo su una gratella, bagnatelo con il Rum rimasto e fatelo raffreddare.

Nel frattempo fate sciogliere lo zucchero a velo in un cucchiaio d'acqua in un pentolino a fuoco basso, quindi spalmate la glassa ottenuta sul dolce.

Miascia

Pan di Spagna al cioccolato

Ingredienti per 6 persone
❄ 100 g di pane raffermo ❄ 1,5 dl di latte ❄ 50 g di burro
❄ 50 g di zucchero ❄ 10 g di farina bianca ❄ 1 pera
❄ la scorza di 1 limone biologico ❄ 7-8 acini di uva fresca
❄ 1 cucchiaio di uva sultanina ❄ 10 g di zucchero in granella
❄ 1 cucchiaio di olio d'oliva extravergine ❄ 1 uovo ❄ 1 mela
❄ 1 cucchiaio di rosmarino tritato ❄ 10 g di farina gialla ❄ sale

Ingredienti per 6 persone
❄ 200 g di farina
❄ 35 g di cacao in polvere
❄ 150 g di zucchero in polvere
❄ 5 uova ❄ 1 bustina di vanillina
❄ 20 g di burro
❄ 10 g di zucchero a velo ❄ sale

DIFFICOLTÀ
Bassa

PREPARAZIONE
20 minuti
più 1 ora
di ammollo
del pane e
20 minuti
di ammollo
dell'uva
sultanina

COTTURA
1 ora

REGIONE
Lombardia

VINO
Oltrepò Pavese
Sangue di
Giuda
(rosso,
Lombardia)

Vernaccia di
Serrapetrona
Dolce
(rosso,
Marche)

Tagliate il pane a fettine, mettetelo in una ciotola, versatevi sopra il latte e fatelo ammorbidire per circa 1 ora. Fate ammollare l'uva sultanina in acqua tiepida.

Sbucciate la mela e la pera, lavatele, privatele del torsolo e dei semi e tagliatele a fettine.

Unite al pane ammorbidito, un pizzico di sale, le fettine di mela e pera, la scorza di limone, lo zucchero, le farine, l'uva fresca e l'uva sultanina sgocciolata, e lavorate il tutto, incorporando anche l'uovo.

Imburrate una tortiera del diametro di 24 cm, distribuitevi il composto livellandolo e cospargetene la superficie con il rimanente burro a fiocchetti, l'olio, la granella di zucchero e il rosmarino.

Cuocete nel forno già caldo a 180 °C per circa 1 ora e servitela tiepida.

DIFFICOLTÀ
Bassa

PREPARAZIONE
20 minuti
più 1 ora e
30 minuti di
raffreddamento

COTTURA
40 minuti

VINO
Asti Spumante
(bianco,
Piemonte)

Sannio
Moscato
Spumante
(bianco,
Campania)

Setacciate 180 g di farina con il cacao. Sbattete in una terrina, con l'aiuto di una frusta, i tuorli con lo zucchero fino a ottenere un composto spumoso e chiaro.

In una ciotola a parte montate a neve ben ferma i 5 albumi con un pizzico di sale, quindi incorporateli delicatamente al composto di uova e zucchero. Aggiungete la farina setacciata e mescolate con delicatezza, aromatizzando con la vanillina.

Imburrate uno stampo, infarinatelo e versatevi il composto livellandolo uniformemente. Passate il recipiente nel forno già caldo a 180 °C per 40 minuti.

Lasciate raffreddare il dolce nello stampo; sformatelo su un piatto da portata e servitelo in tavola, cosparso di zucchero a velo.

LA VARIANTE
▶ Secondo le varianti della ricetta preseguite in alcune località del lago di Como, di cui questa torta è originaria, potete aggiungere all'impasto anche 10 g di cacao amaro e qualche fico secco spezzettato.

IL CONSIGLIO
▶ Volendo rendere più scuro il colore del pan di Spagna al cioccolato potete aggiungere poche gocce di concentrato di cacao acquistabile presso le pasticcerie o le drogherie ben fornite, diluito in 1 dl di acqua calda. In questo caso dovrete aumentare di 10 g la dose di farina.

Pandoro

Ingredienti per 8 persone

❉ 610 g di farina ❉ 250 g di burro ❉ 175 g di zucchero
❉ 50 g di zucchero a velo ❉ 30 g di lievito di birra
❉ 8 uova ❉ la scorza grattugiata di 1 limone biologico
❉ 1 bustina di vanillina ❉ 1 dl di panna

DIFFICOLTÀ
Elevata

PREPARAZIONE
2 ore
più 8 ore
di riposo
dell'impasto

COTTURA
40 minuti

REGIONE
Veneto

VINO
Prosecco di
Valdobbiadene
Extra Dry
(bianco,
Veneto)

Orvieto
Amabile
(bianco,
Umbria)

Impastate in una terrina 75 g di farina con 10 g di zucchero, il lievito sbriciolato e 1 tuorlo, unendo un poco di acqua tiepida se la pasta risultasse troppo soda, quindi formatevi una palla e ponetela a lievitare in un luogo tiepido per circa 2 ore.

Unite al panetto lievitato 160 g di farina, 25 g di burro ammorbidito a temperatura ambiente, 90 g di zucchero e 3 tuorli. Lavorate bene il tutto fino a ottenere un composto omogeneo, poi rimettetelo a lievitare per 2 ore.

Unite quindi all'impasto 375 g di farina, 40 g di burro ammorbidito, 75 g di zucchero, 1 uovo e 3 tuorli. Amalgamate bene il tutto e rimettete l'impasto a lievitare per 2 ore.

Riprendete la pasta e lavoratela bene incorporandovi la panna, la scorza di limone e la vanillina, fino a ottenere un impasto che risulti poco più morbido di una pasta da pane.

Pesate il composto ottenuto e unite 150 g di burro a pezzetti per ogni chilogrammo di pasta, ponendolo al centro di un quadrato di pasta stesa con il matterello.

Ripiegate la pasta sul burro e stendetela con il matterello. Piegatela in 3, di nuovo stendetela con il matterello e di nuovo piegatela in 3. Fatela riposare per 30 minuti, quindi stendetela di nuovo, piegatela in 3, stendetela ancora, piegatela in 3 e lasciatela riposare per altri 30 minuti.

Nel frattempo imburrate 1 stampo dalle pareti alte e scanalate e spolverizzatelo con lo zucchero rimasto.

Lavorate ancora per qualche minuto la pasta sulla spianatoia infarinata, ricavatene una palla e stendetela nello stampo in modo tale che la pasta arrivi a metà altezza delle pareti.

Ponete lo stampo in un luogo tiepido e lasciate lievitare la pasta sino a quando sarà arrivata al livello dello stampo.

Ponete lo stampo in forno gà caldo a 190 °C e fate cuocere il dolce per circa 40 minuti. A metà cottura abbassate un poco il calore del forno affiché il dolce si possa cuocere bene anche internamente senza tuttavia colorire troppo.

Appena sfornato, posate il dolce su un tovagliolo, quindi accomodatelo su 1 piatto da portata, spolverizzatelo con lo zucchero a velo e servitelo in tavola.

Panettone alla milanese

Ingredienti per 8 persone

❀ 350 g di farina ❀ 120 g di burro

❀ la scorza grattugiata di 1 limone biologico

❀ 100 g di uva sultanina già ammollata

❀ 80 g di zucchero

❀ 3 cucchiai di latte

❀ 60 g di lievito di birra ❀ 4 uova

❀ 60 g di arancia o cedro canditi a pezzettini ❀ sale

DIFFICOLTÀ
Elevata

PREPARAZIONE
1 ora
più 20 minuti
di ammollo
dell'uva
sultanina
e 13 ore
di riposo
dell'impasto

COTTURA
1 ora

REGIONE
Lombardia

VINO
Oltrepò Pavese
Moscato
(bianco,
Lombardia)

Molise
Moscato
Spumante
(bianco,
Molise)

Sciogliete il lievito in una terrina in poca acqua tiepida, quindi impastatelo con 100 g di farina. Formate con il composto ottenuto un panetto, praticatevi un taglio a croce sulla superficie e lasciatelo lievitare per 25 minuti avvolto in un telo.

Impastate il panetto di lievito con 125 g di farina e il latte fino a ottenere un composto liscio e omogeneo, formatevi un panetto e mettete a lievitare la pasta avvolta in un telo per 2 ore.

Fate sciogliere lo zucchero in una terrina in poca acqua calda fino a ottenere uno sciroppo, poi unitevi, sbattendo con una frusta, 4 tuorli, uno alla volta, e circa la metà di uno degli albumi, quindi fate intiepidire a bagnomaria il composto così ottenuto.

Disponete la restante farina a fontana sulla spianatoia e unitevi al centro il panetto di pasta lievitata, 90 g di burro, fuso a parte, la scorza di limone grattugiata, una presa di sale e lo sciroppo tiepido.

Impastate il tutto per 15 minuti, unendo, se necessario, un poco di acqua tiepida fino a ottenere un impasto dalla consistenza liscia ed elastica. Incorporate all'impasto i canditi e l'uva sultanina, ben strizzata, poi formatevi un panetto e mettetelo a lievitare in un luogo caldo e privo di correnti d'aria finché non sarà raddoppiato di volume.

Mettete l'impasto in uno stampo foderato con carta da forno imburrata, praticatevi un taglio a croce sulla superficie e fatelo cuocere nel forno a 220 °C per 1 ora.

Dopo i primi 10 minuti di cottura, versate sull'incisione a croce il rimanente burro fuso, quindi riducete progressivamente la temperatura del forno man mano che la superficie del dolce si colora. Sfornate e servite tiepido.

DEFINIZIONE

▶**Panettone**. Il nome di questo dolce, tipico di Milano ma diffuso ormai in tutta Italia e anche all'estero, deriva probabilmete dall'accrescitivo di "panetto" e si riferisce al fatto che nelle varie fasi della preparazione il panetto di pasta che si fa lievitare è sempre di grosse dimensioni.

Piada dei morti

Ingredienti per 8 persone

❋ 400 g di farina ❋ 80 g di zucchero

❋ 80 g di mandorle sgusciate ❋ 80 g di gherigli di noce

❋ 80 g di uva sultanina ❋ 20 g di pinoli

❋ 2 uova ❋ 1 dl di vino rosso

❋ 8 cucchiai di olio d'oliva extravergine

❋ 1 bustina di lievito per dolci ❋ sale

DIFFICOLTÀ
Bassa

PREPARAZIONE
30 minuti
più 20 minuti
di ammollo
dell'uva
sultanina

COTTURA
40 minuti

REGIONE
Emilia-
Romagna

VINO
Colli Piacentini
Malvasia
Passito
(bianco,
Emilia-
Romagna)

Moscato
di Trani Dolce
(bianco,
Puglia)

Mettete l'uva sultanina a bagno in una terrina con acqua tiepida per circa 20 minuti. Sbollentate per circa 1 minuto i gherigli di noce e le mandorle; spellateli, asciugateli e tritateli insieme.

Disponete la farina a fontana sulla spianatoia e versatevi nel centro le uova, lo zucchero, un pizzico di sale, il lievito, 6 cucchiai d'olio, i pinoli, l'uva sultanina strizzata e il trito di frutta secca.

Lavorate e amalgamate gli ingredienti alla farina, aggiungendo a filo il vino, fino a ottenere un impasto di media consistenza.

Ungete con l'olio una tortiera piuttosto larga, versatevi il composto e cuocete il dolce nel forno già caldo a 180 °C per circa 40 minuti.

Trascorso il tempo indicato, sfornate la piada, trasferitela sul piatto da portata e servitela.

1 Mettete la farina sulla spianatoia e versatevi al centro le uova.

2 Unite lo zucchero, il sale, il lievito, l'olio, i pinoli, l'uva e la frutta secca.

3 Versate il composto ottenuto nella tortiera cosparsa con un poco d'olio.

Plum-cake

Ingredienti per 6 persone

❊ 270 g di farina ❊ 200 g di zucchero ❊ 270 g di burro
❊ 250 g di uva sultanina
❊ 100 g di frutta candita assortita a cubetti
❊ 7 uova ❊ 1 bustina di lievito per dolci
❊ 1 bustina di vanillina
❊ la scorza grattugiata di 1 limone biologico
❊ 4 cucchiai di Rum

DIFFICOLTÀ
Bassa

PREPARAZIONE
30 minuti
più 20 minuti di
ammollo
dell'uva
sultanina

COTTURA
45 minuti

VINO
Aleatico di
Gradoli
(rosso,
Lazio)

Recioto della
Valpolicella
(rosso,
Veneto)

Fate ammorbidire l'uva sultanina in una ciotola con il Rum, per circa 20 minuti.

In una terrina lavorate 250 g di burro, ammorbidito a temperatura ambiente, fino a renderlo spumoso, quindi incorporatevi lo zucchero.

Aggiungete, una alla volta, le uova, 250 g di farina setacciata con il lievito e la vanillina, l'uva sultanina sgocciolata, asciugata e infarinata leggermente, la frutta candita, la scorza del limone e amalgamate gli ingredienti.

Imburrate e infarinate uno stampo da plum-cake; versatevi il composto preparato riempiendolo per 2/3, quindi fate cuocere il dolce nel forno già caldo a 180 °C per 45 minuti circa.

Togliete lo stampo dal forno, sformate il plum-cake e portatelo in tavola tiepido, tagliato a fette.

Plum-cake ai tre colori

Ingredienti per 6 persone

❊ 200 g di farina ❊ 150 g di zucchero
❊ 220 g di burro ❊ 6 uova
❊ 1 bustina di lievito per dolci
❊ 1 bustina di vanillina
❊ 70 g di mandorle sgusciate
❊ 70 g di pistacchi sgusciati
❊ 50 g di cacao amaro ❊ sale

DIFFICOLTÀ
Bassa

PREPARAZIONE
30 minuti

COTTURA
45 minuti

VINO
Recioto
di Soave
(bianco,
Veneto)

Molise
Moscato
Passito
(bianco,
Molise)

Sbollentate le mandorle e i pistacchi, sgocciolateli, privateli della pellicina e passateli al mixer separatamente con 1 cucchiaio di zucchero.

Mettete 200 g di burro ammorbidito a temperatura ambiente e diviso a pezzetti in una terrina, aggiungetevi lo zucchero rimasto e un pizzico di sale e mescolate gli ingredienti fino a ottenere un composto gonfio e spumoso.

Incorporatevi le uova, uno alla volta, e la farina setacciata insieme con il lievito e la vanillina, dividete quindi il composto in 3 parti e incorporate a una le mandorle, all'altra i pistacchi e alla terza il cacao.

Imburrate leggermente uno stampo da plum-cake della capacità di 1,5 l circa, foderatelo con un foglio di carta da forno, spennellatela con il burro rimasto, fuso, e distribuitevi i composti, alternando i colori e riempiendo lo stampo fino ai 2/3.

Cuocete il plum-cake nel forno già caldo a 180 °C per 45 minuti circa, quindi sformatelo e privatelo della carta da forno, lasciatelo intiepidire e servitelo a fette.

Plum-cake al caffè e noci

Ingredienti per 6 persone

✳ 370 g di farina ✳ 200 g di zucchero

✳ 170 g di burro ✳ 3 uova

✳ 90 g di gherigli di noce tritati

✳ 3 dl di caffè ristretto ✳ 1 bustina di lievito per dolci

✳ 0,5 dl di liquore Nocino ✳ latte

✳ 1 bustina di vanillina

✳ 200 g di panna montata ✳ sale

DIFFICOLTÀ
Bassa

PREPARAZIONE
30 minuti
più 1 ora e
30 minuti di
raffreddamento
della
preparazione

COTTURA
45 minuti

VINO
Friuli Isonzo
Verduzzo
Friulano
(bianco,
Friuli-Venezia
Giulia)

Orvieto
Classico
Amabile
(bianco,
Umbria)

Sbattete le uova in una terrina con lo zucchero fino a ottenere una crema soffice e spumosa. Aggiungete 150 g di burro, fuso a parte, poi incorporatevi, a poco a poco, 350 g di farina e il latte necessario a ottenere un composto morbido.

Aggiungete anche la vanillina e i gherigli di noce tritati, il Nocino, il caffè, un pizzico di sale e il lievito; amalgamate il tutto.

Versate il composto in uno stampo da plum-cake di medie dimensioni, imburrato e infarinato, e cuocetelo nel forno già caldo a 180 °C per 45 minuti.

Terminata la cottura, spegnete il forno e lasciatevi ancora il plum-cake al caldo per 5 minuti. Estraetelo, lasciatelo raffreddare e guarnitelo con ciuffetti di panna montata e i gherigli di noce rimasti tagliati a metà.

IL CONSIGLIO

▶ Questo plum-cake può essere preparato anche con un anticipo di 2 giorni, conservandolo in frigorifero avvolto in un foglio di alluminio. Naturalmente la guarnizione va fatta all'ultimo momento.

Plum-cake al cocco

Ingredienti per 6 persone

✳ 300 g di farina ✳ 150 g di burro

✳ 100 g di zucchero ✳ 50 g di cedro candito

✳ 120 g di noce di cocco grattugiata

✳ 1 bustina di lievito per dolci

✳ la scorza grattugiata di 1/2 limone biologico

✳ 5 cucchiai di Rum

✳ 1 uovo e 3 tuorli ✳ latte

DIFFICOLTÀ
Bassa

PREPARAZIONE
30 minuti

COTTURA
45 minuti

VINO
Colli Orientali
del Friuli
Verduzzo
Friulano
(bianco,
Friuli-Venezia
Giulia)

Frascati
Cannellino
(bianco,
Lazio)

Lavorate a lungo 130 g di burro in una terrina finché otterrete una crema ben montata. Incorporatevi lo zucchero, l'uovo, i tuorli e 280 g di farina, setacciata con il lievito e fatta scendere a pioggia.

Aggiungete il Rum, il cedro tagliato a pezzetti, la noce di cocco grattugiata e la scorza di limone. Mescolate accuratamente i vari ingredienti e, se l'impasto dovesse risultare troppo consistente, diluitelo con il latte.

Imburrate e infarinate uno stampo da plum-cake, versate il composto preparato e fate cuocere nel forno già caldo a 180 °C per 45 minuti.

Estraete il plum-cake dal forno e lasciatelo intiepidire prima di sformarlo e servirlo.

Plum-cake al limone e noci

Ingredienti per 6 persone

❀ 200 g di farina ❀ 200 g di zucchero

❀ 120 g di burro ❀ 2 uova

❀ 1 cucchiaio di scorza grattugiata di limone biologico

❀ 1/2 bustina di lievito per dolci

❀ 1 cucchiaio di zucchero a velo

❀ 100 g di gherigli di noci

❀ 4 cucchiai di latte ❀ sale

DIFFICOLTÀ
Bassa

PREPARAZIONE
30 minuti

COTTURA
45 minuti

VINO
Malvasia
delle Lipari
(bianco,
Sicilia)

Moscadello
di Montalcino
(bianco,
Toscana)

Tritate i gherigli e teneteli da parte. Fate ammorbidire il burro a temperatura ambiente. Imburrate e infarinate leggermente uno stampo rettangolare da plum-cake.

In una ciotola mescolate il burro rimasto con lo zucchero finché il composto sarà diventato spumoso; unitevi le uova, uno alla volta, e, sempre mescolando, la farina setacciata con il lievito e un pizzico di sale. Versatevi il latte, aggiungete i gherigli tritati e la scorza di limone e amalgamate bene il tutto.

Versate il composto nello stampo preparato e fate cuocere il plum-cake nel forno già caldo a 180 °C per 45 minuti circa.

Togliete il plum-cake dal forno, sformatelo, lasciatelo intiepidire e, prima di servirlo, spolverizzatelo con lo zucchero a velo e tagliatelo a fette regolari.

Plum-cake alla panna

Ingredienti per 6 persone

❀ 270 g di farina

❀ 2 uova

❀ 1,5 dl di panna

❀ 1 bustina di lievito per dolci

❀ la scorza grattugiata di 1 limone biologico

❀ 100 g di burro

❀ 260 g di zucchero a velo ❀ sale

DIFFICOLTÀ
Bassa

PREPARAZIONE
30 minuti

COTTURA
45 minuti

VINO
Recioto
di Soave
(bianco,
Veneto)

Verdicchio dei
Castelli di Jesi
Passito
(bianco,
Marche)

Rompete le uova in una terrina, aggiungete 250 g di zucchero a velo, la scorza di limone grattugiata e montatele un poco con una frusta; bagnate quindi poco alla volta con la panna.

Unite poi 250 g di farina setacciata insieme al lievito, un pizzico di sale e 80 g di burro fuso in un tegamino a parte. Continuando a lavorare con la frusta, amalgamate bene gli ingredienti.

Imburrate e infarinate uno stampo da plum-cake, versatevi il composto fino ai 2/3 della capacità dello stampo, livellatelo con una spatola e fate cuocere il dolce nel forno già caldo a 180 °C per 45 minuti circa.

A cottura ultimata sformate il plumcake, lasciatelo intiepidire e, prima di servirlo, cospargetelo con lo zucchero a velo rimasto, accompagnandolo, a piacere, con crema inglese.

Plum-cake alle mandorle e arachidi

Ingredienti per 6 persone

❀ 270 g di farina ❀ 200 g di zucchero
❀ 270 g di burro ❀ 7 uova ❀ 120 g di arachidi tritate
❀ 100 g di mandorle tritate ❀ 1 bustina di vanillina
❀ 1 bustina di lievito per dolci
❀ la scorza grattugiata di 1 limone biologico
❀ 1 cucchiaio di zucchero a velo

DIFFICOLTÀ
Bassa

PREPARAZIONE
30 minuti

COTTURA
50 minuti

VINO
Nasco
di Cagliari
Dolce
(bianco,
Sardegna)

Controguerra
Passito Bianco
(Abruzzo)

Lavorate 250 g di burro morbido a pezzetti, fino a renderlo chiaro e spumoso, unite lo zucchero, le uova, uno alla volta, le arachidi e le mandorle tritate, 250 g di farina setacciata con il lievito e la vanillina, la scorza del limone e mescolate fino a ottenere un composto omogeneo.

Foderate uno stampo da plum-cake con un foglio di carta da forno, imburratela, infarinatela, versatevi il composto, riempiendolo fino a 2/3 e cuocetelo nel forno già caldo a 180 °C per 45 minuti circa.

Sfornatelo, sformatelo e, prima di servirlo, cospargetelo con lo zucchero a velo.

Polenta dolce di Marengo

Ingredienti per 6 persone

❀ 145 g di farina di mais
❀ 30 g di fumetto o maizena ❀ 50 g di uva sultanina
❀ 50 g di fecola ❀ 145 g di burro
❀ 150 g di zucchero
❀ 3 uova ❀ la scorza grattugiata di 1 limone biologico
❀ pasta di mandorle ❀ 50 g di pan di Spagna

DIFFICOLTÀ
Media

PREPARAZIONE
30 minuti
più 20 minuti
di ammollo
dell'uva
sultanina
e 1 ora e
30 minuti di
raffreddamento

COTTURA
1 ora

REGIONE
Piemonte

VINO
Moscato d'Asti
(bianco,
Piemonte)

Sannio
Moscato
Spumante
(bianco,
Campania)

Fate ammollare l'uva sultanina in una ciotola con acqua tiepida.

Sbattete i tuorli in una ciotola con lo zucchero e incorporatevi gli albumi montati a neve; aggiungete la farina di mais, tenendone da parte 2 cucchiai per la tortiera, il fumetto, la fecola, la scorza di limone, l'uva sultanina, sgocciolata e strizzata, e 125 g di burro, fuso a parte.

Versate il composto in una tortiera, imburrata e infarinata con la farina di mais, e fate cuocere il dolce nel forno già riscaldato a 160 °C per circa 1 ora.

Fate raffreddare la torta, ricopritela con una leggera sfoglia di pasta di mandorle e cospargetela con il pan di Spagna finemente sbriciolato.

L'INGREDIENTE

▶**Fumetto**. Con questo termine viene indicata la farina di mais sottoposta a una macinazione molto fine. Viene utilizzata principalmente in pasticceria.

Sbrisolona

Ingredienti per 6 persone

❀ 250 g di farina bianca

❀ 200 g di mandorle pelate

❀ 150 g di farina gialla fine ❀ 200 g di zucchero

❀ 1 bustina di vanillina

❀ 2 tuorli ❀ la scorza grattugiata di 1 limone biologico

❀ 120 g di burro ❀ 100 g di strutto

DIFFICOLTÀ
Media

PREPARAZIONE
30 minuti

COTTURA
1 ora

REGIONE
Lombardia

VINO
Oltrepò Pavese
Moscato
(bianco,
Lombardia)

Moscato
di Noto
(bianco,
Sicilia)

Passate le mandorle nel tritatutto. Setacciate insieme le due farine con la vanillina; disponetele a fontana e unite al centro lo zucchero, tenendone da parte 2 cucchiai, le mandorle, la scorza di limone, i tuorli, 100 g di burro e lo strutto.

Lavorate rapidamente gli ingredienti con la punta delle dita, affinché l'impasto risulti omogeneo, ma leggermente sbriciolato. Passando il composto tra i polpastrelli, sbri-

ciolatelo direttamente in una tortiera ben imburrata.

Mettete il composto nel forno già caldo a 180 °C e fate cuocere la torta per circa 1 ora.

Togliete la torta dal forno, scuotetela perché si stacchi dalla pirofila, fatela scivolare su un piatto da portata, lasciatela raffreddare e, prima di servirla, spolverizzate la superficie con lo zucchero tenuto da parte.

IL CONSIGLIO

▶ La sbrisolona è una torta a lunga durata, specialmente se conservata avvolta in fogli di carta d'alluminio. È ottima servita con vino amabile. Volendo potrete tenere da parte una decina di mandorle pelate, tagliarle a filetti e spargerle sulla superficie prima di porre il dolce in forno.

Sbrisolona ai pistacchi

Ingredienti per 6 persone
* ❊ 90 g di farina bianca
* ❊ 50 g di farina di mais
* ❊ la scorza grattugiata di 1/2 arancia biologica
* ❊ 70 g di pistacchi sgusciati
* ❊ 60 g di zucchero
* ❊ 1 tuorlo ❊ 60 g di burro
* ❊ 2 dl di panna

DIFFICOLTÀ
Bassa

PREPARAZIONE
30 minuti

COTTURA
40 minuti

VINO
Colli Piacentini
Malvasia Dolce
(bianco,
Emilia-
Romagna)

Malvasia
delle Lipari
(bianco,
Sicilia)

Tritate i pistacchi con 1 cucchiaio di zucchero. Setacciate i due tipi di farina, disponetela a fontana e unite al centro lo zucchero rimasto, la scorza d'arancia e amalgamate bene insieme al composto di pistacchi.

Unite il tuorlo e il burro tagliato a dadini e lavorate rapidamente l'impasto con la punta delle dita. Passando il composto tra i polpastrelli, sbriciolatelo direttamente in una teglia quadrata di 20 cm di lato, rivestita con carta da forno.

Livellate l'impasto con le mani e incidetelo con la punta di un coltello, formando dei rettangoli di 5 x 3 cm. Cuocete la torta nel forno già caldo a 180 °C per 40 minuti.

Fate raffreddare il dolce, ripassate i tagli fatti in precedenza e servitela in tavola accompagnandola con la panna, montata densa e ben fredda.

Sbrisolona al cioccolato

Ingredienti per 6 persone
* ❊ 140 g di cioccolato fondente
* ❊ 100 g di wafer ❊ 30 g di zenzero
* ❊ 3 cucchiai di noce di cocco liofilizzata
* ❊ 40 g di burro
* *Per la guarnizione* ❊ 20 g di zenzero candito
* ❊ 30 g di cioccolato al latte
* ❊ 1 cucchiaio di cacao amaro

DIFFICOLTÀ
Bassa

PREPARAZIONE
30 minuti
più 1 ora di
raffreddamento
della
preparazione

COTTURA
15 minuti

VINO
Recioto della
Valpolicella
(rosso,
Veneto)

Vernaccia di
Serrapetrona
Dolce
(rosso,
Marche)

Private lo zenzero della scorza con un pelapatate ad archetto e grattugiatelo. Tritate i wafer, raccoglieteli in una terrina, aggiungete lo zenzero grattugiato e mescolate finché gli ingredienti saranno amalgamati.

Spezzettate il cioccolato, mettetelo in un tegamino con il burro, diviso a pezzetti, e fatelo fondere a bagnomaria a fuoco medio, mescolando ogni tanto. Togliete dal fuoco, unite al composto i wafer allo zenzero e la noce di cocco e mescolate gli ingredienti. Foderate una tortiera con carta da forno, stendetevi il composto in uno strato uniforme e mettetelo in frigo per 1 ora.

Per la guarnizione. Spezzettate il cioccolato al latte e fatelo fondere in un tegamino a bagnomaria; tagliate a dadini lo zenzero candito. Togliete la tortiera dal frigo, eliminate la carta da forno e adagiate la torta su un piatto da portata.

Mettete il cioccolato fuso in un cornetto di carta da forno, e versatelo a filo sulla superficie della sbrisolona, formando una decorazione a piacere. Distribuitevi sopra i dadini di zenzero candito, spolverizzate con il cacao amaro e servite in tavola.

Scarpaccia dolce viareggina

Ingredienti per 6 persone

* 300 g di farina * 2 uova
* 5 dl di latte * 200 g di zucchero
* 500 g di zucchine
* la scorza grattugiata di 1 limone biologico
* 1 bustina di vanillina
* 5 cucchiai di Marsala * 20 g di burro
* 1/2 bustina di lievito per dolci * sale

DIFFICOLTÀ
Bassa

PREPARAZIONE
30 minuti
più 20 minuti
di spurgatura
delle zucchine

COTTURA
1 ora

REGIONE
Toscana

VINO
Moscadello di
Montalcino
(bianco,
Toscana)

Trentino
Moscato Giallo
(bianco,
Trentino-Alto
Adige)

Lavate le zucchine, tagliatele a fettine sottili e fate perdere loro l'acqua di vegetazione in uno scolapasta, dopo averle spolverizzate con un pizzico di sale.

Disponete la farina a fontana in una ciotola, mettetevi al centro le uova, il latte, lo zucchero, la scorza di limone, la vanillina, il Marsala e il lievito e amalgamate bene gli ingredienti.

Lavate le zucchine, asciugatele delicatamente e unitele all'impasto, aggiungendo poca acqua se il tutto risultasse troppo compatto.

Stendetelo su una teglia imburrata e cuocete la Scarpaccia nel forno già caldo a 200 °C per circa 1 ora. Sfornate e servite.

> **DEFINIZIONE**
>
> ▶ **Scarpaccia.** Il nome di questa deliziosa ed economica ricetta viareggina si spiega con il riferimento allo spessore della torta paragonabile alle suola di una "scarpaccia" (scarpa vecchia). La preparavano i marinai dei pescherecci quando tornavano a terra, cuocendola nel forno da cui si era appena sfornato il pane.

Stiaccia ubriaca

Ingredienti per 6 persone

* 320 g di farina * 100 g di zucchero
* 3 cucchiai di olio d'oliva extravergine
* 1 bustina di lievito per dolci
* 1 dl di vino bianco dolce
* 50 g di uva sultanina
* 50 g di pinoli
* 20 g di burro

DIFFICOLTÀ
Bassissima

PREPARAZIONE
20 minuti
più 20 minuti
di ammollo
dell'uva
sultanina

COTTURA
40 minuti

REGIONE
Toscana

VINO
Montecarlo
Vin Santo
(bianco,
Toscana)

Colli Euganei
Fior d'Arancio
Passito
(bianco,
Veneto)

Fate rinvenire l'uva sultanina per 20 minuti in acqua tiepida; tostate i pinoli nel forno già caldo a 180 °C.

Versate 300 g di farina in una ciotola, unite lo zucchero e il lievito, mescolate, quindi irrorate con l'olio, bagnate con il vino, aggiungete l'uva sultanina sgocciolata e ben strizzata, i pinoli e amalgamate gli ingredienti sino a ottenere un impasto di media consistenza.

Imburrate e infarinate una tortiera, distribuitevi l'impasto preparato in uno strato alto circa 2 cm e fatelo cuocere nel forno già caldo a 180 °C per 40 minuti.

Togliete la stiaccia dal forno, sformatela, trasferitela su un piatto da portata e servitela tiepida o fredda, a piacere.

> **DEFINIZIONE**
>
> ▶ **Stiaccia.** Deriva dalla più famosa stiacciata, una focaccia dolce di antichissima tradizione fiorentina, ma comune ormai a tutte le città italiane. Nella versione alcolica, viene preparata con l'aggiunta di vino bianco dolce nell'impasto.

Torciglione

Ingredienti per 4 persone

❉ 400 g di mandorle dolci

❉ 400 g di zucchero ❉ 4 mandorle amare

❉ 8 albumi ❉ 2 chicchi di caffè

❉ 1 cucchiaio di scorza grattugiata di limone biologico

❉ 1 pezzetto di ciliegia candita

❉ 20 g di burro

DIFFICOLTÀ
Media

PREPARAZIONE
20 minuti

COTTURA
30 minuti

VINO
Orvieto
Classico
Amabile
(bianco,
Umbria)

Friuli Isonzo
Verduzzo
Friulano
(bianco,
Friuli-Venezia
Giulia)

Sbollentate le mandorle dolci e amare in acqua per 1 minuto, privatele della pellicina, asciugatele e tritatele molto finemente, quindi in una terrina mescolate il trito con lo zucchero e la scorza di limone grattugiata. Montate gli albumi a neve ben ferma e incorporateli poco per volta al composto, che dovrà risultare piuttosto solido.

Imburrate una placca da forno, disponetevi sopra il composto dandogli la forma di un serpente arrotolato a spirale, aiutandovi eventualmente con una tasca da pasticceria e mettete sull'estremità interna, ossia la testa, i 2 chicchi di caffè, per simulare gli occhi, e il pezzetto di ciliegia candita come lingua.

Cuocete il torciglione nel forno già caldo a 180 °C per circa 30 minuti, o finché il dolce avrà assunto una coloritura dorata. Sfornate e fate raffreddare il torciglione prima di servirlo in tavola.

Torta agli amaretti

Ingredienti per 6 persone

❊ 100 g di farina ❊ 2 uova ❊ 125 g di amaretti
❊ 120 g di burro ❊ 100 g di zucchero
❊ 1 cucchiaino di cacao amaro
❊ 1 cucchiaino di lievito per dolci
❊ cannella in polvere ❊ 5 cucchiai di Rum
❊ 1 cucchiaio di zucchero a velo

Difficoltà
Bassissima

Preparazione
20 minuti

Cottura
30 minuti

Vino
Loazzolo (bianco, Piemonte)

Verdicchio di Matelica Passito (bianco, Marche)

Fate ammorbidire 100 g di burro a temperatura ambiente, quindi lavoratelo in una ciotola con un cucchiaio di legno fino a renderlo ben spumoso. Incorporatevi lo zucchero e i tuorli e amalgamate bene fino a ottenere un composto omogeneo.

Unite gli amaretti sbriciolati, il cacao, il Rum, un pizzico di cannella, la farina e il lievito, poi lavorate bene l'impasto. A questo punto incorporate delicatamente gli albumi montati a neve ben ferma.

Versate il composto in una tortiera imburrata, mettetela nel forno già caldo a 200 °C e fate cuocere per 30 minuti.

Togliete la tortiera dal forno, sformate la torta, trasferitela su un piatto da portata e poi lasciatela raffreddare. Prima di servirla, spolverizzatela con lo zucchero a velo.

Torta ai pistacchi

Ingredienti per 6 persone

❋ 170 g di farina ❋ 180 g di zucchero

❋ 4-5 cucchiai di confettura di pesche

❋ 4 uova ❋ 120 g di burro

❋ 250 g di pistacchi spellati

❋ 1 bustina di lievito per dolci

❋ 2 dl di latte

DIFFICOLTÀ
Bassissima

PREPARAZIONE
15 minuti

COTTURA
45 minuti

VINO
Moscato
di Siracusa
(bianco,
Sicilia)

Golfo del
Tigullio
Moscato
Passito
(bianco,
Liguria)

Sbattete in una terrina, servendovi delle fruste elettriche, i tuorli con lo zucchero fino a renderli ben gonfi e spumosi.

Aggiungetevi 100 g di burro, fuso a parte, quindi incorporatevi, poco alla volta, 150 g di farina e il latte, senza mai smettere di mescolare.

Continuate a sbattere con le fruste elettriche, poi aggiungete il lievito, gli albumi montati a neve fermissima e 70 g di pistacchi tritati grossolanamente.

Imburrate una pirofila rotonda, spolverizzatela di farina, versatevi il composto, mettetela nel forno già caldo a 180 °C e fate cuocere per 45 minuti circa.

Togliete la pirofila dal forno, sformate la torta e adagiatela su un piatto da portata.

Ricoprite la superficie della torta con la confettura di pesche, quindi distribuitevi sopra i rimanenti pistacchi tritati grossolanamente. Lasciatela intiepidire e portatela in tavola.

Torta ai semi di papavero

Ingredienti per 6 persone

* ❋ 8 tuorli ❋ 200 g di zucchero
* ❋ 200 g di semi di papavero pestati
* ❋ 200 g mandorle finemente tritate ❋ 20 g di burro
* ❋ 2 cucchiai di zucchero a velo ❋ il succo di 2 limoni
* ❋ 1 bustina di lievito per dolci ❋ cannella in polvere
* ❋ 1 cucchiaio di Rum ❋ 3 mele

DIFFICOLTÀ
Bassa

PREPARAZIONE
30 minuti

COTTURA
40 minuti

VINO
Moscato d'Asti
(bianco,
Piemonte)

Molise
Moscato
(bianco,
Molise)

Sbattete i tuorli in una terrina con lo zucchero, fino a ottenere un composto chiaro e spumoso.

Incorporate, poco alla volta, al composto le mandorle tritate, i semi di papavero, lo zucchero a velo, il lievito, un pizzico di cannella, il succo di limone e il Rum e amalgamate bene il tutto.

Sbucciate le mele, privatele del torsolo e grattugiatele, quindi incorporatele agli altri ingredienti, mescolando bene.

Versate il tutto in una tortiera imburrata, mettetela nel forno già caldo a 160 °C e fatela cuocere per circa 40 minuti, finché, inserendovi uno stecchino al centro, ne uscirà perfettamente asciutto.

Togliete la torta dal forno, sformatela, trasferitela su un piatto da portata e fatela raffreddare prima di servirla.

Torta al cacao

Ingredienti per 8 persone

❊ 140 g di farina ❊ 60 g di cacao amaro ❊ 80 g di burro

❊ 2 uova ❊ 2,5 dl di panna ❊ 200 g di zucchero

❊ 1 cucchiaio di succo di limone

❊ 1 cucchiaino di lievito per dolci

❊ 1 bustina di zucchero vanigliato

❊ 2 cucchiai di zucchero a velo

DIFFICOLTÀ
Bassa

PREPARAZIONE
30 minuti

COTTURA
40 minuti

VINO
Alto Adige
Moscato Rosa
(rosso,
Trentino-Alto
Adige)

Elba Aleatico
(rosso,
Toscana)

Fate inacidire la panna con il succo di limone. In una terrina mescolate lo zucchero, il cacao, 60 g di burro fuso, le uova e lo zucchero vanigliato. Versatevi la panna e il lievito, poi mescolatevi 120 g di farina fino a ottenere un composto dalla consistenza semidensa.

Versate il composto in una tortiera, imburrata e infarinata, e fatelo cuocere nel forno già caldo a 180 °C per 30-40 minuti. Togliete la torta dal forno, aspettate qualche minuto, quindi sformatela su una gratella.

Cospargete la torta di zucchero a velo, servitela in tavola, accompagnandola a piacere con panna montata zuccherata.

Torta al mascarpone

Ingredienti per 8 persone

❊ 300 g di farina ❊ 250 g di mascarpone

❊ 150 g di fecola di patate ❊ 120 g di burro

❊ 300 g di zucchero

❊ 1 bustina di lievito per dolci

❊ la scorza grattugiata di 1 limone biologico

❊ 2 dl di latte ❊ 3 uova ❊ sale

DIFFICOLTÀ
Bassa

PREPARAZIONE
30 minuti

COTTURA
25 minuti

VINO
Asti Spumante
(bianco,
Piemonte)

Moscato
di Noto
Spumante
(bianco,
Sicilia)

Sbattete le uova in una ciotola con lo zucchero, poi unite 100 g di burro, che avrete fatto fondere a parte, il mascarpone, il latte, la scorza di limone e poi, poco alla volta, la farina setacciata con la fecola e il lievito e un pizzico di sale.

Imburrate una teglia, versatevi il composto e cuocete la torta nel forno già caldo a 180 °C per almeno 25 minuti o finché inserendo uno stecchino al centro, ne uscirà asciutto. Sfornate la torta, sformatela dopo qualche minuto, decoratela a piacere e servitela in tavola tiepida.

IL CONSIGLIO

▶ Il mascarpone va conservato in un recipiente coperto in frigorifero, dove si mantiene perfettamente per 1 settimana, dopodiché inizia a emettere siero e può irrancidire, assumendo sapore e odore sgradevoli.

Torta al miele di rododendro

Ingredienti per 8 persone

* ❋ 50 g di farina
* ❋ 2 uova ❋ 200 g di miele di rododendro
* ❋ 150 g di fecola di patate
* ❋ 1/2 bustina di lievito per dolci
* ❋ 200 g di burro ❋ sale

DIFFICOLTÀ
Bassa

PREPARAZIONE
30 minuti

COTTURA
40 minuti

VINO
Gioia del Colle
Aleatico Dolce
(rosso,
Puglia)

Elba Aleatico
(rosso,
Toscana)

Lasciate ammorbidire il burro a temperatura ambiente, poi montatelo in una ciotola insieme al miele aiutandovi con una frusta, fino ad ottenere un composto gonfio e cremoso.

Unite al composto i tuorli, mescolando con un cucchiaio di legno. Aggiungete la fecola di patate, la farina e il lievito. Amalgamate bene il tutto fino ad ottenere un composto omogeneo.

In una terrina capiente, montate gli albumi, con un pizzico di sale, a neve fermissima. Incorporateli al composto preparato in precedenza e versate il tutto in uno stampo per dolci del diametro di 18 cm, rivestito con carta da forno.

Ponete la torta in forno già caldo a 180 °C e fatela cuocere per circa 40 minuti. Terminata la cottura sfornate lo stampo, sformate la torta su un piatto da portata, lasciatela raffreddare e, prima di servirla in tavola, tagliatela a spicchi.

Torta al Whisky

Ingredienti per 6 persone
❋ 260 g di farina ❋ 200 g di burro
❋ 180 g di zucchero ❋ 2 uova
❋ 100 g di uva sultanina
❋ 1 arancia biologica ❋ 4 cucchiai di Whisky
❋ 2 cucchiaini di lievito per dolci ❋ sale

DIFFICOLTÀ
Bassa

PREPARAZIONE
30 minuti
più 20 minuti
di ammollo
dell'uva
sultanina
e 2 ore di
macerazione
della scorza
d'arancia

COTTURA
50 minuti

VINO
Alto Adige
Traminer
Aromatico
Passito
(bianco,
Trentino-Alto
Adige)

Moscadello
di Montalcino
(bianco,
Toscana)

Ricavate la scorza dall'arancia e mettetela a macerare in una ciotola con il Whisky per 2 ore. Fate ammorbidire l'uva sultanina in acqua tiepida per 20 minuti, sgocciolatela, strizzatela e mettetela nel Whisky insieme alla scorza d'arancia.

Setacciate 240 g di farina con un pizzico di sale e il lievito. Lavorate 180 g di burro in una terrina con lo zucchero; aggiungete le uova, uno alla volta, alternandole con la farina, e continuate a mescolare. Infine unite l'uva sultanina e il Whisky, eliminando la scorza d'arancia.

Imburrate e infarinate una tortiera, versatevi il composto, mettetela nel forno già caldo a 180° C e fatela cuocere per 50 minuti circa. Terminata la cottura sfornate il dolce, sformatelo su un piatto da portata e servitelo in tavola tiepido.

L'INGREDIENTE

▶ **Whisky.** Celebre acquavite di cereali il cui nome, di origine celtica, significa "acqua beata". Questo distillato si può suddividere in 4 grandi categorie: Scotch, Irish, American e Canadian. Lo Scotch può essere Malt o Grain, cioè a base di solo orzo o di avena, segale, mais.

Torta all'arancia e mandorle

Ingredienti per 8 persone

❊ 75 g di farina autolievitante ❊ 125 g di mandorle tritate
❊ 20 g di burro ❊ 4 uova ❊ 2 arance biologiche
❊ 1 limone biologico ❊ 125 g di zucchero
Per la crema ❊ 2 dl di panna montata
❊ 1 cucchiaino di cannella in polvere
❊ 2 cucchiaini di zucchero
Per la guarnizione ❊ 25 g di scaglie di mandorle tostate
❊ 1 cucchiaio di zucchero a velo

DIFFICOLTÀ
Bassa

PREPARAZIONE
30 minuti
più 1 ora e
30 minuti di
raffreddamento
della torta

COTTURA
40 minuti

VINO
Pantelleria
Moscato
Spumante
(bianco,
Sicilia)

Albana di
Romagna
Spumante
(bianco,
Emilia-
Romagna)

Grattugiate la scorza delle arance e del limone, poi spremeteli e tenete da parte il succo.

Lavorate i tuorli con lo zucchero, ottenendo un composto chiaro e denso, unitevi infine metà della scorza d'arancia e tutta quella di limone.

Mescolate il succo degli agrumi alle mandorle e unite il tutto alle uova; aggiungete la farina e, delicatamente, gli albumi montati a neve. Versate il composto in una tortiera imburrata e cuocetelo nel forno già caldo a 180 °C per 40 minuti, o finché sarà dorato. Fatelo raffreddare per 10 minuti, sformatelo e fatelo raffreddare completamente.

Per la crema. Mescolate lo zucchero con la cannella, le scorze d'arancia rimaste e la panna montata. Cospargete la torta con lo zucchero a velo e le scaglie di mandorle; servite con la crema all'arancia e cannella preparata.

Torta all'uva sultanina

Ingredienti per 6 persone

❊ 220 g di farina
❊ 200 g di uva sultanina
❊ 2 uova
❊ 2 dl di latte
❊ 20 g di burro
❊ 1 bustina di lievito per dolci
❊ 0,5 dl di Maraschino

DIFFICOLTÀ
Bassissima

PREPARAZIONE
20 minuti
più 1 ora
di ammollo
dell'uva
sultanina

COTTURA
30 minuti

VINO
Recioto della
Valpolicella
(rosso,
Veneto)

Aleatico
di Gradoli
(rosso,
Lazio)

Mettete l'uva sultanina in una ciotola; irroratela con il Maraschino e fatela ammollare per almeno 1 ora. Trascorso questo tempo, tritate finemente 120 g di uva sultanina e mettetela in un altro recipiente.

Separate i 2 tuorli dagli albumi. Versate i tuorli nel recipiente con l'uva sultanina tritata e mescolate con un cucchiaio di legno. Aggiungetevi, poco alla volta e mescolando continuamente, 200 g di farina setacciata con il lievito alternandola con il latte; quindi unite l'uva sultanina intera continuando a mescolare.

Montate a neve ben ferma gli albumi, incorporateli delicatamente all'impasto e versatelo in uno stampo per torta o plum-cake imburrato e infarinato.

Fate cuocere la torta nel forno già caldo a 180 °C per 30 minuti circa. Fatela raffreddare e servitela quindi in tavola.

Torta alla genovese

Ingredienti per 6 persone
❀ 120 g di farina
❀ 5 uova e 2 albumi
❀ 200 g di zucchero
❀ 100 g di fecola di patate
❀ 150 g di burro
❀ la scorza grattugiata di 1 limone biologico
❀ 1 cucchiaio di zucchero a velo

DIFFICOLTÀ
Bassa

PREPARAZIONE
20 minuti

COTTURA
1 ora e
15 minuti

REGIONE
Liguria

VINO
Cinque Terre
Sciacchetrà
(bianco,
Liguria)

Sant'Agata
dei Goti
Falanghina
Passito
(bianco,
Campania)

Rompete le uova, separate i tuorli, metteteli in una terrina, unite lo zucchero, montateli con una frusta finché risulteranno spumosi e amalgamatevi la scorza di limone.

In un'altra terrina montate tutti gli albumi a neve ben ferma e incorporateli poi delicatamente ai tuorli, mescolando dall'alto verso il basso.

Versate il composto così ottenuto in una casseruola possibilmente di rame, fate cuocere su fuoco basso per 30 minuti, mescolando in continuazione, quindi spegnete la fiamma e lasciate raffreddare.

Passate al setaccio 100 g di farina e la fecola, unitele al composto, mescolate, aggiungete 130 g di burro, fuso a parte, e amalgamate bene gli ingredienti.

Imburrate e infarinate una teglia, versatevi il composto preparato e cuocetelo nel forno già caldo a 175 °C per 45 minuti. Sformate la torta, fatela raffreddare completamente, cospargetela di zucchero a velo e servitela.

Torta alle clementine

Ingredienti per 8 persone
❀ 175 g di farina autolievitante
❀ la scorza grattugiata di 2 clementine biologiche
❀ 190 g di burro ❀ 175 g di zucchero
❀ 3 cucchiai di mandorle tritate
❀ 3 uova ❀ 3 cucchiai di panna
Per la guarnizione ❀ 6 cucchiai di succo di clementine
❀ 2 cucchiai di zucchero ❀ 3 zollette di zucchero

DIFFICOLTÀ
Bassa

PREPARAZIONE
20 minuti

COTTURA
50 minuti

VINO
Asti Spumante
(bianco,
Piemonte)

Moscato di
Sardegna
Spumante
(bianco,
Sardegna)

Lavorate in una ciotola 175 g di burro con lo zucchero e la scorza delle clementine, fino a ottenere una miscela chiara e spumosa. Unitevi, poco alla volta le uova sbattute, quindi la farina, le mandorle tritate e la panna.

Versate il composto in una tortiera imburrata del diametro di 18 cm e fate cuocere il dolce nel forno già caldo a 180 °C per circa 50 minuti, o finché, inserendovi uno stecchino al centro, ne uscirà asciutto. Fate intiepidire nello stampo e poi sformatelo.

Per la guarnizione. Portate a bollore su fuoco basso, in una piccola casseruola, il succo delle clementine con lo zucchero e fateli cuocere per circa 5 minuti, poi versate il liquido sulla torta facendolo ben assorbire.

Spolverizzate la superficie della torta con le zollette di zucchero sbriciolate e servite in tavola.

Torta alle mandorle

Ingredienti per 4 persone

❀ 200 g di farina ❀ 200 g di mandorle

❀ 200 g di zucchero

❀ 2 uova ❀ 220 g di burro

❀ il succo di 1/2 limone ❀ 2 cucchiaini di Rum

❀ 1 violetta di Parma candita ❀ 2 cucchiai di zucchero a velo

❀ cannella in polvere ❀ sale

DIFFICOLTÀ
Bassissima

PREPARAZIONE
20 minuti

COTTURA
40 minuti

VINO
Alto Adige
Moscato Giallo
(bianco,
Trentino-Alto
Adige)

Greco
di Bianco
(bianco,
Calabria)

Sbollentate le mandorle per 1 minuto; asciugatele, privatele della pellicina e tritatele.

Disponete la farina a fontana sul piano di lavoro e versatevi nel centro 200 g di burro, fuso a parte, le uova, il Rum, il succo di limone, lo zucchero, un pizzico di sale e una presa di cannella. Impastate, lavorate gli ingredienti e poi incorporatevi le mandorle.

Imburrate una tortiera, sistematevi il composto, mettetelo nel forno già caldo a 180 °C e fatelo cuocere per circa 40 minuti.

Sfornate la torta, sformatela, ritagliate 2 cerchi di carta grandi 1/3 della torta e posateli sulla sua superficie in modo che si tocchino al centro. Spolverizzate di zucchero a velo e completate la decorazione con la violetta di Parma candita nel centro.

Torta alle nocciole e caffè

Ingredienti per 6 persone
✽ 200 g di farina ✽ 80 g di nocciole sgusciate
✽ 5 cucchiai di caffè espresso ✽ 70 g di burro
✽ 2 uova ✽ 100 g di zucchero
✽ 1 bustina di lievito per dolci
✽ 1 cucchiaino di scorza grattugiata di limone biologico
✽ 1 cucchiaio di pangrattato

DIFFICOLTÀ
Bassissima

PREPARAZIONE
20 minuti

COTTURA
30 minuti

VINO
Brachetto
d'Acqui
(rosso,
Piemonte)

Vernaccia di
Serrapetrona
Dolce
(rosso,
Marche)

Mettete le nocciole sulla piastra del forno, tostatele, sbucciatele e tritatele finemente. In una terrina mescolate la farina con il lievito, unite lo zucchero, le nocciole tritate, tenendone da parte un cucchiaio, 50 g di burro ammorbidito, le uova, la scorza di limone e il caffè.

Mescolate con un cucchiaio di legno, sempre nello stesso senso per amalgamare bene tutti gli ingredienti e ottenere un composto abbastanza omogeneo.

Ungete una tortiera con il burro rimasto, cospargetene il fondo e i bordi di pangrattato e versatevi il composto. Mettete il dolce nel forno già caldo a 200 °C e fatelo cuocere per 30 minuti. Una volta sfornato cospargetelo con le nocciole tenute da parte e servite tiepido.

DEFINIZIONE

▶ **Nocciole.** Frutto di una pianta originaria dell'Asia Minore e presente in tutto il bacino del Mediterraneo, la nocciola viene classificata in base alla forma del guscio: quelle a forma allungata sono meno pregiate di quelle rotonde. Tra queste ultime si distinguono le "Tonde Gentili delle Langhe".

Torta allo yogurt

Ingredienti per 6 persone

❀ 390 g di farina ❀ 125 g di yogurt

❀ 250 g di zucchero ❀ 1 bustina di lievito per dolci

❀ 140 g di burro ❀ 2 uova e 1 tuorlo

❀ 60 g di uva sultanina

❀ la scorza grattugiata di 1 limone biologico

DIFFICOLTÀ
Bassissima

PREPARAZIONE
15 minuti
più 20 minuti
di ammollo
dell'uva
sultanina

COTTURA
40 minuti

VINO
Moscato d'Asti
(bianco,
Piemonte)

Frascati
Cannellino
(bianco,
Lazio)

Fate ammorbidire l'uva sultanina in acqua tiepida per 20 minuti.

Nel frattempo sbattete le uova con il tuorlo in una terrina. Aggiungete quindi lo zucchero, 120 g di burro fatto fondere a parte, la scorza di limone, l'uva sultanina ben scolata e strizzata, lo yogurt, il lievito e poi incorporatevi 370 g di farina. Amalgamate il tutto con cura, servendovi di una frusta fino a ottenere un impasto dalla consistenza liscia e morbida.

Imburrate e infarinate una tortiera, preferibilmente a cerniera con il bordo sganciabile, di circa 22 cm di diametro e versatevi il composto preparato.

Mettete la tortiera nel forno già caldo a 180 °C e fate cuocere per 40 minuti.

Sfornate la torta, lasciatela raffreddare, quindi sformatela sistemandola su un piatto rotondo da portata e servitela in tavola.

1 In una ciotola, sbattete le uova con il tuorlo.

2 Unite quindi lo zucchero, il burro fuso, la scorza di limone, l'uva sultanina, lo yogurt, il lievito e mescolate.

3 A questo punto aggiungete la farina setacciata e amalgamate bene il tutto.

Torta Barozzi

Ingredienti per 4 persone

❈ 150 g di farina ❈ 200 g di zucchero

❈ 150 g di burro ❈ 5 uova

❈ 100 g di cacao amaro

❈ 20 g di caffè in polvere

❈ 200 g di mandorle amare

❈ la scorza grattugiata di 1 limone biologico

❈ 2 dl di liquore Sassolino ❈ sale

DIFFICOLTÀ
Media

PREPARAZIONE
30 minuti
più 15 minuti
di riposo
della pasta

REGIONE
Emilia-
Romagna

COTTURA
45 minuti

VINO
Albana di
Romagna
Passito
(bianco,
Emilia-
Romagna)

Umbria
Grechetto
Passito
(bianco,
Umbria)

Preparate la pasta frolla con la farina, la metà del burro, 1/3 dello zucchero, 1 uovo e un pizzico di sale. Impastate il composto e fatelo riposare per 15 minuti, coperto da un telo.

Scottate le mandorle in acqua in ebollizione, pelatele e tostatele leggermente nel forno già caldo a 180 °C. Lasciatele raffreddare e tritatele fini.

In una terrina sbattete 4 tuorli d'uovo con lo zucchero rimasto. Amalgamate, uno alla volta, 55 g di burro, a pezzetti, il cacao amaro, le mandorle tritate, il caffè, la scorza di limone e il liquore Sassolino. Infine, montate gli albumi a neve e incorporateli delicatamente al composto.

Stendete la pasta e foderatevi uno stampo imburrato, facendo debordare un poco la pasta. Versate all'interno il ripieno preparato e copritelo con la pasta debordata.

Fate cuocere la torta nel forno già caldo a 180 °C per 40 minuti; sformatela su un piatto da portata, lasciatela intiepidire e servite.

Torta bassa con le noci

Ingredienti per 8 persone

❈ 175 g di farina

❈ 100 g di gherigli di noce

❈ 75 g di zucchero

❈ 2 cucchiai di zucchero a velo

❈ 150 g di burro

❈ 1 mela

❈ 1 limone ❈ sale

DIFFICOLTÀ
Bassa

PREPARAZIONE
30 minuti

COTTURA
45 minuti

VINO
Montefalco
Sagrantino
Passito
(rosso,
Umbria)

Aleatico di
Puglia Dolce
Naturale
(rosso,
Puglia)

Frullate i gherigli di noce con 1 cucchiaio di zucchero. Riunite in una ciotola 130 g di burro ammorbidito, aggiungete lo zucchero rimasto e lavorate il tutto con le fruste elettriche. Incorporatevi la farina setacciata con un pizzico di sale, sempre mescolando. Infine aggiungete le noci tritate.

Imburrate uno stampo a bordi bassi del diametro di 24 cm. Distribuitevi dentro il composto e appiattitelo. Bucherellate la superficie e fate cuocere la torta nel forno già caldo a 160 °C per 40 minuti.

Sbucciate la mela, tagliatela a fettine sottilissime, spruzzatela con il succo di limone. Sfornate il dolce e ricopritene la superficie con le fettine di mela asciugate con carta da cucina.

Passate il dolce sotto il grill del forno per pochi minuti, quindi cospargetelo di zucchero a velo e servitelo tiepido.

Torta caprese

Ingredienti per 8 persone
❄ 20 g di farina
❄ 300 g di mandorle
❄ 190 g di burro
❄ 170 g di zucchero
❄ 200 g di cioccolato fondente
❄ 4 uova
Per la guarnitura ❄ 1 cucchiaio di zucchero a velo

DIFFICOLTÀ
Bassa

PREPARAZIONE
30 minuti

COTTURA
1 ora e
15 minuti

REGIONE
Campania

VINO
Vesuvio
Lacryma
Christi
Liquoroso
(bianco,
Campania)

Moscadello
di Montalcino
Liquoroso
(bianco,
Toscana)

Scottate le mandorle in acqua bollente, sgocciolatele, asciugatele, pelatele e tostatele leggermente nel forno già caldo a 180 °C. Fatele raffreddare e tritatele con 100 g di zucchero. Tritate il cioccolato fondente, mettetelo in un tegamino e fatelo fondere a bagnomaria.

Lavorate in una ciotola 170 g di burro, diviso a pezzetti, con lo zucchero rimasto. Aggiungete i tuorli, uno alla volta e le mandorle tritate con lo zucchero, mescolate, unitevi il cioccolato fuso e amalgamate il tutto. Infine montate gli albumi a neve e incorporateli al composto.

Foderate il fondo di una tortiera con un disco di carta vegetale, imburratela, infarinatela, distribuitevi il composto, in uno strato uniforme e fate cuocere la torta nel forno già caldo a 160 °C per 1 ora.

Sformatela e lasciatela intiepidire, disponetela sopra un piatto da portata e decoratela a piacere con lo zucchero a velo, quindi servitela in tavola.

Torta croccante al caffè

Ingredienti per 8 persone
❄ 280 g di farina ❄ 1 dl di caffè ❄ 120 g di burro
❄ 75 g di zucchero ❄ 1 bustina di lievito per dolci
❄ 1,5 dl di latte ❄ 2 uova ❄ 50 g di mandorle tritate
Per la copertura ❄ 75 g di farina
❄ 75 g di zucchero di canna ❄ 40 g di burro
❄ 1 cucchiaino di spezie miste in polvere
❄ 1 cucchiaio di zucchero a velo

DIFFICOLTÀ
Bassa

PREPARAZIONE
30 minuti

COTTURA
50 minuti

VINO
Oltrepò Pavese
Sangue
di Giuda
(rosso,
Lombardia)

Aleatico
di Gradoli
Amabile
(rosso,
Lazio)

Setacciate la farina e il lievito in una terrina capiente e unitevi lo zucchero. Amalgamate il latte con le uova, 100 g di burro, fuso a parte, e il caffè e versateli sul composto di farina e zucchero. Incorporatevi le mandorle e versate il composto in una tortiera di 23 cm imburrata e foderata con carta da forno.

Per la copertura, mescolate la farina con lo zucchero di canna, amalgamatevi il burro a tocchetti con le dita fino a ottenere un impasto granuloso. Unitevi le spezie e 1 cucchiaio d'acqua e lavorate con le mani in modo da separare bene le briciole.

Distribuitele sull'intera superficie del composto nella tortiera e cuocete il dolce nel forno già caldo a 190 °C per 50 minuti. Se la copertura si scurisce troppo rapidamente, coprite con un foglio di alluminio.

Fate raffreddare nello stampo, spolverizzatela di zucchero a velo e servitela in tavola.

Torta croccante di pasta e mandorle

Ingredienti per 6 persone

❊ 250 g di farina ❊ 150 g di mandorle ❊ 100 g di zucchero
❊ 2 uova e 1 tuorlo ❊ 1 cucchiaio di lievito per dolci
❊ 120 g di burro ❊ 1 bustina di zucchero a velo
❊ 1/2 bustina di vanillina ❊ sale

DIFFICOLTÀ
Media

PREPARAZIONE
40 minuti

COTTURA
25 minuti

VINO
Alto Adige
Moscato Giallo
(bianco,
Trentino-Alto
Adige)

Moscadello
di Montalcino
(bianco,
Toscana)

Versate la farina sulla spianatoia, unitevi 100 g di burro ammorbidito e diviso a pezzetti, lo zucchero, le uova, la vanillina, il lievito, un pizzico di sale e le mandorle lasciate intere senza spellarle. Lavorate gli ingredienti fino a quando saranno perfettamente amalgamati, poi trinciate grossolanamente la pasta con un coltello per spezzettare le mandorle contenute all'interno.

Con le mani leggermente infarinate, date all'impasto la forma di un grosso cilindro e sistematelo, appiattendolo leggermente ai lati e mantenendolo bombato al centro, su una placca da forno imburrata.

Sbattete il tuorlo e spennellatelo sul dolce, poi scorrete sulla superficie del dolce con una forchetta, sia nel senso della lunghezza sia nel senso della larghezza, in modo da ottenere un reticolato.

Cuocete il dolce nel forno già caldo a 190 °C per 25 minuti circa, o finché la pasta sarà gonfia e parzialmente lievitata.

Togliete il croccante dal forno, lasciatelo raffreddare, spolverizzatelo di zucchero a velo e servitelo a pezzetti dello spessore di circa 1,5 cm.

Torta delicata ai fichi secchi

Ingredienti per 8 persone

❊ 320 g di farina ❊ 150 g di fichi secchi
❊ 120 g di burro ❊ 0,5 dl di Brandy
❊ 1 dl di latte ❊ 1 bustina di lievito per dolci
❊ 4 uova ❊ 100 g di mandorle tritate ❊ 150 g di zucchero

DIFFICOLTÀ
Bassissima

PREPARAZIONE
30 minuti

COTTURA
40 minuti

VINO
Malvasia
delle Lipari
(bianco,
Sicilia)

Trentino
Moscato Giallo
(bianco,
Trentino-Alto
Adige)

Rompete le uova, tenete da parte gli albumi e sbattete i tuorli con lo zucchero fino a renderli spumosi e ben montati. Aggiungete 100 g di burro, fuso a parte, e, subito dopo, poca alla volta, 300 g di farina alternandola al latte.

Unite anche i fichi secchi tagliati a striscioline, le mandorle tritate, il lievito e il Brandy. Mescolate e amalgamatevi delicatamente gli albumi montati a neve fermissima.

Imburrate una tortiera dal diametro di 25 cm, infarinatela leggermente e versatevi dentro il composto. Passate il recipiente nel forno già caldo a 180 °C per circa 40 minuti.

Togliete la torta dal forno, lasciatela intiepidire, sformatela su un piatto da portata e servitela subito in tavola.

Torta delicata dei tre re

Ingredienti per 8 persone

❅ 520 g di farina ❅ 2 uova e 3 tuorli ❅ 250 g di zucchero
❅ 20 g di lievito di birra ❅ 0,5 dl di latte ❅ 15 g di burro
❅ la scorza grattugiata di 1/2 limone biologico
❅ 130 g di mandorle ❅ 1/2 bustina di vanillina
❅ 3 cucchiai di confettura di albicocche ❅ sale

DIFFICOLTÀ
Bassa

PREPARAZIONE
30 minuti
più 1 ora e
30 minuti di
riposo
della pasta

COTTURA
1 ora

VINO
Moscato di
Trani Liquoroso
(bianco,
Puglia)

Oltrepò
Moscato
Liquoroso
(bianco,
Lombardia)

Stemperate il lievito con il latte tiepido. Impastate 500 g di farina con 4 tuorli, 150 g di zucchero, la scorza di limone grattugiata, il lievito diluito nel latte e un pizzico di sale. Formate una palla, avvolgetela in un telo e fatela lievitare per 30 minuti in un luogo tiepido.

Stendete la pasta in una sfoglia rettangolare di 35 x 25 cm. Tritate 100 g di mandorle con lo zucchero rimasto e 1 pizzico di vanillina. Unite 1 albume leggermente montato e spalmate delicatamente la crema ottenuta sulla sfoglia.

Arrotolate la pasta su se stessa a partire dal lato lungo. Tagliate il rotolo in 7 fette, sistematele in una tortiera, imburrata e infarinata, e lasciatele lievitare per 1 ora.

Spennellate le fette con l'uovo rimasto sbattuto e cuocete nel forno già caldo a 170 °C per 1 ora.

Portate a bollore la confettura di albicocche con 1 cucchiaio d'acqua e spennellatela sulle fette di torta. Decorate con le mandorle rimaste e servite in tavola, accompagnando, a piacere, con una salsa alla vaniglia, a parte.

Torta delle rose

Ingredienti per 8 persone

❋ 315 g di farina

❋ 100 g di zucchero

❋ 1 uovo e 2 tuorli ❋ 100 g di burro

❋ 20 g di lievito di birra

❋ latte tiepido ❋ sale

DIFFICOLTÀ
Elevata

PREPARAZIONE
30 minuti
più 2 ore e
10 minuti di
riposo
della pasta

COTTURA
35 minuti

REGIONE
Emilia-
Romagna

VINO
Pagadebit
di Romagna
Amabile
(bianco,
Emilia-
Romagna)

Frascati
Amabile
(bianco,
Lazio)

Versate in una ciotola 3 cucchiai di latte, scioglietevi il lievito e incorporatevi 10 g di burro e 50 g di farina. Mescolate e lavorate gli ingredienti fino a ottenere una pallina di pasta ben staccata dalle pareti del recipiente. Coprite con un panno di lana e fate lievitare la pasta in un luogo tiepido per circa 40 minuti.

Trascorso il tempo indicato unite al panetto 250 g di farina, 30 g di zucchero, una presa di sale, i tuorli e il latte tiepido necessario a ottenere un impasto abbastanza sodo.

In una ciotolina sbattete bene 80 g di burro ammorbidito e lo zucchero rimasto, ottenendo un composto spumoso. Stendete sulla spianatoia la pasta in un rettangolo e distribuitevi il composto di burro con una spatola, poi arrotolate la sfoglia dal lato corto, formando un salsiccione.

Tagliate il rotolo a fette spesse. Disponete la prima fetta al centro di una tortiera imburrata e infarinata e le altre intorno in 2 cerchi. Fate lievitare la torta per circa 1 ora e mezza in un luogo tiepido.

Spennellate il dolce con l'uovo, sbattuto, e cuocetelo nel forno già caldo a 200 °C per 10 minuti, abbassate la temperatura a 160 °C e cuocete per 25 minuti. Servitela tiepida.

Torta di albumi

Ingredienti per 6 persone

✽ 70 g di farina
✽ 6 albumi ✽ 120 g di burro
✽ 200 g di zucchero
✽ 70 g di fecola di patate
✽ 1 bustina di lievito per dolci
✽ 50 g di noci finemente tritate ✽ sale

DIFFICOLTÀ
Bassissima

PREPARAZIONE
15 minuti

COTTURA
35 minuti

VINO
Asti Spumante
(bianco,
Piemonte)

Moscato
di Sardegna
Spumante
(bianco,
Sardegna)

Raccogliete in una terrina 100 g di burro, lo zucchero, 50 g di farina, la fecola di patate, il lievito, le noci tritate e un pizzico di sale.

Montate a neve ben ferma gli albumi e incorporateli all'impasto.

Mescolate e versate il composto ottenuto in una tortiera imburrata e infarinata.

Mettete la torta nel forno già caldo a 200 °C e fatela cuocere per 35 minuti. Sfornate il dolce, fatelo intiepidire, sformatelo e servitelo in tavola.

Torta di albumi al caffè

Ingredienti per 6 persone

✽ 120 g di farina ✽ 6 albumi
✽ 130 g di zucchero ✽ 1 dl di caffè
✽ 1/2 cucchiaino di cremor tartaro
✽ 1 cucchiaio di zucchero a velo
✽ 1 cucchiaio di latte
✽ 20 g di burro

DIFFICOLTÀ
Bassissima

PREPARAZIONE
15 minuti

COTTURA
50 minuti

VINO
Alto Adige
Moscato Rosa
(rosso,
Trentino Alto
Adige)

Elba Aleatico
(rosso,
Toscana)

Setacciate insieme 100 g di farina, lo zucchero, il cremor tartaro e riuniteli in una ciotola, aggiungete il caffè e il latte e mescolate con un cucchiaio di legno.

Montate a neve ben ferma gli albumi, incorporateli delicatamente al composto preparato e poi versatelo in una tortiera imburrata e infarinata. Mettete la torta nel forno già caldo a 180 °C e fatela cuocere per 50 minuti circa.

Fate intiepidire la torta a temperatura ambiente prima di sformarla, spolverizzatela con lo zucchero a velo e servitela.

L'INGREDIENTE

▶ **Cremor tartaro**. È un sale dell'acido tartarico, presente nel vino. Un tempo veniva usato da solo o abbinato al bicarbonato di sodio per rendere morbidi i dolci. Oggi è stato sostituito quasi completamente dal lievito in polvere per dolci.

Torta di albumi e cacao

Ingredienti per 6 persone

* ❄ 80 g di farina ❄ 70 g di cacao amaro
* ❄ 6 albumi ❄ 200 g di zucchero
* ❄ 1 bustina di zucchero vanigliato
* ❄ 1/2 cucchiaino di lievito per dolci
* ❄ 1 cucchiaio di zucchero a velo
* ❄ 20 g di burro ❄ sale

DIFFICOLTÀ
Bassissima

PREPARAZIONE
15 minuti
più 1 ora e
30 minuti di
raffreddamento
della torta

COTTURA
50 minuti

VINO
Oltrepò Pavese
Moscato
(bianco,
Lombardia)

Moscato
di Pantelleria
(bianco,
Sicilia)

In una ciotola setacciate 60 g di farina con 50 g di cacao, il lievito e lo zucchero vanigliato; unite anche lo zucchero e amalgamate il tutto con cura.

In una terrina montate a neve ben ferma gli albumi con un pizzico di sale e incorporateli delicatamente al composto di farina e cacao. Versatelo in una tortiera imburrata e infarinata e cuocete la torta nel forno già caldo a 180 °C per 50 minuti. Sfornatela e lasciatela raffreddare prima di sformarla.

Spolverizzate in maniera uniforme la superficie della torta con il cacao rimasto, passandolo attraverso un colino. Appoggiatevi sopra, delicatamente, 3 strisce di cartoncino, a distanze regolari e spolverizzate la superficie con lo zucchero a velo, passando anche questo attraverso un colino. Togliete delicatamente le strisce di cartoncino e servite la torta.

Torta di arachidi e pistacchi

Ingredienti per 8 persone

❊ 270 g di farina ❊ 0,3 dl di latte ❊ 12 g di lievito di birra
❊ 150 g di arachidi tritate ❊ 100 g di pistacchi
❊ 3 uova ❊ 40 g di zucchero ❊ 145 g di burro
❊ 50 g di amaretti pestati ❊ sale
Per la guarnizione ❊ 50 g di arachidi ❊ 20 g di pistacchi
❊ 2 amaretti sbriciolati ❊ 50 g di gelatina di albicocche

DIFFICOLTÀ
Media

PREPARAZIONE
1 ora
più 14 ore e
30 minuti di
riposo della
pasta

COTTURA
40 minuti

VINO
Malvasia delle
Lipari Passito
(bianco,
Sicilia)

Erbaluce di
Caluso Passito
(bianco,
Piemonte)

Mettete 2 uova in una ciotola, unite lo zucchero e il sale e mescolate con una frusta metallica. Setacciate 250 g di farina e unitevi il lievito sciolto nel latte tiepido, il composto di uova e amalgamate il tutto. Unite 130 g di burro a pezzetti e continuate a lavorare l'impasto finché formerà una pasta liscia ed elastica.

Fate riposare la pasta coperta per 30 minuti, poi lavoratela un poco per romperne la lievitazione, trasferitela in una ciotola, copritela con un telo inumidito e mettetela in frigo per 12 ore.

Sbollentate i pistacchi, pelateli e tritateli. Riprendete la pasta e lavoratela, unendovi gli amaretti, i pistacchi e le arachidi; ricavatene 7 palline, mettetele in una tortiera imburrata e infarinata e fatele lievitare per 2 ore in un luogo tiepido, finché avranno raddoppiato il loro volume. Spennellatene la superficie con l'uovo rimasto, sbattuto, e cuocetele nel forno già caldo a 180 °C per 40 minuti. Togliete la torta dal forno e fatela intiepidire.

Sbollentate la gelatina di albicocche in una casseruola con 1 cucchiaio d'acqua e spennellate il liquido sulla torta. Decoratela con la frutta secca e gli amaretti e servitela.

Torta di cacao alle mandorle

Ingredienti per 8 persone

❊ 250 g di farina ❊ 100 g di mandorle tritate
❊ 70 g di cacao ❊ 150 g di burro
❊ 200 g di zucchero ❊ 2 uova e 2 albumi
❊ la scorza grattugiata di 1 arancia ❊ latte
❊ 1 pizzico di polvere di chiodi di garofano
❊ 0,5 dl di Brandy ❊ 1 bustina di lievito per dolci ❊ sale

DIFFICOLTÀ
Media

PREPARAZIONE
30 minuti
più 2 ore
di riposo
della torta

COTTURA
45 minuti

VINO
Recioto di
Soave
(bianco,
Veneto)

Molise
Moscato
Passito
(bianco,
Molise)

Setacciate 220 g di farina con il lievito e un pizzico di sale. Riducete 130 g di burro a pezzetti e lavorateli con la farina, in una terrina, con le punte delle dita, fino a quando tutto il burro sarà stato completamente assorbito.

Aggiungete lo zucchero, mescolando, quindi le uova sbattute, il cacao, un poco di latte, le mandorle, la scorza grattugiata, un pizzico di polvere di chiodi di garofano, il liquore e gli albumi montati a neve e continuate a lavorare l'impasto finché avrà raggiunto una consistenza morbida, ma densa.

Versate il composto in una tortiera rotonda unta di burro e cosparsa di farina.

Mettete la tortiera nel forno già caldo a 180 °C e fate cuocere per 45 minuti circa.

Togliete la torta dal forno, sformatela, lasciatela riposare per 2 ore e servitela in tavola.

Torta di cacao e yogurt

Ingredienti per 4 persone

❋ 100 g di farina ❋ 50 g di cacao amaro ❋ zucchero a velo
❋ 180 g di zucchero ❋ 3 uova ❋ 125 g di yogurt intero
❋ 1 cucchiaino di lievito per dolci ❋ 1 bustina di vanillina
❋ 20 g di burro ❋ 2 dl di latte

DIFFICOLTÀ
Bassa

PREPARAZIONE
30 minuti
più 1 ora e
30 minuti di
raffreddamento
della torta

COTTURA
45 minuti

VINO
Frascati
Cannellino
(bianco,
Lazio)

Colli Orientali
del Friuli
Verduzzo
Friulano
(bianco,
Friuli-Venezia
Giulia)

Versate il latte una ciotola e mescolatelo con lo yogurt amalgamando
bene il tutto.

In una terrina sbattete a lungo le uova
con lo zucchero, unite il cacao, la
vanillina e il composto di latte e
yogurt, quindi aggiungete il lievito e
infine, poca alla volta, la farina, continuando a mescolare.

Versate il composto in una tortiera
imburrata di 25 cm di diametro e
alta circa 4 cm. Quindi passate il
recipiente nel forno già caldo a
180 °C e fate cuocere la torta per
circa 45 minuti.

Trascorso questo tempo, togliete la
torta dal forno, lasciatela intiepidire
per circa 30 minuti a temperatura
ambiente e quindi sformatela su un
piatto da portata. Lasciate raffreddare completamente la torta, spolverizzatela con lo zucchero a velo e
servitela in tavola.

Torta di carote

Ingredienti per 6 persone

❉ 250 g di carote ❉ 10 g di farina ❉ 250 g di zucchero
❉ 6 uova ❉ 100 g di fecola di patate ❉ 16 gherigli di noce
❉ 20 g di burro ❉ 1-2 cucchiai di zucchero a velo ❉ sale
❉ 1 cucchiaio di scorza grattugiata di limone biologico

DIFFICOLTÀ
Bassa

PREPARAZIONE
20 minuti
più 1 ora e
30 minuti di
raffreddamento
della torta

COTTURA
30 minuti

VINO
Trentino
Moscato Rosa
(rosso,
Trentino-Alto
Adige)

Vernaccia di
Serrapetrona
Dolce
(rosso,
Marche)

Sbollentate i gherigli di noce per 1 minuto, sgocciolateli, asciugateli e tritateli; raschiate le carote, lavatele e grattugiatele.

Sbattete i tuorli con lo zucchero e un pizzico di sale sino a ottenere un composto cremoso, unitevi la fecola mescolata ai gherigli di noce, le carote e la scorza di limone; amalgamate gli ingredienti e incorporate all'impasto gli albumi montati a neve ben ferma.

Imburrate una tortiera, cospargetela di farina, versatevi il composto preparato, livellatene la superficie e cuocete il dolce nel forno già caldo a 180 °C per circa 30 minuti.

Sformate la torta su una gratella, fatela raffreddare, ricopritene parzialmente la superficie con striscioline di carta, spolverizzatela con lo zucchero a velo, quindi eliminate la carta e servitela.

L'INGREDIENTE

▶**Fecola di patate**. Si tratta di una sostanza amidacea ricavata dai tuberi della patata comune o della patata dolce. In cucina viene utilizzata come addensante di salse e sughi e da sola o addizionata alla farina per la preparazioni di impasti molto leggeri e morbidi.

Torta di carote e mandorle

Ingredienti per 8 persone

* 140 g di farina * 300 g di carote * 300 g di mandorle pelate
* 300 g di zucchero * 8 biscotti secchi
* 4 uova * la scorza grattugiata di 1 limone biologico
* 1/2 cucchiaio di lievito per dolci * 20 g di burro
* 1 cucchiaio di zucchero a velo

DIFFICOLTÀ
Bassa

PREPARAZIONE
20 minuti

COTTURA
40 minuti

VINO
Recioto della Valpolicella (rosso, Veneto)

Aleatico di Gradoli (rosso, Lazio)

Pulite le carote, sbucciatele e tritatele finemente, possibilmente con un tritatutto. Sminuzzate le mandorle e i biscotti.

In una terrina lavorate i tuorli con lo zucchero, tenendo da parte gli albumi, fino a ottenere un composto chiaro e spumoso, poi unite 120 g di farina, le carote, la scorza di limone, i biscotti e le mandorle, amalgamando gli ingredienti uno alla volta. Infine, con molta delicatezza, incorporate al composto gli albumi montati a neve e il lievito.

Versate il composto ottenuto in una tortiera imburrata e infarinata e cuocete la torta nel forno già caldo a 180 °C per 40 minuti circa o finché sarà ben dorata.

Sformate la torta su un piatto da portata, fatela raffreddare completamente, spolverizzate con zucchero a velo e servite.

LA VARIANTE

▶La torta risulterà altrettanto gustosa se invece delle sole mandorle utilizzerete anche qualche altro tipo di frutta secca, tipo nocciole e noci. Se le trovate, provate anche le noci pecan dal guscio liscio e rosato, molto usate nella pasticceria nord-americana.

Torta di carote e miele

Ingredienti per 6 persone

✳ 100 g di fumetto ✳ 20 g di farina ✳ 350 g di carote grattugiate
✳ 4 uova ✳ 100 g di maizena ✳ 100 g di burro ✳ 2 cucchiai di latte
✳ 5-6 cucchiai di miele ✳ 160 g di mandorle dolci tritate
✳ 1 bustina di lievito per dolci ✳ la scorza grattugiata di 1 limone biologico
✳ 0,5 dl di Amaretto di Saronno ✳ 1 busta di zucchero vanigliato ✳ sale

DIFFICOLTÀ
Bassa

PREPARAZIONE
20 minuti

COTTURA
45 minuti

VINO
Gioia del Colle
Aleatico Dolce
(rosso,
Puglia)

Elba Aleatico
(rosso,
Toscana)

Sbattete i tuorli in una ciotola, amalgamatevi le carote grattugiate, il miele, la scorza di limone e mescolate per amalgamare gli ingredienti. Unite il fumetto setacciato con la maizena e le mandorle.

Incorporate a questo impasto 80 g di burro fuso, il liquore e il lievito, sciolto nel latte tiepido. Mescolate bene con il cucchiaio di legno in modo da ottenere un impasto omogeneo, poi incorporatevi poco alla volta, con

delicatezza, gli albumi montati a neve con un pizzico di sale.

Versate l'impasto in una tortiera, imburrata e infarinata, e cuocete la torta nel forno già caldo a 180 °C per 45 minuti. Lasciatelo intiepidire a temperatura ambiente e sformatela su una griglia da pasticceria.

Fate riposare la torta per qualche ora, spolverizzatela in superficie con lo zucchero vanigliato e servitela.

Torta di carote e nocciole

Ingredienti per 8 persone

❈ 120 g di farina ❈ 150 g di carote grattugiate ❈ 150 g di nocciole tostate
❈ 125 g di zucchero ❈ 3 uova ❈ 1 bustina di lievito per dolci
❈ 20 g di burro ❈ 1 limone biologico
Per la guarnizione ❈ 5 cucchiai di zucchero a velo ❈ 6 foglioline di carota
❈ 2 gocce di succo di limone ❈ 1/2 albume ❈ 6 nocciole tostate intere

DIFFICOLTÀ
Bassa

PREPARAZIONE
40 minuti
più 1 ora e
30 minuti di
raffreddamento
della torta

COTTURA
45 minuti

VINO
Moscato di
Noto naturale
(bianco,
Sicilia)

Breganze
Torcolato
(bianco,
Veneto)

Riducete in polvere le nocciole tostate. In una terrina lavorate 1 uovo e 2 tuorli con lo zucchero, fino a ottenere un composto gonfio e spumoso; unitevi le nocciole, le carote, 100 g di farina setacciata con il lievito, il succo e la scorza del limone.

Unite al composto gli albumi rimasti montati a neve, versatelo in una tortiera imburrata e infarinata, mettete nel forno già caldo a 180 °C e fate cuocere per 45 minuti. A cottura ultimata, sformate la torta e lasciatela raffreddare, dopo averla coperta di zucchero a velo.

Nel frattempo preparate la guarnizione: mettete in una ciotola il succo di limone e l'albume, unitevi lo zucchero a velo e amalgamate. Mettete il composto in un cornetto di carta da forno e formate alcuni ciuffetti di glassa sulla superficie della torta; ponete sopra ogni ciuffetto una nocciola e congiungete i ciuffetti con fili di glassa. Disponete le foglioline di carota sui fili di glassa e servite.

1 Unite al composto di uova e zucchero le carote e le nocciole tritate.

montati a neve ben ferma.

3 Versate il composto ottenuto in una tortiera imburrata e infarinata e passate nel forno.

2 Incorporate quindi gli albumi

Torta di cioccolato agli aromi

Ingredienti per 6 persone

❊ 350 g di farina ❊ 160 g di burro ❊ 200 g di zucchero di canna
❊ 1 cucchiaino e 1/2 di bicarbonato di sodio ❊ 1 bustina di vanillina
❊ 2 uova ❊ 3 dl di latte ❊ 4 gocce di succo di limone
❊ 80 g di cacao amaro ❊ 2 cucchiai di zucchero a velo
❊ cannella in polvere ❊ chiodi di garofano in polvere

DIFFICOLTÀ
Bassa

PREPARAZIONE
30 minuti
più 10 minuti
di riposo
della torta

COTTURA
35 minuti

VINO
Valle d'Aosta
Chambave
Passito
(bianco,
Valle d'Aosta)

Moscato
Passito
di Pantelleria
(bianco,
Sicilia)

Lavorate in una terrina 140 g di burro, a pezzetti, con lo zucchero di canna fino a ottenere un composto ben gonfio e spumoso.

Unite il bicarbonato, un pizzico di cannella e uno di chiodi di garofano in polvere, la vanillina e le uova, una alla volta, mescolando continuamente.

Amalgamatevi quindi 330 g di farina setacciata con il cacao, alternandola al latte, inacidito con il succo di limone.

Versate il composto in una tortiera del diametro di 24 cm, imburrata e infarinata, mettetela nel forno già caldo a 180 °C e fate cuocere la torta per 35 minuti.

Togliete la torta dal forno, lasciatela riposare per 10 minuti, quindi sformatela e servitela cosparsa con lo zucchero a velo.

Torta di cioccolato al Grand Marnier

Ingredienti per 8 persone

❅ 100 g di farina ❅ 150 g di cioccolato fondente
❅ 2 cucchiai di Grand Marnier ❅ 170 g di burro
❅ 80 g di fecola ❅ 80 g di zucchero
❅ 6 albumi ❅ la scorza grattugiata di 2 arance biologiche
Per la guarnizione ❅ 1,5 dl di panna ❅ 8 ciliegine candite

DIFFICOLTÀ
Media

PREPARAZIONE
30 minuti
più 1 ora e
30 minuti di
raffreddamento

COTTURA
55 minuti

VINO
Aleatico
di Gradoli
Liquoroso
(rosso,
Lazio)

Pornassio di
Ormeasco
Liquoroso
(rosso,
Liguria)

Dividete 150 g di burro a pezzetti, tritate il cioccolato fondente, metteteli in 2 tegamini e fateli fondere a bagnomaria. Mescolate in una terrina 80 g di farina e la fecola con la scorza delle arance, lo zucchero e il burro fuso.

Unite il cioccolato fuso e il Grand Marnier, mescolare e incorporate infine delicatamente gli albumi montati a neve. Imburrate e infarinate una tortiera, versatevi il composto e cuocete la torta nel forno già caldo a 170 °C per 40 minuti. Lasciatela raffreddare.

Adagiate la torta di cioccolato e arance su un piatto da portata e decorate la superficie con ciuffetti di panna montata e ciliegine candite. Servite in tavola.

DEFINIZIONE

▶ **Grand Marnier.** Liquore francese ottenuto dalla tripla distillazione di scorze d'arancia amara fermentate con l'aggiunta di Cognac. Ha una gradazione alcolica di 40° ed è spesso usato in pasticceria.

Torta di cioccolato con fiocchi d'avena

Ingredienti per 6 persone

* ❋ 500 g di fiocchi d'avena
* ❋ 150 g di gocce di cioccolato fondente
* ❋ 140 g di burro
* ❋ 75 g di zucchero
* ❋ 1 cucchiaio di miele
* ❋ 50 g di uva sultanina

DIFFICOLTÀ
Bassa

PREPARAZIONE
20 minuti
più 20 minuti
di ammollo
dell'uva
sultanina

COTTURA
40 minuti

VINO
Gioia del Colle
Aleatico
Liquoroso
Dolce
(rosso,
Puglia)

Aleatico
di Gradoli
Liquoroso
(rosso,
Lazio)

Fate ammollare l'uva sultanina in acqua tiepida per 20 minuti. Mettete 120 g di burro, lo zucchero e il miele in un tegamino e fate cuocere a fuoco lento mescolando finché il burro e lo zucchero saranno sciolti e il tutto sarà ben amalgamato.

Togliete il tegame dal fuoco e incorporate i fiocchi d'avena mescolando con cura. Aggiungete le gocce di cioccolato e l'uva sultanina strizzata e mescolate di nuovo, amalgamando bene tutti gli ingredienti.

Trasferite l'impasto in uno stampo quadrato di 20 cm di lato imburrato e premetelo bene sulla base livellandolo con una paletta. Cuocete il dolce nel forno già caldo a 180 °C per 30 minuti.

Togliete il dolce dal forno, fatelo intiepidire e prima di servirlo tracciate con un coltellino dei riquadri sulla superficie.

L'INGREDIENTE

▶ **Avena.** È uno dei cereali più diffusi, da cui si ricava una farina, dall'alto valore nutritivo ed energetico, ricca di amido, sali minerali, vitamine e grassi, e i fiocchi, che vanno consumati previa cottura.

Torta di cioccolato e amaretti

Ingredienti per 8 persone

* ❋ 300 g di fecola di patate
* ❋ 100 g di cioccolato fondente
* ❋ 350 g di amaretti ❋ 300 g di zucchero
* ❋ 6 uova ❋ 1 dl di panna montata
* ❋ 0,5 dl di Sherry ❋ 20 g di burro
* ❋ 2 dl di latte ❋ sale

DIFFICOLTÀ
Bassa

PREPARAZIONE
30 minuti
più 1 ora e
30 minuti di
raffreddamento
della
preparazione

COTTURA
50 minuti

VINO
Oltrepò Pavese
Moscato
Passito
(bianco,
Lombardia)

Moscato
Passito di
Pantelleria
(bianco,
Sicilia)

Tritate gli amaretti, tenendone da parte 6, ponete il trito in una terrina e bagnatelo con 1,8 dl di latte.

In una ciotola sbattete i tuorli con lo zucchero fino a ottenere un composto soffice e spumoso, poi incorporatevi gli amaretti, lo Sherry e un pizzico di sale. Infine incorporatevi, poco alla volta, la fecola di patate, sempre mescolando bene.

Grattugiate il cioccolato e fatelo fondere in una piccola casseruola con il latte rimasto, lasciatelo intiepidire, quindi unitelo al composto. Montate gli albumi a neve e, sempre mescolando, aggiungeteli con delicatezza al miscuglio.

Imburrate una tortiera, spolverizzate il fondo con gli amaretti tenuti da parte, sbriciolati, e versatevi l'impasto. Fate cuocere la torta nel forno già caldo a 180 °C per 40 minuti.

Estraete la torta dal forno, lasciatela raffreddare, poi capovolgetela su un piatto da portata. Decorate il dolce con ciuffetti di panna montata e servite subito in tavola.

Torta di cioccolato e caffè

Ingredienti per 6 persone
* 320 g di cioccolato fondente
* 1 cucchiaio di caffè solubile * 20 g di burro
* 200 g di zucchero * 2 dl di caffè amaro
* 1 bustina di vanillina * 30 di pangrattato
* 2 dl di panna montata zuccherata
* 9 uova * 0,5 dl di Rum * sale

DIFFICOLTÀ
Bassa

PREPARAZIONE
30 minuti
più 1 ora e
30 minuti di
raffreddamento
della
preparazione

COTTURA
55 minuti

VINO
Aleatico
di Puglia
Liquoroso
(rosso,
Puglia)

Pornassio
di Ormeasco
Liquoroso
(rosso,
Liguria)

Sbattete a lungo in una terrina i tuorli con lo zucchero e la vanillina. Quando saranno ben montati, grattugiate 300 g di cioccolato e fatelo fondere, a bagnomaria, nel caffè caldo.

Mescolate e amalgamate il tutto ai tuorli sbattuti, poi completate il composto con il liquore e infine incorporate con delicatezza gli albumi montati a neve ben ferma con un pizzico di sale.

Imburrate una tortiera a bordi bassi, cospargetela di pangrattato e versatevi il composto. Fate cuocere la torta nel forno già caldo a 180 °C per 45 minuti circa, poi lasciatela raffreddare.

Per servire, decorate la superficie con la panna montata, a cui avrete unito il caffè solubile, e con il restante cioccolato, a scagliette.

Torta di cioccolato e fagioli

Ingredienti per 6 persone
* 100 g di cioccolato fondente
* 200 g fagioli borlotti secchi * 200 g di zucchero
* 4 cucchiai di olio d'oliva extravergine * 3 uova
* 1 bustina di lievito * 20 g di burro
* 1 stecca di cannella * 150 g di marmellata di arance
* 20 di cacao amaro * 1 foglia di alloro

DIFFICOLTÀ
Media

PREPARAZIONE
30 minuti
più 12 ore di
ammollo dei
fagioli e 1 ora
e 30 minuti di
raffreddamento
della
preparazione

COTTURA
2 ore e
20 minuti

VINO
Recioto della
Valpolicella
(rosso,
Veneto)

Montefalco
Sagrantino
Passito
(rosso,
Umbria)

Fate ammollare i fagioli per 12 ore in acqua tiepida.

Sgocciolateli e lessateli in abbondante acqua con la cannella e la foglia di alloro per 1 ora e 30 minuti. Sgocciolateli, eliminate gli aromi e passateli al passaverdure.

Fate intiepidire il purè ottenuto, unite il cioccolato, fuso a parte a bagnomaria, l'olio, lo zucchero, 1 tuorlo alla volta, mescolando bene dopo ogni aggiunta, e il lievito. Montate gli albumi con un pizzico di sale, uniteli delicatamente al composto e versatelo in una tortiera imburrata.

Cuocete il dolce nel forno già caldo a 180 °C per 50 minuti. Sfornate, lasciate raffreddare, dividetelo in senso orizzontale a metà e farcitelo con la marmellata. Richiudetelo, cospargete la superficie con il cacao e servite.

IL CONSIGLIO
▶ Per questa preparazione è indicata la marmellata di arance amare, il cui sapore dal giusto equilibrio tra il dolce e l'agro, completa perfettamente il gusto del cioccolato fondente.

Torta di cioccolato e noci

Ingredienti per 8 persone
* 370 g di farina
* 200 g di cioccolato fondente
* 100 g di gherigli di noce
* 300 g di zucchero a velo
* 220 g di burro * 1 bustina di lievito
* 6 uova * 2 dl di latte
* 0,5 dl di Rum * sale

DIFFICOLTÀ
Bassa

PREPARAZIONE
30 minuti
più 1 ora e
30 minuti di
raffreddamento
della
preparazione

COTTURA
50 minuti

VINO
Greco di
Bianco
(bianco,
Calabria)

Erbaluce
di Caluso
(bianco,
Piemonte)

Sbattete i tuorli in una terrina con lo zucchero fino a renderli spumosi e ben montati.

Incorporate 200 g di burro, fuso a parte, mescolate e aggiungete a poco a poco 350 g di farina, alternandola al latte e mescolando bene dopo ogni aggiunta.

Unite il Rum, i gherigli di noce tritati, il cioccolato grattugiato, un pizzico di sale, il lievito e, appena otterrete un impasto omogeneo, amalgamatevi delicatamente gli albumi montati a neve fermissima, mescolando dall'alto verso il basso perché non si smontino.

Imburrate uno stampo rotondo di 24 cm di diametro, infarinatelo leggermente, quindi versatevi il composto preparato. Passate il recipiente nel forno già caldo a 180 °C per circa 50 minuti.

Sformate la torta su una gratella e fatela raffreddare completamente. Trasferitela su un piatto da portata e servite in tavola.

Torta di cocco, amaretti e cacao

Ingredienti per 8 persone
* 420 g di farina
* 250 g di polpa di cocco essiccata e grattugiata
* 150 g di amaretti * 150 g di cacao in polvere
* 220 g di burro * 250 g di zucchero
* 2,5 dl di panna * 8 uova * 1 bustina di lievito
* 4 dl di Rum * 1 bustina di zucchero vanigliato
* 8 ciliegine candite rosse * sale

DIFFICOLTÀ
Media

PREPARAZIONE
30 minuti
più 1 ora e
30 minuti di
raffreddamento
della
preparazione

COTTURA
1 ora

VINO
Alto Adige
Moscato Rosa
(rosso,
Trentino-Alto
Adige)

Elba
Aleatico
(rosso,
Toscana)

Sbattete i tuorli in una terrina con lo zucchero, aggiungete, poco per volta, 200 g di burro ammorbidito a pezzetti e continuate a sbattere.

Incorporate quindi 400 g di farina e il lievito. Diluite con la panna, poi aggiungete 220 g di polpa di cocco grattugiata e, sempre mescolando, gli amaretti pestati, il cacao e il Rum.

Montate gli albumi a neve ben ferma con un pizzico di sale e uniteli all'impasto delicatamente, mescolando dall'alto verso il basso perché non si smontino.

Imburrate e infarinate una tortiera a cerniera, versatevi l'impasto e cuocete la torta nel forno già caldo a 180 °C per 1 ora.

Togliete poi la tortiera dal forno, aprite la cerniera e fate scivolare la torta su una gratella. Lasciatela raffreddare completamente prima di trasferirla su un piatto da portata.

Cospargete la superficie con lo zucchero vanigliato e la polpa di cocco grattugiata rimasta. Guarnite la torta con qualche ciliegina candita rossa e servite.

Torta di fecola di patate

Ingredienti per 6 persone

❈ 80 g di fecola di patate
❈ 150 g di zucchero
❈ il succo e la scorza grattugiata di 1 limone biologico
❈ 4 uova ❈ 3/4 di bustina di lievito per dolci
❈ 1 bustina di zucchero vanigliato
❈ 20 g di burro ❈ sale

DIFFICOLTÀ
Bassissima

PREPARAZIONE
15 minuti

COTTURA
35 minuti

VINO
Recioto
di Soave
(bianco,
Veneto)

Moscato di
Trani Dolce
(bianco,
Puglia)

Rompete le uova separando gli albumi dai tuorli; mettete questi ultimi in una terrina, unitevi lo zucchero e lavorateli a lungo con un cucchiaio di legno, fino a quando avrete ottenuto un composto morbido e cremoso.

Aggiungete gradatamente, e sempre mescolando, la fecola di patate setacciata, 3 cucchiai di succo di limone, il lievito, lo zucchero vanigliato, una presa di sale e la scorza del limone.

In una terrina a parte, montate a neve ben ferma gli albumi e incorporateli delicatamente agli al composto di fecola amalgamandoli perfettamente.

Imburrate una tortiera del diametro di circa 24 cm, versatevi il composto, livellatelo con il dorso di un cucchiaio di legno e cuocete la torta nel forno già caldo a 180 °C per 35 minuti, o finché uno stecchino inserito al centro ne uscirà asciutto.

Togliete la torta dal forno, lasciatela intiepidire, sformatela su un piatto da portata e servitela.

Torta di fiocchi d'avena

Ingredienti per 6 persone

❄ 120 g di farina semintegrale

❄ 150 g di fiocchi d'avena a cottura rapida

❄ 110 g di zucchero di canna ❄ 2 chiodi di garofano in polvere

❄ 2 uova ❄ 80 g di burro ❄ 150 g di uva sultanina

❄ 1 cucchiaino di cannella in polvere

❄ 100 g di gherigli di noce ❄ 50 g di cedro candito

DIFFICOLTÀ
Bassa

PREPARAZIONE
15 minuti
più 20 minuti
di ammollo
dell'uva sultanina,
20 minuti di
riposo dei fiocchi
d'avena e 1 ora
e 30 minuti di
raffreddamento
della
preparazione

COTTURA
50 minuti

VINO
Montefalco
Sagrantino
passito
(rosso,
Umbria)

Ischia
Piedirosso
Passito
(rosso,
Campania)

Fate ammorbidire 60 g di burro a temperatura ambiente. Ammorbidite l'uva sultanina in una ciotola con acqua tiepida per circa 20 minuti, quindi scolatela, strizzatela e asciugatela con un telo. Tritate i gherigli e il cedro candito.

Ponete i fiocchi d'avena in una ciotola, versatevi 2,5 dl d'acqua bollente e lasciate riposare per 20 minuti.

In una ciotola lavorate il burro ammorbidito con 100 g di zucchero, sino a ottenere un composto spumoso e unitevi 1 uovo alla volta, mescolando con un cucchiaio di legno.

Aggiungete la farina setacciata insieme alla cannella e un pizzico di chiodi di garofano, i fiocchi d'avena, che avranno assorbito tutto il liquido, l'uva sultanina, le noci e il cedro candito. Mescolate finché gli ingredienti saranno ben amalgamati.

Versate il composto nella tortiera imburrata e cuocete la torta nel forno già caldo a 190 °C per 50 minuti circa. Servite la torta fredda cosparsa con lo zucchero di canna rimasto, passato per qualche secondo al mixer.

Torta di frutta croccante

Ingredienti per 8 persone

❀ 100 g di farina di mais ❀ 50 g di farina autolievitante
❀ 225 g di frutta secca mista (uva sultanina, albicocche, ecc.)
❀ 120 g di burro ❀ 100 g di zucchero ❀ 2 uova
❀ 1 cucchiaio di lievito
❀ 25 g di pinoli ❀ 2 cucchiai di latte
❀ la scorza grattugiata di 1 limone biologico
❀ 4 cucchiai di succo di limone

DIFFICOLTÀ
Bassissima

PREPARAZIONE
20 minuti
più 20 minuti
di ammollo
della frutta
secca e 1 ora
e 30 minuti di
raffreddamento
della
preparazione

COTTURA
1 ora

VINO
Controguerra
Passito Bianco
(Abruzzo)

Fate ammorbidire la frutta secca in acqua tiepida per 20 minuti.

Lavorate in una ciotola 100 g di burro con lo zucchero, finché sarà chiaro e spumoso; unitevi, poco alla volta, le uova sbattute mescolando bene dopo ogni aggiunta.

Unite la farina, il lievito e la farina di mais, continuando a mescolare. Aggiungete la frutta secca strizzata, i pinoli, la scorza e il succo di limone e il latte. Versate il composto in una tortiera imburrata, livellatene la superficie e cuocete nel forno già caldo a 180 °C per circa 1 ora. Fate raffreddare la torta prima di servire.

Torta di frutta secca al Brandy

Ingredienti per 8 persone

❀ 370 g di farina ❀ 50 g di nocciole
❀ 50 g di mandorle pelate ❀ 50 g di gherigli di noce
❀ 200 g di zucchero ❀ 140 g di burro
❀ 1 bustina di lievito per dolci
❀ 1 bustina di vanillina ❀ 2 dl di latte
❀ 0,5 dl di Brandy ❀ 10 g di cacao amaro ❀ 4 uova
❀ cannella in polvere ❀ sale

DIFFICOLTÀ
Bassissima

PREPARAZIONE
20 minuti
più 1 ora e
30 minuti di
raffreddamento
della
preparazione

COTTURA
50 minuti

VINO
Malvasia
di Casorzo
d'Asti Passito
(rosso,
Piemonte)

Elba Aleatico
(rosso,
Toscana)

Sbattete i tuorli in una terrina con lo zucchero fino a renderli spumosi, incorporatevi 120 g di burro, fuso a parte, e amalgamatevi, poco alla volta, 350 g di farina alternandola al latte e mescolando bene dopo ogni aggiunta.

Aggiungetevi il cacao, il lievito, la vanillina e un pizzico di cannella e di sale. Insaporite con il Brandy, quindi unite le nocciole, le mandorle e i gherigli di noce tritati grossolanamente.

In un recipiente pulito montate a neve fermissima gli albumi, incorporateli delicatamente al composto preparato in precedenza, mescolando dal basso verso l'alto perché non si smontino.

Versate il tutto in uno stampo rotondo precedentemente imburrato e infarinato. Fate cuocere il dolce nel forno già caldo a 180 °C per 50 minuti. Sfornate la torta e fatela raffreddare completamente prima di sformarla e di servirla in tavola.

Torta di granoturco

Ingredienti per 6 persone

❋ 300 g di farina di mais
❋ 300 g di mandorle sgusciate
❋ 300 g di zucchero
❋ 320 g di burro
❋ 4 uova e 2 tuorli
❋ 1 cucchiaio di scorza grattugiata di limone biologico
❋ 10 g di pangrattato ❋ sale

DIFFICOLTÀ
Bassissima

PREPARAZIONE
20 minuti
più 1 ora e
30 minuti di
raffreddamento
della
preparazione

COTTURA
45 minuti

REGIONE
Lombardia

VINO
Oltrepò Pavese
Moscato
(bianco,
Lombardia)

Moscadello
di Montalcino
Frizzante
(bianco,
Toscana)

Sbollentate per qualche minuto le mandorle, poi sgocciolatele, asciugatele, privatele della pellicina e tritatele. Passate al setaccio la farina di mais, mescolatela allo zucchero e versate il tutto in una terrina.

Unitevi 300 g di burro, fuso a parte, le mandorle tritate, le uova, i tuorli, la scorza di limone e una presa di sale e mescolate fino a ottenere un composto omogeneo.

Imburrate una tortiera, cospargetela con il pangrattato, versatevi l'impasto e livellatene la superficie con il dorso di un cucchiaio bagnato d'acqua.

Cuocete la torta nel forno già caldo a 200 °C per circa 45 minuti. Servitela in tavola fredda.

Torta di latte

Ingredienti per 6 persone

* 1 l di latte * 300 g di pane raffermo * 2 uova
* 60 g di zucchero * 20 g di cacao amaro
* 100 g di uva sultanina * 1 cucchiaio di pinoli
* 6 amaretti * 1 bustina di vanillina * 0,5 dl di Brandy
* 70 g di burro * 40 g di mandorle
* 10 g di pangrattato

DIFFICOLTÀ
Bassissima

PREPARAZIONE
20 minuti
più 20 minuti
di ammollo
dell'uva
sultanina
e 2 ore
di ammollo
del pane

COTTURA
1 ora

VINO
Erbaluce di
Caluso Passito
(bianco,
Piemonte)

Greco
di Bianco
(bianco,
Calabria)

Fate ammorbidire il pane spezzettato nel latte ponendolo in una terrina per almeno 2 ore.

Nel frattempo sbollentate le mandorle per 1 minuto, sgocciolatele ed eliminate la pellicina esterna. Fate ammorbidire l'uva sultanina in acqua tiepida per circa 20 minuti, sgocciolatela e asciugatela accuratamente su un telo.

Quando il pane sarà ben morbido, sgocciolatelo e lavoratelo con un cucchiaio di legno; aggiungete, sempre mescolando, il cacao setacciato insieme alla vanillina, lo zucchero, i pinoli, gli amaretti sbriciolati, il Brandy, l'uva sultanina e le uova.

Amalgamate bene tutti gli ingredienti, quindi fate fondere 50 g di burro in un tegamino e unitelo al composto, che dovrà risultare abbastanza consistente. Versatelo in una tortiera imburrata e cosparsa di pangrattato, copritela con le mandorle spellate e cuocete il dolce nel forno già caldo a 180 °C per circa 1 ora.

Togliete la torta dal forno, adagiatela su un piatto da portata e servitela tiepida o fredda, a piacere.

Torta di Lodi (Tortionata)

Ingredienti per 6 persone

* 320 g di farina
* 190 g di burro
* 125 g di mandorle
* la scorza grattugiata di 1 limone biologico
* 170 g di zucchero * 1 tuorlo
* 1/2 cucchiaino di bicarbonato

DIFFICOLTÀ
Bassa

PREPARAZIONE
20 minuti

COTTURA
1 ora e
10 minuti

REGIONE
Lombardia

VINO
Oltrepò Pavese
Moscato
Passito
(bianco,
Lombardia)

Moscato
di Pantelleria
(bianco,
Sicilia)

Sbollentate le mandorle, privatele della pellicina e tritatele finemente.

Fate imbiondire 20 g di burro in un tegamino, unite le mandorle e rosolatele appena, poi spegnete.

In una ciotola mescolate 300 g di farina con lo zucchero, il tuorlo, la scorza di limone, poi amalgamatevi le mandorle, 150 g di burro fuso e il bicarbonato.

Versate il composto in uno stampo imburrato e infarinato, segnate la superficie della torta a linee trasversali con i rebbi di una forchetta e cuocetela nel forno già caldo a 180 °C per 1 ora, o finché avrà assunto un bel colore dorato. Servite tiepida o fredda, a piacere.

LA RICETTA TRADIZIONALE

▶ Dolce tipico lodigiano, la Tortionata risale al Medioevo. La ricetta fu codificata nel 1885 dal pasticciere locale Alessandro Tacchinardi, al quale per tradizione si attribuisce la scelta del nome; altri ritengono, invece, che derivi da "tortijon", fil di ferro attorcigliato, al quale la torta veniva paragonata per la difficoltà di tagliarla a fette (infatti si spezzetta).

Torta di miele e scorze di agrumi

Ingredienti per 6 persone

❋ 400 g di farina ❋ 10 cucchiai di miele
❋ 60 g di scorzette di limone e di arancia candite a dadolini
❋ 250 g di panna ❋ 2 dl di latte ❋ 100 g di zucchero
❋ 1 cucchiaio di lievito ❋ 1/2 cucchiaio di anice
❋ 1 chiodo di garofano ❋ 1 pizzico di noce moscata
❋ 1/2 cucchiaio di cannella ❋ 20 g di burro ❋ sale

DIFFICOLTÀ
Bassa

PREPARAZIONE
30 minuti

COTTURA
45 minuti

VINO
Moscato
di Pantelleria
(bianco,
Sicilia)

Oltrepò Pavese
Moscato
(bianco,
Lombardia)

Sbattete leggermente in una terrina la panna, senza farla montare, con 8 cucchiai di miele, lo zucchero, le scorzette di limone e arancia candite e le spezie ridotte in polvere.

Setacciate la farina con il lievito e un pizzico di sale e mettetela nella terrina con gli altri ingredienti. Aggiungete a poco a poco, sempre mescolando, il latte caldo in modo da ottenere un composto piuttosto denso.

Imburrate uno stampo, versatevi il composto e cuocete nel forno già caldo a 180 °C per 45 minuti circa.

Lasciate intiepidire il dolce nello stampo e sformatelo sul piatto di portata; spennellate leggermente la superficie con il miele rimasto e servite.

Torta di nocciole alla piemontese

Ingredienti per 8 persone

❋ 200 g di farina ❋ 300 g di nocciole
❋ 120 g di burro ❋ 150 g di zucchero
❋ 1 dl di caffè ❋ 2 dl di latte ❋ 1 bustina di lievito
❋ 1 cucchiaio di olio d'oliva extravergine
❋ 3 uova ❋ 2 cucchiai di Rum
❋ 1 bustina di vanillina

DIFFICOLTÀ
Bassa

PREPARAZIONE
30 minuti

COTTURA
30 minuti

REGIONE
Piemonte

VINO
Loazzolo
(bianco,
Piemonte)

Verdicchio
di Matelica
Passito
(bianco,
Marche)

Fate tostare leggermente le nocciole nel forno, sgusciatele e tritatele; mescolate il trito in una ciotola con lo zucchero e la farina. Unite le uova sbattute, il caffè, il latte, l'olio, il Rum, la vanillina, il lievito e, da ultimo, 100 g di burro, fuso a parte. Amalgamate bene il tutto con il cucchiaio di legno.

Versate il composto in una teglia larga e bassa, imburrata, livellando il composto a uno spessore di circa 2 cm. Cuocete la torta nel forno già caldo a 200 °C per circa 30 minuti, sfornatela, sformatela su un piatto da portata e servite in tavola, tiepida o fredda, a piacere.

L'INGREDIENTE

▶ **Nocciole Piemonte.** Indicazione Geografica Protetta (IGP) in uso dal 1993 per indicare la nocciola Tonda Gentile delle Langhe. Si coltiva ad altitudini comprese tra 150 e 750 m; grazie alla sua adattabilità questa coltura si è estesa dal Piemonte all'Emilia-Romagna e alla Toscana.

Torta di nocciole all'arancia

Ingredienti per 6 persone

❋ 10 g di di farina ❋ 300 g di nocciole sgusciate
❋ 2 arance biologiche ❋ 180 g di zucchero
❋ 6 uova ❋ 0,5 dl di liquore all'arancia
❋ 20 g di zucchero a velo ❋ 20 g di burro

DIFFICOLTÀ
Media

PREPARAZIONE
30 minuti

COTTURA
55 minuti

VINO
Alto Adige
Moscato Giallo
(bianco,
Trentino-Alto
Adige)

Greco
di Bianco
(bianco,
Calabria)

Lavate le arance, asciugatele, grattugiatene la scorza e spremetene il succo. Tostate le nocciole nel forno già caldo a 180 °C; fatele raffreddare ed eliminate la pellicina; tritatele tenendone da parte qualcuna intera per la decorazione.

In una terrina lavorate i tuorli con lo zucchero fino a ottenere un composto chiaro e spumoso. Aggiungete, poco alla volta, le nocciole tritate mescolandole. Versatevi il liquore all'arancia e il succo delle arance, mescolando continuamente. Unitevi anche la scorza delle arance grattugiata e, infine, incorporate delicatamente gli albumi montati a neve ben ferma.

Imburrate e infarinate una tortiera e versatevi il composto preparato. Fate cuocere nel forno già caldo a 180 °C per 50 minuti circa. Sformate la torta su un piatto da portata e lasciatela raffreddare. Prima di servirla, cospargetela di zucchero a velo lasciando libera una parte di superficie verso il bordo e adagiate in questa parte le nocciole tenute da parte.

1 Dopo avere lavorato i tuorli con lo zucchero, aggiungete le nocciole tritate, mescolando bene.

2 Incorporate quindi al composto gli albumi montati a neve ben ferma.

3 Versate il composto ottenuto in una tortiera imburrata e infarinata, livellando bene la superficie.

Torta di nocciole e mandorle

Ingredienti per 6 persone

❋ 150 g di farina ❋ 300 g di nocciole e mandorle sgusciate
❋ 150 g di zucchero ❋ 4 uova
❋ 100 g di burro ❋ 0,5 dl di latte
❋ 1 cucchiaio di scorza grattugiata di limone biologico
❋ 1 bustina di lievito per dolci ❋ sale

DIFFICOLTÀ
Bassa

PREPARAZIONE
20 minuti
più 1 ora e
30 minuti di
raffreddamento
della
preparazione

COTTURA
45 minuti

VINO
Recioto
di Soave
(bianco,
Veneto)

Moscato
Passito
di Pantelleria
(bianco,
Sicilia)

Mettete le nocciole e le mandorle sgusciate sulla piastra del forno e infornatele a 180 °C per 5 minuti, poi sfornatele, privatele della pellicina e tritatele.

Mescolate in una terrina la farina, un pizzico di sale e il lievito, amalgamatevi lo zucchero, 80 g di burro a fiocchetti e le uova.

Sempre mescolando incorporate la scorza di limone, le nocciole e le mandorle tritate e il latte.

Imburrate una tortiera, versatevi il composto, livellatene la superficie e cuocete la torta nel forno già caldo a 180 °C per circa 40 minuti. Fate raffreddare completamente prima di servire.

IL CONSIGLIO

▶ Un buon sistema per livellare la torta uniformemente è quello di avvolgere il composto nella carta d'alluminio ed infornarlo in questo involucro, in modo che una volta sformato tenga perfettamente la forma dello stampo.

Torta di noci

Ingredienti per 6 persone
* 220 g di farina * 250 g di gherigli di noce tritati
* 180 g di zucchero * 4 uova
* 200 g di canditi misti a dadini (cedro, arancia, ciliegia)
* 20 g di zucchero a velo * 20 g di burro
* 1 cucchiaio di succo di limone

DIFFICOLTÀ
Bassa

PREPARAZIONE
20 minuti

COTTURA
40 minuti

VINO
Oltrepò Pavese
Moscato
(bianco,
Lombardia)

Umbria
Grechetto
Passito
(bianco,
Umbria)

Lavorate in una terrina, con il cucchiaio di legno, i tuorli con lo zucchero fino a ottenere un composto chiaro e spumoso.

In un recipiente pulito montate gli albumi a neve ben ferma e uniteli ai tuorli amalgamandoli con la spatola e girando il composto con attenzione dal basso verso l'alto, in modo che non si smontino.

Aggiungete poco alla volta, alternandoli, 200 g di farina, le noci tritate e i canditi, amalgamandoli bene, infine versate il succo di limone.

Imburrate e infarinate leggermente la tortiera e versatevi il composto, livellandolo in superficie con una spatola.

Cuocete la torta nel forno già caldo a 200 °C per 40 minuti circa, fatela intiepidire, sformatela, cospargetela di zucchero a velo e servite.

Torta di noci e miele

Ingredienti per 6 persone

* 90 g di farina
* 150 g di noci sgusciate e finemente tritate
* 150 di zucchero * 1 cucchiaio di lievito
* 20 g di burro * 3 uova
* cannella in polvere * 50 g di miele * sale

DIFFICOLTÀ
Bassa

PREPARAZIONE
20 minuti
più 1 ora e
30 minuti di
raffreddamento
della
preparazione

COTTURA
35 minuti

VINO
Ramandolo
(bianco,
Friuli-Venezia
Giulia)

Controguerra
Passito
Bianco
(Abruzzo)

Setacciate e mescolate in una terrina la farina, il lievito e un pizzico di cannella e di sale.

In un recipiente pulito montate a neve ben ferma gli albumi e sbattete in un'altra terrina con 100 g di zucchero i tuorli, ai quali aggiungerete, poco per volta, il composto di farina e infine gli albumi. Mescolate con cura e aggiungete le noci tritate.

Imburrate una teglia, versatevi il composto e cuocete nel forno già caldo a 180 °C per circa 35 minuti.

Nel frattempo fate sciogliere in una casseruola lo zucchero rimasto con 2,5 dl d'acqua; portate a ebollizione e proseguite la cottura per 10 minuti, sempre mescolando.

Spegnete il fuoco, aggiungete il miele, mescolate ancora accuratamente con un cucchiaio di legno e lasciate intiepidire.

Togliete la torta dal forno, mettetela su un piatto da portata, versatevi sopra lo sciroppo, fate raffreddare completamente e servite.

Torta di segale

Ingredienti per 6 persone

* 20 g di farina * 125 g di mandorle pelate
* 125 g di zucchero * 5 uova
* 30 g di pangrattato di segale * 4 cucchiai di Cognac
* 150 g di cioccolato fondente * 10 g di zucchero a velo
* 1 cucchiaio di gelatina di albicocche * 20 g di burro

DIFFICOLTÀ
Media

PREPARAZIONE
30 minuti
più 1 ora e
30 minuti di
raffreddamento
della
preparazione

COTTURA
1 ora

VINO
Valle d'Aosta
Chambave
Moscato
Passito
(bianco,
Valle d'Aosta)

Moscato
di Siracusa
(bianco,
Sicilia)

Imburrate e infarinate una tortiera rotonda. Fate tostare nel forno già caldo a 180 °C le mandorle, quindi frullatele con 10 g di zucchero.

In una ciotola lavorate 2 uova con lo zucchero rimasto; aggiungete le mandorle e amalgamate. Unite, uno alla volta, 3 tuorli, quindi il pangrattato e mescolate. Versate il Cognac e infine montare a neve i 3 albumi rimasti incorporandoli delicatamente all'impasto.

Versatelo nella tortiera e cuocete nel forno già caldo a 180 °C per 50 minuti. Togliete dal forno, sformate la torta e lasciatela raffreddare.

Scaldate in un tegamino la gelatina di albicocche con 1 cucchiaio d'acqua e spennellate il bordo del dolce. Spezzettate il cioccolato e fatelo fondere a bagnomaria. Versatelo su un foglio di carta vegetale, stendetelo allo spessore di 2 mm e lasciatelo solidificare un poco. Ritagliatene una striscia dell'altezza della torta e fatela aderire al bordo esterno.

Ricavate dal cioccolato rimasto tanti riccioli, strisciandovi sopra la lama di un coltello. Spolverizzate la torta con lo zucchero a velo, adagiatevi al centro i riccioli di cioccolato e servite in tavola.

Torta di segatura

Ingredienti per 6 persone

❋ 220 g di pangrattato
❋ 600 g di mele renette ❋ 200 g di zucchero
❋ 70 g di burro ❋ 4 uova
❋ 1 bustina di vanillina ❋ 1 pizzico di cannella
❋ 1/2 bustina di lievito

DIFFICOLTÀ
Media

PREPARAZIONE
30 minuti

COTTURA
1 ora e
15 minuti

VINO
Moscato d'Asti
(bianco,
Piemonte)

Orvieto
Amabile
(bianco,
Umbria)

Sbucciate le mele, privatele del tor-solo e tagliatele a dadini. Fate fon-dere 50 g di burro in un tegame, unite le mele, cospargetele con 100 g di zucchero e cuocetele a fuo-co medio, mescolando ogni tanto, fino a ottenere un purè.

Raccoglietelo in una terrina, ag-giungete 200 g di pangrattato, le uova, lo zucchero rimasto, tenen-done da parte 1 cucchiaio, la vanil-lina, la cannella, il lievito e amalga-mate bene il tutto.

Versate il composto in uno stampo, imburrato e cosparso di pangrattato, cuocete nel forno già caldo a 180 °C per 45 minuti, poi lasciate raffreddare la torta.

Sistematela su un piatto da portata e cospargetela con lo zucchero tenuto da parte. Servitela in tavola.

LA VARIANTE

▶ Il nome di questa torta deriva dalla presenza del pangrattato, la cui con-sistenza assomiglia a quella della segatura. Ne otterrete una altret-tanto buona, usando al posto delle mele la stessa quantità di pere oppure 2 banane.

Torta di semolino all'arancia

Ingredienti per 6 persone

❋ 85 g di farina ❋ 340 g di semolino
❋ 3 dl di succo d'arancia ❋ 380 g di zucchero
❋ 1,2 dl di olio d'oliva extravergine ❋ 4 uova
❋ 2 cucchiai di scorza grattugiata di arancia biologica
❋ 1/2 cucchiaio di lievito ❋ 20 g di burro

DIFFICOLTÀ
Bassa

PREPARAZIONE
30 minuti

COTTURA
50 minuti

VINO
Colli Euganei
Fior d'Arancio
Spumante
(bianco,
Veneto)

Moscato
di Trani
(bianco,
Puglia)

Lavorate i tuorli con 160 g di zuc-chero, l'olio e 1 cucchiaio di scorza d'arancia; incorporate quindi la fari-na, il semolino, il lievito e 1,2 dl di succo d'arancia.

Montate a neve gli albumi e uniteli al composto; versatelo in una teglia quadrata di 20 cm di lato, imburrata. Cuocete la torta nel forno già caldo a 180 °C per 45 minuti.

Nel frattempo mescolate sul fuoco lo zucchero, il succo e la scorza d'a-rancia rimasti; bollite per 2 minuti e spegnete il fuoco. Sfornate la torta e, prima di servire, affettatela e versatevi sopra lo sciroppo.

Torta di zucchine e cacao

Ingredienti per 6 persone

* 20 g di farina * 5 grosse zucchine
* 150 g di cacao amaro
* 6 uova * 150 g di biscotti novellini
* 300 g di amaretti * 1 dl di Rum
* 100 g di zucchero * 20 g di burro * sale

DIFFICOLTÀ
Bassa

PREPARAZIONE
30 minuti
più 1 ora e
30 minuti di
raffreddamento
della
preparazione

COTTURA
1 ora e
20 minuti

VINO
Alto Adige
Moscato Giallo
Passito
(bianco,
Trentino-Alto
Adige)

Moscato
di Siracusa
(bianco,
Sicilia)

Spezzettate i biscotti novellini e gli amaretti e tritateli separatamente. Spuntate le zucchine, lavatele e fatele cuocere in una pentola con abbondante acqua salata in ebollizione; sgocciolatele e frullatele.

Raccogliete in una terrina la crema di zucchine ottenuta, unitevi lo zucchero, le uova, i biscotti, gli amaretti, il cacao setacciato, il Rum e mescolate bene finché gli ingredienti saranno completamente amalgamati.

Versate il composto in una tortiera, imburrata e infarinata, livellatelo con una spatola, fatelo cuocere nel forno già caldo a 170 °C per 1 ora.

Togliete la torta dal forno, sformatela su un piatto da portata e, prima di servirla, decoratene a piacere la superficie.

Torta dolce di funghi

Ingredienti per 6 persone

❉ 250 g di farina di mais ❉ 300 g di funghi freschi
❉ 100 g di zucchero ❉ 50 g di pinoli ❉ 2 uova
❉ 1 bustina di lievito
❉ 2 dl di latte ❉ 10 g di pangrattato
❉ cannella in polvere ❉ 15 g di burro
❉ sale e pepe

DIFFICOLTÀ
Bassa

PREPARAZIONE
30 minuti
più 2 ore
di riposo della
preparazione

COTTURA
55 minuti

VINO
Recioto
di Soave
(bianco,
Veneto)

Molise
Moscato
Passito
(bianco,
Molise)

Pulite i funghi, passateli veloce-mente in acqua corrente e metteteli sul fuoco, senza alcun condimento, in una padella. Fateli saltare a fuoco vivo per 1 minuto; salateli e conti-nuate la cottura sino a quando l'ac-qua che emetteranno sarà evapo-rata. Lasciateli raffreddare e passa-teli al passaverdure, raccogliendo il ricavato in una terrina.

Unite i tuorli al purè di funghi. Me-scolate ripetutamente, quindi unite i pinoli tritati, la farina, il lievito, un pizzico di sale, di pepe e di cannel-la, lo zucchero, il latte, il pangrattato e amalgamate.

Montate a neve gli albumi e incor-porateli delicatamente al compo-sto, mescolando dal basso verso l'alto perché non si smontino. Co-prite con un telo e lasciate riposare per 2 ore.

Ungete una tortiera e versatevi l'im-pasto. Cuocetelo nel forno già caldo a 180 °C per circa 40 minuti. Servite la torta, a piacere, calda o fredda in tavola.

Torta dorata all'amaretto

Ingredienti per 6 persone

* 220 g di farina bianca
* 100 g di fumetto
* 1 dl di liquore all'amaretto
* 140 g di zucchero
* 1 bustina di lievito
* 120 g di burro * 3 dl di latte

DIFFICOLTÀ
Bassissima

PREPARAZIONE
30 minuti
più 1 ora e
30 minuti di
raffreddamento
della
preparazione

COTTURA
50 minuti

VINO
Erbaluce
di Caluso
Passito
(bianco,
Piemonte)

Greco
di Bianco
(bianco,
Calabria)

Setacciate 200 g di farina bianca insieme al lievito e mettetela in una terrina; mescolatevi il fumetto, lo zucchero, 100 g di burro fuso, il liquore all'amaretto e il latte.

Lavorate i vari ingredienti con una piccola frusta fino a ottenere un impasto omogeneo. Imburrate e infarinate una tortiera del diametro di 24 cm; versatevi il composto preparato.

Passate il recipiente nel forno già caldo a 180 °C e cuocete la torta per 50 minuti. Quando sarà pronta, fatela raffreddare su una gratella, quindi sformatela su un piatto da portata e servite.

L'INGREDIENTE

▶ **Amaretto.** Liquore nella cui composizione, oltre all'alcol, sono presenti 17 elementi aromatici tra cui mandorle, ciliegie, prugne e cacao. Oltre che in pasticceria, viene impiegato per la preparazione di numerosi cocktail.

Torta genovese senza farina

Ingredienti per 6 persone
❋ 230 g di mandorle sgusciate
❋ 1 cucchiaio di Kirsch
❋ 220 g di zucchero
❋ 145 g di burro
❋ 4 uova ❋ 20 g di farina

DIFFICOLTÀ
Bassa

PREPARAZIONE
30 minuti

COTTURA
1 ora e
30 minuti

REGIONE
Liguria

VINO
Cinque Terre
Sciacchetrà
(bianco,
Liguria)

Malvasia
delle Lipari
Passito
(bianco,
Sicilia)

Imburrate la tortiera, foderatela con un foglio di carta vegetale, imburrate anche la carta e infarinatela. Fate scottare le mandorle in un tegame con acqua in ebollizione; sgocciolatele e pelatele. Fatele asciugare per qualche minuto passandole nel forno già caldo a 180 °C e tritatele riducendole in polvere.

Mettete le mandorle in una terrina, unitevi il Kirsch e amalgamatelo. Fate fondere il burro rimasto in un tegamino a fuoco medio. Aggiungete pian piano lo zucchero al composto di mandorle e, mescolando continuamente, le uova, uno alla volta; unite infine il burro fuso.

Mescolate bene finché gli ingredienti saranno tutti ben amalgamati. Versate il composto ottenuto nella tortiera e fatelo cuocere nel forno già caldo a 160 °C per 1 ora e 15 minuti circa.

Togliete la torta dal forno, sformatela con delicatezza e adagiatela su un piatto da portata. Servite tiepida o fredda, a piacere.

Torta integrale allo yogurt

Ingredienti per 6 persone
❋ 350 g di farina integrale ❋ 20 g di farina bianca
❋ 200 g di yogurt intero ❋ 170 g di burro ❋ 3 uova
❋ 9 cucchiai di miele ❋ 1 cucchiaino di noce moscata
❋ 1 cucchiaino di chiodi di garofano in polvere
❋ 1 bustina di lievito ❋ 3 dl di panna

DIFFICOLTÀ
Media

PREPARAZIONE
30 minuti
più 1 ora e
30 minuti di
raffreddamento
della
preparazione

COTTURA
1 ora

VINO
Ramandolo
(bianco,
Friuli-Venezia
Giulia)

Sannio
Falanghina
Passito
(bianco,
Campania)

Mettete in una terrina 150 g di burro ammorbidito, aggiungete 6 cucchiai di miele, mescolate e incorporate, uno alla volta, le uova leggermente sbattute. Impastate la farina integrale con il lievito e le spezie, il composto preparato e lo yogurt.

Versate il composto in una tortiera imburrata e infarinata, livellatelo con una spatola, fate cuocere nel forno già caldo a 180 °C per circa 1 ora, poi sformate la torta e lasciatela raffreddare.

Montate la panna, stendetene la metà sulla torta, ricoprendola completamente. Mettete quella rimasta in una tasca da pasticciere con bocchetta dentellata, formate sulla torta 9 cerchi di ciuffetti, disponendone uno al centro e gli altri 8 attorno a distanza regolare.

Riempite ogni cerchio di panna con un cucchiaino di miele e completate la guarnizione ricoprendo la superficie e il bordo della torta con ciuffetti di panna. Servite.

Torta paradiso

Ingredienti per 6 persone

❈ 150 g di farina ❈ 150 g di fecola di patate
❈ 320 g di burro ❈ 300 g di zucchero
❈ 20 g di zucchero a velo ❈ 8 uova
❈ la scorza grattugiata di 1 limone biologico

DIFFICOLTÀ
Bassa

PREPARAZIONE
30 minuti

COTTURA
40 minuti

VINO
Moscato d'Asti
(bianco,
Piemonte)

Moscato
di Trani
(bianco,
Puglia)

Mettete 300 g di burro ammorbidito a temperatura ambiente in una ciotola e lavoratelo a lungo, finché sarà montato come una crema.

Unite la scorza grattugiata di limone e, uno per volta, i tuorli tenendo da parte 3 albumi e amalgamando bene dopo ogni aggiunta.

Aggiungete lo zucchero e, sempre mescolando, la fecola e 130 g di farina setacciata. Quando tutti gli ingredienti saranno ben lavorati, montate a neve ferma gli albumi e incorporateli al composto delicatamente perché non si smontino.

Imburrate una tortiera del diametro di 28 cm a bordi alti e versatevi il composto. Mettete nel forno già caldo a 170 °C e cuocete la torta per 40 minuti.

Toglietela dal forno, sformatela su un piatto da portata e, prima di servirla, cospargetela con lo zucchero a velo.

IL CONSIGLIO

▶ L'uso di un'impastatrice elettrica permette di risparmiare molto tempo. Questa torta è migliore se consumata un giorno dopo la preparazione ed è ottima anche dopo alcuni giorni, purché conservata in un foglio di carta pergamena o d'alluminio, posta in una scatola e tenuta in luogo fresco e asciutto.

Torta rapida

Ingredienti per 6 persone

❄ 20 g di farina ❄ 300 g di fecola di patate ❄ 320 g di burro

❄ 300 g di zucchero ❄ 3 uova ❄ 1/2 bustina di lievito

❄ la scorza grattugiata di 1 limone biologico

❄ 200 g di zabaione

DIFFICOLTÀ
Bassissima

PREPARAZIONE
30 minuti
più 1 ora e
30 minuti di
raffreddamento
della
preparazione

COTTURA
45 minuti

VINO
Colli di Parma
Malvasia
Amabile
(bianco,
Emilia-
Romagna)

Colli
del Trasimeno
Vin Santo
(bianco,
Umbria)

In una ciotola lavorate 300 g di burro, già ammorbidito a temperatura ambiente, finché sarà montato come una crema. Incorporate i tuorli, uno alla volta, lo zucchero e la fecola. Lavorate a lungo finché il composto risulterà bianco e spumoso. Aggiungete quindi il lievito e la scorza di limone grattugiata.

In un recipiente pulito montate gli albumi a neve ben ferma, quindi incorporateli all'impasto, mescolando con delicatezza.

Trasferite il composto in una tortiera, precedentemente imburrata e infarinata, e fatelo cuocere nel forno già caldo a 190 °C per circa 45 minuti, finché uno stecchino inserito al centro ne uscirà asciutto.

Togliete la torta dal forno, posatela su una gratella e lasciatela raffreddare completamente, quindi trasferitela su un ampio piatto da portata e servitela, accompagnandola in tavola con lo zabaione caldo o freddo, a piacere.

Torta sabbiosa

Ingredienti per 4 persone

❊ 170 g di farina
❊ 320 g di burro ❊ 3 uova
❊ 300 g di zucchero
❊ 150 g di fecola di patate
❊ la scorza grattugiata di 1 limone biologico
❊ 1/2 bustina di lievito ❊ sale

DIFFICOLTÀ
Bassa

PREPARAZIONE
30 minuti
più 1 ora e
30 minuti di
raffreddamento
della
preparazione

COTTURA
30 minuti

REGIONE
Veneto

VINO
Prosecco di
Valdobbiadene
Frizzante
Amabile
(bianco,
Veneto)

Moscadello
di Montalcino
Frizzante
(bianco,
Toscana)

Lavorate a lungo in una terrina lo zucchero con 300 g di burro e quando sarà soffice e ben montato incorporatevi i tuorli e continuate a lavorare.

Mescolate insieme la fecola 150 g di farina e il lievito, setacciate il tutto e uniteli al composto di uova, burro e zucchero. Infine aggiungete la scorza di limone gli albumi montati a neve, mescolando delicatamente, e un pizzico di sale.

Trasferite il composto in una tortiera imburrata e infarinata e cuocete nel forno già caldo a 180 °C per 30 minuti. Sformate la torta, lasciatela raffreddare prima di toglierla dallo stampo e servirla.

IL CONSIGLIO

▶Questa torta tradizionale del Veneto, ma diffusa in tutto il Paese e soprattutto nell'Italia Settentrionale, si conserva per parecchi giorni mantenendo inalterate le caratteristiche di gusto e di consistenza, se tenuta coperta in un luogo asciutto.

Torta sarda alle mandorle

Ingredienti per 6 persone

❊ 70 g di farina ❊ 150 g di mandorle pelate e tritate
❊ 6 uova ❊ 200 g di zucchero
❊ 1/2 bustina di lievito
❊ 2 bustine di zucchero a velo vanigliato
❊ la scorza grattugiata di 1 limone biologico
❊ 20 g di burro

DIFFICOLTÀ
Bassa

PREPARAZIONE
30 minuti
più 1 ora e
30 minuti di
raffreddamento
della
preparazione

COTTURA
40 minuti

REGIONE
Sardegna

VINO
Malvasia
di Bosa Dolce
Naturale
(bianco,
Sardegna)

Orvieto
Classico
Vendemmia
Tardiva
(bianco,
Umbria)

Imburrate una tortiera e spolverizzatela leggermente di farina. Lavorate in una terrina i tuorli con lo zucchero. Setacciate la farina rimasta con il lievito e 1 bustina di zucchero vanigliato e, sempre mescolando, fateli scendere a pioggia sulle uova. Unite le mandorle tritate e la scorza di limone.

Montate a neve ferma gli albumi e incorporateli delicatamente al composto. Versatelo nella tortiera e fate cuocere nel forno già caldo a 170 °C per circa 40 minuti.

Togliete la torta dal forno, lasciatela raffreddare, sformatela su un piatto da portata e spolverizzatela con lo zucchero a velo, passato attraverso un setaccino fine. Servite in tavola.

LA VARIANTE

▶Per profumare diversamente la torta, potete sostituire la scorza di limone con quella di arancia e completare la torta con una glassa preparata con 60 g di zucchero sciolti in 1 dl d'acqua, 2 cucchiai di Rum e il succo di 1 arancia. Decorate infine con qualche fettina di agrume.

Torta sforzesca

Ingredienti per 6 persone
❋ 200 g di farina ❋ 80 g di cioccolato fondente
❋ 70 g di burro ❋ 2 uova e 2 tuorli ❋ 100 g di zucchero
❋ 20 g di cannella ❋ 40 g di datteri
❋ 1/2 cucchiaino di paprica dolce ❋ 1/2 bustina di lievito
❋ 30 g di gherigli di noce ❋ 30 g di nocciole sgusciate
❋ 30 g di uva sultanina già ammollata e strizzata

DIFFICOLTÀ
Bassa

PREPARAZIONE
20 minuti
più 1 ora e
30 minuti di
raffreddamento
della
preparazione

COTTURA
40 minuti

REGIONE
Lombardia

VINO
Oltrepò Pavese
Moscato
Liquoroso
(bianco,
Lombardia)

Vesuvio
Lacryma
Christi
Liquoroso
(bianco,
Campania)

Imburrate e infarinate una placca da forno. Snocciolate i datteri. Tritate i gherigli di noce con le nocciole, i datteri snocciolati divisi in 4 parti e l'uva sultanina, tenendo da parte 2 datteri, qualche nocciola, alcuni gherigli e poca uva sultanina per la decorazione della torta.

In una ciotola mescolate la farina rimasta, con il lievito e la frutta secca. In un'altra ciotola lavorate un poco le uova con i tuorli e lo zucchero. Aggiungete il cioccolato tritato, la paprica e la cannella, mescolando finché gli ingredienti saranno ben amalgamati. Incorporate, poco alla volta e mescolando, il composto di farina e frutta secca.

Versate il composto nella tortiera; decorate, in modo armonico, la superficie con la frutta secca tenuta da parte. Cuocete la torta nel forno già caldo a 160 °C per circa 40 minuti.

Toglietela dal forno, sformatela su un piatto da portata e fatela raffreddare completamente prima di servirla.

Torta soffice di pere e cioccolato

Ingredienti per 6 persone
* 175 g di farina * 3 pere medie
* 100 g di cioccolato fondente
* 50 g di cacao amaro * 200 g di burro
* 175 g di zucchero di canna
* 3 uova * 1 bustina di lievito per dolci
* 2 cucchiai di latte

DIFFICOLTÀ
Bassa

PREPARAZIONE
20 minuti
più 1 ora e
30 minuti di
raffreddamento
della
preparazione

COTTURA
1 ora

VINO
Recioto della
Valpolicella
(rosso,
Veneto)

Vernaccia di
Serrapetrona
Dolce
(rosso,
Marche)

In una terrina capiente sbattete 180 g di burro e lo zucchero di canna fino a ottenere un composto chiaro e spumoso, unitevi il cioccolato sciolto a bagnomaria e le uova leggermente sbattute.

Setacciate la farina, il lievito e il cacao e incorporateli delicatamente al composto insieme al latte.

Trasferite il composto in uno stampo rotondo precedentemente imburrato e livellatene la superficie con il dorso di un cucchiaio.

Sbucciate le pere, privatele del torsolo e tagliatele a fettine, quindi disponetele a raggiera sulla torta.

Fatela cuocere nel forno già caldo a 180 °C per circa 1 ora, lasciatela intiepidire nello stampo, quindi trasferitela su una gratella e fatela raffreddare prima di servire.

IL CONSIGLIO

▶ Per una presentazione più originale, fate cuocere le pere intere, dopo aver tolto loro la buccia ma non il picciolo, in acqua e zucchero, sgocciolatele e disponetele nella tortiera. Versatevi intorno l'impasto del dolce e cuocete come indicato.

Torta sofficissima

Ingredienti per 6 persone

❀ 120 g di farina ❀ 270 g di zucchero ❀ 7 uova
❀ 1 bustina di vanillina ❀ 100 g di fecola di patate
❀ 20 g di burro ❀ 2 cucchiai di zucchero a velo
❀ la scorza grattugiata di 1 limone biologico ❀ sale

TORTE
LE RICETTE

DIFFICOLTÀ
Bassa

PREPARAZIONE
30 minuti
più 1 ora e
45 minuti di
raffreddamento
della
preparazione

COTTURA
50 minuti

VINO
Recioto
di Soave
(bianco,
Veneto)

Controguerra
Passito Bianco
(Abruzzo)

Mettete in una terrina lo zucchero con i tuorli, un pizzico di sale, la vanillina e la scorza di limone e sbattete con una frusta tutti gli ingredienti.

Mescolate 100 g di farina con la fecola di patate e incorporateli, poco alla volta, al composto di uova, senza smettere di mescolare.

In un recipiente pulito sbattete gli albumi con un pizzico di sale e amalgamateli con delicatezza al composto, mescolando dal basso verso l'alto per non smontarli. Imburrate e infarinate una tortiera a cerniera e fate cuocere la torta nel forno già caldo a 180 °C per circa 50 minuti.

Lasciate riposare la torta nel forno spento per 15 minuti, sfornatela e lasciatela raffreddare completamente. Infine, trasferitela su un piatto da portata, cospargetela con lo zucchero a velo e servitela in tavola.

Zelten trentino

Ingredienti per 6 persone

❊ 320 g di farina ❊ 150 g di gherigli di noce
❊ 150 g di zucchero ❊ 4 uova ❊ 100 g di fichi secchi già ammollati
❊ 120 g di burro ❊ 1 dl di latte ❊ 50 g di uva sultanina già ammollata
❊ 50 g di pinoli ❊ 2 bustine di lievito ❊ sale

Difficoltà
Media

Preparazione
30 minuti
più 1 ora e 30 minuti di raffreddamento della preparazione

Cottura
45 minuti

Regione
Trentino-Alto Adige

Vino
Trentino Vin Santo (bianco, Trentino-Alto Adige)

Tritate i gherigli di noce; tagliate a cubetti i fichi; sgocciolate l'uva sultanina e strizzatela bene.

Sciogliete 100 g di burro a bagnomaria, mettetelo in una ciotola e lavoratelo con lo zucchero, aggiungendo 300 g di farina, il latte freddo, versato a filo, e le uova, uno alla volta, mescolando bene dopo ogni aggiunta.

Aggiungete il lievito, mescolando accuratamente per incorporarlo.

Lavorate il composto per 15 minuti circa, mescolando sempre nello stesso senso, fino a ottenere una pasta perfettamente liscia e di colore chiaro. Incorporate quindi le noci, i pinoli, l'uva sultanina, i fichi e un pizzico di sale.

Imburrate e infarinate una tortiera di diametro di 26 cm, versatevi il composto e livellatelo con il dorso di un cucchiaio. Cuocete la torta nel forno già caldo a 180 °C per 40 minuti. Servitela fredda.

La ricetta tradizionale

▶ Questa ricetta è la versione veloce e "moderna" del dolce tradizionale trentino. Quest'ultimo prevede, infatti, anche l'aggiunta di alcuni grani di coriandolo, mandorle e cedro candito, nonché la macerazione di tutta la frutta secca nella Grappa. La differenza sostanziale, comunque, sta la tripla lievitazione, che allunga notevolmente i tempi di preparazione.

Torte farcite
e ricoperte

Impasti, farce e decorazioni

"Regine" della pasticceria, le torte farcite vengono realizzate in genere per festeggiare ricorrenze speciali, tuttavia, quelle più semplici, sono adatte a ogni occasione e posso basarsi sulla tradizione o accogliere proposte innovative.

IL CONSIGLIO

▶ Per non compromettere la lievitazione del pan di Spagna o della pasta genovese, controllate che lo sportello del forno si chiuda perfettamente e non apritelo mai durante la cottura, o perlomeno nel corso dei primi 30 minuti. Trascorso questo tempo, per verificare se la pasta è perfettamente cotta, introducete uno spiedino di legno o un ago da cucina al centro del dolce, lasciatevelo qualche secondo e poi sfilatelo e appoggiatelo sul dorso della mano: se risulterà perfettamente asciutto, significa che la pasta è cotta al punto giusto.

Le torte farcite sono composte da una base di pasta variamente arricchita (con crema, panna, frutta o confettura), inzuppate in genere con liquore, quindi sovente ricoperte e decorate.

PASTE DI BASE
Le paste di base classiche più frequentemente utilizzate per la preparazione di torte farcite sono il pan di Spagna, la pasta genovese, la pasta biscotto, la pasta sfoglia e la pasta frolla. Per la preparazione di quest'ultima si rimanda alla scuola di cucina della sezione successiva, dedicata alle crostate, mentre si forniscono di seguito indicazioni per la realizzazione degli altri impasti di base e della loro cottura.

Pan di Spagna
Particolarmente soffice e leggero, il pan di Spagna si usa come base per molti dolci, in genere tagliato in uno o due strati, detti "dischi".
La preparazione dell'impasto (illustrata nella pagina di fianco) prevede pochi e semplici ingredienti; la consistenza particolarmente morbida e spugnosa della pasta, tuttavia, richiede una lavorazione accurata. Nella confezione del pan di Spagna, infatti, non è contemplato l'uso del lievito, per cui per far sì che la pasta risulti soffice occorre lavorare accuratamente le uova. Queste devono essere montate molto a lungo e alla perfezione, in modo che incamerando molta aria facciano gonfiare il pan di Spagna durante la cottura. Se si utilizza una frusta a mano,

questa fase della lavorazione dovrà durare almeno 30 minuti, mentre se si usa uno sbattitore elettrico si dovranno frullare le uova con lo zucchero per almeno 15 minuti: il composto avrà raggiunto la giusta consistenza quando sollevando la frusta e lasciando cadere un poco di composto sul resto, il filo che cola "scriverà", ovvero rimarrà per qualche istante sulla superficie del composto stesso. Per non smontare le uova così preparate, inoltre, quando si aggiunge la farina il cucchiaio con cui si mescolano gli ingredienti va tenuto con il dorso rivolto verso l'alto, il movimento del cucchiaio deve altresì essere continuo e regolare e procedere dal basso verso l'alto.

Una volta preparato l'impasto, questo va versato in una tortiera imburrata e infarinata e messo a cuocere nel forno già caldo a 180 °C per circa 30 minuti. Nel momento in cui la pasta apparirà gonfia, dorata e ben staccata dai bordi dello stampo, si toglie la preparazione dal forno, si lascia riposare per qualche minuto, poi la si sforma su una gratella e la si lascia raffreddare prima di tagliarla e farcirla come previsto dalla ricetta.

Lasciato intero e non farcito, ma spolverizzato di zucchero a velo, il pan di Spagna costituisce peraltro un'ottima torta asciutta. La versione base del pan di Spagna prevede alcune varianti: per ottenere un composto più soffice, si può sostituire metà della farina con fecola e per rendere la pasta ancora più leggera si può utilizzare al posto dello zucchero semolato la stessa quantità di zucchero a velo. Spesso, inoltre, l'impasto viene aromatizzato, a seconda del tipo di dolce che si sta preparando, con 1 bustina di vanillina o con la scorza grattugiata di 1/2 limone.

Pasta (o torta) genovese
Considerata una variante del pan di Spagna, la pasta genovese (che viene detta anche "torta genovese" quando è servita da sola, cosparsa di zucchero a velo) risulta, rispetto a quest'ultimo, leggermente più consistente.

Si prepara mescolando con una frusta in una piccola casseruola 6 uova con 180 g di zucchero e la scorza grattugiata di 1/2 limone fino ad amalgamare bene gli ingredienti, quindi si fa intiepidire il composto a bagnomaria, senza mai smettere di frullare vigorosamente con la frusta. Quando il composto avrà raggiunto la temperatura di 40-45 °C si toglie la casseruola

▲ **Pan di Spagna: preparazione**

1 Montate 4 tuorli con 150 g di zucchero in una terrina usando una frusta fino a ottenere un composto gonfio e spumoso.

2 In un'altra terrina montate a neve ben ferma i 4 albumi con un pizzico di sale, quindi incorporateli delicatamente al composto di zucchero e uova.

3 Setacciate 150 g di farina 00 nel composto di zucchero e uova e mescolate delicatamente con un cucchiaio di legno in modo da che il composto non si smonti.

139

▲ **Pasta biscotto: farcitura**

1 Dopo aver preparato il composto, versatelo su una placca imburrata e ricoperta di carta da forno imburrata, poi stendetelo con una spatola in modo da ottenere un rettangolo di uguale spessore.

2 Fate cuocere la pasta, quindi rovesciatela su un telo, privatela della carta da forno e arrotolatela subito con l'aiuto del telo.

3 Un volta fredda, srotolatela, spalmatevi la farcia prevista dalla ricetta e arrotolatela di nuovo, facendo attenzione che il ripieno posto all'interno del rotolo non fuoriesca.

dal fuoco e si continua a frullare con la frusta per circa 30 minuti, finché il composto si sarà raffreddato e si presenterà ben gonfio e spumoso, ricadendo a nastro dalla frusta. A quel punto si amalgamano poco alla volta al composto 75 g di farina setacciata con 75 g fecola, mescolando delicatamente con un cucchiaio di legno. Infine si versa il tutto in una teglia imburrata e infarinata e si cuoce il dolce con le stesse modalità indicate per il pan di Spagna.

Pasta biscotto (o biscuit)
Detta anche "biscuit", alla francese, è una pasta morbida ed elastica che viene usata principalmente per la confezione di dolci arrotolati.
Per la preparazione di un rettangolo di pasta con il quale confezionare un rotolo per circa 6-8 persone, occorre montare con una frusta a mano o, meglio, con lo sbattitore elettrico, 5 tuorli con 50 g di zucchero, fino a ottenere un composto chiaro e ben gonfio. A parte si montano a neve fermissima 3 albumi con altri 50 g di zucchero, quindi si incorporano al composto di uova e zucchero con delicatezza, mescolando con un cucchiaio di legno con movimento continuo e regolare dall'alto verso il basso. Sempre

con estrema delicatezza si amalgamano poi al composto 100 g di farina setacciata, poco alla volta e mescolando con il cucchiaio di legno con il dorso rivolto verso l'alto. Per finire, si versa il composto su una placca da forno imburrata e rivestita di carta da forno anch'essa generosamente imburrata, si stende con una spatola in un rettangolo di spessore uniforme e si mette a cuocere nel forno già caldo a 180 °C per circa 15 minuti. Una volta cotta, si rovescia la pasta su un telo da cucina quindi, molto rapidamente ma con delicatezza, si toglie il foglio di carta da forno, si arrotola ben stretto il telo con la pasta all'interno e la si lascia arrotolata finché non sarà completamente fredda. A quel punto si srotola la pasta e si farcisce come illustrato nella sequenza a lato. Per ottenere una pasta biscotto al cioccolato, basta sostituire 20 g di farina con la stessa quantità di cacao amaro in polvere. Per una pasta ancora più leggera, si possono sostituire 30 g di farina con 30 g di fecola. Versando il composto ottenuto in una tortiera si ottiene una normale torta da farcire come la torta genovese o il pan di Spagna.

Pasta sfoglia

Leggerissima e molto friabile, la pasta sfoglia (detta anche "sfogliata" o, alla francese, "feuilletée") è costituita da più strati sovrapposti di spessore pressoché identico. La sua preparazione è alquanto lunga e piuttosto laboriosa, poiché occorre far sì che tra i vari strati di pasta e burro venga inglobata dell'aria: dilatandosi durante la cottura, questa solleverà verso l'alto gli strati di pasta dando alla sfoglia la sua caratteristica consistenza. Per la preparazione di una quantità di pasta sufficiente a foderare una tortiera di 20-22 cm di diametro (quindi per 6 persone), setacciate a fontana 200 g di farina, unitevi un pizzico di sale e circa 1 dl di acqua fredda e lavorate bene il tutto fino a ottenere un impasto omogeneo.

Formate con l'impasto un panetto, incidetevi sopra una croce con la punta di un coltello e lasciatelo riposare avvolto in un telo. Stendete la pasta in un quadrato, disponetevi al centro un panetto di burro da 200 g e ricopritelo con i lembi di pasta.

Passatevi sopra il matterello, poi avvolgete la pasta nell'alluminio e fatela riposare in frigo per 5 minuti.

Stendete la pasta in un'unica direzione, dandole la forma di un rettangolo, e ripiegatela su se stessa in 3 parti: ottenendo un panetto a 3 fogli. Ruotatelo di 90° e ripetete le stesse operazioni, poi avvolgete la pasta in un foglio di alluminio e mettetela in frigo per 30 minuti.

Ripetete questa sequenza (detta "giro") per altre 2 volte, lasciando riposare ogni volta la pasta in frigorifero per 30 minuti. Per la buona riuscita dell'operazione, oltre all'abilità manuale e a un rigoroso rispetto delle dosi, occorre assicurarsi che gli ingredienti siano alla stessa temperatura affinché possano amalgamarsi perfettamente.

Una volta pronto, l'impasto va steso con il matterello in una sfoglia sottile e disposto direttamente su una placca da forno o in stampi e tortiere semplicemente inumiditi con acqua, oppure rivestiti di carta da forno o, a piacere, leggermente imburrati, e posto a cuocere nel forno già caldo.

La temperatura di quest'ultimo deve aggirarsi intorno ai 200-220 °C mentre il tempo di cottura può variare dai 15 ai 30 minuti, a seconda delle dimensioni che assume la torta.

▲ **Pasta sfoglia: farcitura**

1 Stendete la pasta sfoglia su una placca inumidita e cuocetela per 15 minuti. Coprite con zucchero a velo e fatelo caramellare nel forno. Lasciate raffreddare, poi ricavate 3 quadrati di 16 cm di lato.

2 Mettete su 1 quadrato di pasta uno strato di crema, stendendola uniformemente.

3 Ponete sulla crema le fette di pesca sciroppata, coprite con il secondo quadrato di pasta e ripetete l'operazione, terminando con il terzo quadrato di pasta e decorando con panna montata.

ATTREZZATURA

1. Terrine e ciotole tonde
2. Bilancia
3. Frullino a manovella
4. Sbattitore elettrico
5. Frullatore
6. Polsonetto in rame
7. Setaccio
8. Stampi
9. Fruste
10. Ciotole in vetro
11. Stecchini di legno
12. Spargizucchero
13. Tasca da pasticciere
    con varie bocchette
14. Brocca graduata
15. Stencil per decorazioni
16. Cucchiai di legno
17. Rigalimoni
18. Pinzette
19. Siringa
20. Spatole in gomma
    e in acciaio
21. Pennello

▲ Crema inglese: preparazione

1 Per la preparazione di circa 1 l di crema, montate in un tegamino 7 tuorli con 100 g di zucchero, quindi unitevi a filo 1 l di latte, portato a ebollizione con 1 stecca di vaniglia.

2 Fate addensare il composto a fuoco basso, mescolando con un cucchiaio di legno.

3 Togliete la crema dal fuoco e trasferitela attraverso un colino in una ciotola per fermare la cottura. Lasciate infine raffreddare la crema, mescolando di tanto in tanto.

LE CREME DI BASE

Le creme dolci usate per le torte si dividono in due varietà fondamentali: le creme cotte e le creme crude. Tra le creme cotte di base, quelle più utilizzate sono la crema inglese, la crema pasticciera, la crema frangipane, lo zabaione e la crema ganache.

Tra le creme crude di base utilizzate per farcire torte e rotoli vanno invece citate la crema al burro e la crema Chantilly. A queste creme si aggiungono, come preparazione di base, le bagne alcoliche, con le quali si inumidiscono in genere i dolci a base di pan di Spagna, di pasta genovese o di pasta biscotto.

Crema inglese

Fine e delicata, si prepara come indicato nella sequenza a lato, facendo attenzione a non fare alzare il bollore alla crema mentre la si fa addensare sul fuoco per non fare "impazzire" la preparazione. A questo proposito, per essere certi di ottenere un buon risultato, si può far cuocere la crema a bagnomaria, avendo cura di non far bollire l'acqua sottostante.

Per capire quando la crema è pronta, potete verificare con un termometro per alimenti che abbia raggiunto la temperatura di 84 °C, oppure potete accertarvi che "veli" il cucchiaio di legno, o ancora che sia del tutto scomparsa la schiuma biancastra che si forma man mano in superficie.

La crema è aromatizzata con una stecca di vaniglia, che può essere tolta prima di unire il latte caldo al composto di uova o zucchero, oppure dopo aver trasferito la crema nella ciotola al termine della cottura, a seconda del grado di aromaticità che si intende ottenere.

In base al tipo di torta che si intende farcire con la crema, la vaniglia può essere sostituita con altri aromi, quali caffè, caramello, cioccolato, liquore o scorza di limone.

Crema pasticciera

Utilizzata per la preparazione di una grande varietà di torte, è la crema più conosciuta e usata in pasticceria.

Per la preparazione di circa 1 l di crema, si porta a ebollizione in una casseruola 1 l di latte con 150 g di zucchero, 1 scorzetta di 1 limone biologico e un pizzico di sale.

Nel frattempo, si montano in una casseruola a parte 8 tuorli con altri 150 g di zucchero fino a ottenere un composto chiaro e cremoso, al quale si uniscono poco alla volta 120 g di farina

setacciata, mescolando delicatamente con un cucchiaio di legno. A questo punto, si aggiunge a filo il latte caldo, sempre mescolando, quindi si mette la crema sul fuoco e si fa addensare per 2 minuti a fuoco moderato, senza mai smettere di mescolare.
Al termine della cottura, si versa la crema in una ciotola e si lascia raffreddare, mescolando di tanto in tanto per evitare che si formi una pellicina in superificie.
Le dosi di tuorli, zucchero e farina possono variare a seconda dell'utilizzo previsto per la crema. Per una preparazione più soffice e leggera, si può inoltre aggiungere un poco di panna montata al composto, oppure si può sostituire una parte di farina con della maizena.

Crema frangipane

Si presta in particolare a farcire torte soffici e crostate. Per la preparazione di circa 1 l di crema, si porta a ebollizione in una casseruola 1 l di latte con 1/2 stecca di vaniglia e 1 pizzico di sale. A parte, si montano 9 tuorli con 120 g di zucchero, quindi si aggiungono 200 g di farina setacciata, si unisce a filo il latte caldo e si fa addensare la crema sul fuoco, mescolando. Si toglie quindi la stecca di vaniglia, si incorporano 50 g di burro fuso

e 70 g di mandorle sbucciate e pestate al mortaio, si versa la crema in una ciotola e la si lascia raffreddare mescolando di tanto in tanto.
A piacere, al posto delle mandorle pestate si può utilizzare la stessa quantità di amaretti finemente grattugiati.

Zabaione

Detto anche, meno correttamente, "zabaglione", si prepara come descritto a lato, tenendo conto che il Marsala può essere sostituito, a piacere, con altri vini ad alta gradazione, come il Madera, il Porto, il Moscato o il Vin Santo, oppure con un semplice vino bianco secco o, ancora, con un liquore profumato come il Rum, il Cognac o il Kirsch (questi ultimi opportunamente diluiti con una pari quantità di vino bianco secco).

Crema ganache

Detta anche "crema parigina", viene utilizzata come farcia e per decorare elaborate torte. La sua semplice preparazione prevede, per la confezione di circa 0,5 l di crema, che si facciano fondere sul fuoco 250 g di cioccolato fondente, quindi si uniscano 60-70 g di burro a pezzetti e 2,5 dl di panna liquida, sbattendo con la frusta fino a ottenere una crema bene amalgamata.

▲ **Zabaione: preparazione**

1 Per la preparazione di circa 0,5 l di zabaione, montate in una casseruola 10 tuorli molto freschi con 200 g di zucchero fino a ottenere un composto chiaro e liscio, quindi unite poco alla volta, mescolando, 1 dl di vino bianco secco e 1 dl di Marsala secco.

2 Fate cuocere il composto a fuoco bassissimo, mescolando con una frusta, finché non appare gonfio e vellutato.

3 Trasferite lo zabaione in una ciotola e lasciatelo intiepidire, continuando a mescolare di tanto in tanto.

▲ Crema al burro: preparazione

1 Per la preparazione di circa 500 g di crema, lavorate in una ciotola 200 g di burro ammorbidito, fino a ottenere un composto cremoso.

2 Aggiungete al composto di burro 200 g di zucchero a velo, quindi incorporatevi, 1 alla volta, 5 tuorli, amalgamandoli bene con un cucchiaio di legno.

3 A parte, montate a neve ben ferma 1 albume e incorporatelo al composto, muovendo delicatamente il cucchiaio dal basso verso l'alto.

▼ Crema Chantilly: preparazione

1 Per la preparazione di circa 250 g di crema, mettete in una terrina 2,5 dl di panna fresca del tipo detto "da montare" o "da pasticceria" e mescolatevi 25 g di zucchero a velo.

2 Montate il composto con una frusta a mano oppure con lo sbattitore elettrico, fino a ottenere una neve soffice ma ben soda, che aderisca alla frusta senza colare.

3 Una volta terminata la montatura, il volume della panna dovrà risultare all'incirca raddoppiato.

Crema al burro

Leggera, fine e delicata, la crema al burro si utilizza per farcire paste lievitate e rotoli, nella versione di base (la cui preparazione è descritta a lato) o con l'aggiunta di altri ingredienti caratterizzanti, quali caffè solubile, cioccolato fuso, cacao in polvere, mandorle tritate, zabaione o liquori.

Crema Chantilly

Caratterizzata dall'estrema leggerezza e dalla facilità di preparazione, la crema Chantilly è una delle creme più adatte a farcire le torte a base di pan di Spagna o pasta genovese, soprattutto se accompagnata da frutta fresca, ma può essere utilizzata anche in aggiunta ad altre creme, per renderle più leggere e delicate.
La sua preparazione (descritta a lato), come si è detto, è molto semplice, tuttavia necessita di alcuni accorgimenti in grado di assicurarne una perfetta riuscita. Per far sì che la crema risulti ben montata, soffice e consistente, infatti, è necessario che la panna da montare sia ben fredda. Perfettamente puliti e freddi devono essere anche gli utensili che si utilizzano, ovvero la terrina e la frusta, che vanno tenuti per qualche tempo in frigorifero prima di dare inizio all'operazione.

▲ **Torte farcite: taglio e farcitura**

Come le altre creme utilizzate per farcire le torte, anche la crema Chantilly può essere aromatizzata con altri ingredienti, quali vaniglia, cioccolata, frutta secca sminuzzata, scorze di agrumi, frutti di bosco o liquore, unendo gli aromi e i liquori in qualsiasi momento della lavorazione e riservandosi invece di incorporare gli ingredienti solidi soltanto alla fine della stessa.

BAGNE ALCOLICHE

Nella preparazione delle torte farcite spesso vengono utilizzati liquori (in genere l'Alchermes, l'Amaretto, il Cointreau, il Grand Marnier, il Maraschino, la Sambuca), vini liquorosi (quali per esempio il Marsala, lo Zibibbo e la Malvasia) o vini aromatici a forte gradazione alcolica (come il Vermut).
Per inumidire la pasta di base come il pan di Spagna, la pasta genovese o la pasta biscotto, tuttavia, è meglio utilizzare anziché il liquore allo stato puro, una "bagna alcolica" che presenti una gradazione alcolica minore, di circa 10-12°.
Se il liquore che si intende utilizzare ha una gradazione di circa 40° la bagna alcolica si prepara portando a bollore 8,5 dl di acqua in cui sono stati sciolti 115 g di zucchero, quindi si lascia raffreddare lo sciroppo ottenuto e con esso si diluiscono 50 ml del liquore prescelto.
Se quest'ultimo ha una gradazione di circa 20° saranno sufficienti 3 dl di acqua e 40 g di zucchero.

COME FARCIRE UNA TORTA

Una volta preparata la crema, la torta di base (con pan di Spagna, pasta genovese, pasta biscotto o con un altra pasta soffice) ed eventuali altri elementi della farcia (quali per esempio confettura, marmellata o cioccolato fuso), si può procedere a farcire il dolce.
Nel caso si voglia preparare una classica torta a più strati, occorre innanzitutto tagliare la torta di base con un coltello lungo in due o tre dischi, a seconda dello spessore della torta, quindi si irrora un lato di ogni disco con la bagna alcolica prescelta.
A questo punto si spalma il lato superiore del disco di base con uno degli elementi per farcire, si sovrappone il secondo disco, lo si spalma con la farcia prevista e si continua allo stesso modo fino a coprire il tutto con l'ultimo disco di pasta.
La farcitura di una torta va effettuata molto tempo prima di servire, così che i sapori abbiano modo di amalgamarsi alla perfezione.

1 Prendete la torta di base e tagliatela con un lungo coltello in 2 o 3 fette orizzontali, a seconda dell'altezza della torta, facendo attenzione a non romperle.

2 Spennellate un lato dei dischi di pasta con la bagna alcolica prevista dalla ricetta.

3 Con una spatola di metallo stendete uniformemente sui dischi di pasta appena preparati l'elemento prescelto per farcire la torta, avendo cura di ricoprire anche i bordi del dolce.

LE GLASSE

La glassa è una copertura lucida che si dà a una preparazione per conferire alla stessa un aspetto gradevole e invitante. In pasticceria, la glassa è costituita da una base di zucchero a velo, alla quale possono essere aggiunti ingredienti vari, dalla semplice acqua agli albumi, al cioccolato, a liquori, aromi e coloranti, che caratterizzano il rivestimento conferendogli una sfumatura di colore o un sapore particolare.

Glassa all'acqua

Detta anche "glassa bianca", è la glassa più elementare e più semplice da preparare. Si realizza mescolando in una ciotolina dello zucchero a velo con una quantità di acqua sufficiente a ottenere una miscela mediamente fluida e lavorando energicamente il composto per qualche minuto. Si può aromatizzare con scorza di limone o di arancia, liquori o essenza di vaniglia.

Glassa colorata

Si prepara come la glassa all'acqua, sostituendo una piccola quantità di acqua con altrettanto liquore (Alchermes, Curacao blu o verde) o aggiungendo qualche goccia di colorante alimentare.

Glassa reale

Caratterizzata da una particolare consistenza, la glassa reale si prepara montando albumi con zucchero a velo (nella proporzione di 1 albume ogni 150 g di zucchero). Per una buona riuscita del composto occorre inizialmente lavorare piano con una frusta in una terrina gli albumi e metà dello zucchero; quando i due ingredienti cominciano ad amalgamarsi, si procede sbattendo il tutto più energicamente, aggiungendo lo zucchero rimasto, fino a ottenere un composto bianco e lucente. Per una glassa ancora più candida, si può aggiungere qualche goccia di limone, che mitigherà anche la particolare dolcezza della glassa.

Glassa al cioccolato

Utilizzata per rivestire torte, dolci e frutta o per realizzare rotolini, ventagli, fiori e foglie di cioccolato con cui decorare le torte, la glassa al cioccolato si può preparare con solo cioccolato fuso, oppure con l'aggiunta di sciroppo di zucchero. Nel primo caso, si grattugia grossolanamente del cioccolato fondente da copertura e lo si fa sciogliere a bagnomaria in un polsonetto mescolando continuamente. Si versano quindi

2/3 del cioccolato fuso su un
piano di marmo e si lavora
con una spatola di metallo fredda
finché raffreddandosi non prende
una certa consistenza.
A quel punto si unisce
nuovamente il cioccolato
addensato a quello rimasto
nella casseruola e si rimette
il tutto a fondere a bagnomaria
per qualche istante, finché la
glassa non avrà raggiunto la
temperatura di 30 °C. Con la
glassa ottenuta si può quindi
rivestire la torta oppure si può
stendere velocemente
il composto sul piano di marmo
a uno spessore di pochi millimetri
e prima che si solidifichi del tutto
vi si possono ricavare decorazioni
con appositi stampini sagomati.
Per una glassa più vellutata,
mentre si fa fondere il cioccolato
a bagnomaria, come nella prima
fase della procedura appena
descritta, si prepara uno
sciroppo di zucchero

cuocendolo fino al grado di
cottura cosiddetto della "piccola
palla" e lo si aggiunge, caldo, al
cioccolato fuso, mescolando per
amalgamare bene gli ingredienti.

Come glassare una torta
Salvo diverse indicazioni,
la glassa va stesa sulla torta
soltanto una volta che questa
si è completamente raffreddata.
Dopo aver eventualmente farcito
la torta di base e averla messa
su una gratella, si versa la glassa
sulla torta e la si stende su tutta
la superficie e sui bordi in uno
strato liscio e uniforme,
recuperando quella colata nel
piatto posto sotto la gratella.
Se il dolce deve essere
ulteriormente decorato,
le guarnizioni e le decorazioni
vanno applicate subito dopo
averlo rivestito con la glassatura,
per evitare che essa,
rassodandosi e diventando
fragile, si rompa.

IL CONSIGLIO

▶ Prima di procedere alla glassatura,
si può velare la torta con uno strato
sottile di crema al burro o di gelatina
di frutta fatta sciogliere in una casseruola sul fuoco con il 30% di acqua, per uniformare la superficie del
dolce, soprattutto nel caso che questa presenti avvallamenti.

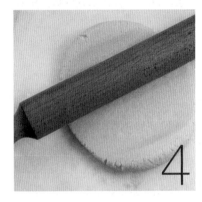

▲ **Pasta di mandorle: preparazione**

1 Per la preparazione di circa 500 g di pasta di mandorle, sbollentate 250 g di mandorle, sgocciolatele, privatele della pellicina, asciugatele con cura, quindi passatele al mixer, poche alla volta, fino a ridurle a uno sfarinato di consistenza finissima.

2 Trasferite le mandorle tritate in una terrina in cui avrete precedentemente messo 250 g di zucchero a velo e mescolate gli ingredienti con un cucchiaio di legno per amalgamarli.

3 Sbattete 2 albumi in una ciotolina senza montarli, quindi uniteli al composto di zucchero e mandorle nella terrina e mescolate bene il tutto, aggiungendo anche 1 cucchiaino di acqua di fiori d'arancio o un pizzico di vaniglina.

4 Mescolate il tutto dapprima con un cucchiaio di legno e poi con le mani, fino a ottenere una pasta omogenea, quindi stendetela con il matterello e tagliatela o modellatela secondo quanto previsto dalla ricetta.

DECORAZIONI

Le decorazioni che si possono applicare alle torte sono moltissime e possono variare da una spolverizzata di zucchero a velo o di cacao in polvere a ciuffi di panna montata, a scritte e disegni creati con una vasta serie di ingredienti, tra cui in particolare lo zucchero e il cioccolato (trattati diffusamente nella scuola di cucina della prima sezione del volume) e la pasta di mandorle, ma anche la frutta secca, fresca o candita, i chicchi di caffè, i confetti e altro ancora.

Pasta di mandorle

Chiamata anche "pasta reale", si tratta di marzapane non cotto, ovvero di un impasto a base di mandorle pestate e zucchero. La pasta di mandorle può essere preparata al naturale (con la procedura illustrata a lato), o con l'aggiunta di colorante alimentare, di liquore Alchermes o di sciroppo di menta. Una volta preparata e stesa con il matterello in una sfoglia di circa 2 mm di spessore, la pasta di mandorle può essere posta sulla torta in modo da ricoprirla, oppure può essere ritagliata con la punta di un coltello o con l'ausilio di appositi stampini in frutti, fiori e altri decori da posizionare sulla superficie del dolce dopo averlo ricoperto con una glassa.

Cioccolato

Come è stato detto, con la glassa
di cioccolato è possibile realizzare
diverse preparazioni.
Spalmandola, per esempio, con
un sottile pennellino sulla parte
inferiore di alcune foglie di rosa
o di alloro ben pulite, lasciandolo
solidificare e staccandolo infine
dalla foglia verde si ottengono
foglie di cioccolato, così come
spalmandola all'interno di valve
ben pulite di capesante e rivestite
con pellicola trasparente,
si ottengono conchiglie di
cioccolato. Spalmando invece
la glassa al cioccolato su un piano
di marmo in uno strato sottile,
lasciandola indurire
e raschiandone la superficie con
un coltello a lama grossa inclinato
di 45° si formeranno trucioli di
cioccolato, ovvero piccoli strati
di cioccolato arrotolati su
se stessi a spirale.
Per realizzare dei riccioli
di cioccolato, è invece sufficiente
passare un pelapatate
ad archetto sul bordo
di un blocco di cioccolato
fondente tenuto a temperatura
ambiente.

Canditi

Insostituibili elementi decorativi
delle torte, i canditi sono
il risultato della canditura della
frutta. Tale operazione si può
effettuare in casa, con un

procedimento, tuttavia, che
risulta molto lungo ed elaborato.
La frutta fresca, infatti, va prima
di tutto cotta in acqua (intera
oppure tagliata a spicchi
o a fettine, a seconda
della dimensione), con una
cottura più o meno veloce a
seconda del genere, quindi
va immersa ripetutamente
e prolungatamente in uno
sciroppo di zucchero, dapprima
abbastanza leggero, poi sempre
più concentrato. Lo zucchero
in tal modo viene assorbito
gradualmente dalla frutta,
prendendo il posto dell'acqua
e, disseccandosi, si indurisce
conferendo alla frutta maggiore
consistenza, profumo
e conservabilità.
La frutta candita si trova già
pronta in commercio, intera,
a pezzi o a dadini. I frutti più
spesso sottoposti al processo
di canditura sono arance, cedri,
limoni (spesso solo la scorza),
ciliegie, albicocche, mandarini,
pere e zucca (solo la polpa).

151

da pasticciere è composta da una sorta di cono fabbricato con tessuto impermeabile e non assorbente, all'estremità del quale è posto un beccuccio d'uscita variamente sagomato. Dopo aver completato la tasca con la bocchetta desiderata e averla riempita con la glassa o la crema prescelta, la si impugna in modo che la bocchetta si trovi faccia a faccia con la superficie da decorare, quindi si spreme affinché la glassa fuoriesca attraverso la bocchetta: in questo modo, e muovendo opportunamente la bocchetta sulla superficie del dolce, si ottiene la decorazione desiderata.

Per gli impasti caldi esiste in commercio una tasca apposita, costituita da due tessuti: un tessuto impermeabile all'interno e un tessuto termicamente isolante all'esterno, così come esiste una tasca dotata di due comparti non comunicanti, pensata per decorare contemporaneamente una vivanda con due impasti di colore e/o di gusto diverso. La bocchetta di uscita può essere liscia a tre fori, per tracciare con la farcia linee a zig zag o per disegnare una serie di rette parallele ravvicinate; con

Si trovano tuttavia in commercio anche violette, steli di angelica, mango, fichi, finocchi, prugne, zenzero, pompelmo, rabarbaro, chinotto e kiwi, con un ricchissimo assortimento di colori e di sapori con cui creare splendide e gustose decorazioni.

Decorazioni con la tasca da pasticciere

Montata con una delle bocchette di cui è dotata, la tasca da pasticciere consente di ottenere bellissime decorazioni, usando glasse o creme diverse.
Detta anche "sacchetto", "imbuto" e "cornetto" o, alla francese, "sac a poche" e "poche à dresser", la tasca

▶ **Siringa da pasticciere.** Si tratta di un utensile in plastica rigida simile a una siringa per iniezioni, ma di proporzioni ben maggiori, che termina con una bocchetta intercambiabile dal taglio variabile: a stella, a mezzaluna, piatta, allungata e sottile o tonda e liscia. Si usa con le stesse finalità della tasca da pasticciere.

foro a nastro smerlato su un lato
solo, per decori rigati
ed evidenti; con piccolo foro
a stella, per creare ciuffetti,
rosette, onde, festoni, conchiglie
e greche; con fessura a nastro
incrociata, per decori arricciati;
con foro liscio, del diametro
di 5 mm, per nastri smerli
e volute; con foro liscio
del diametro di circa 2 mm,
per decori sottili, come grate,
smerli e intrecci, e per scritte
benauguranti.

Conetto
In mancanza di una tasca
da pasticciere (o volendo creare
decori molto sottili), si può
ripiegare a cono un triangolo
di carta da forno, riempirlo fino
a metà con la glassa o la crema
prescelta, tagliare la punta del
conetto in modo da ottenere
un foro del diametro di non più
di 2 mm e procedere con la
decorazione, facendo fuoriuscire
la glassa premendo con la mano
chiusa a pugno.

Stencil
Per realizzare particolari disegni
sulla superficie delle torte, si può
utilizzare una vasta serie di stencil
creati a tal scopo, disponendoli
sulla torta e spolverizzandola
con zucchero a velo o cacao
in polvere servendosi di uno
spargizucchero.

▲ **Torte farcite: elementi per la decorazione**

1 Sferette colorate. Si prestano alla decorazione di dolci ricoperti da uno strato di crema o di bordi di torte farcite.

2 Codette. Si prestano a essere applicate su torte cremose, alternate, a piacere, a codette di cioccolato.

3 Sferette argentate. Dette, a Napoli, "diavolilli", si applicano a torte glassate o ricoperte da uno strato di crema.

4 Confettini colorati. Costituiti da minuscole sferette di zucchero, si utilizzano come le codette o le ginevrine.

5 Ginevrine. Costituite da piccole pastiglie di zucchero, si usano per decorare dolci di compleanno per bambini.

6 Granella. Costituita da chicchi di zucchero, si presta per decorare ciambelle e pasta brioche.

Apple pie tradizionale

Ingredienti per 6 persone

Per la pasta

❋ 220 g di farina

❋ 70 g di margarina ❋ 40 g di strutto

❋ 60 g di burro ❋ sale

Per il ripieno

❋ 400 g di mele renette a fettine

❋ 100 g di zucchero

❋ 20 g di burro ❋ 1 pizzico di cannella in polvere

❋ 10 g di zucchero vanigliato

DIFFICOLTÀ
Bassa

PREPARAZIONE
30 minuti
più 15 minuti
di riposo
della pasta

COTTURA
45 minuti

VINO
Alto Adige
Traminer
Aromatico
Passito
(bianco,
Trentino-Alto
Adige)

Sannio
Moscato
Passito
(bianco,
Campania)

Per la pasta, amalgamate in una terrina 200 g di farina, un pizzico di sale, la margarina, 40 g di burro, lo strutto e acqua sufficiente a impastare; formate una palla e fate riposare per 15 minuti.

Per il ripieno, foderate una tortiera imburrata e infarinata con 3/4 della pasta. Distribuitevi sopra le fettine di mela a strati e cospargete con lo zucchero e la cannella. Irrorate con 1 cucchiaio di burro fuso, poi coprite il ripieno con la pasta rimasta, stesa e unta con il restante burro. Cuocete la torta nel forno già caldo a 180 °C per circa 45 minuti.

Fate raffreddare la torta, sformatela e cospargetela di zucchero vanigliato.

1 Dopo aver tagliato le mele in fettine sottili stendete la pasta in una tortiera.

2 Disponete uno strato di mele sulla pasta e cospargetelo con lo zucchero e la cannella.

3 Disponete la torta in un piatto da portata e decoratela con lo zucchero vanigliato.

Arrotolato al cacao

Ingredienti per 6 persone
❀ 60 g di farina
❀ 4 uova ❀ 170 g di zucchero
❀ 40 g di cacao amaro
❀ 1 cucchiaino di lievito
❀ 20 g di burro ❀ 2 dl di panna ❀ sale

DIFFICOLTÀ
Bassa

PREPARAZIONE
30 minuti
più 1 ora e
30 minuti di
raffreddamento
della pasta

COTTURA
20 minuti

VINO
Asti Spumante
(bianco,
Piemonte)

Castel San
Lorenzo
Moscato
Spumante
(bianco,
Campania)

Lavorate i tuorli in una terrina con 150 g di zucchero e 2 cucchiai d'acqua; aggiungete 40 g di farina, il cacao e il lievito.

In un recipiente montate gli albumi a neve ben ferma con un pizzico di sale e incorporateli delicatamente al composto. Foderate con un foglio d'alluminio una placca da forno; imburratela, infarinatela e versatevi il composto.

Fate cuocere nel forno già caldo a 180 °C per 20 minuti circa. Togliete la placca dal forno e capovolgetela su un telo inumidito. Dopo 2 minuti circa togliete l'alluminio, avvolgete la pasta nel telo e lasciatela raffreddare.

Montate 2 dl di panna con lo zucchero rimasto. Stendete la pasta e spalmatevi uniformemente la panna. Avvolgete la pasta su se stessa; pareggiate i lati e decorate, a piacere, con altra panna montata e qualche ciliegina candita. Tenete in frigorifero l'arrotolato fino al momento di servire.

Arrotolato di crema alle castagne

Ingredienti per 6 persone
❀ 70 g di farina ❀ 120 g di fecola di patate
❀ 6 uova ❀ 250 g di zucchero
❀ 30 g di burro ❀ 200 g di confettura di castagne
❀ 20 g di zucchero cristallizzato
❀ 0,5 dl di Rum ❀ 1 bustina di vanillina

DIFFICOLTÀ
Bassa

PREPARAZIONE
30 minuti
più 4 ore di
raffreddamento
della
preparazione

COTTURA
15 minuti

VINO
Valle d'Aosta
Chambave
Moscato
Passito
(bianco,
Valle d'Aosta)

Moscato
di Siracusa
(bianco,
Sicilia)

Montate in una terrina i tuorli con lo zucchero fino a ottenere una crema soffice e chiara. Incorporate, poco alla volta, 60 g di farina, la fecola e la vanillina e amalgamate bene.

In un recipiente montate gli albumi a neve fermissima, quindi incorporateli delicatamente all'impasto, mescolando dall'alto verso il basso per non smontarli.

Versate l'impasto sulla placca foderata con un foglio di alluminio, unto di burro e spolverizzato con la farina e cercate di dargli una forma rettangolare. Cuocete nel forno già caldo a 120 °C per 15 minuti.

Nel frattempo amalgamate in una ciotola la confettura di castagne con il Rum fino a renderla morbida.

Estraete il dolce dal forno e trasferitelo su un telo leggermente umido. Spalmatevi sopra la confettura e, aiutandovi con il telo, arrotolate strettamente.

Avvolgete il rotolo in un altro telo asciutto e fatelo riposare per almeno 4 ore prima di servirlo cosparso di zucchero cristallizzato.

Biscuit al cioccolato

Ingredienti per 6 persone

Per la pasta ✳ 75 g di farina ✳ 3 uova
✳ 75 g di zucchero ✳ 1/2 bustina di vanillina
✳ 20 g di burro
Per la mousse ✳ 200 g di cioccolato fondente
✳ 4 uova ✳ 1 dl di panna ✳ 100 g di zucchero
✳ 4 cucchiai di Rum
✳ 150 g di dischetti di cioccolato fondente

DIFFICOLTÀ
Media

PREPARAZIONE
30 minuti
più 3 ore di
raffreddamento
della
preparazione

COTTURA
40 minuti

VINO
Recioto della
Valpolicella
(rosso,
Veneto)

Aleatico
di Gradoli
(rosso,
Lazio)

Preparate la pasta biscotto. Sbattete i tuorli con metà dello zucchero, unitevi gli albumi montati a neve con lo zucchero rimasto e incoporate al composto la farina setacciata con la vanillina. Mettetela in una tasca da pasticciere con bocchetta liscia e distribuitela in una teglia, imburrata, formando un cordoncino continuo, dall'alto al basso, ottenendo una striscia lunga 35 cm e larga 6 cm.

Fate cuocere nel forno già caldo a 180 °C per 25 minuti, poi pareggiate i bordi della pasta e tenete da parte i ritagli. Foderate uno stampo con l'alluminio e fate aderire la striscia di pasta ancora calda lungo le pareti.

Preparate la mousse. Lavorate i tuorli con lo zucchero. Tritate il cioccolato, fatelo fondere con la panna, unitelo al composto di tuorli, lasciatelo raffreddare e unite il Rum. Montate gli albumi a neve e incorporateli al composto. Versate metà della mousse nello stampo, distribuitevi sopra i ritagli di pasta spezzettati e coprite con la mousse rimasta. Mettete in frigo per 3 ore. Sformate il Biscuit su un piatto da portata, decorate a piacere la superficie con i dischetti di cioccolato pronti e servite.

Biscuit al cioccolato e nocciole

Ingredienti per 6 persone

Per la pasta ❋ 70 g di farina ❋ 6 uova ❋ 110 g di zucchero ❋ 50 g di nocciole tostate tritate finissime ❋ 20 g di burro ❋ 30 g di cacao amaro ❋ 1/2 bustina di vanillina *Per il ripieno* ❋ 250 g di cioccolato al latte ❋ 125 g di burro ❋ 0,5 dl di Maraschino *Per la guarnizione* ❋ 200 g di cioccolato bianco ❋ 60 g di gelatina di albicocche

DIFFICOLTÀ
Media

PREPARAZIONE
30 minuti
più 3 ore di
raffreddamento
della
preparazione
e 30 minuti di
raffreddamento
della copertura

COTTURA
50 minuti

VINO
Brachetto
d'Acqui
(rosso,
Piemonte)

Vernaccia
di Serrapetrosa
Dolce
(rosso,
Marche)

Per la pasta, lavorate in una terrina i tuorli con 70 g di zucchero e la vanillina. Amalgamate poco alla volta 50 g di farina, il cacao e le nocciole tritate; poi incorporate gli albumi montati a neve con lo zucchero rimasto. Versate il composto in uno stampo imburrato e infarinato e cuocete nel forno già caldo a 180 °C per 30 minuti. Lasciate raffreddare.

Per il ripieno, tritate il cioccolato e fatelo fondere in un tegamino a bagnomaria. Lavorate il burro in una ciotola, fino a renderlo spumoso, unite il cioccolato, lasciate intiepidire, quindi aggiungete il Maraschino.

Tagliate il dolce orizzontalmente a metà. Svuotatene leggermente una parte, lasciando lo spessore delle pareti di 2 cm, riempitelo con la farcia preparata e copritelo con l'altro disco. Mettete in frigo per 3 ore.

Per la guarnizione, in un tegamino portate a bollore la gelatina di albicocche con 1 cucchiaio d'acqua e spennellatela sul dolce. Tritate il cioccolato bianco, fatelo fondere a bagnomaria e versatelo sul biscuit coprendolo completamente. Fatelo solidificare al fresco per 30 minuti circa prima di servire.

Bonissima

Ingredienti per 4 persone

❀ 400 g di pasta frolla ❀ 20 g di burro
Per il ripieno ❀ 250 g di miele di acacia
❀ 300 g di gherigli di noce ❀ 0,5 dl di Rum
Per la guarnizione ❀ 100 g di cioccolato fondente
❀ 100 g di zucchero ❀ succo di limone

DIFFICOLTÀ
Bassa

PREPARAZIONE
30 minuti

COTTURA
45 minuti

REGIONE
Emilia-
Romagna

VINO
Albana
di Romagna
Passito
(bianco,
Emilia-
Romagna)

Sant'Agata
dei Goti
Falanghina
Passito
(bianco,
Campania)

Dividete la pasta frolla a metà e con il matterello stendete due dischi, uno più largo dell'altro. Imburrate una tortiera e foderatela fino ai bordi con il disco grande.

Per il ripieno. Mescolate le noci tritate con il miele e il liquore. Versateli nella tortiera, coprite con l'altro disco di pasta e sigillate i bordi. Cuocete nel forno a 180 °C per 35 minuti.

Nel frattempo tagliate a pezzetti il cioccolato per la guarnizione e fa-telo sciogliere a bagnomaria. Versate in una casseruolina a fondo pesante lo zucchero setacciato, bagnatelo con il limone e scaldatelo a fuoco basso, a bagnomaria finché assumerà la forma di palla, staccandosi dalle pareti del recipiente.

Sempre mescolando, unitelo poco per volta al cioccolato. Lavorate ancora per qualche minuto, poi rivestite la superficie del dolce e livellatela con una spatola. Servite in tavola.

1 Disponete nella tortiera il composto di noci tritate, miele e liquore.

2 Fate sciogliere a bagnomaria lo zucchero e il limone.

3 Ricoprite il dolce con il cioccolato fuso e livellatelo con una spatola.

Cassata abruzzese

Ingredienti per 8 persone

Per la pasta ❀ 100 g di farina ❀ 80 g di zucchero ❀ 3 uova ❀ 60 g di burro

Per le creme ❀ 250 g di burro ❀ 100 g di cioccolato fondente

❀ 120 g di zucchero ❀ 1 albume

❀ 100 g di croccante alle mandorle ❀ 100 g di torrone

Per lo sciroppo ❀ 100 g di zucchero ❀ 4 cucchiai di Cent'erbe

DIFFICOLTÀ
Elevata

PREPARAZIONE
1 ora

COTTURA
55 minuti

REGIONE
Abruzzo

VINO
Controguerra
Passito Rosso
(Abruzzo)

Colli
di Conegliano
Refrontolo
Passito
(rosso,
Veneto)

Per la pasta, mescolate le uova con lo zucchero, aggiungete 80 g di farina e 40 g di burro, fuso a parte. Distribuite il composto nella tortiera imburrata e infarinata; cuocete la torta nel forno già caldo a 180 °C per 40 minuti. Sformatela e lasciatela raffreddare.

Per lo sciroppo, bollite lo zucchero in 2 dl d'acqua per 5 minuti. Fate intiepidire lo sciroppo e versatevi il liquore.

Per le creme, tritate separatamente il torrone, il cioccolato e il croccante. In un tegame sciogliete 100 g di zucchero in poca acqua; fate bollire per 8 minuti, mescolando di tanto in tanto. Montate a neve gli albumi con lo zucchero rimasto, versate a filo lo sciroppo al liquore, lavorando con una frusta finché il composto sarà freddo.

Incorporate il burro, a pezzetti, continuando a lavorare con una frusta fino a ottenere una crema liscia e omogenea, tenetene da parte 2 cucchiai, distribuite il resto in 3 ciotole. Unite a una parte il torrone, all'altra il cioccolato e alla terza il croccante, tenendo da parte 1 cucchiaio di ognuno per la guarnizione.

Dividete la torta in 4 dischi dello stesso spessore, spennellatene uno con lo sciroppo di zucchero e distribuitevi sopra la crema al torrone, in uno strato sottile. Ricoprite con un disco di pasta, spennellatelo con lo sciroppo, stendetevi sopra la crema al cioccolato, sovrapponete un altro disco di pasta, spennellatelo con lo sciroppo e spalmatevi sopra la crema al croccante. Chiudete con l'ultimo disco di pasta e spennellatelo con lo sciroppo.

Versate le creme rimaste in un'unica ciotola e amalgamatele, copritevi tutta la superficie della torta, bordi compresi. Mettete la crema tenuta da parte in una tasca da pasticciere con bocchetta liscia e formate una coroncina di gocce attorno alla base della torta, 3 coroncine sovrapposte lungo il bordo superiore e 3 cerchietti al centro. Distribuite in un cerchietto il torrone, nell'altro il cioccolato e nel terzo il croccante rimasto e servite.

L'INGREDIENTE

▶ **Cent'erbe.** Liquore tipico abruzzese, ottenuto dall'infusione in alcol di foglie di alloro, arancio, basilico, camomilla, erbaluigia, limone, maggiorana, mandarino, menta, rosmarino, salvia, tiglio, timo, bacche di ginepro e fiori di camomilla.

Cassata al forno

Ingredienti per 8 persone
Per la pasta ❋ 520 g di farina ❋ 1 bustina di vanillina ❋ 2 cucchiai di Marsala
❋ 175 g di zucchero ❋ 170 g di burro ❋ 100 g di strutto
❋ 10 g di zucchero a velo ❋ 1 uovo, 2 tuorli e 1 albume ❋ sale
Per il ripieno ❋ 500 g di ricotta di pecora ❋ 200 g di zucchero
❋ 100 g di cioccolato fondente ❋ 100 g di zucca candita (zuccata)

DIFFICOLTÀ
Media

PREPARAZIONE
30 minuti
più 30 minuti
di riposo
della pasta

COTTURA
50 minuti

REGIONE
Sicilia

VINO
Malvasia
delle Lipari
Passito
(bianco,
Sicilia)

Oltrepò Pavese
Moscato
Passito
(bianco,
Lombardia)

Per la pasta: setacciate 500 g di farina con la vanillina sulla spianatoia, formate la fontana, mettetevi nel centro lo zucchero, 150 g di burro e lo strutto ammorbiditi e divisi a pezzetti, l'uovo, i tuorli, un pizzico di sale, il Marsala e impastate con la punta delle dita senza lavorare troppo a lungo.

Formate una palla con la pasta, avvolgetela in un foglio di pellicola trasparente e lasciatela riposare in luogo fresco per almeno 30 minuti.

Nel frattempo tritate il cioccolato per il ripieno e dividete a dadini la zuccata candita; passate al setaccio la ricotta, raccoglietela in una ciotola, incorporatevi lo zucchero, il cioccolato e i dadini di zuccata.

Riprendete la pasta, stendetene con il matterello 2/3 in una sfoglia sottile e foderatevi una tortiera rotonda del diametro di 26 cm imburrata e infarinata. Bucherellate il fondo con i rebbi di una forchetta e versatevi il composto di ricotta, stendendolo in uno strato omogeneo. Spennellate il bordo della pasta con l'albume leggermente sbattuto.

Stendete la pasta rimasta, adagiatela sopra il composto nella tortiera, pizzicate il bordo per farlo aderire e bucherellate la superficie della sfoglia; stendete infine gli eventuali ritagli, decorate la torta a piacere e spennellate la superficie con l'albume rimasto.

Cuocete la cassata nel forno già caldo a 180 °C per 50 minuti circa finché la superficie sarà leggermente dorata, quindi toglietela dal forno, sformatela su un piatto da portata e prima di servirla cospargetela di zucchero a velo.

L'INGREDIENTE

▶Zuccata. Ingrediente tipico della pasticceria siciliana, preparato con polpa di zucca tagliata a grossi pezzi e cotta in tegame con abbondante cannella e una quantità di zucchero pari al suo peso finché quest'ultimo si sarà sciolto. Di solito si usa la qualità di zucca lunga (a tromba), chiamata in dialetto "Cucuzzuni" oppure la Cocuzza Baffa allungata e cilindrica, conosciuta come zucca del pellegrino (in latino *Lagenaria vulgaris*) che raggiunge grandi dimensioni con un peso ragguardevole.

Cassata siciliana

Ingredienti per 4 persone
❁ 1 disco di pan di Spagna ❁ 1 kg di ricotta dolce ❁ 370 g di zucchero
❁ 100 g di canditi a dadini ❁ 4 dl di Maraschino ❁ 80 g di cioccolato a pezzetti
Per la guarnizione ❁ frutta candita intera ❁ 50 g di gelatina di albicocche
❁ glassa di zucchero colorata al verde pistacchio

TORTE | LE RICETTE

DIFFICOLTÀ
Media

PREPARAZIONE
30 minuti
più 4 ore di
raffreddamento
della
preparazione

COTTURA
Nessuna

REGIONE
Sicilia

VINO
Moscato
Passito
di Pantelleria
(bianco,
Sicilia)

Cinque Terre
Sciacchetrà
(bianco,
Liguria)

Foderate una tortiera con la carta oleata, sul fondo e sui bordi; spennellate abbondantemente la carta con la gelatina di albicocche e quindi rivestitela con un sottile strato di fette di pan di Spagna.

Per la crema, lavorate a lungo, con un cucchiaio di legno, la ricotta con lo zucchero, il Maraschino, il cioccolato e i dadini di canditi.

Farcite la torta con la crema alla ricotta, livellate bene la superficie e coprite con un disco di pan di Spagna. Lasciate raffreddare per 2 ore in frigorifero.

Appoggiate sulla cassata un piatto piano di diametro maggiore e capovolgetela; eliminate la carta e aggiustate i bordi con altra gelatina.

Coprite la superficie e i bordi con la glassa di zucchero, decorate con la frutta candita intera e rimettete la cassata in frigo, per altre 2 ore. Servite in tavola.

Castagnaccio con la ricotta

Ingredienti per 6 persone

❋ 400 g di ricotta ❋ 200 g di farina di castagne ❋ 150 g di zucchero
❋ 3 dl di latte ❋ la scorza grattugiata di 1 limone biologico
❋ 3 cucchiai di olio d'oliva extravergine
❋ 2 cucchiai di liquore all'anice ❋ sale

DIFFICOLTÀ
Bassa

PREPARAZIONE
30 minuti

COTTURA
40 minuti

REGIONE
Emilia-
Romagna

VINO
Albana
di Romagna
Amabile
(bianco,
Emilia-
Romagna)

Frascati
Amabile
(bianco,
Lazio)

Mettete la farina di castagne in una terrina, unitevi un pizzico di sale e il latte poco per volta, continuate quindi a mescolare fino a ottenere un composto liscio e omogeneo.

Ungete con 2 cucchiai d'olio una tortiera rotonda del diametro di circa 22 cm, distribuitevi il composto preparato e livellatene la superficie con una spatola.

Ponete in un'altra terrina la ricotta, lo zucchero e la scorza di limone e lavorate il tutto energicamente con un cucchiaio di legno, incorporandovi poco per volta il liquore.

Quando il composto sarà morbido e cremoso, distribuitelo a cucchiaiate sul castagnaccio, livellandolo man mano. Irrorate con l'olio rimasto e mettete nel forno già caldo a 180 °C per 40 minuti.

Sfornate il castagnaccio, trasferitelo su un piatto da portata e servitelo tiepido o freddo, a piacere.

LA RICETTA TRADIZIONALE

▶ Nell'alta Val di Taro, in Emilia, il castagnaccio si prepara nel "testo", doppio ferro con un lungo manico, in cui la cottura avviene tra due strati di foglie di castagno. Con lo stesso impasto un poco più morbido, si cucinano che i "padelletti", fritti a cucchiaiate in olio o strutto.

Ceppo di cioccolato

Ingredienti per 6 persone

Per la pasta ❋ 170 g di farina ❋ 150 g di zucchero ❋ 5 uova ❋ 0,5 dl di Rum ❋ 1 bustina di vanillina ❋ 20 g di burro *Per la crema* ❋ 1 albume ❋ 100 g di zucchero ❋ 150 g di burro ❋ 100 g di cioccolato fondente *Per la copertura* ❋ 150 g di cioccolato fondente ❋ 1 dl di panna ❋ alcuni fiorellini di zucchero

DIFFICOLTÀ
Elevata

PREPARAZIONE
40 minuti
più 4 ore e
30 minuti di
raffreddamento
della
preparazione

COTTURA
40 minuti

VINO
Erbaluce
di Caluso
Passito
(bianco,
Piemonte)

Nasco
di Cagliari
Liquoroso
(bianco,
Sardegna)

Per la pasta, in una terrina lavorate i tuorli con lo zucchero e la vanillina fino a ottenere un composto liscio e omogeneo. Unite 150 g di farina e incorporate delicatamente gli albumi montati a neve, mescolando dal basso verso l'alto perché non si smontino.

Stendete il composto sulla placca foderata con carta da forno imburrata e infarinata e cuocete nel forno già caldo a 200 °C per 18 minuti. Capovolgete la pasta su un telo leggermente umido; dopo 2 minuti, staccate la carta e avvolgete la pasta nel telo. Lasciatela raffreddare.

Per la crema, mettete in un tegamino lo zucchero, bagnatelo con poca acqua e cuocete per qualche minuto. Montate l'albume a neve e aggiungetevi a filo lo zucchero cotto, lavorando con la frusta elettrica, finché il composto sarà freddo. Aggiungete il burro a pezzetti. Unite il cioccolato diviso a pezzettini e sciolto a bagnomaria.

Stendete la pasta, pareggiate i bordi e spennellatela con il Rum diluito in poca acqua. Spalmatevi la crema, lasciando ai bordi un poco di spazio libero. Arrotolate la pasta su se stessa, avvolgete il rotolo nel telo

e lasciatelo in frigorifero per 3 ore. Poi eliminate il telo, tagliate di sbieco un'estremità del dolce e adagiate i 2 pezzi su una gratella.

Per la copertura, tritate il cioccolato fondente e fatelo fondere a bagnomaria; versatelo sul tronco e sulla parte tagliata, rivestendoli, e lasciatelo solidificare un poco.

Adagiate il tronco su un piatto da portata e sistematevi di lato il pezzo tagliato. Passate sulla superficie del tronco la parte a denti larghi di una spatola a pettine, tracciando delle righe simili alla corteccia di un albero; passate sul pezzo tagliato la parte della spatola a denti stretti.

Versate la panna montata in una tasca da pasticciere e distribuitene dei ciuffetti sul punto di congiunzione tra il ceppo e la parte tagliata e alle estremità. Adagiate sui ciuffetti di panna i fiori di zucchero e servite in tavola.

Cesto di cacao

Ingredienti per 8 persone
❋ 1 torta pan di Spagna del diametro di 22 cm farcita con crema a piacere
Per la guarnizione ❋ 400 g di pasta di mandorle ❋ zucchero a velo
Per la glassa ❋ 150 g di zucchero a velo ❋ 1 albume
❋ cacao amaro ❋ succo di limone ❋ colorante vegetale rosso e verde

DIFFICOLTÀ
Elevata

PREPARAZIONE
1 ora
più il tempo di
preparazione
del pan di
Spagna

COTTURA
Nessuna

VINO
Moscato
Passito
di Pantelleria
(bianco,
Sicilia)

Oltrepò Pavese
Moscato
Passito
(bianco,
Lombardia)

Stendete sul piano di lavoro, spolverizzato di zucchero a velo, la pasta di mandorle allo spessore di 3 mm; ricopritene la torta e tagliate la parte eccedente. Disegnate un cestino su un cartoncino, ritagliatelo, appoggiatelo sul centro della torta e, seguendo il disegno, praticate con uno stecchino un'incisione sulla pasta di mandorle. Ritagliate dal cartoncino l'imboccatura del cestino, appoggiatelo di nuovo sulla torta, sul disegno già inciso, e seguite la linea alta del cestino stesso con lo stecchino, incidendo la pasta di mandorle e tracciando così l'imboccatura del cestino.

Preparate la glassa e distribuitela in 4 ciotoline; unite a una parte colorante rosso sufficiente a ottenere un colore rosa e mescolate; alla seconda colorante verde e mescolate; lasciate al naturale la terza. Copritele con pellicola trasparente e tenetele al fresco.

Aggiungete alla glassa rimasta il cacao e mescolate. Mettetene una parte in una tasca da pasticciere a bocchetta liscia e coprite quella rimasta con pellicola trasparente. Tracciate una linea di glassa al cacao seguendo l'incisione sulla torta e formando l'imboccatura del cestino, proseguite disegnando la parte centrale e concludete il disegno realizzando la base. Iniziate l'intreccio del

cestino tracciando dall'alto verso il basso tante linee in diagonale sotto l'imboccatura del cestino stesso. Incrociate il disegno ottenuto tracciando altrettante linee in senso contrario, sempre dall'alto verso il basso; tracciate delle linee orizzontali sulla base del cestino e intersecatele con delle linee verticali. Tracciate quindi sull'imboccatura delle linee diagonali e altre che le incrocino; formate un cordoncino lungo tutta la parte esterna del cestino, sull'imboccatura e sulla base e un altro cordoncino per il manico.

Pulite la tasca da pasticciere e riempitela con la glassa verde, formate i rametti e gli steli per le foglie e i fiori nella parte inferiore e nella parte superiore del cestino. Sostituite la bocchetta liscia con quella dentellata e fate le foglie su tutti i rametti. Pulite la tasca, inserite la bocchetta a stella, riempitela con la glassa rosa e fate tra le foglioline tanti fiori. Pulite di nuovo la tasca, riempitela con la glassa al naturale e formate tra quelli rosa tanti fiorellini bianchi.

Pulite la tasca, inserite la bocchetta dentellata, riempitela con la glassa al cacao rimasta, tracciate un bordo ondulato e continuo sulla parte superiore della torta, proseguite nello stesso modo lungo il bordo inferiore. Servite in tavola.

Cheesecake

Ingredienti per 6 persone

Per la base ❋ 250 g biscotti secchi (o fette biscottate) ❋ 20 g di zucchero ❋ 100 g burro

Per il ripieno ❋ 1,2 kg di ricotta

❋ 5 uova ❋ 400 g zucchero

❋ la scorza grattugiata di 1 limone biologico

❋ 1 bustina di vanillina ❋ 3 cucchiai di farina ❋ sale

DIFFICOLTÀ
Media

PREPARAZIONE
30 minuti
più 1 ora di
raffreddamento
della base
e 1 ora e
30 minuti di
raffreddamento
della
preparazione

COTTURA
1 ora e
15 minuti

VINO
Alto Adige
Moscato Rosa
(rosso,
Trentino-Alto
Adige)

Vernaccia
di Serrapetrosa
Dolce
(rosso,
Marche)

Per la base del dolce. Frullate i biscotti con lo zucchero e il burro fuso. Versate l'impasto ottenuto in una tortiera a cerniera, schiacciandolo bene in modo da ricoprire la base e i bordi con uno strato uniforme dello spessore di 0,5 cm. Fate cuocere nel forno già caldo a 180 °C per 6-7 minuti; poi lasciate raffreddare.

Preparate il ripieno. Sbattete la ricotta con le fruste elettriche fino a farla diventare una crema soffice. Amalgamate la vanillina e la scorza di limone e aggiungete, poco alla volta, lo zucchero, la farina e un pizzico di sale. Infine, incorporate le uova, uno alla volta, mescolando bene dopo ogni aggiunta.

Stendete la crema ottenuta sulla base di biscotti e passate la preparazione nel forno già caldo a 200 °C per 7-8 minuti. Abbassate la temperatura a 120 °C e continuate la cottura per 1 ora.

Lasciate raffreddare il dolce nel forno, poi trasferitelo in frigo per circa 1 ora. Servite in tavola.

Ciambella ai mirtilli

Ingredienti per 4 persone

❋ 220 g di farina ❋ 3 uova

❋ 50 g di fecola di patate

❋ 170 g di burro ❋ 50 g di zucchero

❋ la scorza grattugiata di 1 limone biologico

❋ 1 bustina di lievito per dolci

❋ 2 dl di latte ❋ 300 g di mirtilli

DIFFICOLTÀ
Bassa

PREPARAZIONE
30 minuti

COTTURA
45 minuti

VINO
Malvasia
di Casorzo
d'Asti
(rosso,
Piemonte)

Aleatico
di Gradoli
(rosso,
Lazio)

Fate intiepidire il latte in un pentolino e scioglietevi il lievito. In un recipiente lavorate con una frusta elettrica 150 g di burro con lo zucchero fino a ottenere un composto bianco e cremoso.

Incorporate, uno per volta, i tuorli; unite 200 g di farina, la fecola, la scorza di limone, il lievito con il latte e mescolate fino a ottenere un composto omogeneo.

Lavate rapidamente i mirtilli sotto acqua corrente fredda e uniteli al composto. Infine, montate a neve gli albumi e incorporateli delicatamente mescolando dal basso verso l'alto perché non si smontino.

Versate il tutto in uno stampo per ciambelle, precedentemente imburrato e infarinato, e fate cuocere il dolce nel forno caldo a 190 °C per circa 40 minuti.

A cottura ultimata, sfornate la ciambella, toglietela dallo stampo e trasferitela su un piatto da portata.

Ciambella all'arancia e yogurt

Ingredienti per 8 persone

❋ 320 g di farina ❋ 3 uova ❋ 100 g gherigli di noce tritati ❋ 1 bustina di lievito per dolci
❋ il succo e la scorza grattugiata di 1 arancia biologica ❋ 20 g di burro
❋ 300 g di zucchero ❋ 3 chiodi di garofano tritati ❋ 100 g di yogurt naturale intero
❋ 1 pizzico di noce moscata ❋ 2,5 dl di olio d'oliva extravergine ❋ sale
Per la guarnizione ❋ 200 g di zucchero a velo ❋ 1 bustina di vanillina
❋ la scorza grattugiata di 1 arancia non trattata ❋ 1 cucchiaio di gelatina di albicocche
❋ 150 g di scorza d'arancia candita tagliata in varie forme

DIFFICOLTÀ
Media

PREPARAZIONE
30 minuti
più 1 ora e
30 minuti di
raffreddamento
della glassa

COTTURA
1 ora

VINO
Moscato
di Noto
Naturale
(bianco,
Sicilia)

Recioto
di Soave
(bianco,
Veneto)

Setacciate 300 g di farina con il lievito, le noci e i chiodi di garofano tritati, la noce moscata, un pizzico di sale e mescolate. In una terrina lavorate lo zucchero, le uova e la scorza d'arancia grattugiata, unite l'olio, il succo d'arancia e lo yogurt e amalgamate il tutto all'impasto di farina.

Distribuite l'impasto in uno stampo imburrato e infarinato, e cuocetelo nel forno a 180 °C per 50 minuti. Portate a ebollizione in un tegamino la gelatina di albicocche con 1 cucchiaio d'acqua, poi spennellate la ciambella fredda. Mescolate lo zucchero a velo con la scorza grattugiata dell'arancia, 3-4 cucchiai d'acqua e la vanillina. Versate la glassa sulla ciambella e mettetela al fresco.

Adagiate le formine candite sopra e intorno alla base della ciambella, riempite la cavità con scorze e pezzi di arancia candita. Fate solidificare la glassa al fresco e servite.

Ciambella alla frutta

Ingredienti per 6 persone

✻ 320 g di farina ✻ 145 g di burro
✻ 150 g di zucchero ✻ 2 dl di latte ✻ 2 uova
✻ 1 cucchiaino di lievito per dolci
✻ 100 g di albicocche essiccate
✻ 100 g di prugne essiccate snocciolate
✻ 80 g di uva sultanina ✻ 20 g di pangrattato
✻ granella di zucchero ✻ sale

DIFFICOLTÀ
Media

PREPARAZIONE
30 minuti
più 20 minuti
di ammollo
della frutta
secca

COTTURA
45 minuti

VINO
Friuli Isonzo
Verduzzo
Friulano
(bianco,
Friuli-Venezia
Giulia)

Sardegna
Semidano
Passito
(bianco,
Sardegna)

Ammollate in una ciotola di acqua tiepida l'uva sultanina, le albicocche e le prugne per 20 minuti.

Impastate 300 g di farina con il lievito, un pizzico di sale, 120 g di zucchero, 1 uovo e 125 g di burro a pezzetti. Lavorate con le mani, unendo latte sufficiente a ottenere un composto sodo e omogeneo; stendetelo con il matterello in un rettangolo. Asciugate la frutta ammollata e spezzettate albicocche e prugne. In una terrina rompete l'uovo rimasto, unite la frutta e mescolate bene; versate tutto sulla pasta, lasciando un po' di uovo; spolverizzate con il pangrattato e lo zucchero rimasto.

Arrotolate la pasta dal lato più lungo e unite le 2 estremità. Sistemate la ciambella sulla placca imburrata, spennellatela con l'uovo rimasto e cospargetela con la granella di zucchero. Cuocete nel forno a 180 °C per 45 minuti.

DEFINIZIONE

▶ **Granella di zucchero.** Impiegata in pasticceria per dolcificare, ma soprattutto decorare, si presenta in tre formati: grossa è utilizzata per panettoni, veneziane, trecce e focacce dolci, media per treccine, brioche e croissant, fine per biscotti.

Ciambella alle albicocche

Ingredienti per 8 persone

* ❋ 420 g di farina ❋ 3 uova
* ❋ 1 bustina di lievito
* ❋ 150 g di zucchero
* ❋ 120 g di burro
* ❋ 500 g di albicocche
* ❋ 1 dl di latte
* ❋ 10 g di zucchero a velo

DIFFICOLTÀ
Media

PREPARAZIONE
30 minuti

COTTURA
55 minuti

VINO
Oltrepò Pavese
Sangue
di Giuda
(rosso,
Lombardia)

Aglianico
del Vulture
Spumante
(rosso,
Basilicata)

Imburrate e infarinate uno stampo per ciambella. Lavate, asciugate e dividete a metà le albicocche; privatele del nocciolo e della buccia e tagliatele a fette piuttosto spesse. Fatele cuocere, a fuoco basso per 3 minuti, con 1 cucchiaio di zucchero e 2 cucchiai d'acqua.

In una terrina lavorate le uova con lo zucchero rimasto, fino a ottenere un composto ben gonfio e spumoso; aggiungete quindi il burro rimasto, ammorbidito e tagliato a pezzetti, e amalgamate bene.

Unite la farina rimasta e il lievito sciolto nel latte tiepido. Quindi incorporate le fette di albicocche sgocciolate e versate il composto nello stampo.

Cuocete la torta nel forno già caldo a 190 °C per 50 minuti circa. Togliete dal forno e fate raffreddare la ciambella. Sformatela su un piatto da portata e spolverizzatela con lo zucchero a velo.

Ciambella di frutta cotta

Ingredienti per 6 persone

❋ 1 kg di mele ❋ 5 uova ❋ 2 cucchiai di vino bianco
❋ 150 g di zucchero ❋ 20 g di pangrattato ❋ 20 g di burro
Per lo sciroppo ❋ 1 pezzo di scorza di limone biologico
❋ 250 g di zucchero ❋ 1/2 baccello di vaniglia
❋ 1 pezzetto di scorza d'arancia biologica
Per la guarnizione ❋ 1 grappolo di uva rosata ❋ 2 pesche
❋ 1 dl di panna montata ❋ 1 ciuffetto di menta

DIFFICOLTÀ
Media

PREPARAZIONE
30 minuti
più 30 minuti
di macerazione
dell'uva

COTTURA
1 ora e
10 minuti

VINO
Colli Piacentini
Malvasia Dolce
(bianco,
Emilia-
Romagna)

Controguerra
Moscato
(bianco,
Abruzzo)

Sbucciate e pulite le mele, tagliatele a fette, mettetele in un tegame, aggiungete il vino e 2 cucchiai di zucchero e cuocete per 15 minuti. Toglietele dal fuoco, frullatele e mettetele in una ciotola a raffreddare.

Mescolate in una terrina le uova con lo zucchero rimasto, unite il purè di mele, distribuite il composto in uno stampo imburrato e cosparso di pangrattato. Cuocete a bagnomaria nel forno già caldo a 160 °C per 50 minuti. Sformate la ciambella su un piatto da portata.

Per lo sciroppo, fate bollire in un tegamino 5 dl d'acqua con lo zucchero, la scorza di limone e d'arancia e il baccello di vaniglia per 1-2 minuti, mescolando ogni tanto.

Per decorare, sbollentate le pesche, sgocciolatele, fatele raffreddare, privatele della buccia e del nocciolo e tagliatele a pezzetti. Lavate e asciugate l'uva e mettete a macerare i chicchi in una terrina con la pesca e lo sciroppo caldo per 30 minuti.

Mettete intorno e al centro della ciambella la frutta sgocciolata, versatevi lo sciroppo e decorate con la panna montata e le foglioline di menta.

Ciambella glassata

Ingredienti per 6 persone
❉ 320 g di farina ❉ 3 uova ❉ 120 g di burro ❉ 30 g di zucchero
❉ 10 g di lievito di birra ❉ 8 cucchiai di latte ❉ 1 cucchiaio di uva sultanina
❉ 50 g di frutta candita assortita ❉ sale
Per la glassa ❉ 1 albume ❉ 150 g di zucchero a velo
❉ qualche goccia di succo di limone

DIFFICOLTÀ
Media

PREPARAZIONE
40 minuti
più 20 minuti
di ammollo
dell'uva
sultanina
e 2 ore
di riposo
della pasta

COTTURA
35 minuti

VINO
Malvasia
delle Lipari
Passito
(bianco,
Sicilia)

Erbaluce
di Caluso
Passito
(bianco,
Piemonte)

Fate ammorbidire l'uva sultanina per 20 minuti in una ciotola con poca acqua tiepida; dividete a dadini la frutta candita.

In un tegame sul fuoco fate scaldare 6 cucchiai di latte con 100 g di burro diviso a pezzetti e lo zucchero; togliete il tegame dal fuoco quando il burro sarà completamente sciolto e lasciatelo intiepidire.

Sciogliete il lievito di birra nel latte rimasto, appena tiepido, e aggiungetelo al latte con il burro e lo zucchero, continuando a mescolare con un cucchiaio di legno.

In una ciotola setacciate 300 g di farina con un pizzico di sale, aggiungetevi 2 uova e il composto di latte, burro, zucchero e lievito; mescolate e unite l'uva sultanina strizzata e i dadini di frutta candita.

Lavorate energicamente il composto per almeno 10 minuti fino a ottenere un impasto morbido ed elastico; copritelo con un telo e fatelo lievitare in luogo tiepido, finché avrà raddoppiato il suo volume.

Lavorate l'impasto ancora un poco, distribuitelo quindi in uno stampo per ciambella imburrato e infarinato e fatelo lievitare di nuovo in un luogo

tiepido, finché avrà raddoppiato il suo volume.

Spennellate la ciambella con l'uovo rimasto leggermente sbattuto e cuocetela nel forno già caldo a 200 °C per 35 minuti circa. Sformatela sopra una gratella e lasciatela raffreddare.

Nel frattempo preparate la glassa. Mescolate in una ciotola l'albume, lo zucchero a velo e qualche goccia di succo di limone fino a ottenere una pastella liscia e fluida, unendo altro succo di limone se fosse troppo dura o altro zucchero a velo se fosse troppo liquida.

Rivestite con la glassa la superficie e i lati della ciambella versandola con un cucchiaio in modo uniforme. Decorate, a piacere, con gherigli di noce, ciliegine candite e datteri tagliati a spicchi, quindi servite in tavola.

IL CONSIGLIO

▶ Se volete dare più consistenza alla glassa, prima di mescolare l'albume allo zucchero montatelo a neve. L'aggiunta del succo di limone è importante perché, non solo rende più soffice e candida la glassa, ma ne mitiga anche l'eccessiva dolcezza.

Ciambella morbida di riso

Ingredienti per 6 persone

❃ 80 g di riso ❃ 2,5 dl di latte ❃ 1 bustina di vanillina ❃ 150 g di uva sultanina
❃ 100 g di marron glacé ❃ 4 uova ❃ 80 g di cedro e arancia canditi ❃ 30 g di burro
❃ 20 g di farina ❃ 3 cucchiai di Grand Marnier (o di Cointreau)
Per la guarnizione ❃ 200 g di cioccolato al latte
❃ 50 g di cioccolato bianco ❃ 4 marrons glacés

DIFFICOLTÀ
Media

PREPARAZIONE
30 minuti
più 20 minuti
di ammollo
dell'uva
sultanina

COTTURA
1 ora e
10 minuti

VINO
Alto Adige
Müller Thurgau
Vendemmia
Tardiva
(bianco,
Trentino-Alto
Adige)

Sannio
Falanghina
Passito
(bianco,
Campania)

Mettete a mollo l'uva sultanina in una ciotola con acqua tiepida per 20 minuti.

Versate il latte in una casseruola, aggiungetevi la vanillina, ponete il recipiente sul fuoco, portate a ebollizione, unite il riso e cuocetelo per 20 minuti circa (il riso dovrà risultare piuttosto cotto).

Sgocciolate l'uva sultanina e asciugatela con un telo; tagliate a pezzetti piccoli e regolari il cedro e l'arancia canditi.

Scolate il riso e passatelo al mixer con i marrons glacés a pezzetti fino a ottenere un composto omogeneo; trasferitelo in una terrina, amalgamatevi, uno alla volta i tuorli, l'uva sultanina (tranne 4 acini), i pezzetti di cedro e arancia canditi e il liquore; infine incorporatevi delicatamente gli albumi montati a neve ben ferma, mecolando dal basso verso l'alto perché non si smontino.

Distribuite il composto in uno stampo per ciambella del diametro di circa 22 cm, imburrato e infarinato, e cuocetelo nel forno già caldo a 170 °C per 50 minuti circa.

A cottura ultimata togliete lo stampo dal forno, passate la lama di un coltellino affilato attorno al bordo e capovolgete la ciambella di riso sopra una gratella, lasciandola raffreddare.

Tritate grossolanamente il cioccolato al latte per la guarnizione, fatelo fondere a bagnomaria, quindi versatelo uniformemente sulla ciambella.

Spezzettate il cioccolato bianco, fatelo fondere a bagnomaria in un altro tegamino e distribuitene 4 gocce a distanza regolare sopra la ciambella e adagiate su ciascuna un acino di uva sultanina tenuti da parte.

Immergete per metà i marrons glacés nel cioccolato bianco e disponeteli sulla ciambella, alternandoli agli acini di uva sultanina. Tenete il dolce in un luogo fresco fino al momento di servire.

DEFINIZIONE

▶ **Marron glacé.** Termine francese con cui viene indicato il marrone candito e ricoperto di glassa di zucchero. Il marrone è un tipo di castagna più grosso, a forma di cuore, con buccia di colore marrone chiaro striato. Il riccio contiene un solo frutto ed è quindi più pregiato.

TORTE | LE RICETTE

Ciambella sabbiosa

Ingredienti per 8 persone

Per la pasta ❊ 70 g di fecola di patate ❊ 60 g di farina bianca
❊ 145 g di burro ammorbidito a temperatura ambiente ❊ 2 uova e 3 tuorli
❊ 35 g di farina di mais a grana fine ❊ 150 g di zucchero ❊ 5 g di vanillina
Per la guarnizione ❊ 3 dl di panna ❊ 20 g di zucchero a velo ❊ cannella in polvere
❊ 100 g di cioccolato fondente tritato ❊ 50 g di cioccolato bianco

DIFFICOLTÀ
Elevata

PREPARAZIONE
1 ora

COTTURA
40 minuti

VINO
Recioto della
Valpolicella
(rosso,
Veneto)

Aleatico
di Gradoli
(rosso,
Lazio)

Amalgamate 135 g di burro, 50 g di di farina bianca, la farina di mais e la fecola. Unite e amalgamate la vanillina, le uova e i tuorli ben sbattuti con lo zucchero e distribuite il composto in uno stampo imburrato e infarinato. Cuocete a 190 °C per 40 minuti.

Per la guarnizione fate fondere a bagnomaria il cioccolato fondente, stendetelo su un foglio di carta da forno e fatelo solidificare. Ricavatene tanti dischetti con un tagliapasta del diametro di 3 cm e metteteli da parte. Ripetete il procedimento con il cioccolato bianco, usando un tagliapasta del diametro di 2 cm. Staccate i dischetti dalla carta. Raccogliete i ritagli di cioccolato fondente, fateli fondere a bagnomaria, versate il ricavato in un cornetto di carta, tagliatene la punta e, premendolo, fate cadere una goccia di cioccolato al centro di ogni dischetto di cioccolato fondente e sovrapponetevi un dischetto di cioccolato bianco.

Montate 1,5 dl di panna con 1 cucchiaio di zucchero a velo e distribuitela sulla ciambella. Montate la panna rimasta in una terrina con il resto dello zucchero a velo, poi distribuitela sulla ciambella, ricoprendola tutta. Spolverizzatela con poca cannella e decoratela con i medaglioni di cioccolato.

Ciambellone ripieno

Ingredienti per 6 persone

Per il ciambellone ✤ 400 g di farina ✤ 4 uova

✤ 1 bustina di lievito

✤ 1 bustina di zucchero vanigliato

✤ 20 g di burro ✤ sale

Per il ripieno ✤ 250 g di ricotta

✤ 30 g di zucchero ✤ 3 tuorli

DIFFICOLTÀ
Bassa

PREPARAZIONE
30 minuti

COTTURA
40 minuti

VINO
Greco
di Bianco
(bianco,
Calabria)

Oltrepò Pavese
Moscato
(bianco,
Lombardia)

Mescolate la farina in una terrina con lo zucchero vanigliato, un pizzico di sale e il lievito e incorporatevi le uova, lavorando energicamente fino a ottenere un impasto liscio e omogeneo.

Ungete con il burro uno stampo per ciambella, versatevi il composto e cuocete il dolce nel forno già caldo a 180 °C per 40 minuti; sfornate e fate raffreddare.

Nel frattempo, per il ripieno mettete la ricotta in una ciotola e lavoratela a crema con un cucchiaio di legno; unitevi lo zucchero e i tuorli e amalgamate bene.

Tagliate il ciambellone a metà in senso orizzontale e farcitelo con la crema di ricotta preparata. Disponete il dolce su un piatto da portata e servitelo guarnendolo, a piacere, con fragole e panna montata.

Ciaramicola

Ingredienti per 6 persone

❋ 250 g di farina ❋ 125 g di zucchero
❋ 40 g di strutto o burro ❋ 1/2 bustina di lievito
❋ 2 uova, 2 albumi e 1 tuorlo ❋ 4 cucchiai di latte
❋ 1 dl di Alchermes ❋ 20 g di burro
❋ la scorza grattugiata di 1 limone biologico
❋ 4 gelatine di frutta ❋ sale

DIFFICOLTÀ
Media

PREPARAZIONE
30 minuti

COTTURA
50 minuti

REGIONE
Umbria

VINO
Orvieto
Classico Dolce
(bianco,
Umbria)

Trentino
Moscato Giallo
(bianco,
Trentino-Alto
Adige)

Mescolate in una terrina la farina, metà zucchero, il lievito e poco sale. Unite, uno per volta, le uova, il tuorlo, la scorza di limone e lo strutto. Amalgamate e versate il liquore, mescolando, fino a ottenere un impasto soffice. Versatelo in uno stampo per ciambella imburrato e cuocete il dolce nel forno già caldo a 180 °C per 40 minuti.

Montate a neve ferma gli albumi e incorporatevi lo zucchero rimasto mescolando. Sformate la Ciaramicola su un piatto da forno e distribuitevi sopra gli albumi montati a neve in uno strato spesso. Decorate con le gelatine e infornate a 180 °C finché la meringa comincerà a rapprendersi. Servite freddo.

Cicerchiata

Ingredienti per 6 persone

❋ 400 g di miele ❋ 270 g di farina ❋ 2 uova
❋ 50 g di mandorle pelate tagliate a filetti
❋ 0,5 dl di Brandy ❋ 3 cucchiai di olio d'oliva extravergine
❋ 80 g di frutta candita mista a dadini
❋ 2 cucchiai di zucchero
❋ 2 dl di olio di semi di arachide per friggere

DIFFICOLTÀ
Media

PREPARAZIONE
30 minuti
più 30 minuti
di riposo e
2-3 ore di
raffreddamento
della
preparazione

COTTURA
20 minuti

REGIONE
Umbria

VINO
Montefalco
Sagrantino
Passito
(rosso,
Umbria)

Malvasia
di Casorzo
d'Asti Passito
(rosso,
Piemonte)

Sbattete le uova in una terrina, impastatele con circa 2/3 della farina, amalgamatevi lo zucchero, 2 cucchiai d'olio d'oliva e la rimanente farina e lavorate il tutto fino a ottenere un impasto morbido. Avvolgetelo in un telo e lasciatelo riposare in luogo tiepido per circa 30 minuti.

Riprendete l'impasto, stendetelo sulla spianatoia infarinata in una sfoglia alta circa 2 cm, tagliatela a bastoncini, quindi a tronchetti e friggeteli in una padella con l'olio di semi caldo; sgocciolateli con un mestolo forato su carta da cucina.

Versate il miele in una capace casseruola, ponetelo su fiamma moderata e toglietelo appena comincerà a colorire. Unitevi i tronchetti di pasta fritti, le mandorle a filetti, la frutta candita, il Brandy e mescolate per amalgamare gli ingredienti.

Ungete lo stampo con l'olio rimasto, distribuitevi il composto, livellatene la superficie con una spatola e fatelo riposare in luogo fresco per 2-3 ore, finché il miele si sarà solidificato. Riprendete lo stampo, capovolgetelo sul piatto da portata e servite la cicerchiata arricchendola, a piacere, con altra frutta candita intera.

Corona alle nocciole

Ingredienti per 6 persone

Per la pasta ❄ 320 g di farina ❄ 30 g di zucchero
❄ 2 uova ❄ 10 g di lievito di birra ❄ 0,6 dl di latte
❄ 120 g di burro ❄ sale
Per il ripieno ❄ 2,5 dl di latte ❄ 3 tuorli ❄ 30 g di zucchero
❄ 250 g di nocciole sgusciate ❄ 50 g di gherigli di noce
❄ 3 cucchiai di Rum
Per la guarnizione ❄ 1 cucchaio di gelatina di albicocche

DIFFICOLTÀ
Bassa

PREPARAZIONE
30 minuti
più 13 ore e
30 minuti
di riposo
della pasta

COTTURA
50 minuti

VINO
Moscato
di Noto
Naturale
(bianco,
Sicilia)

Elba Moscato
(bianco
Toscana)

Per la preparazione della pasta. Scaldate in una casseruola il latte con 100 g di burro a pezzetti, aggiungete lo zucchero e amalgamate. Togliete dal fuoco, lasciate intiepidire e poi unite il lievito di birra diluito in una ciotolina con 2 cucchiai d'acqua tiepida.

Mescolate in una terrina 300 g di farina e un pizzico di sale, incorporate le uova e il composto preparato e lavorate l'impasto per 20 minuti. Copritelo con un telo e lasciatelo riposare in luogo tiepido per 30 minuti.

Riprendete la pasta e lavoratela ancora; trasferitela in una terrina, copritela con un telo, mettetela in frigorifero e lasciatela riposare per 12 ore.

Preparate il ripieno. Tostate leggermente le nocciole nel forno già caldo a 180 °C; privatele quindi della pellicina e tritatele con i gherigli di noce.

Versate il latte con lo zucchero in una casseruola, portatelo a ebollizione, unite le nocciole e i gherigli di noce e riportate a bollore. Quindi aggiungete i tuorli, amalgamate il tutto, togliete la crema dal fuoco, lasciatela intiepidire e unite il Rum. Riprendete la pasta, stendetela in un rettangolo e distribuitevi al centro la crema in modo uniforme; avvolgete la pasta su se stessa, formando un lungo cilindro, sagomatela a ciambella e saldatene le estremità. Adagiatela su una placca imburrata e infarinata e praticate su tutta la superficie dei profondi tagli trasversali a zig zag.

Formate con alcuni fogli di alluminio una palla e sistematela al centro della ciambella. Ripiegate più volte su se stesso un lungo foglio d'alluminio, sagomatelo a cerchio, fissatene le estremità con una graffetta e sistematelo attorno alla ciambella a 1 cm di distanza dal bordo esterno. Fate lievitare la ciambella in un luogo tiepido per 1 ora.

Mettete la ciambella nel forno già caldo a 180 °C e fatela cuocere per 45 minuti. Sformatela, lasciatela intiepidire e adagiatela su un piatto da portata.

Per la guarnizione. Portate a ebollizione in un tegamino la gelatina di albicocche con 1 cucchiaio di acqua, quindi spennellatela interamente sulla superficie della corona alle nocciole e servitela.

Corona di riso

Ingredienti per 6 persone

Per la pasta ❋ 270 g di farina ❋ 140 g di burro
❋ 70 g di zucchero ❋ la scorza grattugiata di 1 limone biologico
❋ 1/2 bustina di vanillina ❋ 3 uova e 1 tuorlo
Per il ripieno ❋ 150 g di riso superfino ❋ 250 g di ricotta
❋ 300 g di zucchero ❋ 50 g di frutta candita ❋ cannella in polvere
❋ 1 cucchiaio di zucchero a velo ❋ 50 g di cioccolato fondente
❋ la scorza grattugiata di 1 arancia biologica ❋ sale

DIFFICOLTÀ
Elevata

PREPARAZIONE
40 minuti
più 30 minuti
di riposo
della pasta

COTTURA
1 ora e
15 minuti

VINO
Braganze
Torcolato
(bianco,
Veneto)

Molise
Moscato
Passito
(bianco,
Molise)

Setacciate 250 g di farina sulla spianatoia assieme alla vanillina e disponetela a fontana. Mettetevi al centro 120 g di burro, che avrete fatto ammorbidire e diviso a pezzetti, lo zucchero, il tuorlo e la scorza grattugiata del limone, poi impastate rapidamente tutti gli ingredienti, senza però lavorare troppo l'impasto con le mani.

Avvolgete l'impasto in un foglio di pellicola trasparente, ponetelo nella parte meno fredda del frigorifero e lasciatelo riposare per circa 30 minuti prima di utilizzarlo.

Nel frattempo tritate il cioccolato e la frutta candita, metteteli in 2 ciotoline e teneteli da parte.

Lessate il riso in una pentola con abbondante acqua leggermente salata per 15 minuti circa; scolatelo e lasciatelo raffreddare.

In una ciotola mescolate con un cucchiaio di legno la ricotta passata al setaccio e lo zucchero, quindi incorporatevi il riso, le uova, il cioccolato e la frutta candita tritati tenuti da parte, un pizzico di sale, la cannella e la scorza d'arancia grattugiata e amalgamate bene il tutto.

Riprendete la pasta e dividetela in 2 parti, una più abbondante dell'altra. Stendete la parte più abbondante di pasta con il matterello, foderatevi uno stampo con il foro centrale imburrato e infarinato e distribuitevi sopra il composto di riso in uno strato uniforme.

Stendete la pasta rimasta, ricoprite con questa il ripieno e pizzicottatela tutt'attorno ai bordi per sigillare.

Mettete lo stampo nel forno già caldo a 180 °C e fate cuocere per circa 1 ora. Sfornate e prima di servire la corona spolverizzatela con lo zucchero a velo.

LA VARIANTE

▶ Se volete dare più sapore e colore alla preparazione, quando lessate il riso aggiungetevi 1 bustina di zafferano e, al momento di mescolarlo agli altri ingredienti, unitevi anche 1 cucchiaio di uva sultanina, ammollata, ben sgocciolata e strizzata.

Crescia fogliata

Ingredienti per 4 persone

Per la pasta ✳ 200 g di farina ✳ 100 g di burro
✳ 1 uovo ✳ sale

Per il ripieno ✳ 500 g di mele ✳ 150 g di fichi secchi
✳ 200 g di zucchero ✳ 150 g di noci pelate
✳ 100 g di uva sultanina già ammollata
✳ 2 dl di Marsala ✳ 1 dl di Mistrà
✳ 50 g di confettura a piacere
✳ cannella ✳ 1 dl di crema pasticciera

DIFFICOLTÀ
Bassa

PREPARAZIONE
30 minuti
più 30 minuti
di riposo
della pasta
e il tempo di
preparazione
della crema
pasticcera

COTTURA
40 minuti

REGIONE
Marche

VINO
Verdicchio
di Matelica
Passito
(bianco,
Marche)

Sardegna
Semidano
Passito
(bianco,
Sardegna)

Preparate la pasta. Impastate 70 g di farina con il burro, formate un panetto e fatelo riposare per 30 minuti. Impastate poi il panetto con la restante farina, un pizzico di sale, 2 dl d'acqua e l'uovo.

Preparate il ripieno. Lavate e sbucciate le mele, tagliatele a metà e privatele del torsolo. Mettete in una pentola le mele con l'uva sultanina, sgocciolata e strizzata, i fichi, le noci, lo zucchero, un pizzico di cannella, il Marsala e il Mistrà. Cuocete a fuoco basso e, quando le mele saranno a metà cottura, togliete dal fuoco e lasciate intiepidire.

Stendete la pasta in una sfoglia sottile, versatevi sopra il ripieno e arrotolatela su se stessa. Cuocete la preparazione nel forno già caldo a 200 °C per 25 minuti.

Sformate il dolce su un piatto da portata e servitelo accompagnato dalla crema pasticcera ben amalgamata con la confettura.

Cuore al mascarpone

Ingredienti per 6 persone

Per la pasta ❋ 120 g di farina ❋ 90 g di burro ❋ 3 uova
❋ 50 g di fecola di patate ❋ 1 bustina di vanillina
❋ 120 g di zucchero ❋ 1/2 bustina di lievito per dolci
Per lo sciroppo ❋ 0,5 dl di Grand Marnier ❋ 40 g di zucchero
Per la crema ❋ 200 g di mascarpone ❋ 2 tuorli
❋ 60 g di zucchero a velo ❋ 50 g di cioccolato fondente
Per la guarnizione ❋ 50 g di cioccolato bianco grattugiato
❋ 250 g di cioccolato bianco a scaglie

DIFFICOLTÀ
Media

PREPARAZIONE
45 minuti
più 20 minuti di
raffreddamento
dello sciroppo

COTTURA
35 minuti

VINO
Moscadello
di Montalcino
Frizzante
(bianco,
Toscana)

Moscato d'Asti
(bianco,
Piemonte)

Preparate la pasta. Sbattete le uova con lo zucchero, unite 100 g di farina, la fecola, il lievito, la vanillina e 70 g di burro fuso. Imburrate e infarinate uno stampo a forma di cuore e versatevi la pasta. Cuocete nel forno già caldo a 180 °C per 30 minuti.

Preparate lo sciroppo. Bollite lo zucchero e il Grand Marnier in 1 dl d'acqua per 8 minuti e fate raffreddare.

Preparate la crema. Lavorate insieme con una frusta il mascarpone, lo zucchero a velo, i tuorli e il cioccolato che avrete grattugiato ottenendo una crema soffice.

Dividete a metà orizzontalmente la torta, spennellate le due parti all'interno con lo sciroppo. Spalmate con un po' di crema la base della torta, sovrapponete l'altra metà, quindi distribuite la crema rimasta sulla superficie e sui lati.

Spolverizzate il cuore con il cioccolato grattugiato e guarnitelo ricoprendolo con il cioccolato a scaglie.

Cuore alla crema di melone

Ingredienti per 8 persone

Per la pasta ❀ 120 g di farina ❀ 4 uova ❀ 1 bustina di vanillina ❀ 100 g di zucchero ❀ 40 g di burro

Per la crema ❀ 3 tuorli ❀ 80 g di zucchero ❀ 2,5 dl di latte ❀ 1 melone del peso di 700 g ❀ 1/2 bustina di vanillina ❀ la scorza grattugiata di 1/2 arancia biologica ❀ 20 g di farina

Per lo sciroppo ❀ 50 g di zucchero ❀ 1 cucchiaio di Maraschino

DIFFICOLTÀ
Media

PREPARAZIONE
45 minuti
più 20 minuti di
raffreddamento
della crema

COTTURA
50 minuti

VINO
Albana
di Romagna
Amabile
(bianco,
Emilia-
Romagna)

Colli Etruschi
Viterbesi
Moscatello
Amabile
(bianco,
Lazio)

Preparate la pasta. Lavorate in una terrina le uova con lo zucchero, 100 g di farina, la vanillina e 20 g di burro, che avrete fatto fondere a parte, mescolando.

Versate il composto ottenuto in uno stampo a forma di cuore imburrato e infarinato, mettete nel forno già caldo a 180 °C e fate cuocere per 40 minuti. Quindi sformate la torta e lasciatela intiepidire.

Preparate la crema. Lavorate in una terrina i tuorli con lo zucchero, la farina e la vanillina e versate a filo il latte bollente, mescolando con un cucchiaio di legno. Travasate il composto in una casseruola e portate a bollore, continuando a mescolare. Coprite e fate cuocere per 8 minuti, sempre mescolando. Togliete dal fuoco, lasciate raffreddare la crema completamente, poi unitevi la scorza d'arancia grattugiata.

Preparate lo sciroppo. Versate 1 dl d'acqua in un tegamino, aggiungete lo zucchero, portate a ebollizione e fate bollire lo sciroppo per 1 minuto. Lasciatelo intiepidire e unitevi il Maraschino.

Pulite il melone, privandolo della buccia e dei semi, e tenetene da parte

un quarto. Tagliate il resto del melone a dadini e uniteli alla crema preparata.

Dividete la torta a metà in senso orizzontale, spennellate la base con un poco di sciroppo, stendetevi la crema, in uno strato uniforme dello spessore di 2 cm e coprite con l'altra metà.

Spennellate la superficie della torta con il rimanente sciroppo, distribuite al centro il melone rimasto tagliato a fette sottilissime e decorate, a piacere, il bordo con ciuffetti di panna montata.

IL CONSIGLIO

▶ Il modo migliore per montare la panna è iniziare a sbatterla piano, accelerando man mano che proseguite nell'operazione. Se fa caldo, tenete la panna e la ciotola in frigorifero fino al momento di utilizzarle. Alla fine la panna deve essere bianca e formare un pinnacolo fermo che si piega leggermente in cima. Se la panna è troppo montata diventa giallo chiara e granulosa.

Cuore alle arance

Ingredienti per 8 persone

Per la pasta ❈ 120 g di farina ❈ 20 g di fecola di patate ❈ 3 uova
❈ 80 g di zucchero ❈ 90 g di burro ❈ 1 bustina di vanillina
Per la guarnizione ❈ 500 g di arance bionde biologiche
❈ 50 g di zucchero
❈ 2 cucchiai di gelatina di albicocche
❈ 4 cucchiai di Grand Marnier

DIFFICOLTÀ
Media

PREPARAZIONE
30 minuti

COTTURA
40 minuti

VINO
Moscato
Passito
di Pantelleria
(bianco,
Sicilia)

Alto Adige
Moscato Giallo
Passito
(bianco,
Trentino-Alto
Adige)

Preparate la pasta. Lavorate le uova e lo zucchero in una terrina. Incorporate 100 g di farina, la fecola e la vanillina e poi versate a filo 70 g di burro fuso. Distribuite il composto nello stampo a cuore, imburrato e infarinato, livellatelo e cuocete nel forno già caldo a 180 °C per 35 minuti.

Preparate la guarnizione. Versate 1 dl d'acqua in una casseruola, unite lo zucchero e fate bollire per 1-2 minuti, mescolando ogni tanto. Togliete dal fuoco, lasciate intiepidire e unitevi il Grand Marnier. Spennellate lo sciroppo sulla superficie del dolce e sul bordo. Sbucciate le arance, dividetele a spicchi e pelateli al vivo.

Mettete in un tegamino la gelatina di albicocche con 1 cucchiaio d'acqua, portatela a ebollizione e poi spennellatela sulla superficie del dolce. Distribuitevi gli spicchi d'arancia in modo decorativo e spennellateli con la gelatina rimasta.

Cupola all'ananas

Ingredienti per 8 persone

❀ 1 pan di Spagna del diametro di 22 cm e spesso 4 cm

❀ 30 g di gelatina di albicocche

❀ 250 g di pasta sfoglia

Per la crema ❀ 100 g di zucchero

❀ 2 tuorli ❀ 25 g di burro

❀ 40 g di farina

❀ 200 g di polpa di ananas

❀ 1 limone grosso biologico

DIFFICOLTÀ
Elevata

PREPARAZIONE
1 ora
più il tempo di
preparazione
del pan di
Spagna
e il tempo di
preparazione
della pasta
sfoglia

COTTURA
40 minuti

VINO
Moscato d'Asti
(bianco,
Piemonte)

Sannio
Moscato
Spumante
(bianco,
Campania)

Preparate la crema. Tagliate la polpa dell'ananas a dadini. Lavate il limone, privatelo della scorza e spremetene il succo. Portate a ebollizione 2,5 dl d'acqua con il burro e la scorza di limone.

In una terrina lavorate i tuorli con lo zucchero. Aggiungete la farina, poca alla volta, e mescolate. Versate l'acqua bollente con il burro, passandola in un colino, e amalgamate.

Trasferite il composto in un tegame e fate cuocere per circa 8 minuti, mescolando. Togliete dal fuoco e lasciate intiepidire la crema. Aggiungete il succo di limone, incorporate infine i dadini di ananas e amalgamate bene il tutto.

Per la base della torta. Mettete in un tegamino la gelatina di albicocche con 2 cucchiai d'acqua e portate a ebollizione, mescolando ogni tanto.

Stendete 1/3 della pasta sfoglia in uno strato sottile e ricavatene un disco di 24 cm di diametro. Adagiatelo su una placca inumidita d'acqua e spennellatelo con la gelatina di albicocche. Dividete il pan di Spagna in 3 strati orizzontalmente. Tenete da parte 1

disco del diametro di 22 cm e ricavate dal secondo un disco di 15 cm di diametro e dal terzo 3 dischi rispettivamente di 10, 6 e 4 cm di diametro.

Adagiate sul disco di pasta sfoglia lo strato di pan di Spagna di 22 cm e coprite con parte della crema; sovrapponete gli altri strati in misura decrescente verso l'alto, alternandoli con la crema.

Stendete la sfoglia rimasta allo spessore di 3 mm. Adagiatela sul dolce e fatela aderire alla superficie. Sigillate la base con la copertura del dolce e ritagliate la pasta eccedente. Con un coltello decorate, a piacere, la superficie del dolce e pizzicatela con la punta delle forbici.

Mettete la placca nel forno già caldo a 220 °C e fate cuocere la cupola per circa 25 minuti.

Sformate il dolce su un piatto da portata, lasciatelo raffreddare e, prima di portarlo in tavola, decoratelo, a piacere, con alcune fettine di ananas e qualche ciliegina candita.

TORTE LE RICETTE

Delizia di cioccolato all'arancia

Ingredienti per 6 persone

Per la pasta ❋ 90 g di farina ❋ 70 g di zucchero
❋ 3 uova ❋ 35 g di burro ❋ 1 bustina di vanillina
❋ 2 cucchiai di marmellata d'arance
Per lo sciroppo ❋ 50 g di zucchero ❋ 2 cucchiai di Grand Marnier
Per la crema ❋ 125 g di cioccolato fondente
❋ 2 uova e 1 albume ❋ 30 g di burro ❋ 20 g di zucchero
Per la guarnizione ❋ 1 dl di panna montata
❋ 30 g di scorzette d'arancia candite a listarelle

DIFFICOLTÀ
Media

PREPARAZIONE
30 minuti
più 30 minuti di
raffreddamento
della crema

COTTURA
45 minuti

VINO
San Gimignano
Vin Santo
(bianco,
Toscana)

Trentino
Vin Santo
(bianco,
Trentino-Alto
Adige)

Preparate la pasta. Lavorate le uova con lo zucchero e unite 70 g di farina, la vanillina e 15 g di burro fuso a parte. Versate il composto in uno stampo imburrato e infarinato e cuocete nel forno a 180 °C per 30 minuti.

Preparate lo sciroppo. Mettete in un tegamino 1 dl d'acqua con lo zucchero e bollite per qualche minuto. Togliete dal fuoco, lasciare intiepidire e aggiungete il Grand Marnier.

Preparate la crema. Spezzettate il cioccolato fondente, fatelo fondere a bagnomaria, unite il burro a pezzetti e mescolate. Togliete dal fuoco, unite i tuorli, uno alla volta, e fate intiepidire. Montate a neve gli albumi, unendo a metà lo zucchero, incorporateli al composto e mettete la crema in frigo per 30 minuti.

Dividete la torta in 2 strati orizzontali spessi 2 cm. Spennellate uno strato con un poco di sciroppo e stendetevi sopra la marmellata di arance. Coprite con l'altro strato, spennellatelo con un altro sciroppo, stendete quindi la crema di cioccolato e decorate con ciuffetti di panna montata e mucchietti di scorzette d'arancia. Servite in tavola.

Delizia di mele alle spezie

Ingredienti per 6 persone

❋ 3 mele ❋ 220 g di farina
❋ 1 dl di latte ❋ 3 tuorli
❋ 130 g di zucchero a velo
❋ 1/2 bustina di vanillina ❋ 4 chiodi di garofano
❋ 1/2 cucchiaino di lievito per dolci
❋ 1 pizzico di cannella in polvere
❋ il succo di 1/2 limone
❋ 100 g di burro ❋ sale

DIFFICOLTÀ
Bassa

PREPARAZIONE
20 minuti

COTTURA
40 minuti

VINO
Alto Adige
Moscato Rosa
(rosso,
Trentino-Alto
Adige)

Aleatico
di Gradoli
(rosso,
Lazio)

Lavate le mele, sbucciatele, dividetele a metà e privatele del torsolo; incidetele con un coltello, praticando 3-4 tagli sulla parte curva. Mettetele in una terrina e irroratele con il succo di limone affinché non anneriscano.

Lavorate in una ciotola i tuorli con 100 g di zucchero a velo e mescolateli con una frusta fino a ottenere un composto bianco e dalla consistenza spumosa. Unite a filo 80 g di burro, che avrete fatto fondere a parte, e mescolate. Aggiungete 200 g di farina setacciata con il lievito e la vanillina, la cannella, i chiodi di garofano tritati, un pizzico di sale e infine il latte. Mescolate bene finché tutti gli ingredienti saranno perfettamente amalgamati.

Versate il composto in una tortiera imburrata e infarinata e adagiatevi sopra le mezze mele.

Mettete la tortiera nel forno già riscaldato a 180 °C e fate cuocere per 40 minuti circa. Toglietela dal forno, sformatela su un piatto da portata e, prima di servirla in tavola, spolverizzatela con lo zucchero a velo rimasto.

Delizia di pan di Spagna alla crema

Dolce alla crema di kiwi

Ingredienti per 6 persone

❄ 1 pan di Spagna da 500 g ❄ 1 cucchiaio di cacao amaro
❄ 350 g di castagne ❄ 2,5 dl di latte ❄ 50 g di burro
❄ 100 g di zucchero ❄ 2 dl di Rum
❄ 1 pizzico di cannella in polvere
Per la crema ❄ 5 dl di latte ❄ 4 tuorli ❄ 100 g di zucchero
❄ 2 cucchiai di farina ❄ 10 g di vanillina ❄ 2 dl di panna
Per la guarnizione ❄ ciliegine candite ❄ cedro candito

Ingredienti per 4 persone

❄ 1 pan di Spagna del diametro di 22 cm
Per il ripieno ❄ 6 kiwi ❄ 3 dl di Marsala
❄ 1 dl di vino bianco
❄ 6 tuorli
❄ 50 g di farina
❄ 1 dl di panna
❄ 120 g di zucchero

DIFFICOLTÀ
Media

PREPARAZIONE
30 minuti
più il tempo di
preparazione
del pan di
Spagna

COTTURA
1 ora

VINO
Valle d'Aosta
Chambave
Moscato
Passito
(bianco,
Valle d'Aosta)

Greco
di Bianco
(bianco,
Calabria)

Lavate le castagne e bollitele per 3 minuti; sgocciolatele, togliete la scorza e la pellicina. Mettetele in un tegame con il latte e lo zucchero e cuocetele, a fuoco medio, per 40 minuti. A metà cottura unite il cacao e la cannella. Quando il latte sarà tutto assorbito, passate il composto allo schiacciapatate. Unite il burro, 3 cucchiai di Rum e lavorate bene l'impasto. Formate quindi tante palline.

Preparate la crema. Montate i tuorli con lo zucchero, quindi aggiungete la farina e la vanillina, mescolate e unite il latte caldo. Fate cuocere a fuoco dolce per 5-6 minuti, mescolando continuamente. Togliete dal fuoco, lasciate intiepidire, quindi aggiungete 2 cucchiai di Rum e incorporate la panna montata.

Dividete a metà orizzontalmente il pan di Spagna ottenendo 2 dischi e spennellateli con il Rum rimasto. Farcite un disco con metà della crema, copritelo con il secondo disco, disponetevi intorno le palline di castagne e versate al centro la crema rimasta. Decorate con le ciliegine e il cedro canditi e con un poco di impasto di castagne e servite in tavola.

DIFFICOLTÀ
Media

PREPARAZIONE
30 minuti
più il tempo di
preparazione
del pan di
Spagna,
1 ora di
macerazione
dei kiwi,
20 minuti di
raffreddamento
della crema
e 3 ore di
raffreddamento
del dolce

COTTURA
5 minuti

VINO
Gambellara
Recioto
(bianco,
Veneto)

Castel
San Lorenzo
Moscato
(bianco,
Campania)

Pelate i kiwi e tagliateli a fette sottili. Mettetele in una terrina, irroratele con il Marsala e con il vino e lasciatele macerare per 1 ora. Sgocciolatele e tenetele da parte.

Preparate il ripieno. In una ciotola, lavorate i tuorli e lo zucchero con un cucchiaio di legno fino a ottenere un composto chiaro e spumoso. Aggiungete la farina, il liquido di macerazione dei kiwi e mescolate. Versate il composto in un tegame, portate a ebollizione e cuocete per 4 minuti. Fate raffreddare la crema, mescolando ogni tanto e poi incorporatevi, la panna, montata a parte.

Dividete il pan di Spagna in 3 strati orizzontali, adagiate uno strato in una tortiera a cerniera, distribuitevi qualche cucchiaio della crema in uno strato uniforme, collocatevi sopra uno strato di fettine di kiwi, quindi un altro disco di pan di Spagna, uno strato di crema e uno di fettine di kiwi.

Terminate con l'ultimo disco di pan di Spagna, ricopritelo con la crema rimasta e guarnite con le rimanenti fettine di kiwi. Fate raffreddare la torta in frigorifero per 3 ore. Trasferitela su un piatto da portata e servite in tavola.

Dolce alla crema di Marsala

Ingredienti per 6 persone

❄ 1 pan di Spagna del diametro di 28 cm

Per il ripieno

❄ 5 dl di panna

❄ 1 dl di Marsala

❄ 150 g di zucchero

❄ 1 uovo e 2 tuorli

Per la finitura ❄ 2 cucchiai di cioccolato grattugiato

DIFFICOLTÀ
Media

PREPARAZIONE
30 minuti
più il tempo di
preparazione
del pan di
Spagna,
più 20 minuti di
raffreddamento
della crema
e 3 ore di
raffreddamento
del dolce

COTTURA
5 minuti

VINO
Moscato
di Pantelleria
(bianco,
Sicilia)

Golfo
del Tigullio
Moscato
Passito
(bianco,
Liguria)

Preparate il ripieno. In una ciotola montate i tuorli e l'uovo con lo zucchero e poi aggiungete poco alla volta 0,5 dl di Marsala.

Versate il composto in una casseruola a bagnomaria su fuoco medio e lavorate continuamente con una frusta, senza lasciar raggiungere l'ebollizione.

Togliete dal fuoco, lasciate raffreddare la crema mescolando ogni tanto e incorporatevi infine la panna, montata a parte.

Tagliate il pan di Spagna in senso orizzontale ricavandone 3 dischi, spennellatene uno con un poco di Marsala e stendetevi con una spatola uno strato di crema. Sovrapponetevi un altro disco, spennellatelo con il Marsala e continuate con lo stesso procedimento terminando con la crema.

Cospargete la superficie del dolce con il cioccolato grattugiato e mettetelo in frigorifero per 3 ore, prima si servire.

Dolce alla romana

Ingredienti per 4 persone

❄ 1 pan di Spagna da 600 g

❄ 200 g di zucchero

❄ 300 g di zucchero a velo

❄ 6 uova ❄ 100 g di farina

❄ 1 l di latte

❄ 1 dl di Sambuca

❄ 2 ciliegine candite

DIFFICOLTÀ
Media

PREPARAZIONE
45 minuti
più il tempo di
preparazione
del pan di
Spagna,
più 20 minuti di
raffreddamento
della crema

COTTURA
25 minuti

REGIONE
Lazio

VINO
Frascati
Cannellino
(bianco,
Lazio)

Alto Adige
Moscato Giallo
(bianco,
Trentino-Alto
Adige)

Preparate il ripieno. In un tegame scaldate 1 dl di latte, versate in una casseruola i tuorli, tenendo da parte gli albumi, lo zucchero e la farina e sbattete versando, poco alla volta, il latte rimasto. Alla fine unite anche il latte caldo. Mettete sul fuoco e, senza smettere di mescolare, portate a bollore e poi cuocete per 2 minuti. Versate la crema in una terrina, mescolatela e lasciatela raffreddare.

Tagliate a fette sottili il pan di Spagna. Spennellate una pirofila con la crema preparata e stendetevi metà del pan di Spagna. Spruzzate le fette di pan di Spagna con metà Sambuca, poi versate la crema dandole una forma a cupola; copritela con le rimanenti fette di pan di Spagna e spruzzate con la restante Sambuca.

Montate gli albumi a neve, incorporatevi lo zucchero a velo. Versate gli albumi, tenendone a parte 3 o 4 cucchiai, sul dolce e stendeteli con una spatola. Mettete il rimanente albume nella tasca da pasticciere e decorate la torta. Ponete nel forno già caldo a 180 °C e fatelo cuocere per 20 minuti. Sfornatelo, decoratelo con le ciliegine candite e servitelo.

Dolce alle arance

Ingredienti per 8 persone

Per la pasta ❋ 210 g di farina ❋ 120 g di zucchero ❋ 3 uova ❋ 50 g di burro ❋ 50 g di mandorle sgusciate ❋ 1 dl di latte ❋ 1/2 cucchiaino di lievito per dolci

Per il ripieno ❋ 3 arance ❋ 2 tuorli ❋ 50 g di zucchero ❋ 2 cucchiai di marmellata d'arance ❋ 0,5 dl di Rum ❋ 20 g di farina ❋ 2 dl di latte ❋ la scorza di 1 limone biologico

DIFFICOLTÀ
Media

PREPARAZIONE
30 minuti
più 1 ora di
raffreddamento
del dolce

COTTURA
40 minuti

VINO
Moscato
di Pantelleria
(bianco,
Sicilia)

Ramandolo
(bianco,
Friuli-Venezia
Giulia)

Sbollentate le mandorle, privatele della pellicina e tritatele. Versate lo zucchero in una terrina e lavoratelo con le uova. Unitevi le mandorle, 200 g di farina, poca alla volta, il latte e 40 g di burro, fuso a parte, poi incorporate il lievito.

Ungete una tortiera con il burro rimasto, spolverizzatela di farina e versatevi l'impasto. Cuocete nel forno già caldo a 220 °C per 30 minuti, quindi sfornate la torta, lasciatela raffreddare e sformatela su un piatto da portata.

Preparate il ripieno. Scaldate il latte con la scorza di limone. In una ciotola sbattete i tuorli con lo zucchero, poi unitevi la farina e il latte caldo. Cuocete la crema per 3 minuti, sempre mescolando, lasciatela raffreddare e incorporatevi 3 cucchiai di Rum. In un pentolino sciogliete la marmellata d'arance con il Rum rimasto. Pelate le arance al vivo e affettatele sottilmente.

Tagliate la torta in tre strati in senso orizzontale, farcite ogni strato con un poco di crema e terminate coprendo tutto con la crema rimasta. Decorate con le fette d'arancia e completate il dolce cospargendolo con la marmellata.

Dolce dell'epifania

Ingredienti per 6 persone

✳ 180 g di farina bianca ✳ 180 g di farina gialla
✳ 140 g di burro ✳ 120 g di zucchero ✳ 2 dl di vino bianco
✳ 50 g di uva sultanina ✳ 100 g di prugne secche
✳ 1 dl di Brandy ✳ 1 cucchiaino di semi di finocchio
✳ 1 bustina di lievito ✳ 50 g di arancia e cedro canditi
✳ 1 mela sbucciata e tagliata a dadini

DIFFICOLTÀ
Media

PREPARAZIONE
30 minuti
più 1 ora
di macerazione
dell'uva
sultanina e di
ammollo delle
prugne secche
e 30 minuti di
raffreddamento
del dolce

COTTURA
45 minuti

REGIONE
Veneto

VINO
Recioto
di Soave
(bianco,
Veneto)

Moscato
di Trani Dolce
(bianco,
Puglia)

Mettete l'uva sultanina a macerare per 1 ora nel Brandy. Fate ammollare le prugne secche in una terrina con acqua tiepida.

Versate in una casseruola la farina bianca e mescolatela con il lievito, la farina gialla e lo zucchero. Bagnate con il vino e coprite con acqua calda. Cuocete per 15 minuti, mescolando e aggiungendo poca acqua calda se necessario, fino a ottenere un impasto simile a una polenta soda.

Incorporate all'impasto 120 g di burro a pezzetti, l'uva sultanina con il liquido di macerazione, i semi di finocchio, le prugne sgocciolate, i canditi e i dadini di mela. Proseguite quindi la cottura per 15 minuti, poi lasciate intiepidire.

Imburrate una tortiera, versatevi il composto e cuocetelo nel forno già caldo a 180 °C per 15 minuti.

L'INGREDIENTE

▶ **Canditi.** Frutta sottoposta a una prolungata immersiome in una soluzione di zucchero. Per questa ricetta utilizzateli tagliati a dadini, eventualmente dopo averli lasciati macerare nel Brandy.

Dolce di banane e noci

Dolce di castagne

Ingredienti per 8 persone

❀ 260 g di farina ❀ 145 g di burro ❀ 2 uova
❀ 1 bustina di lievito per dolci ❀ 2 piccole banane mature
❀ 100 g di noci sgusciate ❀ 125 g di yogurt intero naturale
❀ 80 g di zucchero di canna
Per la guarnizione ❀ 180 g di zucchero a velo
❀ 1 cucchiaino di scorza grattugiata di limone biologico
❀ 2 cucchiai di succo di limone ❀ 15 g di burro

Ingredienti per 8 persone

❀ 500 g di castagne ❀ 1 foglia di alloro
❀ 180 g di zucchero ❀ 15 g di farina
❀ 100 g di burro ❀ 100 g di nocciole
❀ 4 uova ❀ 0,5 dl di Rum
❀ 80 g di cioccolato fondente
Per la guarnizione ❀ 3 cucchiai di marrons glacés spezzettati
❀ 100 g di panna montata

DIFFICOLTÀ
Bassa

PREPARAZIONE
30 minuti
più 1 ora di
raffreddamento
del dolce

COTTURA
40 minuti

VINO
Moscadello
di Montalcino
Frizzante
(bianco,
Toscana)

Moscato d'Asti
(bianco,
Piemonte)

Sbucciate le banane, tagliatele a pezzetti e schiacciatele con una forchetta. Tritate 60 g di noci.

Montate 130 g di burro con lo zucchero di canna, fino a ottenere una crema morbida, incorporatevi le uova, uno alla volta, continuando a montare. Unite le banane, lo yogurt, le noci tritate, 250 g di farina e il lievito.

Versate il composto in una tortiera imburrata e infarinata, mettete nel forno già caldo a 180 °C, cuocete per 40 minuti e sfornate.

Preparate la guarnizione. Raccogliete in una terrina il burro, lo zucchero a velo, la scorza e il succo di limone e mescolateli fino a ottenere un composto omogeneo. Spalmatelo sulla torta, decorate con le noci rimaste affettate e, a piacere, servite con scorzette di limone candite.

> IL CONSIGLIO
>
> ▶ Per un risultato ottimale, montate il burro con lo zucchero e le uova con uno sbattitore elettrico. Impiegherete meno tempo e il composto diventerà più spumoso.

DIFFICOLTÀ
Media

PREPARAZIONE
40 minuti

COTTURA
1 ora e
45 minuti

VINO
Valle d'Aosta
Chambave
Moscato
Passito
(bianco,
Valle d'Aosta)

Greco
di Bianco
(bianco,
Calabria)

Incidete le castagne e fatele lessare per 1 ora, a recipiente coperto, con una foglia d'alloro. Sgocciolatele, privatele della pelle e passatele allo schiacciapatate, raccogliendo il purè in una terrina.

Sbattete in un'altra terrina i tuorli con lo zucchero, fino a renderli gonfi e spumosi. Incorporatevi 90 g di burro ammorbidito e continuate a lavorare gli ingredienti, fino a ottenere un composto cremoso al quale unirete il passato di castagne, il cioccolato grattugiato, il Rum e le nocciole tritate finemente.

Incorporate al composto gli albumi montati a neve, mescolandoli dal basso verso l'alto. Imburrate e infarinate una tortiera a cerniera del diametro di 24 cm, versatevi il composto e cuocete il dolce nel forno già caldo a 180 °C per 45 minuti.

Sformate la torta su una gratella da pasticceria e poi trasferitela su un piatto da portata. Prima di servirla, decoratene la sommità e il bordo con ciuffetti di panna montata e i marrons glacés spezzettati.

TORTE | LE RICETTE

Dolce di mele a strati

Ingredienti per 8 persone

Per la pasta ❄ 520 g di farina
❄ 170 g di burro ❄ 2 uova ❄ sale
❄ 1 kg di mele ❄ 6 g di burro ❄ 150 g di zucchero
❄ il succo di 1/2 limone
Per la guarnizione ❄ 20 g di zucchero a velo

DIFFICOLTÀ
Media

PREPARAZIONE
30 minuti
più 2 ore di
riposo della
pasta

COTTURA
1 ora

VINO
Moscato d'Asti
(bianco,
Piemonte)

Prosecco di
Valdobbiadene
Extra Dry
(bianco,
Veneto)

Preparate la pasta. Impastate 500 g di farina con 150 g di burro a pezzetti e le uova sbattute con un pizzico di sale, quindi lasciate riposare l'impasto per 2 ore.

Per il ripieno. Sbucciate le mele, privatele del torsolo e tagliatele a fette sottili, poi raccoglietele in una terrina e irroratele con il succo di limone.

Riprendete l'impasto, dividetelo in 4 parti uguali e stendete ciascuna in un disco del diametro di 22-24 cm.

Adagiatene uno in una tortiera imburrata e infarinata, distribuitevi sopra 1/3 delle mele, cospargete con lo zucchero e versate un poco di burro fuso. Continuate con la stessa procedura, alternando gli ingredienti e terminando con la pasta.

Cuocete la torta nel forno già caldo a 170 °C per 1 ora, poi sformate il dolce. Prima di servirlo, cospargetene la superficie con lo zucchero a velo, decorate a piacere il centro e servite in tavola.

Dolce di mele alla borgognona

Ingredienti per 8 persone

❋ 1 kg di mele Granny Smith ❋ 2 uova ❋ 130 g di zucchero
❋ 2 cucchiai di confettura di albicocche ❋ 30 g di fecola di patate
❋ 70 g di pancarré a cubetti ❋ 50 g di burro
Per la guarnizione ❋ 20 g di zucchero ❋ 1 mela Granny Smith
❋ 20 g di burro ❋ 20 g di zucchero a velo

DIFFICOLTÀ
Media

PREPARAZIONE
30 minuti
più 1 ora di
raffreddamento
del dolce

COTTURA
45 minuti

VINO
Trentino
Pinot Bianco
Vendemmia
Tardiva
(bianco,
Trentino-Alto
Adige)

Moscadello
di Montalcino
(bianco,
Toscana)

Sbucciate le mele, privatele del torsolo e tagliatele a cubetti. Rosolatele in una padella con il burro per 7-8 minuti, aggiungendo a metà cottura 80 g di zucchero. Sgocciolatele quindi in una terrina e amalgamatevi la confettura di albicocche.

In un'altra terrina montate le uova con lo zucchero rimasto e incorporatevi la fecola di patate e il pancarré.

Distribuite il composto di mele in una pirofila, versandovi sopra la pastella preparata. Cuocete nel forno già caldo a 180 °C per 30 minuti, poi lasciate raffreddare.

Preparate la decorazione. Lavate la mela, privatela del torsolo e riducetela a fette sottili, quindi rosolatele in una padella con il burro e lo zucchero 1-2 minuti per parte.

Spolverizzate il dolce con lo zucchero a velo, adagiatevi lungo il bordo e al centro le fette di mela caramellate e servite in tavola.

DEFINIZIONE

▶**Alla borgognona.** È un termine generico della cucina regionale francese, entrato in uso in tutta la cucina occidentale. Di solito indica preparazioni in cui compare il vino rosso, ma in questo caso intende semplicemente riferirsi all'ambiente rustico richiamato dalla ricetta.

Dolce di mele con salsa al limone

Ingredienti per 6 persone

❋ 300 g di mele a dadini ❋ 95 g di burro
❋ 100 g di zucchero ❋ 80 g di farina
❋ 1/2 cucchiaino di cannella in polvere ❋ 2 uova
❋ il succo di 1 limone ❋ 1 pizzico di bicarbonato
Per la salsa ❋ 100 g di zucchero ❋ 20 g di farina
❋ 2 tuorli ❋ 20 g di burro ❋ 1,2 dl di succo di limone
❋ la scorza grattugiata di 1/2 limone biologico

DIFFICOLTÀ
Bassa

PREPARAZIONE
30 minuti

COTTURA
40 minuti

VINO
Recioto
di Soave
(bianco,
Veneto)

Molise
Moscato
Passito
(bianco,
Molise)

Mettete i dadini di mela in una ciotola e irrorateli con il succo di limone. Impastate in una terrina 75 g di burro a pezzetti, lo zucchero, le uova, uno alla volta, la farina, i dadini di mele, il bicarbonato e la cannella. Versate l'impasto ottenuto in uno stampo ben imburrato, livellatelo e cuocetelo nel forno a 180 °C per 40 minuti.

Preparate la salsa al limone mescolando in una casseruola lo zucchero con la farina, i tuorli e 1,2 dl d'acqua fredda. Cuocete per 10 minuti il composto a bagnomaria, mescolando, poi unitevi il succo e la scorza di limone e il burro. Servite la torta con la salsa a parte.

Dolce di mele e amaretti

Ingredienti per 6 persone

❋ 50 g di amaretti ❋ 100 g di farina ❋ 80 g di zucchero
❋ la scorza grattugiata di 1 limone biologico ❋ 2 uova
❋ 1 kg di mele ❋ 1 dl di panna ❋ 50 g di pinoli ❋ 70 g di burro
❋ 1 cucchiaio di succo di limone ❋ 1/2 bustina di lievito
Per la salsa ❋ 3 dl di Brachetto d'Acqui ❋ 130 g di zucchero
❋ 1/2 baccello di vaniglia ❋ 2 mele ❋ 2 cucchiai di Brandy
Per la guarnizione ❋ 10 g di zucchero a velo

DIFFICOLTÀ
Media

PREPARAZIONE
30 minuti

COTTURA
1 ora e
20 minuti

VINO
Brachetto
d'Acqui
(rosso,
Piemonte)

Vernaccia di
Serrapetrosa
Dolce
(rosso,
Marche)

Sbriciolate gli amaretti. Sbucciate le mele, riducetele a fette sottili e irroratele con il succo di limone. In una terrina lavorate i tuorli con lo zucchero fino a ottenere un composto gonfio e spumoso, poi unite la scorza, 80 g di farina, il lievito, gli amaretti, 30 g di pinoli e la panna.

Aggiungete al composto 50 g di burro fuso a parte, le mele e infine gli albumi montati a neve. Versatelo, in uno strato uniforme, in una tortiera imburrata e infarinata, cospargetene la superficie con i pinoli rimasti; cuocete la torta nel forno già caldo a 170 °C per 1 ora.

Preparate la salsa. Versate il vino in un tegame, aggiungendovi 80 g di zucchero e il baccello di vaniglia. Portate a ebollizione, mescolando ogni tanto, e fate ridurre la salsa a un terzo. Sbucciate le mele, dividetele a metà, privatele del torsolo e tagliatele a fette. Versate in una padella lo zucchero rimasto e fatelo sciogliere con il Brandy, mescolando; quindi unitevi le fette di mela e cuocete per 3-4 minuti.

Sfornate il dolce e, prima di servirlo, spolverizzatelo con lo zucchero a velo. Accompagnatelo con la salsa al vino e le mele al Brandy.

Dolce di meringa con crema al cioccolato

Ingredienti per 8 persone

Per la meringa ❋ 6 albumi ❋ 140 g di zucchero

❋ 175 g di zucchero a velo

❋ 20 g di maizena

Per il ripieno ❋ 2,25 dl di panna ❋ 140 g di cioccolato fondente a pezzetti

❋ 4 cucchiai di Rum scuro

Per la guarnizione ❋ 2 dl di panna montata zuccherata

❋ 10-20 g di cacao per spolverizzare

DIFFICOLTÀ
Media

PREPARAZIONE
40 minuti
più 12 ore
di riposo
del ripieno

COTTURA
6 ore

VINO
Recioto della
Valpolicella
(rosso,
Veneto)

Aleatico
di Gradoli
(rosso,
Lazio)

Tracciate un cerchio del diametro di 18 cm su 5 fogli di carta da forno e poneteli su altrettante placche.

Montate gli albumi a neve ben ferma e incorporatevi i due zuccheri e la maizena. Trasferite il composto in una tasca da pasticciere con beccuccio liscio e formate una spirale su ogni foglio di carta da forno, fino a riempire il disco che avete disegnato. Cuocete quindi le meringhe nel forno già caldo a 130 °C, con l'anta socchiusa, per 6 ore.

Per il ripieno. Scaldate la panna, unendovi il cioccolato e il Rum, poi fate riposare in frigorifero per 12 ore.

Sbattete il ripieno con una frusta finché risulterà soffice e spumoso, quindi spalmatelo su 3 dischi di meringa. Sovrapponete i dischi e completate con 1 disco senza ripieno. Sbriciolate il disco rimasto.

Spalmate il dolce con la panna montata, ricopritelo con la granella di meringa e spolverizzate con il cacao.

201

Dolce di pan di Spagna al caffè

Ingredienti per 6 persone

❋ 1 pan di Spagna del diametro di 24 cm
❋ 1,8 dl di caffè ristretto ❋ 3 tuorli
❋ 350 g di mascarpone
❋ 120 g di cioccolato fondente
❋ 2 albumi ❋ 2 cucchiai di Brandy
❋ 4 cucchiai di zucchero vanigliato
❋ 1 dl di panna montata

DIFFICOLTÀ
Media

PREPARAZIONE
30 minuti
più 3 ore di
raffreddamento
della torta
e il tempo
di preparazione
del Pan
di Spagna

COTTURA
Nessuna

VINO
Trentino
Vin Santo
(bianco,
Trentino-Alto
Adige)

Vin Santo
del Chianti
(bianco,
Toscana)

Sbattete i tuorli con lo zucchero vanigliato fino a ottenere una crema soffice, quindi unite il mascarpone e amalgamate il tutto. Aggiungete il caffè freddo, il cioccolato fondente grattugiato, il liquore e infine gli albumi montati a neve fermissima.

Tagliate il pan di Spagna in 3 strati. Appoggiatene uno su un piatto da portata e distribuitevi sopra uno strato uniforme di crema. Coprite con un altro disco di pasta, uno strato di crema e l'ultimo disco di pan di Spagna. Terminate con la crema rimasta e trasferite la torta in frigorifero per 3 ore.

Decorate il bordo della torta con ciuffetti di panna montata e servite.

LA VARIANTE

▶ Se tra i commensali ci sono bambini, preparate solo metà dose di crema al caffè, usando un buon decaffeinato. Usatela per farcire uno strato e riempite il secondo strato con una crema ottenuta sbattendo 3 tuorli con 90 g di zucchero e unendovi poi 35 g di farina, 4 dl di latte e 120 g di nocciole tostate e tritate.

Dolce di prugne senza zucchero

Ingredienti per 6 persone

❋ 170 g di farina
❋ 200 g di prugne snocciolate
❋ 2 uova ❋ 1 bustina di lievito
❋ la scorza grattugiata di 1 limone biologico
❋ 1 dl di Maraschino
❋ 1 dl di latte
❋ 20 g di burro

DIFFICOLTÀ
Bassa

PREPARAZIONE
30 minuti
più 30 minuti
di macerazione
delle prugne

COTTURA
40 minuti

VINO
Albana
di Romagna
Amabile
(bianco,
Emilia-
Romagna)

Frascati
Amabile
(bianco,
Lazio)

Raccogliete le prugne in una ciotola e fatele macerare con il liquore per 30 minuti circa.

Setacciate 150 g di farina con il lievito e aggiungetevi, poco alla volta, i tuorli, mescolando a lungo. Versate quindi il latte e amalgamate bene, fino a ottenere un impasto liscio e omogeneo.

Sgocciolate le prugne, strizzatele e tritatene 120 g, incorporandole all'impasto preparato. Aggiungete la scorza grattugiata di limone, poi tagliate a metà le prugne rimaste e unite anche queste al composto. Per ultimi incorporate delicatamente gli albumi montati a neve ben ferma.

Versate il composto ottenuto in una tortiera imburrata e infarinata e mettetelo nel forno già caldo a 180 °C, cuocendolo per 40 minuti.

A cottura ultimata, sfornate il dolce, lasciatelo intiepidire, sformatelo su un piatto da portata e servitelo in tavola.

Dolce di yogurt e ciliegie

Ingredienti per 6 persone

❋ 400 g di yogurt intero naturale ❋ 4 dl di panna
❋ 200 g di fecola ❋ 1 bustina di vanillina ❋ 300 g di farina
❋ 0,5 dl di Brandy ❋ 1 dl di vino rosso ❋ 1 uovo e 3 tuorli
❋ 200 g di zucchero a velo ❋ 1 bustina di lievito
❋ 400 g di ciliegie grosse ❋ 1 pezzetto di cannella
❋ 50 g di zucchero ❋ 1 chiodo di garofano ❋ 20 g di burro
❋ la scorza grattugiata di 1 limone biologico ❋ sale
Per la guarnizione ❋ 1 bustina di zucchero vanigliato

DIFFICOLTÀ
Media

PREPARAZIONE
30 minuti
più 1 ora di
raffreddamento
del dolce

COTTURA
1 ora e
10 minuti

VINO
Oltrepò Pavese
Sangue di
Giuda
(rosso,
Lombardia)

Lavate le ciliegie, snocciolatele e raccoglietele in una casseruola con il vino, un pezzetto di cannella, un chiodo di garofano, lo zucchero e la scorza di limone. Fate cuocere per 20 minuti circa, a fuoco medio, aggiungendo 3 cucchiai d'acqua.

In una terrina unite allo zucchero a velo lo yogurt, 280 g di farina, la fecola, la vanillina e un pizzico di sale, amalgamando bene il tutto. Incorporate quindi al composto l'uovo, i tuorli, la panna, il Brandy, il lievito e infine le ciliegie con il loro sugo, tenendone da parte qualcuna.

Sistemate la preparazione in uno stampo da soufflé imburrato e cosparso di farina, lasciando libero uno spazio di 2 cm tutt'intorno all'orlo. Mettete il dolce nel forno già caldo a 180 °C e fatelo cuocere per circa 50 minuti circa, coprendolo, durante gli ultimi 10 minuti, con un foglio d'alluminio.

Rovesciate il dolce su un piatto da portata. Prima di servirlo, spolverizzatelo con lo zucchero vanigliato e decorate il centro con le ciliegie tenute da parte.

Dolce farcito alla crema

Ingredienti per 6 persone

❋ 150 g di farina bianca ❋ 80 g di farina di mais ❋ 4 uova
❋ 2 cucchiaini di lievito in polvere ❋ 120 g di burro
❋ 150 g di zucchero ❋ 50 g di mandorle pelate
❋ 1 bustina di zucchero vanigliato
❋ la scorza grattugiata di 1 limone biologico
Per la crema ❋ 150 g di burro ❋ 150 g di zucchero a velo
❋ 1 tuorlo ❋ 1 bustina di zucchero vanigliato
❋ 2 cucchiai di Brandy

DIFFICOLTÀ
Media

PREPARAZIONE
35 minuti
più 1 ora di
raffreddamento
del dolce

COTTURA
50 minuti

VINO
Alto Adige
Moscato Giallo
(Trentino-Alto
Adige,
bianco)

Greco
di Bianco
(bianco,
Calabria)

Lavorate 100 g di burro con 100 g di zucchero e, quando il composto sarà spumoso, aggiungetevi i 4 tuorli d'uovo, le farine e il lievito, alternandoli. Incorporate infine lo zucchero vanigliato, la scorza di limone e gli albumi montati a neve. Versate il composto in una teglia imburrata e cuocetelo nel forno già caldo a 180 °C per 40 minuti, poi sfornate e lasciate raffreddare.

Preparate la crema. Lavorate il burro con lo zucchero a velo, poi unite il tuorlo e infine il Brandy e lo zucchero vanigliato.

Sciogliete in una padella 50 g di zucchero, poi aggiungete le mandorle e mescolate. Appena lo zucchero sarà caramellato, rovesciate il composto su un piano e stendetelo con il dorso di un cucchiaio. Quando sarà freddo passatevi più volte con forza il matterello in modo da formare delle briciole di mandorle e zucchero.

Tagliate il dolce orizzontalmente, in modo da ottenere tre dischi e spalmateli con 2/3 della crema. Sovrapponeteli e copritene la superficie con la restante crema. Cospargete con la polvere di croccante e servite.

Fregnaccia

Ingredienti per 6 persone

❋ 200 g di farina di mais

❋ 60 g di farina bianca

❋ 60 g di zucchero ❋ 30 g di pinoli

❋ 1/2 cucchiaio di scorza di limone biologico

❋ 5 cucchiai di olio d'oliva extravergine

❋ 30 g di uva sultanina ❋ 4 mele renette

❋ 2 fichi secchi

❋ 4 prugne secche

DIFFICOLTÀ
Media

PREPARAZIONE
30 minuti
più 20 minuti
di ammollo
dell'uva
sultanina e
1 ora di ammollo
delle prugne

COTTURA
55 minuti

REGIONE
Umbria

VINO
Orvieto
Classico
Vendemmia
Tardiva
(bianco,
Umbria)

Friuli Isonzo
Vendemmia
Tardiva (bianco,
Friuli-Venezia
Giulia)

Mettete a bagno in acqua tiepida le prugne per 1 ora e l'uva sultanina per 20 minuti; sgocciolatele e strizzatele.

Lavate e grattuggiate la scorza di limone; snocciolate le prugne, tritatele e raccoglietele in una terrina con i fichi secchi spezzettati, l'uva sultanina, i pinoli e la scorza. Mescolate le farine.

Portate a ebollizione 5 dl d'acqua, versatevi a pioggia la miscela di farina e fate cuocere per 30 minuti circa, mescolando in continuazione e aggiungendo l'acqua necessaria a ottenere una polenta piuttosto molle.

Poco prima di togliere dal fuoco, unite alla polentina la frutta secca, le mele sbucciate e affettate, lo zucchero, 3 cucchiai d'olio e amalgamate bene il tutto. Versate il composto in una teglia da forno unta con l'olio rimasto, formando uno strato di 1 cm.

Fate cuocere nel forno già caldo a 180 °C per circa 20 minuti, poi sfornate la fregnaccia, disponetela su un piatto da portata e servitela calda o fredda, a piacere.

Froscia

Ingredienti per 8 persone

❋ 500 g di ricotta

❋ 500 g di zucchero

❋ 200 g di caciocavallo dolce grattugiato

❋ 10 uova

❋ 20 foglioline di menta

❋ cannella in polvere

❋ 50 g di pangrattato

❋ 20 g di burro

DIFFICOLTÀ
Bassa

PREPARAZIONE
20 minuti

COTTURA
40 minuti

REGIONE
Sicilia

VINO
Alcamo
Vendemmia
Tardiva
(bianco,
Sicilia)

Alto Adige
Pinot Grigio
Vendemmia
Tardiva
(bianco,
Trentino-Alto
Adige)

Mescolate in una ciotola la ricotta, lo zucchero e il caciocavallo, amalgamando bene il tutto.

In una ciotola sbattete leggermente le uova con una forchetta, poi incorporatele al composto di formaggio, profumando con la menta, lavata e asciugata e un pizzico di cannella. Se il composto risultasse troppo molliccio, aggiungetevi il pangrattato necessario ad addensarlo un poco.

Imburrate una pirofila, cospargetela di pangrattato e versatevi il composto preparato. Mettetela quindi nel forno già caldo a 200 °C e cuocete il dolce per circa 40 minuti, o finché la superficie sarà ben dorata. Sfornate la froscia e servitela tiepida o fredda, a piacere.

LA RICETTA TRADIZIONALE

▶ Questa antica frittata siciliana, tradizionalmente preparata per Pasqua, ha una versione salata, arricchita con varie verdure, e una dolce. Entrambe andrebbero aromatizzate non con la menta, bensì con la nepitella, che si comincia a raccogliere proprio in quel periodo.

Frustingolo marchigiano

Ingredienti per 8 persone

❋ 750 g di fichi secchi ❋ 1,5 dl di olio d'oliva extravergine ❋ 100 g di tritello ❋ 90 g di cioccolato grattugiato ❋ 90 g di miele fluido ❋ 80 g di gherigli di noce pelati ❋ 75 g di mandorle pelate ❋ 75 g di zucchero ❋ 75 g di uva sultanina ❋ 50 g di cedro candito ❋ noce moscata ❋ 50 g di pangrattato ❋ cannella in polvere ❋ mosto cotto ❋ la scorza grattugiata di 1 limone biologico

DIFFICOLTÀ
Bassa

PREPARAZIONE
30 minuti
più 12 ore
di ammollo
dei fichi
più il tempo
di ammollo
dell'uva
sultanina
e 1 ora di
raffreddamento
del dolce

COTTURA
1 ora e
30 minuti

REGIONE
Marche

VINO
Colli
Maceratesi
Passito
(bianco,
Marche)

Sannio Greco
Passito
(bianco,
Campania)

Mettete a bagno i fichi per 12 ore, poi sgocciolateli e cuoceteli in acqua bollente finché saranno morbidi. Fate ammorbidire l'uva sultanina in acqua tiepida. Sgocciolate i fichi, tritateli e raccoglieteli in una terrina con l'uva sultanina strizzata, il miele, lo zucchero e il cedro sminuzzato.

Tostate leggermente le mandorle nel forno già caldo a 180 °C. Tritatele con le noci e unitele agli altri ingredienti, poi aggiungete il cioccolato, il tritello e il pangrattato, un pizzico di noce moscata, la cannella e la scorza di limone.

Impastate gli ingredienti unendo 1,25 dl d'olio e il mosto, fino a ottenere un composto di media consistenza. Versate l'impasto in una tortiera unta d'olio e cuocetelo nel forno già caldo a 160 °C per 1 ora. Servite in tavola il frustingolo freddo.

L'INGREDIENTE

▶ **Tritello di frumento.** È la parte più leggera della crusca, residuo della macinazione del grano. Oltre a regalare agli impasti una maggiore consistenza e ruvidità, è ricco di fibre e sostanze nutritive benefiche.

Ghirlanda farcita

Ingredienti per 8 persone

Per la pasta ❋ 230 g di farina ❋ 120 g di burro ❋ sale ❋ la scorza grattugiata di 1 limone biologico ❋ 4 cucchiai di latte ❋ 50 g di zucchero ❋ 20 g di lievito di birra ❋ 1 uovo e 3 tuorli
Per il ripieno ❋ 60 g di datteri ❋ 50 g di gherigli di noce ❋ 50 g di frutta candita ❋ 30 g di zucchero di canna ❋ 1/2 cucchiaino di cannella in polvere ❋ noce moscata ❋ 1 cucchiaio di Rum ❋ la scorza grattugiata di 1 limone

DIFFICOLTÀ
Media

PREPARAZIONE
40 minuti
più 1 ora e
20 minuti di
riposo della
pasta

COTTURA
40 minuti

VINO
Malvasia
delle Lipari
Passito
(bianco,
Sicilia)

Oltrepò Pavese
Moscato
Passito
(bianco,
Lombardia)

Impastate 220 g di farina con il lievito sciolto nel latte tiepido, 3 tuorli sbattuti con lo zucchero, la scorza di limone, 100 g di burro a pezzetti e un pizzico di sale. Coprite l'impasto ottenuto con un telo da cucina e fatelo lievitare per circa 40 minuti.

Preparate il ripieno. Snocciolate i datteri e tritateli insieme ai gherigli di noce, quindi mescolateli con i canditi a dadini, lo zucchero di canna, la noce moscata, la cannella e la scorza di limone, irrorando tutto con il Rum.

Stendete la pasta in un rettangolo di 20 x 40 cm e spennellatela con la metà dell'uovo rimasto, leggermente sbattuto. Distribuitevi sopra il ripieno e formate un rotolo che poi piegherete a ciambella.

Adagiate la ciambella su una placca da forno imburrata e infarinata e tagliatela a fette, lasciandole unite alla base. Ruotate ogni fetta e appoggiatela sulla teglia, mantenendo la forma circolare del dolce. Fate lievitare altri 40 minuti, spennellate con l'uovo rimasto e cuocete per 40 minuti nel forno già caldo a 180 °C. Sformate, fate intiepidire e servite.

Gubana

Ingredienti per 6 persone

❄ 300 g di farina ❄ 60 g di burro ❄ sale

Per il ripieno ❄ 250 g di uva sultanina ❄ 150 g di pinoli

❄ 1 uovo ❄ 100 g di gherigli di noce

❄ 150 g di fichi e prugne secche ❄ 1 pezzetto di cedro candito

❄ 100 g di cioccolato fondente ❄ 60 g di pangrattato

❄ la scorza grattugiata di 1 arancia bioogico

❄ la scorza grattugiata di 1 limone biologico ❄ 20 g di burro

DIFFICOLTÀ
Elevata

PREPARAZIONE
40 minuti
più 1 ora di
ammollo della
frutta secca
e 30 minuti
di riposo della
pasta

COTTURA
45 minuti

REGIONE
Friuli-Venezia
Giulia

VINO
Isonzo Picolit
(bianco,
Friuli-Venezia
Giulia)

Preparate la pasta con la farina, 40 g di burro, sale e acqua tiepida. Fate riposare l'impasto per 30 minuti.

Preparate il ripieno. Tritate i fichi e le prugne e metteteli a bagno con l'uva sultanina.

Tostate il pangrattato con il burro e mescolatelo con la frutta strizzata, i pinoli, le noci tritate, il cedro a dadini, il cioccolato grattugiato e le scorze degli agrumi. Incorporatevi quindi l'albume montato a neve.

Stendete la pasta fino a renderla trasparente, distribuitevi il ripieno e arrotolatela, poi datele una forma a chiocciola. Spennellate con il tuorlo e cuocete nel forno a 180 °C per circa 45 minuti. Servite tiepido.

Gubana alla zucca

Ingredienti per 6 persone

❋ 500 g di polpa di zucca
❋ 300 g di farina
❋ 150 g di zucchero
❋ 320 g di burro ammorbidito
❋ 1 bustina di zucchero vanigliato
❋ 1/2 cucchiaino di cannella in polvere
❋ sale

DIFFICOLTÀ
Elevata

PREPARAZIONE
40 minuti

COTTURA
50 minuti

VINO
Albana
di Romagna
Passito
(bianco,
Emilia-
Romagna)

Moscadello
di Montalcino
(bianco,
Toscana)

Impastate la farina con 100 g di burro, un po' di sale e l'acqua necessaria a ottenere un impasto morbido ed elastico, che stenderete con il matterello in una sfoglia sottile. Ritagliatela in 6 pezzi delle stesse dimensioni della teglia e fateli asciugare su un telo.

Grattugiate la zucca cruda e mescolatela con lo zucchero, 100 g di burro e metà cannella. In un tegamino a parte, fate fondere 200 g di burro.

Sistemate in una teglia imburrata un primo pezzo di sfoglia e cospargetelo con poco burro fuso. Sovrapponetevi un secondo pezzo e spennellate di nuovo con il burro, quindi adagiate il terzo pezzo e distribuitevi sopra il composto di zucca.

Ricoprite con gli altri pezzi di sfoglia, sempre cosparsi con poco burro fuso, abbondando con il burro sulla superficie dell'ultima sfoglia.

Cuocete il dolce nel forno già caldo a 180 °C per 45 minuti circa, o finché la superficie della pasta sarà leggermente dorata. Togliete la gubana dal forno e spolverizzatela con lo zucchero vanigliato e la cannella rimasta. Lasciatela intiepidire prima di servirla in tavola.

Millefoglie al caffè

Ingredienti per 6 persone

❉ 300 g di pasta sfoglia

Per la crema ❉ 2 dl di caffè ristretto

❉ 0,5 dl di Rum ❉ 100 g di zucchero

❉ 25 g di fecola di patate ❉ 0,5 dl di panna

❉ 60 g di nocciole pelate e tostate ❉ olio di mandorle

Per la guarnizione ❉ 110 g di zucchero a velo

❉ 100 g di cioccolato fondente ❉ 10 g di chicchi di caffè

DIFFICOLTÀ
Media

PREPARAZIONE
30 minuti
più 1 ora di
raffreddamento
del dolce
e il tempo di
preparazione
della pasta
sfoglia

COTTURA
30 minuti

VINO
Recioto
di Soave
(bianco,
Veneto)

Molise
Moscato
Passito
(bianco,
Molise)

Stendete la pasta su una placca spennellata d'acqua. Bucherellatene la superficie e cuocetela per 15 minuti nel forno a 220 °C. Fate raffreddare e poi dividete la pasta in 4 rettangoli.

Preparate la crema. In una casseruola fate dorare 60 g di zucchero con 4 cucchiai d'acqua e le nocciole. Versate il composto su un piano unto d'olio di mandorle, lasciatelo raffreddare, poi passatelo al mixer. Unitevi il caffè, lo zucchero rimasto e la fecola, sciolta in 1 cucchiaio d'acqua. Cuocete per 4-5 minuti, poi unite il Rum e infine la panna, montata a parte.

Distribuite su un rettangolo di pasta poca crema, adagiatevi sopra un altro rettangolo e continuate così, terminando con la pasta.

Preparate la guarnizione. Fondete il cioccolato a bagnomaria, stendetelo su un foglio di carta vegetale in uno strato di 2-3 mm e lasciatelo solidificare, poi riducetelo a listarelle. Spolverizzate il dolce di zucchero a velo e decoratelo con le strisce di cioccolato, disponendole a zig-zag. Completate la decorazione adagiando sul dolce i chicchi di caffè e servite in tavola.

Millefoglie al cioccolato

Ingredienti per 6 persone

❉ 300 g di pasta sfoglia ❉ 10 g di zucchero a velo

Per la crema ❉ 6 tuorli ❉ 150 g di zucchero

❉ 5 dl di latte ❉ 40 g di farina

❉ 100 g di cioccolato fondente

❉ la scorza grattugiata di 1 limone biologico

❉ 1 bustina di vanillina

Per la guarnizione ❉ 10 g di zucchero a velo

DIFFICOLTÀ
Media

PREPARAZIONE
30 minuti
più 1 ora di
raffreddamento
del dolce
e il tempo di
preparazione
della pasta
sfoglia

COTTURA
30 minuti

VINO
Aleatico
di Gradoli
Liquoroso
(rosso,
Lazio)

Aleatico
di Puglia
Liquoroso
(rosso,
Puglia)

Stendete la pasta in una sfoglia dello spessore di 2-3 mm e adagiatela su una placca da forno spennellata d'acqua. Bucherellatene la superficie e cuocetela nel forno già caldo a 220 °C per 15 minuti. Sfornatela, spolverizzatela con lo zucchero a velo e rimettetela nel forno già caldo a 250 °C, facendo caramellare lo zucchero. Lasciatela raffreddare, poi ritagliate 5 rettangoli larghi 10 cm e lunghi 20 cm, tenendo da parte i ritagli.

Preparate la crema al cioccolato. Portate a ebollizione in un tegamino il latte con la scorza di limone. Lavorate in una terrina i tuorli con lo zucchero, poi unitevi la farina e la vanillina e versate a filo il latte, passandolo attraverso un colino. Portate a ebollizione il composto, mescolando, e cuocete la crema per 7-8 minuti, quindi unite il cioccolato tritato e fatelo sciogliere.

Distribuite sopra un rettangolo di pasta un poco di crema, poi adagiatevi sopra un altro rettangolo e continuate così, terminando con la pasta. Spezzettate i ritagli di pasta e distribuiteli lungo il bordo del dolce, premendo un poco. Spolverizzate con lo zucchero a velo e servite.

Millefoglie all'arancia

Ingredienti per 6 persone

❋ 300 g di pasta sfoglia

Per la crema ❋ 2 tuorli ❋ 50 g di zucchero ❋ 5 dl di latte ❋ 30 g di farina ❋ vanillina
❋ la scorza di 2 arance biologiche ❋ il succo di 1 arancia ❋ 50 g di burro

Per la guarnizione ❋ 1 arancia biologica piccola ❋ 100 g di zucchero
❋ 10 g di zucchero a velo

DIFFICOLTÀ
Media

PREPARAZIONE
30 minuti
più 20 minuti di
raffreddamento
della crema
e il tempo di
preparazione
della pasta
sfoglia

COTTURA
30 minuti

VINO
Moscato
Passito
di Pantelleria
(bianco,
Sicilia)

Oltrepò Pavese
Moscato
Passito
(bianco,
Lombardia)

Stendete la pasta su una placca da forno spennellata d'acqua, bucherellatene la superficie e cuocetela nel forno già caldo a 220 °C per 15 minuti. Dividetela quindi in 5 rettangoli.

Per la crema. Portate a ebollizione in un pentolino il latte con la scorza di un'arancia. Lavorate i tuorli con lo zucchero e unitevi la farina, 1 bustina di vanillina e il latte bollente filtrato. Portate a ebollizione, mescolando, e cuocete la crema per 7-8 minuti. Quando la crema sarà fredda, ag-

giungetevi il succo e la scorza dell'arancia rimasta e il burro.

Distribuite su un rettangolo di pasta un poco di crema, adagiatevi sopra un altro rettangolo e continuate, terminando con la pasta. Spolverizzate con lo zucchero a velo, formando con una griglietta un disegno a quadrati.

Decorate caramellando lo zucchero con 3 cucchiai d'acqua, immergendovi gli spicchi d'arancia pelati al vivo e distribuendoli sulla millefoglie.

1 Spolverizzate la millefoglie con lo zucchero a velo in modo uniforme.

2 Appoggiate sopra una griglietta in modo da formare una decorazione a reticolo.

3 Immergete gli spicchi d'arancia nello zucchero caramellato e distribuiteli sulla millefoglie.

Millefoglie alla crema

Ingredienti per 6 persone

❋ 300 g di pasta sfoglia ❋ 6 tuorli

❋ 5 dl di latte ❋ 150 g di zucchero

❋ 40 g di farina ❋ 1/2 bustina di vanillina

❋ 20 g di zucchero a velo

❋ la scorza grattugiata di 1 limone biologico

DIFFICOLTÀ
Media

PREPARAZIONE
30 minuti
più 20 minuti di
raffreddamento
della crema
e il tempo di
preparazione
della pasta
sfoglia

COTTURA
30 minuti

VINO
Colli Euganei
Fior d'Arancio
(bianco,
Veneto)

Pantelleria
Moscato
Spumante
(bianco,
Sicilia)

Stendete la pasta in una placca da forno spennellata d'acqua, bucherellatela e dividetela in 12 quadrati di 10 cm di lato. Cuocetela nel forno già caldo a 220 °C per 15 minuti, poi sfornate, spolverizzate con un poco di zucchero a velo e rimettete nel forno a caramellare.

Portate a ebollizione il latte con la scorza di limone. In una terrina lavorate i tuorli con lo zucchero, poi aggiungetevi la farina, la vanillina e il latte bollente, filtrato.

Versate il composto in una casseruola, portate a ebollizione e fate cuocere la crema per 7-8 minuti, mescolando; poi fatela raffreddare.

Distribuite sopra alla metà dei quadrati di pasta uno strato di crema e coprite con i quadrati rimasti. Spolverizzatene la superficie con lo zucchero a velo rimasto.

IL CONSIGLIO

▶ Per ottenere un accostamento equilibrato di pasta e crema è bene che la sfoglia, al momento di infornarla, abbia uno spessore non superiore ai 2-3 millimetri e lo strato di crema sia attorno ai 5-7 millimetri.

Millefoglie alla crema di nocciole

Ingredienti per 6 persone

❀ 300 g di pasta sfoglia

Per la crema ❀ 150 g di nocciole tostate ❀ 5 dl di latte
❀ 1/2 bustina di vanillina ❀ 80 g di zucchero ❀ 60 g di farina
❀ 5 tuorli ❀ la scorza grattugiata di 1 limone biologico

Per la guarnizione ❀ 2 cucchiai di zucchero a velo

DIFFICOLTÀ
Media

PREPARAZIONE
30 minuti
più 1 ora di
raffreddamento
della crema
e il tempo di
preparazione
della pasta
sfoglia

COTTURA
30 minuti

VINO
Moscato
di Trani Dolce
(bianco,
Puglia)

Trentino
Moscato Giallo
Vendemmia
Tardiva
(bianco,
Trentino-Alto
Adige)

Stendete la pasta su una placca da forno spennellata d'acqua, bucherellatene la superficie e cuocetela nel forno già caldo a 220 °C per 15 minuti. Lasciatela poi raffreddare e dividetela in 5 rettangoli della misura di 10 x 20 cm.

Preparate la crema. Tritate le nocciole, tenendone da parte qualcuna per la guarnizione. Versate il latte in una casseruola e portatelo a ebollizione con la scorza di limone.

Lavorate in una terrina i tuorli con lo zucchero e aggiungetevi, poco alla volta, la farina, la vanillina e il latte bollente filtrato. Travasate il composto in una casseruola, portate a ebollizione mescolando continuamente e cuocete la crema per 7-8 minuti. Togliete dal fuoco, incorporate le nocciole alla crema e lasciatela raffreddare.

Distribuite sopra un rettangolo di pasta uno strato spesso circa 5 mm di crema alle nocciole, poi adagiatevi sopra un altro rettangolo e continuate a sovrapporre strati di crema e sfoglia, terminando con la pasta.

Spolverizzate la millefoglie con lo zucchero a velo, decoratela con le nocciole tenute da parte e servite.

Millefoglie alla crema di pesche

Ingredienti per 6 persone

❁ 300 g di pasta sfoglia

Per la crema ❁ 4 pesche mature

❁ 320 g di zucchero ❁ 1,5 dl di panna ❁ 150 g di amaretti

❁ 25 g di cioccolato fondente

❁ 10 g di zucchero a velo

DIFFICOLTÀ
Media

PREPARAZIONE
30 minuti
più 1 ora di
raffreddamento
del dolce
e il tempo di
preparazione
della pasta
sfoglia

COTTURA
20 minuti

VINO
Recioto della
Valpolicella
(rosso,
Veneto)

Aleatico
di Gradoli
(rosso,
Lazio)

Stendete la pasta su una placca da forno, bucherellatela con una forchetta e spolverizzatela con 40 g di zucchero. Cuocetela nel forno già caldo a 220 °C per 15 minuti e poi fatela raffreddare.

Nel frattempo snocciolate le pesche e cuocetele per 5 minuti in uno sciroppo bollente preparato con 8 dl d'acqua e lo zucchero semolato rimasto.

Tritate le pesche, tenendo da parte mezzo frutto, e mescolatele con gli amaretti sbriciolati, il cioccolato grattugiato e la panna, montata a parte.

Tagliate la pasta sfoglia in 5 rettangoli, stendete sul primo un poco di crema e copritelo con un altro rettangolo. Continuate a sovrapporre strati di crema e di sfoglia, terminando con la pasta.

Spolverizzate con lo zucchero a velo, guarnite con la mezza pesca rimasta, ridotta a spicchietti e servite in tavola.

Millefoglie alla ricotta

Ingredienti per 6 persone

❁ *300 g di pasta sfoglia*

Per la crema ❁ *4 dl di panna* ❁ *300 g di ricotta*

❁ *300 g di lamponi*

❁ *130 g di zucchero* ❁ *10 g di zucchero a velo*

❁ *20 g di farina* ❁ *0,5 dl di Maraschino*

DIFFICOLTÀ
Media

PREPARAZIONE
30 minuti
più il tempo di
preparazione
della pasta
sfoglia

COTTURA
30 minuti

VINO
Moscadello
di Montalcino
(bianco,
Toscana)

Colli Euganei
Fior d'Arancio
(bianco,
Veneto)

Stendete la pasta in una sfoglia di 3 mm di spessore, bucherellatela, dividetela in 3 rettangoli uguali e sistemateli su 3 placche ricoperte di carta da forno. Cuocete nel forno già caldo a 220 °C per 15 minuti, poi spolverizzate una sfoglia di zucchero a velo e passatela brevemente sotto il grill del forno, lasciandola caramellare un poco.

Lavate 200 g di lamponi e cuoceteli con 50 g di zucchero semolato, finché saranno quasi sciolti. Montate la panna fermissima. Lavorate la ricotta con lo zucchero semolato rimasto, il Maraschino, circa due terzi della panna montata e la marmellata di lamponi, ormai fredda.

Ricavate dalle 3 sfoglie altrettanti dischi di 19 cm di diametro. Distribuite sul primo metà composto alla ricotta e 50 g di lamponi freschi, poi appoggiatevi sopra il secondo con il resto del composto e dei lamponi, tenendone alcuni da parte, infine coprite con il terzo disco, quello leggermente caramellato.

Spalmate i fianchi della torta con la panna rimasta e guarnitela con i lamponi tenuti da parte. Sistemate la millefoglie su un piatto da portata e servitela subito.

Millefoglie allo zabaione all'arancia

Ingredienti per 6 persone

❋ 300 g di pasta sfoglia ❋ 20 g di farina ❋ 20 g di burro

Per la crema ❋ 4 tuorli ❋ 100 g di zucchero ❋ 40 g di farina

❋ 1,5 dl di succo d'arancia ❋ 1,5 dl di vino bianco

❋ la scorza di 1 arancia biologica ❋ 2 dl di panna

Per la salsa ❋ 80 g di zucchero

❋ il succo di 2 arance ❋ la scorza di 1 arancia biologica

Per la guarnizione ❋ 2 cucchiai di zucchero a velo

❋ 1 melagrana ❋ la scorza di 2 arance biologiche

DIFFICOLTÀ
Media

PREPARAZIONE
30 minuti
più 20 minuti di
raffreddamento
della crema,
più 30 minuti
di riposo
della salsa
e il tempo di
preparazione
della pasta
sfoglia

COTTURA
40 minuti

VINO
Malvasia delle
Lipari
(bianco,
Sicilia)

Colli di Parma
Malvasia
Emiliana
(bianco,
Emilia-
Romagna)

Stendete la pasta su una placca imburrata e infarinata, bucherellatela e cuocetela nel forno già caldo a 220 °C per 15 minuti. Dividete quindi la pasta in 5 rettangoli.

Preparare la crema. Scaldate in un tegame il vino, il succo e la scorza grattugiata d'arancia. Lavorate i tuorli con lo zucchero, poi unitevi la farina e il vino all'arancia, passandolo attraverso un colino. Portate a ebollizione e cuocete la crema per 7-8 minuti, quindi toglietela dal fuoco, lasciatela raffreddare e incorporatevi la panna, montata a parte.

Preparate la salsa all'arancia. Sbollentate la scorza e fate cuocere per 5 minuti con 1 dl d'acqua, lo zucchero e il succo delle arance. Lasciate riposare per 30 minuti, filtrate e unite le scorze a listarelle.

Con una tasca da pasticciere a bocchetta liscia, distribuite uno strato di crema sopra un rettangolo di pasta, copritela con un altro rettangolo e proseguite così, terminando con la pasta. Spolverizzate il dolce con lo zucchero a velo e i chicchi di melagrana e servitelo in tavola con la salsa all'arancia a parte.

Millefoglie di albicocche

Ingredienti per 6 persone

❋ 300 g di pasta sfoglia

❋ 10 g di zucchero a velo

❋ 1 kg di albicocche

Per lo sciroppo ❋ 500 g di zucchero

❋ 1 pezzetto di scorza di limone biologico

❋ 1 pezzetto di scorza d'arancia biologica

Per la guarnizione ❋ foglioline di menta

DIFFICOLTÀ
Media

PREPARAZIONE
30 minuti
più 1 ora di
raffreddamento
del dolce
e il tempo di
preparazione
della pasta
sfoglia

COTTURA
45 minuti

VINO
Ramandolo
(bianco,
Friuli-Venezia
Giulia)

Molise
Moscato
Passito
(bianco,
Molise)

Stendete la pasta allo spessore di 2-3 mm e ricavatene 3 dischi del diametro di 18 cm. Adagiateli su una placca da forno spennellata d'acqua, bucherellatene la superficie e cuoceteli nel forno già caldo a 220 °C per 15 minuti. Togliete dal forno, spolverizzate i dischi con lo zucchero a velo e ripassate nel forno per pochi minuti, facendo caramellare lo zucchero. Lasciate raffreddare.

Sbollentate le albicocche, sgocciolatele e privatele della buccia; poi dividetele a metà eliminando il nocciolo.

Preparate lo sciroppo. Bollite in un tegamino per 1-2 minuti 1 l d'acqua con lo zucchero e la scorza di limone e d'arancia. Unite le mezze albicocche e cuocetele per circa 18 minuti, poi sgocciolatele e fate ridurre lo sciroppo a 1/3 del suo volume.

Distribuite sopra un disco di pasta uno strato di albicocche e spennellatele con un poco di sciroppo, quindi adagiatevi sopra un altro disco con altre albicocche e spennellatele di nuovo con lo sciroppo. Terminate con il terzo disco, le albicocche rimaste e lo sciroppo. Completate con le foglioline di menta.

Millefoglie di ciliegie

Ingredienti per 4 persone

Per la pasta ❊ 70 g di farina ❊ 90 g di burro ❊ 3 albumi ❊ 70 g di zucchero a velo ❊ 1 pizzico di chiodi di garofano ❊ 1/2 bustina di vanillina ❊ 1 pizzico di cannella in polvere

Per la crema ❊ 170 g di mascarpone ❊ 10 chiodi di garofano ❊ 1 pezzetto di stecca di cannella ❊ 1 cucchiaio di Kirsch ❊ 80 g di zucchero di canna ❊ 40 g di zucchero a velo ❊ 1 baccello di vaniglia ❊ 1,7 dl di panna ❊ 400 g di ciliegie

Per la guarnizione ❊ 10 g di zucchero a velo ❊ 100 g di ciliegie

DIFFICOLTÀ
Media

PREPARAZIONE
30 minuti
più 1 ora di
raffreddamento
del dolce
più il tempo di
preparazione
della pasta
sfoglia

COTTURA
35 minuti

VINO
Alto Adige
Moscato Rosa
(rosso,
Trentino-Alto
Adige)

Elba Aleatico
(rosso,
Toscana)

Preparate la pasta, lavorando in una terrina lo zucchero a velo con 70 g di burro e aggiungendo poi, poco per volta, gli albumi, la farina, la vanillina, i chiodi di garofano e la cannella.

Versate il composto su una placca imburrata e cuocete nel forno già caldo a 180 °C per 15 minuti. Lasciate raffreddare, poi con un tagliapasta tondo del diametro di 18-20 cm, ricavate dalla pasta 3 dischi.

Preparate la crema. Lavate le ciliegie, snocciolatele e mettetele in un tegame con i chiodi di garofano, lo zucchero di canna, la cannella e la vaniglia. Cuocete per 20 minuti, poi lasciate raffreddare, sgocciolate le ciliegie e tagliatele a pezzetti.

Lavorate in una terrina il mascarpone con lo zucchero a velo, quindi bagnate con il Kirsch, unite le ciliegie e incorporate la panna montata.

Stendete un poco di crema sopra un disco di pasta, adagiatevi sopra un altro disco, distribuite altra crema e coprite con il terzo disco. Cospargete il dolce con lo zucchero a velo, decoratelo, a piacere, con qualche ciliegia e servitelo.

Millefoglie di mele

Ingredienti per 6 persone

❊ 300 g di pasta sfoglia
❊ 700 g di mele renette
❊ 70 g di zucchero di canna
❊ 40 g di burro
❊ cannella in polvere

Per la guarnizione ❊ 1 mela renetta
❊ 1 dl di panna
❊ cannella in polvere

DIFFICOLTÀ
Bassa

PREPARAZIONE
30 minuti
più 1 ora di
raffreddamento
della pasta
e il tempo di
preparazione
della pasta
sfoglia

COTTURA
40 minuti

VINO
Alto Adige
Moscato Giallo
(bianco,
Trentino-Alto
Adige)

Stendete la pasta in una sfoglia sottile e ricavatene 3 quadrati. Cuoceteli nel forno già caldo a 180 °C per 20 minuti e poi fateli raffreddare.

Sbucciate le mele, togliete il torsolo e tagliatele a dadini. Sciogliete il burro in una padella e rosolatevi i dadini di mela con lo zucchero di canna e abbondante cannella, cuocendo finché la frutta sarà morbida.

Distribuite su uno dei quadrati di pasta metà del composto di mele. Sovrapponetevi il secondo quadrato e cospargetelo con le mele restanti, poi coprite con l'ultimo quadrato.

Montate la panna e, con una tasca da pasticciere munita di bocchetta a stella, distribuitela sulla superficie del dolce. Completate con una spolverata di cannella e la mela a spicchietti, che disporrete in modo armonico.

LA VARIANTE

▶ Per un dolce più dietetico, eliminate la panna montata e decorate con fettine di mela caramellate in uno sciroppo di acqua e zucchero e infine cospargete di uvetta e pinoli.

Millefoglie di nocciole ai lamponi

Ingredienti per 4 persone
Per la pasta ✲ 150 g di farina ✲ 110 g di burro ✲ 100 g di nocciole sgusciate ✲ 50 g di zucchero
Per il ripieno ✲ 4 dl di panna ✲ 50 g di zucchero a velo ✲ 350 g di lamponi
Per la guarnizione ✲ 80 g di zucchero ✲ 50 g di nocciole ✲ 1 cucchiaino di succo di limone ✲ 20 lamponi

DIFFICOLTÀ
Media

PREPARAZIONE
30 minuti
più 2 ore
di riposo
e 1 ora di
raffreddamento
della pasta

COTTURA
50 minuti

VINO
Colli Orientali del Friuli Verduzzo Friulano (bianco, Friuli-Venezia Giulia)

Lavorate 90 g di burro con le nocciole tritate, lo zucchero e la farina, poi fate riposare l'impasto in frigorifero per 2 ore. Stendete la pasta, ricavatene 3 quadrati, cuoceteli nel forno già caldo a 160 °C per circa 30 minuti e poi fateli raffreddare.

Preparate un caramello biondo con lo zucchero e il succo di limone, versatelo sopra 1 quadrato di pasta e cospargetelo con le nocciole tritate.

Montate la panna con lo zucchero a velo e formate strati di pasta, panna e lamponi, terminando con il quadrato caramellato, decoratelo con i lamponi e, a piacere, ciuffetti di panna montata.

Pan di Spagna alla crema e alle fragole

Ingredienti per 6 persone
Per il pan di Spagna ✲ 125 g di zucchero ✲ 4 uova ✲ scorza grattugiata di 1 limone biologico ✲ 50 g di farina ✲ 30 g di burro ✲ 40 g di fecola di patate ✲ sale
Per la crema ✲ 30 g di burro ✲ 6 cucchiai di zucchero ✲ 6 tuorli ✲ 8 cucchiai di Marsala ✲ 7,5 dl di panna
Per la guarnizione ✲ 300 g di fragole

DIFFICOLTÀ
Bassa

PREPARAZIONE
30 minuti
più 1 ora di
raffreddamento
del dolce e
2 ore e
30 minuti di
raffreddamento
della crema

COTTURA
45 minuti

VINO
Brachetto d'Acqui (rosso, Piemonte)

Alto Adige Moscato Rosa (rosso, Trentino-Alto Adige)

In una terrina, posta a bagnomaria, raccogliete lo zucchero, le uova, la scorza di limone e un pizzico di sale. Sbattete, sull'acqua in ebollizione, finché il composto inizierà ad aumentare di volume, poi toglietelo dal fuoco e continuate a sbattere, sempre a bagnomaria, finché si sarà visibilmente ispessito. Versate a pioggia, sempre mescolando, 40 g di farina e la fecola, poi 15 g di burro appena sciolto.

Mettete l'impasto in una tortiera imburrata e infarinata e fatelo cuocere nel forno già caldo a 180 °C per circa 25 minuti. Togliete il pan di Spagna dal forno, sformatelo e lasciatelo raffreddare.

In una terrina sbattete i tuorli con lo zucchero, poi unitevi a poco a poco il Marsala e, sempre mescolando, fate cuocere il composto a bagnomaria a fuoco bassissimo.

Togliete la crema dal fuoco e incorporatevi il burro ammorbidito a temperatura ambiente. Lasciatela raffreddare, quindi amalgamatevi la panna montata e mettete in frigorifero per 2 ore. Farcite il pan di Spagna con questa crema e decoratelo con le fragole affettate e zuccherate, poi servite in tavola.

Pandoro alla crema

Ingredienti per 6 persone

- 1 pandoro ❄ 50 g di zucchero a velo

Per la crema ❄ 100 g di mascarpone
- 150 g di zucchero ❄ 4 tuorli
- 5 cucchiai di Brandy
- 1/2 cucchiaino di caffè in polvere
- 5 mandorle tostate e tritate

Difficoltà
Bassa

Preparazione
30 minuti

Cottura
Nessuna

Vino
Recioto della Valpolicella (rosso, Veneto)

Aleatico di Gradoli (rosso, Lazio)

Cospargete il pandoro con un leggero strato di zucchero a velo, quindi affettatelo in senso orizzontale, in modo da ottenere 5 fette a forma di stella.

Passate al setaccio il mascarpone, raccogliendolo in una ciotola. Unitevi i tuorli, uno alla volta, e lo zucchero, poi lavorate tutti gli ingredienti con una frusta manuale o elettrica, fino a ottenere una crema liscia e ben amalgamata.

Tritate grossolanamente le mandorle tostate. Incorporate alla crema preparata il Brandy e spolverizzatela con il caffè in polvere e la granella di mandorle.

Ricomponete il pandoro, sovrapponendo gli strati di pasta con le punte sfalsate e distribuendo la crema tra uno strato e l'altro. Terminate con uno strato di crema, quindi trasferite il pandoro su un piatto da portata e spolverizzate con lo zucchero a velo.

Panettone di riso

Ingredienti per 8 persone

❈ 270 g di farina ❈ 140 g di burro ❈ 1 tuorlo
❈ 150 g di riso ❈ la scorza di 1 limone grattugiata biologico
❈ 1/2 bustina di vanillina ❈ 70 g di zucchero
❈ 250 g di ricotta ❈ 300 g di zucchero ❈ 3 uova ❈ cannella
❈ 50 g di frutta candita ❈ 50 g di cioccolato fondente
❈ la scorza di 1 arancia biologico ❈ 10 g di zucchero a velo
❈ 50 g di frutta candita a pezzetti ❈ sale

DIFFICOLTÀ
Media

PREPARAZIONE
40 minuti
più 1 ora
di riposo
della pasta
e 1 ora di
raffreddamento
del riso

COTTURA
1 ora e
15 minuti

VINO
Colli Piacentini
Malvasia Dolce
(bianco,
Emilia-
Romagna)

Alto Adige
Müller Thurgau
Vendemmia
Tardiva
(bianco,
Trentino-Alto
Adige)

Preparate la pasta con 250 g di farina, 120 g di burro, lo zucchero, il tuorlo, la scorza di limone, la vanillina e poi lasciatela riposare per 1 ora.

Tritate separatamente il cioccolato e la frutta candita. Lessate il riso, scolatelo e lasciatelo raffreddare.

Passate al setaccio la ricotta, raccogliendola in una ciotola; unitevi lo zucchero e mescolate fino a ottenere un composto gonfio e spumoso. Aggiungete il riso cotto, le uova, il cioccolato e la frutta candita tritati, la scorza d'arancia lavata, un pizzico di cannella e di sale e mescolate gli ingredienti fino a ottenere un composto ben amalgamato.

Riprendete la pasta e stendetela in 2 dischi, uno più grande dell'altro. Con il più grande foderate uno stampo imburrato e infarinato, distribuitevi il composto di riso e ricopritelo con l'altro disco, pizzicando i bordi per farli aderire perfettamente.

Cuocete il dolce nel forno già caldo a 180 °C per 1 ora circa, quindi trasferitelo su un piatto da portata e lasciatelo raffreddare. Spolverizzatelo con lo zucchero a velo, cospargetelo con la frutta candita a pezzetti e servite.

Panettone farcito

Ingredienti per 6 persone

❀ 1 panettone ❀ 2 cucchiai di zucchero a velo

❀ 2 cucchiai di Marsala

❀ 3 dl di panna ❀ 2 tuorli

❀ 300 g di frutta sciroppata (ananas, pesche, albicocche)

❀ 2 dl di liquore dolce, a piacere

Per la guarnizione ❀ 2 dl di panna

❀ 50 g di frutta candita a pezzetti

DIFFICOLTÀ
Media

PREPARAZIONE
30 minuti
più 24 ore di
raffreddamento
del panettone

COTTURA
Nessuna

VINO
Colli Euganei
Fior d'Arancio
(bianco,
Veneto)

Moscato
di Noto
Naturale
(bianco,
Sicilia)

Tagliate il panettone a 2 cm dalla base, poi svuotatelo completamente, facendo attenzione a non rovinare la crosta. Raccogliete in una terrina la mollica sbriciolata tolta dal dolce.

Preparate uno zabaione denso con i tuorli, lo zucchero a velo e il Marsala e fatelo raffreddare.

Nella terrina aggiungete alla mollica del panettone 3 dl di panna, montata a parte, la frutta sciroppata tagliata a dadini e la maggior parte del liquore dolce. Mescolate bene, poi unite metà zabaione.

Con un pennello inumidite di liquore l'interno del panettone e la base, quindi stendete su quest'ultima lo zabaione rimasto. Introducete nel guscio di panettone il ripieno e richiudetelo con la base, poi trasferitelo su un piatto da portata, avvolgetelo nella pellicola trasparente e lasciatelo in frigorifero per 24 ore.

Togliete il panettone ripieno dal frigorifero, eliminate la pellicola e decoratelo con la panna, montata a parte, e i canditi. Servite in tavola.

Panforte casereccio

Ingredienti per 6 persone

❋ 160 g di farina ❋ 150 g di miele ❋ 150 g di noci pelate
❋ 150 g di mandorle pelate ❋ 100 g di cedro candito a listarelle
❋ 150 g di arancia candita a listarelle ❋ 1/2 cucchiaio di semi di coriandolo
❋ cannella in polvere ❋ noce moscata ❋ 15 ostie grandi
❋ 200 g di zucchero a velo ❋ 10 g di zucchero vanigliato

DIFFICOLTÀ
Elevata

PREPARAZIONE
30 minuti

COTTURA
45 minuti

REGIONE
Toscana

VINO
Vin Santo
del Chianti
(bianco,
Toscana)

Tostate nel forno le noci e le mandorle, tritatele grossolanamente e raccoglietele in una terrina con il cedro e l'arancia canditi. Aggiungete il coriandolo, un pizzico di cannella e di noce moscata e la farina, lasciandone da parte 3 cucchiai.

Mettete lo zucchero a velo, tenendone da parte 1 cucchiaio, in un tegame e cuocetelo con 1 cucchiaio d'acqua e il miele, mescolando. Toglietelo quindi dal fuoco e unitevi la frutta, poi infarinatevi le mani e date al composto una forma rotonda e piatta, dello spessore di 2 cm.

Foderate una tortiera con le ostie e sistematevi il panforte, livellando la superficie con un coltello inumidito. Cospargetelo con lo zucchero a velo e la farina rimasti e cuocetelo nel forno già caldo a 150 °C per 30 minuti.

Sfornate il dolce, rifilando con le forbici le ostie, e cospargetene la superficie con lo zucchero vanigliato. Lasciate raffreddare e servite.

IL CONSIGLIO

▶ Per preparare il composto di zucchero e miele potete usare un polsonetto, cioè un tegame munito di un lungo manico, con il fondo a spigolo arrotondato. Quando sulla superficie del composto compaiono piccole bolle, prendetene un poco tra le dita, facendo attenzione a non scottarvi. Se riuscite a formare una pallina significa che è pronto.

Parrozzo pescarese

Ingredienti per 6 persone

* ❋ 110 g di farina ❋ 110 g di fecola
* ❋ 120 g di mandorle ❋ 160 g di burro
* ❋ 25 mandorle amare ❋ 10 uova
* ❋ 300 g di cioccolato di copertura fondente
* ❋ 250 g di zucchero

DIFFICOLTÀ
Media

PREPARAZIONE
30 minuti
più 1 ora di
raffreddamento
del dolce

COTTURA
50 minuti

REGIONE
Abruzzo

VINO
Controguerra
Passito Rosso
(Abruzzo)

Recioto della
Valpolicella
(rosso,
Veneto)

Sbollentate le mandorle in acqua in ebollizione e pelatele. Mettetele nel mortaio e pestatele finemente con 20 g di zucchero.

Lavorate i tuorli con lo zucchero rimasto, fino a ottenere un composto soffice e spumoso. Unite i 2 tipi di mandorle, poi fatevi cadere a pioggia la farina, la fecola e infine 140 g di burro, fuso e freddo.

Montate gli albumi a neve e incorporateli delicatamente al compo-sto, poi versatelo in una tortiera imburrata e livellatene la superficie con una spatola. Fate cuocere il parrozzo nel forno caldo a 180 °C per 40 minuti, quindi sformatelo e lasciatelo raffreddare.

Tritate grossolanamente il cioccolato e fatelo sciogliere in una casseruola a fuoco bassissimo, poi versatelo sulla torta, stendendolo uniformemente sulla superficie e sui lati. Sistemate il parrozzo su un piatto da portata e servitelo.

Pastiera napoletana

Ingredienti per 10 persone

Per la pasta frolla ❋ 400 g di farina ❋ 200 g di zucchero ❋ 4 tuorli ❋ 100 g di burro ❋ 100 g di strutto ❋ la scorza grattugiata di 1 limone biologico

Per il grano ❋ 230 g di grano bagnato ❋ 1 cucchiaio di zucchero ❋ 40 g di strutto ❋ 6 dl di latte ❋ 1 bustina e 1/2 di vanillina ❋ la scorza grattugiata di 1/2 arancia biologica

Per il ripieno ❋ 320 g di ricotta ❋ 230 g di zucchero ❋ 100 g di canditi ❋ cannella ❋ 4 tuorli e 3 albumi ❋ 2 fialette di acqua di fiori d'arancio ❋ zucchero a velo

DIFFICOLTÀ
Elevata

PREPARAZIONE
1 ora e
20 minuti
più 30 minuti
di riposo
della pasta
e 1 ora di
raffreddamento
della pastiera

COTTURA
4 ore

REGIONE
Campania

VINO
Sant'Agata
dei Goti
Falanghina
Passito
(bianco,
Campania)

Elba Ansonica
Passito
(bianco,
Toscana)

Raccogliete in un tegame il grano, il latte, lo zucchero, lo strutto, la vanillina e la scorza d'arancia e cuocete a fuoco basso per alcune ore, fino a ottenere un composto cremoso.

Nel frattempo preparate la pasta frolla, impastando la farina con lo zucchero, lo strutto, il burro, i tuorli e la scorza di limone. Formate una palla e lasciatela riposare per 30 minuti in frigorifero, avvolta in un foglio di pellicola trasparente.

In una ciotola lavorate la ricotta con lo zucchero, poi incorporatevi 1 tuorlo alla volta, 1 fialetta di acqua di fiori d'arancio, un pizzico di cannella, il grano e i canditi.

Ungete di burro una tortiera del diametro di 28 cm. Dividete la pasta in due parti, di cui una grande il doppio dell'altra, e stendete quest'ultima in un disco dello spessore di 2 mm, con cui fodererete la tortiera.

Montate a neve gli albumi, incorporateli al ripieno con un movimento dal basso verso l'alto ed eventualmente unite la seconda fialetta di acqua di fiori d'arancio. Distribuite il ripieno sulla base di pasta frolla e pareggiatelo.

Stendete la pasta rimasta su un foglio di carta da forno, in un rettangolo lungo quanto il diametro della tortiera. Con il coltello segnate sulla pasta tante strisce larghe 2 cm, poi tagliate lungo i segni anche la carta da forno, lasciandovi sopra le striscie di pasta corrispondenti.

Prendete una striscia e, rivoltandola, mettetela al centro della torta, dove il diametro è maggiore, quindi togliete delicatamente la carta. Posate una seconda e una terza striscia parallelamente alla prima, disponendole a circa 3 cm dai due lati di quella centrale. Disponete quindi le restanti strisce perpendicolarmente, formando un reticolato che lasci scoperte alcune losanghe di ripieno.

Cuocete la pastiera nel forno già caldo a 150 °C per circa 50 minuti, o finché, inserendovi uno stecchino, ne uscirà asciutto e la pasta non sarà ancora colorita.

Fate raffreddare completamente la pastiera, sformatela su un piatto da portata, cospargetela di zucchero a velo e servitela in tavola. Va comunque ricordato che la pastiera migliora se fatta riposare per 3 giorni o più, incartata, a temperatura ambiente.

Plum-cake all'ananas

Ingredienti per 6 persone

❋ 120 g di farina integrale ❋ 120 g di farina bianca
❋ 1/2 cucchiaio di cannella in polvere ❋ 2 uova
❋ 100 g di zucchero di canna ❋ 5 fette di ananas sciroppato
❋ 150 g di burro ❋ 1 cucchiaino di lievito per dolci
❋ 1/2 cucchiaio di zenzero in polvere
❋ 1 cucchiaio di succo di limone ❋ sale

DIFFICOLTÀ
Bassa

PREPARAZIONE
30 minuti

COTTURA
50 minuti

VINO
Alto Adige
Moscato Rosa
(rosso,
Trentino-Alto
Adige)

Cesanese
del Piglio Dolce
(bianco,
Lazio)

Sgocciolate le fette di ananas dallo sciroppo di conservazione e riducetele a dadini, tenendo da parte 1 fetta. Raccogliete i dadini ottenuti in una ciotola e spruzzateli con il succo di limone.

Servendovi di una frusta, montate il burro, ammorbidito a temperatura ambiente, con lo zucchero. Incorporate alla crema di burro e zucchero i tuorli, la farina bianca, quella integrale, il lievito in polvere, la cannella, lo zenzero e un pizzico di sale, mescolando per amalgamare bene il tutto. Infine, montate gli albumi a neve fermissima e aggiungeteli al resto.

Foderate con carta da forno uno stampo da plum-cake e versatevi il composto, distribuendo sulla superficie i dadini di ananas. Coprite il dolce con un foglio di alluminio e cuocetelo nel forno già caldo a 180 °C per 50 minuti.

Sfornate ed eliminate l'alluminio. Prima di servirlo decorate il plum-cake con la fetta di ananas tenuta da parte, tagliata a pezzi, e servite in tavola.

Plum-cake alle ciliegie

Ingredienti per 6 persone

❋ 250 g di farina
❋ 4 uova
❋ 250 g di ciliegie snocciolate
❋ 150 g di zucchero
❋ 150 g di burro
❋ 1 bustina di lievito per dolci ❋ sale

DIFFICOLTÀ
Bassa

PREPARAZIONE
30 minuti

COTTURA
50 minuti

VINO
Brachetto
d'Acqui
(rosso,
Piemonte)

Elba
Aleatico
(rosso,
Toscana)

Lavate le ciliegie e snocciolatele. In una terrina lavorate il burro con lo zucchero fino a ottenere un composto spumoso, poi incorporatevi le uova, un pizzico di sale, la farina, il lievito e, infine, le ciliegie.

Foderate con carta da forno uno stampo da plum-cake e versatevi il composto fino a 2/3 della sua capacità, quindi passate nel forno già caldo a 180 °C per 50 minuti.

Togliete lo stampo dal forno, sformate il plum-cake, privatelo della carta e lasciatelo raffreddare. Servitelo tagliato a fette.

Plum-cake alle pere

Ingredienti per 6 persone
❋ 1 kg di pere ❋ 320 g di burro ❋ 220 g di farina

❋ 200 g di zucchero a velo ❋ 4 uova

❋ 50 g di zucchero vanigliato

❋ 1/2 bustina di lievito per dolci

❋ 2 cucchiai di Grappa alle pere

❋ 50 g di miele fluido ❋ sale

DIFFICOLTÀ
Bassa

PREPARAZIONE
30 minuti

COTTURA
1 ora

VINO
Alto Adige
Moscato Giallo
(bianco,
Trentino-Alto
Adige)

Greco
di Bianco
(bianco,
Calabria)

Sbucciate le pere e tagliatene una a fette e le altre a grossi dadi. Raccoglietele in una padella con 50 g di burro e cuocetele per 3 minuti, mescolando. Versate il miele e continuate la cottura per 5 minuti, finché le pere cominceranno a caramellare.

Montate in una terrina 250 g di burro con lo zucchero a velo e quello vanigliato, quindi incorporate al composto le uova, uno alla volta. Unite 200 g di farina, il lievito, un pizzico di sale e, infine, i dadi di pera, tenendo da parte le fette. Bagnate con la Grappa e fate amalgamare bene tutti gli ingredienti.

Imburrate e infarinate uno stampo da plum-cake e versatevi il composto, livellandone la superficie. Fate cuocere il dolce nel forno già caldo a 180 °C per 50 minuti, poi sfornate. Lasciate raffreddare il plum-cake, decoratelo con le fette di pera caramellate e servite in tavola.

L'INGREDIENTE

▶**Grappa alle pere.** Sebbene la Grappa sia in generale poco usata in cucina per il suo contenuto di aromi eccessivamente forti, questa ricetta fa eccezione utilizzando la classica acquavite di pere Williams, che si armonizza con l'ingrediente chiave del plum-cake ed è sufficientemente morbida da sfumarsi in cottura.

Presnitz

Ingredienti per 8 persone

❋ 520 g di farina ❋ 350 g di zucchero ❋ 270 g di burro
❋ 150 g di uva sultanina ❋ 50 g di cedro candito
❋ 150 g di gherigli di noce ❋ 150 g di focaccia grattugiata
❋ 50 g di arancia candita ❋ 100 g di mandorle
❋ 1 dl di vino dolce ❋ 1 dl di Rum ❋ 50 g di pinoli
❋ noce moscata ❋ cannella in polvere ❋ 1 uovo e 2 tuorli
❋ 3 chiodi di garofano ❋ sale

DIFFICOLTÀ
Media

PREPARAZIONE
40 minuti
più 1 ora
di riposo
della pasta
e 20 minuti
di ammollo
dell'uva
sultanina

COTTURA
50 minuti

REGIONE
Friuli-Venezia
Giulia

VINO
Colli Orientali
del Friuli Picolit
(bianco,
Friuli-Venezia
Giulia)

Moscato
di Trani Dolce
(bianco,
Puglia)

Impastate 500 g di farina con 200 g di zucchero, 1 uovo, 1 tuorlo e 250 g di burro ammorbidito a pezzetti. Formate una palla e lasciatela riposare in frigorifero per circa 1 ora.

Nel frattempo, mettete a bagno l'uva sultanina nel vino e nel Rum per 20 minuti. Tritate grossolanamente le mandorle con i pinoli e i gherigli di noce.

Tagliate la frutta candita a pezzettini. Pestate i chiodi di garofano, riducendoli in polvere. Riunite in una terrina i canditi, i chiodi di garofano, il trito di frutta secca, 150 g di zucchero, un pizzico di noce moscata, cannella e sale, la focaccia e l'uva sultanina con il liquido di ammollo.

Imburrate una placca da forno e infarinatela. Stendete la pasta in un rettangolo lungo e stretto e versatevi al centro il ripieno, lasciando un poco di spazio lungo i bordi. Richiudete formando un rotolo che sigillerete alle estremità e lungo tutto il bordo.

Adagiate il rotolo sulla placca arrotolandolo a spirale, spennellatelo con il tuorlo rimasto, mettetelo nel forno già caldo a 180 °C e fatelo cuocere per circa 50 minuti. Sfornatelo e servitelo tiepido.

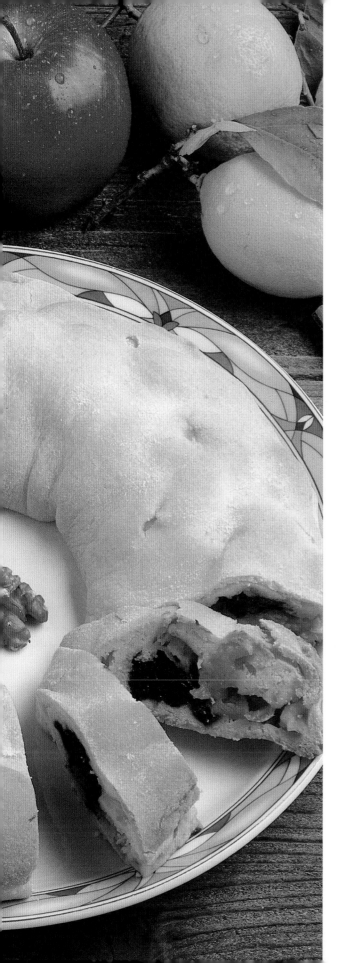

Rocciata di Assisi

Ingredienti per 8 persone

Per la pasta ❊ 200 g di farina ❊ 10 g di zucchero ❊ 2 cucchiai di olio d'oliva extravergine ❊ 1 uovo ❊ sale
Per il ripieno ❊ 200 g di mele ❊ 2 fichi secchi ❊ 20 g di pinoli ❊ 5 prugne secche snocciolate ❊ 1 pizzico di cannella ❊ 6 nocciole ❊ 6 gherigli di noce ❊ 100 g di zucchero ❊ 6 mandorle sgusciate ❊ 4 cucchiai di Vin Santo ❊ 1/2 cucchiaio di scorza grattugiata di limone biologico

DIFFICOLTÀ
Media

PREPARAZIONE
30 minuti
più 1 ora di
riposo
della pasta

COTTURA
40 minuti

REGIONE
Umbria

VINO
Colli Perugini
Vin Santo
(bianco,
Umbria)

Trentino
Vin Santo
(bianco,
Trentino-Alto
Adige)

Preparate la pasta. Sulla spianatoia lavorate la farina con un pizzico di sale, lo zucchero, l'uovo e 1 cucchiaio d'olio, aggiungendo acqua sufficiente a ottenere un impasto liscio e morbido.

Formate una palla, avvolgetela in un foglio di pellicola trasparente e lasciate riposare per 1 ora circa.

Sbucciate le mele, privatele del torsolo e tagliatele a fettine. Tritate le prugne e i fichi. Sbollentate per 1 minuto le noci, le nocciole e le mandorle, pelatele e tritatele con i pinoli.

Raccogliete in una terrina le mele, la frutta secca tritata e la scorza di limone. Mescolate, cospargete con zucchero e cannella, bagnate con il Vin Santo e mescolate ancora.

Stendete la pasta in una sfoglia sottilissima e distribuitevi sopra il ripieno, lasciando scoperto un bordo di 2,5 cm. Arrotolate la sfoglia su se stessa, premendo i margini e formate con il rotolo una ciambella.

Ungete con l'olio una placca da forno e adagiatevi il dolce. Cuocete nel forno già caldo a 180 °C per 30 minuti, quindi lasciate raffreddare la rocciata e servitela tagliata a fette.

Rose ripiene

Ingredienti per 8 persone

Per la pasta ❋ 200 g di ricotta ❋ 6 cucchiai di latte ❋ 1 uovo ❋ 415 g di farina ❋ 1 bustina di zucchero vanigliato ❋ sale ❋ 100 g di zucchero ❋ 1 bustina e 1/2 di lievito per dolci ❋ 8 cucchiai di olio d'oliva extravergine ❋ 15 g di burro

Per il ripieno ❋ 200 g di gherigli di noce tritati ❋ 150 g di uva sultanina ❋ 125 g di zucchero ❋ 1 dl di latte ❋ 50 g di burro ❋ 1 bustina di zucchero vanigliato

DIFFICOLTÀ
Media

PREPARAZIONE
40 minuti
più 20 minuti
di ammollo
dell'uva
sultanina

COTTURA
40 minuti

VINO
Brachetto
d'Acqui
(rosso,
Piemonte)

Vernaccia di
Serrapetrosa
Dolce
(rosso,
Marche)

Mettete a bagno l'uva sultanina in una ciotola di acqua tiepida.

In una terrina lavorate la ricotta con il latte, l'olio, un pizzico di sale, lo zucchero e lo zucchero vanigliato, quindi aggiungete 400 g di farina e il lievito, impastando il tutto. Aiutandovi con il matterello, stendete la pasta sulla spianatoia allo spessore di 0,5 cm e formate un rettangolo.

Preparate il ripieno mescolando le noci tritate, i due tipi di zucchero, il burro, fuso a parte, 4 cucchiai di latte caldo e l'uva sultanina strizzata. Versate il composto sulla pasta distribuendolo uniformemente, quindi arrotolate strettamente la sfoglia formando un lungo rotolo e tagliatelo in 16 pezzi.

Disponete verticalmente le rose ripiene in uno stampo imburrato e infarinato, iniziando dal bordo esterno e proseguendo verso l'interno. Completate in questo modo tutta la superficie dello stampo, quindi spennellate il dolce di latte e cuocetelo nel forno già caldo a 200 °C per 30-40 minuti.

Rotolo al cioccolato

Ingredienti per 6 persone

❋ 80 g di cacao amaro ❋ 10 g di farina ❋ 6 albumi e 2 tuorli ❋ 250 g di panna montata ❋ 30 g di zucchero

Per la crema ❋ 50 g di cacao amaro ❋ 120 g di burro ❋ 50 g di zucchero ❋ 15 noci spezzettate

DIFFICOLTÀ
Bassa

PREPARAZIONE
30 minuti
più 30 minuti di
raffreddamento
della pasta

COTTURA
15 minuti

VINO
Aleatico
di Puglia
Liquoroso
(rosso,
Puglia)

Aleatico
di Gradoli
Liquoroso
(rosso,
Lazio)

Montate gli albumi a neve molto soda, poi incorporatevi con delicatezza lo zucchero, i tuorli, la farina e il cacao, mescolando. Foderate una placca con carta da forno e versatevi il composto stendendolo a uno spessore di circa 1 cm.

Cuocete nel forno già caldo a 180 °C per 15 minuti, poi arrotolate la pasta insieme alla carta, non troppo strettamente. Fate raffreddare, poi eliminate la carta, spalmate la pasta con la panna e arrotolatela di nuovo.

Preparate la crema. Lavorate il burro con lo zucchero fino a renderlo morbido e spumoso, quindi unitevi il cacao. Servendovi di una spatola, spalmate il rotolo con la crema e guarnitelo con le noci spezzettate, poi servite.

LA VARIANTE

▶ Potete rendere ancora più ricco questo rotolo incorporando alla panna montata frutta candita tagliata a dadini, scagliette di cioccolato e gherigli di noce tritati grossolanamente. In questo caso, potete evitare di cospargere di noci la superficie.

Rotolo al tè ripieno di frutta

Ingredienti per 8 persone

* 620 g di farina * 3 uova * 60 g di zucchero
* 6 dl di tè forte * 70 g di burro
* 1 cucchiaino di lievito per dolci * 40 g di pangrattato
* 250 g di albicocche snocciolate
* 250 g di fragole
* 1 cucchiaino di cannella
* 1 dl di Maraschino

DIFFICOLTÀ
Media

PREPARAZIONE
30 minuti
più 1 ora di
macerazione
della frutta

COTTURA
40 minuti

VINO
Friuli Isonzo
Verduzzo
Friulano
(bianco,
Friuli-Venezia
Giulia)

Malvasia
delle Lipari
(bianco,
Sicilia)

Tagliate la frutta a piccoli pezzi e lasciatela macerare in una terrina con il Maraschino, 2 cucchiai di zucchero e 1/2 cucchiaino di cannella.

Impastate 600 g di farina con 2 uova, la rimanente cannella, il lievito, 3 cucchiai di zucchero, 50 g di burro e il tè, lavorando fino a ottenere un composto liscio e omogeneo. Dividete la pasta ottenuta in 4 pezzi e stendeteli in 4 sfoglie sottili e della stessa grandezza.

Sulla prima sfoglia distribuite un velo di pangrattato e 1/4 della frutta. Ripetete quindi l'operazione anche con le altre, sovrapponendo pasta, pangrattato e frutta fino a esaurimento degli ingredienti.

Terminate con uno strato di frutta, poi avvolgete le sfoglie formando un unico grande rotolo. Sbattete l'uovo e lo zucchero rimasti e spennellate il dolce. Adagiatelo su una teglia imburrata e infarinata e fatelo cuocere nel forno già caldo a 150 °C per 30 minuti.

Alzate la temperatura a 200 °C e cuocete per altri 10 minuti, poi lasciate raffreddare il dolce e servitelo a fette.

Rotolo alla crema pasticciera

Ingredienti per 6 persone

* 50 g di zucchero
* 60 g di farina
* 2 tuorli e 3 albumi
* 45 g di burro
* 10 g di cacao
* 250 g di crema pasticciera
* 3 cucchiai di Cointreau

DIFFICOLTÀ
Elevata

PREPARAZIONE
30 minuti
più il tempo di
preparazione
della crema
pasticciera,
30 minuti di
raffreddamento
della pasta e
2 ore di riposo
del rotolo

COTTURA
20 minuti

VINO
Golfo
del Tigullio
Moscato
Passito
(bianco,
Liguria)

Colli
Maceratesi
Passito
(bianco,
Marche)

Foderate una placca con un foglio di carta da forno, ungetela con il burro e cospargetela di farina.

Lavorate i tuorli con lo zucchero, poi unitevi 35 g di burro, fuso a parte, la farina rimasta e gli albumi montati a neve. Stendete il composto sul foglio preparato. Passate la placca nel forno già caldo a 180 °C e fate cuocere per 15 minuti.

Adagiate la pasta su un telo inumidito, lasciatela raffreddare e spennellatela con il Cointreau, quindi distribuitevi sopra la crema pasticciera, lasciando tutt'intorno un bordo libero. Arrotolate la pasta e tenetela avvolta nel telo per 2 ore.

Adagiate il dolce su un piatto da portata. Sistematevi sopra una striscia di carta larga 2 cm e lunga quanto il dolce, poi spolverizzate con il cacao la parte scoperta. Togliete con delicatezza la striscia di carta, pulite il piatto dal cacao e servite.

Rotolo con crema al caffè

Ingredienti per 8 persone

Per la pasta ❋ 4 uova ❋ 115 g di farina ❋ 20 g di burro
❋ 120 g di zucchero ❋ 1 bustina di vanillina
❋ 1 cucchiaino di lievito in polvere
Per la crema ❋ 2 dl di caffè ristretto ❋ olio di mandorle
❋ 80 g di zucchero ❋ 3 cucchiai di Rum ❋ 3 cucchiai di panna
❋ 25 g di fecola di patate ❋ 100 g di nocciole tostate
Per la guarnizione ❋ 50 g di cioccolato al latte
❋ 15-18 chicchi di caffè ❋ 10 g di zucchero a velo

DIFFICOLTÀ
Media

PREPARAZIONE
30 minuti
più 20 minuti di
raffreddamento
della crema
e 3 ore di
raffreddamento
della
preparazione

COTTURA
40 minuti

VINO
Malvasia
delle Lipari
(bianco,
Sicilia)

Trentino
Moscato Giallo
(bianco,
Trentino-Alto
Adige)

Preparate la pasta. Lavorate i tuorli e la vanillina con 100 g di zucchero, 100 g di farina e il lievito. Montate gli albumi a neve e incorporateli al composto, poi stendetelo su una placca imburrata e infarinata e cuocetelo nel forno già caldo a 180 °C per 20 minuti. Capovolgete la placca su un telo inumidito e cosparso con lo zucchero rimasto, arrotolate la pasta nel telo e lasciatela raffreddare.

Preparate un caramello con 50 g di zucchero e 1 cucchiaio d'acqua, unitevi le nocciole e versate tutto su un piano unto con olio di mandorle. Lasciate raffreddare, poi passate al mixer.

Cuocete per 4-5 minuti il trito di nocciole con il caffè, lo zucchero rimasto e la fecola sciolta in 1 cucchiaio d'acqua. Lasciate raffreddare la crema, aggiungete il Rum e incorporate la panna, montata a parte.

Stendete la pasta e distribuitevi sopra la crema, poi riavvolgetela nel telo e mettetela in frigorifero per 3 ore.

Prima di servire, spolverizzate il rotolo con lo zucchero a velo e decoratelo con gruppi di 3 chicchi di caffè, fissati con il cioccolato fuso.

Rotolo di cioccolato ai marroni

Ingredienti per 6 persone

Per la pasta ❋ 4 uova

❋ 40 g di zucchero

❋ 40 g di cacao amaro

❋ 20 g di farina

Per il ripieno ❋ 4 dl di panna

❋ 10 marrons glacés

❋ 3 cucchiai di marmellata di castagne

❋ 1 cucchiaio di Cognac

DIFFICOLTÀ
Bassa

PREPARAZIONE
20 minuti
più 1 ora di
raffreddamento
del dolce

COTTURA
15 minuti

VINO
Recioto della
Valpolicella
(rosso,
Veneto)

Aleatico
di Gradoli
(rosso,
Lazio)

Rompete le uova e versate i tuorli in una ciotola, tenendo da parte gli albumi. Servendovi di una frusta, lavorate i tuorli con lo zucchero e sbattete fino a ottenere un composto chiaro e spumoso. Incorporatevi la farina e il cacao e lavorate per altri 2-3 minuti.

Montate gli albumi a neve e incorporateli con delicatezza al composto. Foderate una placca da forno con un foglio d'alluminio e adagiatevi il composto, stendendolo allo spessore di 1 cm. Cuocetelo nel forno già caldo a 220 °C per 15 minuti, poi lasciatelo raffreddare.

Stemperate la marmellata in una ciotola con il Cognac. Montate la panna e quando sarà ben soda incorporatevi la marmellata. Amalgamate quindi alla crema ottenuta i marrons glacés spezzettati e distribuite il composto sopra il dolce, tenendone un poco da parte.

Arrotolate la pasta su se stessa, formando un rotolo. Servite il dolce tagliato a fette.

Rotolo di cioccolato con le ciliegie

Ingredienti per 6 persone

❋ 175 g di cioccolato fondente a pezzetti

❋ 225 g di zucchero ❋ 5 uova

❋ 3 cucchiai di Kirsch

❋ 2 cucchiai di zucchero a velo setacciato

Per il ripieno ❋ 3,5 dl di panna

❋ 1 cucchiaio di Kirsch

❋ 350 g di ciliegie nere snocciolate

DIFFICOLTÀ
Media

PREPARAZIONE
30 minuti
più 1 ora di
raffreddamento
della
preparazione

COTTURA
30 minuti

VINO
Montefalco
Sagrantino
Passito
(rosso,
Umbria)

Recioto della
Valpolicella
(rosso,
Veneto)

Foderate uno stampo rettangolare a bordi bassi con carta da forno. Fate fondere il cioccolato a bagnomaria. Unite il Kirsch e mescolate a fuoco basso per 10 minuti. Toglietelo dal fuoco e tenetelo da parte.

Sbattete le uova e lo zucchero in una terrina posta sopra un tegame di acqua bollente finché il composto risulterà denso e cremoso. Toglietelo dal fuoco e incorporatevi il cioccolato raffreddato.

Trasferite il composto nello stampo, livellate la superficie e cuocete nel forno già caldo a 190 °C per 20 minuti. Sformate il dolce, eliminando la carta di cottura, su carta da forno spolverizzata con lo zucchero a velo e arrotolatelo insieme alla carta, quindi fate raffreddare completamente.

Preparate il ripieno. Montate la panna ben ferma e incorporatevi il Kirsch, tenendone da parte 1-2 cucchiai. Srotolate il dolce e spalmatevi la panna lasciando un bordo di 5 mm. Distribuitevi sopra le ciliegie. Arrotolate nuovamente il dolce e trasferitelo su un piatto da portata. Guarnitelo, a piacere, con rosette o cucchiaiate di panna. Servite il dolce in tavola.

Ruota di cioccolato, datteri e mandorle

Ingredienti per 6 persone

Per la pasta ❋ 240 g di farina ❋ 30 g di cacao amaro

❋ 1 uovo ❋ 130 g di burro ❋ 1 cucchiaio di zucchero ❋ sale

Per il ripieno ❋ 100 g di cioccolato fondente ❋ 80 g di burro

❋ 160 g di mandorle pelate ❋ 90 g di zucchero a velo

❋ 100 g di datteri ❋ 1/2 cucchiaino di cannella in polvere

Per la guarnizione ❋ 1 cucchiaio di zucchero a velo

❋ 1 cucchiaino di cacao ❋ 1 cucchiaino di cannella in polvere

DIFFICOLTÀ
Media

PREPARAZIONE
30 minuti
più 30 minuti
di riposo
e 30 minuti di
raffreddamento
del composto

COTTURA
1 ora e
5 minuti

VINO
Pornassio
di Ormeasco
Liquoroso
(rosso,
Liguria)

Aleatico
di Puglia
Liquoroso
(rosso,
Puglia)

Preparate la pasta. Impastate 220 g di farina con il cacao, un pizzico di sale, lo zucchero e 5-6 cucchiai d'acqua tiepida; aggiungete l'uovo e 50 g di burro a pezzetti. Lavorate il composto, formate una palla e lasciatela riposare per 30 minuti.

Nel frattempo preparate il ripieno. Tostate le mandorle nel forno già caldo a 180 °C e tritatele; private i datteri del nocciolo e tritateli. Spezzettate il cioccolato e fatelo fondere a bagnomaria con il burro a pezzetti. Versateli in una terrina, unite lo zucchero a velo, le mandorle, i datteri e la cannella, mescolate e lasciate raffreddare.

Riprendete la pasta, stendetela sottile su un telo infarinato, pareggiate i bordi, spennellatela con un po' di burro fuso. Stendetevi sopra il ripieno lasciando 2 cm di bordo liberi; arrotolate la pasta aiutandovi con il telo, chiudetela ad anello e adagiatela nella tortiera imburrata e infarinata.

Spennellate la pasta con un po' di burro fuso e cuocetela nel forno già caldo a 180 °C per 1 ora, spennellandola ogni tanto con il burro fuso rimasto. Sformatela e servitela calda, spolverizzata con lo zucchero a velo, il cacao e la cannella.

Sachertorte

TORTE | LE RICETTE

Ingredienti per 6 persone

❀ 170 g di farina ❀ 170 g di burro ❀ 150 g di cioccolato fondente ❀ 5 uova ❀ 150 g di zucchero ❀ 1 cucchiaino di lievito in polvere ❀ 1 bustina di vanillina ❀ 150 g di confettura di albicocche ❀ 2 cucchiai di latte
Per la glassa ❀ 150 g di cioccolato fondente spezzetato ❀ 30 g di burro ❀ 100 g di zucchero a velo

DIFFICOLTÀ
Elevata

PREPARAZIONE
40 minuti

COTTURA
1 ora e
15 minuti

VINO
Barolo Chinato
(rosso,
Piemonte)

Ala Amarascato
(rosso,
Sicilia)

Lavorate 150 g di burro con lo zucchero e la vanillina fino a ottenere un composto spumoso; incorporate, uno alla volta, i tuorli. Spezzettate il cioccolato e fatelo fondere col latte a bagnomaria. Quindi unitelo tiepido al composto d'uova, mescolando.

Montate gli albumi a neve, unite 150 g di farina setacciata con il lievito e incorporateli al composto. Versatelo in una tortiera imburrata e infarinata e cuocete nel forno a 180 °C per 40 minuti. Sfornate la torta e sformatela. Fatela intiepidire, poi tagliatela per il largo in 3 dischi. Farciteli con uno strato di marmellata di albicocche e sovrapponeteli. Scaldate la marmellata rimasta con 1 cucchiaio di acqua, passatela al passino e spennellatevi la superficie della torta.

Preparate la glassa. Fate fondere il cioccolato a bagnomaria e poi incorporatevi il burro. Fuori dal fuoco unite lo zucchero a velo e 3-4 cucchiai d'acqua e mescolate. Coprite la torta stendendo la glassa anche lungo i bordi.

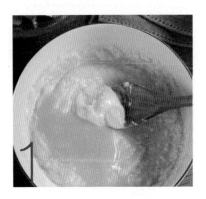

1 Mescolate con un cucchiaio di legno in una ciotola il burro con lo zucchero, la vanillina e i tuorli.

2 Unite agli albumi montati a neve la farina, versandola attraverso un setaccio.

3 Versate il composto in una tortiera imburrata e infarinata.

Salame di cioccolato

Ingredienti per 4 persone
* 125 g di zucchero * 125 g di burro
* 75 g di cacao amaro
* 50 g di nocciole pelate e tritate
* 1 uovo e 1 tuorlo * 100 g di biscotti secchi
* 1 cucchiaio di olio di mandorle

DIFFICOLTÀ
Bassissima

PREPARAZIONE
20 minuti
più 12 ore di
raffreddamento
della
preparazione

COTTURA
Nessuna

VINO
Barolo Chinato
(rosso,
Piemonte)

Ala Amarascato
(rosso,
Sicilia)

Lavorate in una terrina con un cucchiaio di legno 1 uovo e 1 tuorlo insieme allo zucchero per 15 minuti. Sciogliete il burro a bagnomaria e unitelo al composto; aggiungete il cacao amaro, i biscotti a pezzetti le nocciole tritate e mescolate delicatamente.

Avvolgete il composto in un foglio di carta da forno, unta con l'olio di mandorle, dandogli la forma di un salame e mettetelo a raffreddare in frigorifero per 12 ore.

Eliminate la carta, trasferite il salame su un piatto da portata e servitelo in tavola, tagliato a fette.

Schiaccia con i fichi secchi

Ingredienti per 6 persone
* 500 g di farina
* 16 fichi secchi
* 50 g di lievito di birra
* 100 g di zucchero
* olio d'oliva extravergine * sale

DIFFICOLTÀ
Bassa

PREPARAZIONE
30 minuti
più 30 minuti
di ammollo dei
fichi, 4 ore di
lievitazione
della pasta e
1 ora e
30 minuti di
raffreddamento
della
preparazione

COTTURA
40 minuti

REGIONE
Toscana

VINO
Montecarlo
Vin Santo
(bianco,
Toscana)

Trentino
Vin Santo
(bianco,
Trentino-Alto
Adige)

Tagliate i fichi in piccoli pezzi e fateli ammollare in acqua tiepida.

Impastate sulla spianatoia la metà della farina con la metà del lievito, sciolto in poca acqua tiepida, lo zucchero, un filo d'olio e l'acqua necessaria a ottenere una pasta omogenea che farete lievitare, coperta da un telo, per circa 2 ore in un luogo tiepido.

Impastate la farina rimasta, tenendone da parte 1 cucchiaio per spolverizzare la teglia, con il lievito avanzato, i fichi strizzati, un pizzico di sale e l'acqua tiepida necessaria, poi unitevi l'impasto preparato in precedenza, amalgamando bene il tutto e lasciatelo lievitare ancora per 1 ora.

Imburrate e infarinate una teglia, stendetevi la schiaccia e disegnatevi sulla superficie dei quadrati con la punta di un coltellino, copritela con un telo e fatela riposare per 1 altra ora.

Cuocete la schiaccia nel forno già caldo a 200 °C per circa 40 minuti, fatela raffreddare e servitela.

Schiacciata di mele

Ingredienti per 6 persone
- ❋ 700 g di mele renette ❋ 250 g di farina
- ❋ 250 g di zucchero ❋ 180 g di burro
- ❋ 2 uova ❋ 1/2 bustina di lievito
- ❋ il succo di 1 limone
- ❋ 1 bustina di zucchero a velo

DIFFICOLTÀ
Media

PREPARAZIONE
30 minuti
più 2 ore di
infusione delle
mele e 1 ora
e 30 minuti di
raffreddamento
della
preparazione

COTTURA
50 minuti

VINO
Alto Adige
Traminer
Aromatico
Passito
(bianco,
Trentino-Alto
Adige)

Moscato
di Siracusa
(bianco,
Sicilia)

Sbucciate le mele, privatele del torsolo e tagliatele a fettine sottili. Mettetele in una terrina e copritele con 125 g di zucchero e il succo di limone. Lasciatele nell'infusione per 2 ore, mescolando ogni tanto.

Nel frattempo, sbattete in una ciotola le uova con una frusta e aggiungete lo zucchero rimasto. Fate fondere 160 g di burro a bagnomaria e unitelo al composto. Versate a pioggia la farina e aggiungete il lievito.

Fate ammorbidire l'impasto spruzzandolo con il liquido dell'infuso di mele, quindi incorporatevi, poche alla volta, le fettine di mele mescolando con delicatezza.

Imburrate una tortiera rotonda e versatevi il composto. Mettete la schiacciata nel forno già caldo a 160 °C e fate cuocere per 45 minuti. Sformate, lasciate raffreddare e poi spolverizzate la schiacciata con lo zucchero a velo. Servite in tavola.

Serpentone delle monache cappuccine

Ingredienti per 6 persone

❀ 300 g di farina ❀ 100 g di zucchero ❀ 2 mele
❀ 100 g di mandorle ❀ 1 dl di olio d'oliva extravergine
❀ 100 g di uva sultanina ammollata
❀ 50 g di gherigli di noce ❀ 5 fichi secchi
❀ 5 prugne secche snocciolate
❀ 2 ciliegine candite ❀ 0,5 dl di Vin Santo ❀ sale

DIFFICOLTÀ
Media

PREPARAZIONE
40 minuti
più 30 minuti
di riposo
dell'impasto

COTTURA
45 minuti

REGIONE
Umbria

VINO
Montefalco
Sagrantino
Passito
(rosso,
Umbria)

Colli
di Conegliano
Refrontolo
Passito
(rosso,
Veneto)

Sbollentate le noci e le mandorle, tenendone da parte una, privatele della pellicina e tritatele.

Mescolate la farina con 50 g di zucchero e un pizzico di sale, quindi impastatela con 0,5 dl d'olio e l'acqua necessaria a ottenere un impasto consistente. Lavoratela per circa 10 minuti, poi copritela con un telo e fatela riposare per 30 minuti.

Nel frattempo, raccogliete in una ciotola l'uva sultanina, le noci, le mandorle, le prugne e i fichi a pezzetti e le mele sottilmente affettate. Spolverizzate con lo zucchero rimasto, 3 cucchiai d'olio e il Vin Santo e amalgamate bene il tutto.

Stendete la pasta in una sfoglia sottile e distribuitevi il ripieno, senza il liquido che si sarà depositato sul fondo del recipiente. Arrotolate la pasta su se stessa e formate una specie di serpente acciambellato, con la testa più grande del corpo. Usate per gli occhi le ciliegie candite e per la bocca la mandorla tenuta da parte.

Sistematelo su una placca foderata di carta da forno e cuocete nel forno a 160 °C per 45 minuti. Servite freddo.

Sfoglia di banane

Ingredienti per 6 persone

❀ 300 g di pasta sfoglia ❀ 2 banane ❀ 70 g di zucchero
❀ il succo di 1/2 limone ❀ 3 tuorli ❀ 2,5 dl di latte
❀ la scorza grattugiata di 2 arance biologiche
❀ 2 arance ❀ 20 g di cedro candito a listarelle
❀ 2 dl di panna ❀ 20 g di zucchero a velo
❀ 20 g di farina ❀ 1 bustina di vanillina

DIFFICOLTÀ
Media

PREPARAZIONE
30 minuti
più il tempo di
preparazione
della pasta

COTTURA
45 minuti

VINO
Moscato d'Asti
(bianco,
Piemonte)

Sannio
Moscato
Spumante
(bianco,
Campania)

Stendete la pasta in una sfoglia sottile, ricavatene 3 dischi del diametro di 24 cm. Adagiateli in una teglia spennellata d'acqua, bucherellateli e cuoceteli nel forno a 200 °C per 20 minuti. Spolverizzateli con lo zucchero a velo e cuocete ancora a 250 °C finché lo zucchero sarà caramellato. Fate intiepidire, sovrapponete su ogni disco 1 disco di cartoncino del diametro di 22 cm e tagliate la pasta in eccesso.

Tagliate le banane a rondelle e irroratele con il succo di limone. Riducete le arance a spicchi. Portate a ebollizione in un tegamino il latte con la scorza di 1 arancia grattugiata.

Lavorate i tuorli con lo zucchero e la scorza grattugiata dell'arancia rimasta, unite la farina e la vanillina, versate il latte caldo; portate a ebollizione, mescolando e cuocete per 8 minuti. Fate raffreddare, poi mettete la crema in una tasca da pasticciere.

Coprite un disco di pasta con la crema, lasciando 1 cm di bordo, distribuitevi 1/3 delle rondelle di banana e degli spicchi di arancia. Proseguite allo stesso modo con gli altri 2 dischi di pasta. Completate con la panna montata a ciuffetti e il cedro.

Sfoglia di pesche e fragole

Ingredienti per 6 persone
❋ 300 g di pasta sfoglia ❋ 1 cucchiaio di zucchero a velo
Per la composta ❋ 500 g di pesche
❋ 300 g di fragole ❋ 100 g di zucchero
❋ la scorza e il succo di 1 limone biologico
Per la crema ❋ 300 g di pesche ❋ 3 tuorli ❋ 2,5 dl di latte
❋ 75 g di zucchero ❋ 1/2 bustina di vanillina ❋ 20 g di farina
❋ la scorza di 1/2 limone biologico ❋ 2 cucchiai di vino bianco
Per la guarnizione ❋ 1 cucchiaio di zucchero a velo

DIFFICOLTÀ
Media

PREPARAZIONE
30 minuti
più il tempo di
preparazione
della pasta
sfoglia,
30 minuti di
raffreddamento
della pasta
e 30 minuti di
raffreddamento
della crema

COTTURA
45 minuti

VINO
Oltrepò Pavese
Sangue
di Giuda
(rosso,
Lombardia)

Vernaccia di
Serrapetrona
Dolce
(rosso,
Marche)

Stendete la pasta in una sfoglia di 3 mm, mettetela su una placca spennellata d'acqua, bucherellatela e cuocetela nel forno a 220 °C per 15 minuti. Spolverizzate la pasta di zucchero a velo e fatelo caramellare nel forno. Lasciate raffreddare e poi ricavate 3 quadrati di 16 cm di lato.

Preparate la composta. Riducete a pezzetti le fragole. Private le pesche della buccia e del nocciolo, tagliate la polpa a pezzetti e cuocetele 20 minuti con il succo e la scorza grattugiata del limone e lo zucchero. Poco prima del termine unite le fragole.

Preparate la crema. Private le pesche della buccia e del nocciolo, tagliatele a pezzetti, cuocetele con il vino per 4 minuti e frullatele. Lavorate i tuorli con lo zucchero, unite la farina, la vanillina e il latte bollito con la scorza di limone e filtrato. Cuocete la crema per 8 minuti, fatela raffreddare, poi incorporatevi le pesche. Distribuite su 1 quadrato di pasta uno strato di crema, coprite con un altro quadrato, stendetevi sopra uno strato di crema, adagiatevi il quadrato rimasto e spolverizzate con lo zucchero a velo. Servite con la composta di pesche e fragole.

Sfogliata al melone

Ingredienti per 6 persone
❋ 300 g di pasta sfoglia
❋ 1 melone maturo e profumato
❋ 70 g di zucchero
❋ 1 baccello di vaniglia
❋ 50 g di biscotti secchi
❋ 50 g di gelatina di albicocche
❋ qualche fogliolina di menta
❋ 20 g di burro

DIFFICOLTÀ
Bassa

PREPARAZIONE
20 minuti
più il tempo di
preparazione
della pasta

COTTURA
40 minuti

VINO
Friuli Isonzo
Verduzzo
Friulano
(bianco,
Friuli-Venezia
Giulia)

Colli Etruschi
Viterbesi
Moscatello
Amabile
(bianco,
Lazio)

Stendete la pasta in una sfoglia sottile, ponetela in una tortiera rotonda imburrata e bucherellate il fondo con una forchetta.

Pulite il melone tagliandolo a fette regolari e sottili, mettetele in una larga padella con lo zucchero e il baccello di vaniglia, portate a ebollizione, fate cuocere a fuoco moderato per circa 10 minuti e sgocciolatele.

Sbriciolate i biscotti e distribuiteli sul fondo di pasta; sistematevi, partendo dal bordo esterno, uno strato concentrico di fette di melone leggermente so-vrapposte, poi formate uno strato interno più piccolo; ripiegate a cordone la pasta esterna in eccesso, pizzicatela e cuocetela nel forno già caldo a 190 °C per 30 minuti, evitando di far colorire troppo il melone. Togliete la torta dal forno e lasciatela intiepidire.

Sciogliete la gelatina di albicocche nel liquido rimasto dalla cottura del melone, lucidate le fette di melone con la gelatina e, una volta che la torta si sarà completamente raffreddata, decoratene il centro con le foglioline di menta, quindi servitela in tavola.

Sfogliata di pesche e pere al cioccolato

Ingredienti per 6 persone

❋ 300 g di pasta sfoglia ❋ 2 pere ❋ 2 pesche ❋ 50 g di cioccolato fondente
❋ 30 g di pinoli ❋ 1 cucchiaio di succo di limone ❋ 1 tuorlo
❋ 100 g di zucchero ❋ 1 cucchiaio di farina

DIFFICOLTÀ
Media

PREPARAZIONE
30 minuti
più il tempo di
preparazione
della pasta
sfoglia

COTTURA
35 minuti

VINO
Recioto della
Valpolicella
(rosso,
Veneto)

Aleatico
di Gradoli
(rosso,
Lazio)

Sbucciate le pere, privatele del torsolo e dei semi, tagliatele a pezzetti, mettetele in una ciotola e irroratele con il succo di limone. Scottate le pesche in acqua bollente, sgocciolatele e sbucciatele; privatele del nocciolo e tagliatele a pezzetti.

Aggiungete ai pezzi di pera, quelli di pesca, lo zucchero, i pinoli, il cioccolato fondente tritato e mescolate gli ingredienti.

Stendete la pasta in una sfoglia sottile, ricavate un rettangolo della lunghezza di 50-60 cm, adagiatelo su un telo infarinato e distribuitevi il composto preparato, lasciando libero un bordo di 2 cm. Arrotolate la pasta su se stessa con l'aiuto del telo e sigillate bene i bordi. Trasferite il dolce sulla placca, spennellata d'acqua.

Praticate sulla superficie del rotolo alcune incisioni in diagonale a intervalli di 2-3 cm e spennellatelo con il tuorlo leggermente sbattuto. Fate cuocere la sfogliata nel forno già caldo a 200 °C per 30 minuti, poi sfornatela, lasciatela intiepidire, tagliatela a fette e disponetele su un piatto da portata.

1 Stendete la pasta in una sfoglia sottile e distribuitevi sopra il composto.

2 Arrotolate la pasta su se stessa e sigillate bene i bordi.

3 Praticate sul rotolo alcune incisioni in diagonale, alla distanza di 2-3 cm una dall'altra, e spennellatelo con il tuorlo sbattuto.

Spongata

Ingredienti per 10 persone

❊ 320 g di farina ❊ 200 g di miele ❊ 50 g di mandorle pelate ❊ 120 g di burro ❊ 100 g di pane biscottato ❊ 150 g di zucchero ❊ 3 cucchiai di Cognac ❊ 30 g di pinoli ❊ 50 g di gherigli di noce ❊ 50 g di uva sultanina ❊ 50 g di nocciole ❊ 100 g di arancia e cedro canditi ❊ 5 g di cannella in polvere ❊ 50 g di zucchero a velo ❊ 1, 5 dl di vino bianco ❊ olio d'oliva extravergine ❊ 1 noce moscata ❊ sale e pepe

DIFFICOLTÀ
Elevata

PREPARAZIONE
40 minuti
più 20 minuti
di ammollo
dell'uva
sultanina,
24 ore di riposo
del composto,
24 ore di riposo
della sfoglia
e 3 giorni
di riposo della
preparazione

COTTURA
35 minuti

REGIONE
Emilia-
Romagna

VINO
Romagna
Albana
Spumante
(bianco,
Emilia-
Romagna)

Moscato
di Noto
Spumante
(bianco,
Sicilia)

Grattugiate finemente il pane biscottato e tenetelo da parte. Fate ammorbidire l'uva sultanina in acqua tiepida per 20 minuti. Tostate le nocciole nel forno già caldo a 120 °C per circa 15 minuti, quindi strofinatele tra le mani per eliminare la pellicina, poi tritatele con i gherigli di noce. Tagliate la frutta candita a dadini, pestate le mandorle in un mortaio con 1 cucchiaio di zucchero, riducendole in polvere.

Versate in una casseruola il miele e 0,5 dl di vino e fate bollire il liquido per qualche minuto, poi toglietelo dal fuoco e unitevi il pane biscottato sbriciolato, tutta la noce moscata grattugiata, la cannella e una macinata di pepe. Mescolate accuratamente, poi unite le mandorle e il trito di noci e nocciole e rimettete il recipiente sul fuoco, amalgamando tutti gli ingredienti con un cucchiaio di legno.

Togliete il recipiente dal fuoco, incorporatevi i pinoli, la frutta candita, l'uva sultanina strizzata e il Cognac. Versate il composto in una terrina, copritelo con pellicola trasparente e tenetelo in un luogo fresco per 24 ore.

Trascorso questo tempo, mescolate 300 g di farina con lo zucchero rimasto e un pizzico di sale, disponetela a fontana e mettetevi al centro 1 cuc-

chiaio d'olio, 100 g di burro ammorbidito e, poco alla volta, il vino rimasto. Lavorate energicamente l'impasto per circa 15 minuti, poi con il matterello stendete la pasta allo spessore di circa 3 mm e ricavatene 2 dischi.

Sistemate un disco su una placca da forno imburrata e infarinata e copritelo con la metà del composto preparato, stendendolo bene con una spatola. Adagiatevi sopra l'altro disco di pasta e premete bene le due sfoglie lungo i bordi con una forchetta, affinché non si aprano. Punzecchiate la superficie della torta con uno stecchino, spennellatela d'olio e lasciatela riposare per 24 ore.

Fate cuocere la spongate nel forno già caldo a 190 °C per 20 minuti.

Estraete la spongata dal forno, lasciatela raffreddare su una gratella di metallo e spolverizzatela con zucchero a velo.

La spongata si può consumare dopo 3 giorni; inoltre, se viene avvolta in un foglio d'alluminio e conservata in una scatola di latta a chiusura ermetica, si mantiene perfettamente per almeno 2 mesi.

Strudel ai semi di papavero

Ingredienti per 6 persone

Per la pasta ❋ 300 g di farina ❋ 130 g di burro
❋ 1 uovo ❋ 1 cucchiaio di zucchero ❋ sale
Per la crema ❋ 5 dl di panna ❋ 120 g di zucchero
❋ 80 g di farina ❋ 100 g di gherigli di noce ❋ 6 tuorli
❋ 80 g di uva sultanina ammollata ❋ cannella in polvere
❋ 2 cucchiai di semi di papavero
Per la guarnizione ❋ 1 cucchiaio di zucchero a velo

DIFFICOLTÀ
Media

PREPARAZIONE
30 minuti
più 30 minuti
di riposo
della pasta e
20 minuti di
raffreddamento
della crema

COTTURA
1 ora

VINO
Trentino
Moscato Giallo
(bianco,
Trentino-Alto
Adige)

Malvasia
delle Lipari
(bianco,
Sicilia)

Preparate la pasta. Impastate 250 g di farina con un pizzico di sale, lo zucchero, 5-6 cucchiai d'acqua tiepida, l'uovo e 50 g di burro. Formate una palla, avvolgetela in un telo infarinato, copritela con una terrina e lasciatela riposare per 30 minuti.

Nel frattempo preparate la crema. Lavorate in una terrina i tuorli con lo zucchero, unite poco alla volta la farina e un pizzico di cannella e versate a filo la panna, bollente. Cuocete il composto per 7-8 minuti mescolando, lasciatelo raffreddare e poi unitevi i gherigli di noce tritati, l'uva sultanina e i semi di papavero.

Stendete la pasta su un telo infarinato in una sfoglia rettangolare molto sottile lunga 50-60 cm. Spennellatela con un po' di burro fuso e stendetevi sopra la crema, lasciando 2 cm di bordo. Arrotolate lo strudel, sigillatelo e spennellate la superficie con altro burro fuso. Adagiatelo su una teglia imburrata e infarinata e fatelo cuocere nel forno già riscaldato a 180 °C per 50 minuti, spennellandolo ogni tanto con il burro fuso rimasto. Fate intiepidire il dolce, spolverizzatelo, a piacere, con lo zucchero a velo e servite.

Strudel con crema alle mandorle

Ingredienti per 6 persone

Per la pasta ❋ 290 g di farina ❋ 1 uovo
❋ 130 g di burro ❋ 1 cucchiaio di zucchero ❋ sale
Per la crema ❋ 5 dl di panna ❋ 6 tuorli
❋ 120 g di zucchero ❋ 80 g di farina
❋ 100 g di mandorle tritate ❋ 80 g di uva sultanina ammollata
❋ 40 g di frutta candita mista ❋ cannella in polvere
Per la guarnizione ❋ 1 cucchiaio di zucchero a velo

DIFFICOLTÀ
Media

PREPARAZIONE
30 minuti
più 30 minuti
di riposo
della pasta e
20 minuti di
raffreddamento
della crema

COTTURA
1 ora

VINO
Moscadello
di Montalcino
Vendemmia
Tardiva
(bianco,
Toscana)

Ramandolo
(bianco,
Friuli-Venezia
Giulia)

Preparate la pasta. Impastate 250 g di farina con lo zucchero, un pizzico di sale, 5-6 cucchiai d'acqua, l'uovo e 100 g di burro. Formate una palla, avvolgetela in un telo infarinato e lasciatela riposare per 30 minuti.

Preparate la crema. In una terrina mescolate i tuorli con lo zucchero, unite la farina, un pizzico di cannella e versate a filo la panna bollente. Cuocete il composto per 7-8 minuti, lasciatelo raffreddare, poi unitevi le mandorle tritate, l'uva sultanina, la frutta candita a dadini e amalgamate bene il tutto.

Stendete la pasta su un telo infarinato, formando un rettangolo lungo 50-60 cm; spennellatelo con un poco di burro fuso, distribuitevi sopra la crema in uno strato uniforme, lasciando 2 cm di pasta ai bordi. Arrotolate lo strudel, sigillate le estremità e spennellate la superficie con un poco di burro fuso. Adagiate lo strudel su una teglia imburrata e infarinata e fatelo cuocere nel forno già caldo a 180 °C per 50 minuti, spennellandolo ogni tanto con il burro fuso rimasto. Lasciatelo intiepidire, spolverizzatelo con lo zucchero a velo e servite.

Strudel di albicocche e ricotta

Ingredienti per 6 persone

Per la pasta ❋ 290 g di farina ❋ 130 g di burro ❋ 1 uovo
❋ 1 cucchiaio di zucchero ❋ 1 cucchiaio di pangrattato
Per il ripieno ❋ 500 g di albicocche a fette sottili
❋ 70 g di burro ❋ 4 tuorli ❋ 400 g di ricotta romana
❋ la scorza grattugiata di 1 limone biologico
❋ 80 g di zucchero a velo ❋ sale

DIFFICOLTÀ
Media

PREPARAZIONE
30 minuti
più 30 minuti
di riposo
della pasta

COTTURA
1 ora

VINO
Alto Adige
Moscato Giallo
(bianco,
Trentino-Alto
Adige)

Castel
San Lorenzo
Moscato
(bianco,
Campania)

Preparate la pasta. Impastate 250 g di farina con lo zucchero, un pizzico di sale, 5-6 cucchiai di acqua, l'uovo e 110 g di burro. Formate una palla, avvolgetela in un telo infarinato e fate-la riposare per 30 minuti.

Nel frattempo preparate il ripieno. Passate la ricotta al setaccio, unite i tuorli, lo zucchero a velo, la scorza di limone e lavorate il composto.

Stendete la pasta su un telo infarina-to, ricavando un disco sottile; spen-

nellatelo con un poco di burro fuso e cospargetelo con il pangrattato. Spalmatevi sopra il ripieno di ricotta, lasciando scoperti i bordi, e distri-buitevi le fette di albicocca. Avvol-gete la pasta su se stessa, chiudete bene i bordi e ponete lo strudel su una placca da forno imburrata.

Spennellate la pasta con il burro fuso e cuocete nel forno a 180 °C per 50 minuti, spennellando ogni tanto lo strudel con il burro fuso rimasto. Fate raffreddare e servite.

Strudel di amarene

Strudel di frutta mista

Ingredienti per 6 persone

Per la pasta ❋ 290 g di farina ❋ 130 g di burro ❋ 1 uovo ❋ 1 cucchiaio di zucchero ❋ sale

Per il ripieno ❋ 700 g di amarene ❋ 1 pizzico di cannella ❋ 300 g di pangrattato ❋ 70 g di burro ❋ 100 g di zucchero

Per la guarnizione ❋ 1 uovo ❋ 30 g di burro ❋ 2 cucchiai di zucchero

Ingredienti per 6 persone

Per la pasta ❋ 270 g di farina ❋ 130 g di burro ❋ 1 uovo ❋ 1 cucchiaio di zucchero ❋ sale

Per il ripieno ❋ 1 cucchiaio di pangrattato ❋ 40 g di burro ❋ 600 g di frutti di bosco (ribes, lamponi, fragole, mirtilli)

Per la guarnizione ❋ 1 cucchiaio di zucchero a velo

DIFFICOLTÀ
Media

PREPARAZIONE
30 minuti
più 30 minuti
di riposo
della pasta

COTTURA
1 ora

VINO
Vernaccia di
Serrapetrona
Dolce
(rosso,
Marche)

Oltrepò Pavese
Sangue
di Giuda
(rosso,
Lombardia)

Preparate la pasta. Impastate 250 g di farina con un pizzico di sale, lo zucchero, 5-6 cucchiai d'acqua tiepida, l'uovo e 50 g di burro. Formate una palla, avvolgetela in un telo infarinato, copritela con una terrina e lasciatela riposare per 30 minuti.

Preparate il ripieno. Lavate e snocciolate le amarene, mettetele in una terrina con lo zucchero e la cannella, quindi mescolate. Sciogliete 50 g di burro in una casseruola e mettetevi a rosolare il pangrattato.

Stendete la pasta in una sfoglia sottile. Disponetela su un telo infarinato, stendetevi sopra uno strato di pangrattato, lasciando libero un bordo di 2 cm e poi versatevi sopra il composto di amarene. Aiutandovi con il telo, arrotolate la pasta, inumidite i bordi e sigillateli. Imburrate e infarinate la placca del forno, quindi adagiatevi lo strudel.

Sbattete l'uovo con il burro fuso e 2 cucchiai di zucchero e poi spennellate la superficie dello strudel con parte del composto. Cuocetelo nel forno già caldo a 180 °C per 50 minuti, spennellandolo ogni tanto con il composto rimasto. Disponete lo strudel su un piatto da portata, fatelo raffreddare e servitelo.

DIFFICOLTÀ
Media

PREPARAZIONE
30 minuti
più 30 minuti
di riposo
della pasta

COTTURA
55 minuti

VINO
Brachetto
d'Acqui
(rosso,
Piemonte)

Aglianico
del Vulture
Spumante
(rosso,
Basilicata)

Preparate la pasta. Impastate 250 g di farina con lo zucchero, un pizzico di sale, 5-6 cucchiai di acqua, l'uovo e 110 g di burro. Formate una palla, avvolgetela in un telo infarinato e lasciatela riposare per 30 minuti.

Nel frattempo preparate il ripieno. In una padella rosolate il pangrattato con 20 g di burro, mescolandolo.

Stendete la pasta in una sfoglia sottile, cospargetela con il pangrattato e i frutti di bosco. Aiutandovi con il telo, arrotolate lo strudel su se stesso, chiudendolo bene e mettelo su una placca imburrata. Spennellate lo strudel con il burro rimasto fuso e cuocetelo nel forno a 180 °C per 50 minuti. Servitelo tiepido, spolverizzato con lo zucchero a velo.

Strudel di mele

Ingredienti per 6 persone

Per la pasta ❉ 270 g di farina ❉ 50 g di burro
❉ 1 cucchiaio di zucchero ❉ 1 uovo ❉ sale
Per il ripieno ❉ 1 kg di mele renette affettate ❉ 80 g di uva sultanina ammollata
❉ 0,5 dl di Brandy ❉ 100 g di burro ❉ 2 cucchiai di pangrattato
❉ 50 g di pinoli ❉ 100 g di zucchero ❉ 1 pizzico di cannella
❉ la scorza grattugiata di 1 limone biologico

DIFFICOLTÀ
Media

PREPARAZIONE
30 minuti
più 30 minuti
di riposo
della pasta

COTTURA
55 minuti

VINO
Alto Adige
Traminer
Aromatico
Vendemmia
Tardiva
(bianco,
Trentino-Alto
Adige)

Moscadello
di Montalcino
Vendemmia
Tardiva
(bianco,
Toscana)

Preparate la pasta. Impastate 250 g di farina con un pizzico di sale, lo zucchero, 5-6 cucchiai d'acqua tiepida, l'uovo e il burro. Formate una palla, avvolgetela in un telo infarinato, copritela con una terrina e lasciatela riposare per 30 minuti.

Preparate il ripieno. Mettete a bagno le mele nel Brandy; rosolate il pangrattato con 40 g di burro, mescolate la scorza grattugiata del limone lavata e grattuggiata con la cannella e lo zucchero.

Stendete la pasta su un telo infarinato, ricavandone un disco dello spessore di 0,5 cm. Spennellate la sfoglia con poco burro fuso e distribuitevi sopra il pangrattato e poi le mele, l'uva sultanina, i pinoli, il misto di zucchero, scorza di limone e cannella, lasciando liberi 2 cm ai bordi. Arrotolate lo strudel su se stesso, chiudendolo bene e trasferitelo sulla placca, imburrata; spennellatelo con il burro rimasto fuso e cuocete nel forno a 180 °C per 50 minuti. Servite tiepido.

Strudel di mele e formaggio

Ingredienti per 6 persone

Per la pasta ❋ 270 g di farina ❋ 50 g di burro ❋ 1 uovo
❋ 1 cucchiaio di zucchero ❋ sale
Per il ripieno ❋ 4 grosse mele renette a cubetti
❋ il succo di 1/2 limone ❋ 240 g di provolone a cubetti
❋ 120 g di burro ❋ 120 g di pangrattato ❋ 1 cucchiaio di timo
❋ noce moscata ❋ sale e pepe

DIFFICOLTÀ
Media

PREPARAZIONE
30 minuti
più 30 minuti
di riposo
della pasta

COTTURA
55 minuti

VINO
Albana
di Romagna
Amabile
(bianco,
Emilia-
Romagna)

Grottino
di Roccanova
Amabile
(bianco,
Basilicata)

Preparate la pasta. Impastate 250 g di farina con un pizzico di sale, lo zucchero, 5-6 cucchiai d'acqua tiepida, l'uovo e il burro. Formate una palla, avvolgetela in un telo infarinato, copritela con una terrina e lasciatela riposare per 30 minuti.

Prepate il ripieno. Mettete le mele in una terrina con il succo di limone, il provolone, un pizzico di noce moscata, il timo, sale e pepe. Fate fondere il burro in una casseruola.

Stendete su un telo infarinato la pasta in una sfoglia sottilissima, spennellatela con parte del burro fuso, cospargetela con il pangrattato e distribuitevi il composto di mele e formaggio; quindi formate un rotolo.

Disponetelo in una teglia rettangolare unta con il burro fuso e cuocetelo nel forno già caldo a 180 °C per circa 50 minuti, spennellandolo ogni tanto con il rimanente burro fuso. Servitelo tiepido o freddo, a piacere.

Strudel di ricotta

Ingredienti per 6 persone

Per la pasta ✳ 250 g di farina ✳ 70 g di burro
✳ 1 uovo e 1 tuorlo ✳ sale
Per il ripieno ✳ 500 g di ricotta ✳ 100 g di uva sultanina
✳ 2 cucchiai di pangrattato ✳ la mollica di 3 panini
✳ 3 albumi e 4 tuorli ✳ 50 g di burro ✳ 150 g di zucchero
✳ la scorza di 1 limone biologico ✳ 2 dl di latte ✳ sale
Per la guarnizione ✳ 1 uovo ✳ 25 g di burro
✳ 2 cucchiai di zucchero

DIFFICOLTÀ
Bassa

PREPARAZIONE
40 minuti
più 20 minuti
di ammollo
dell'uva
sultanina
e 1 ora
di riposo
della pasta

COTTURA
40 minuti

VINO
Colli Orientali
del Friuli
Verduzzo
Friulano
(bianco,
Friuli-Venezia
Giulia)

Malvasia
delle Lipari
(bianco,
Sicilia)

Fate ammorbidire l'uva sultanina in acqua tiepida e la mollica di pane in una ciotola con il latte tiepido.

Preparate la pasta. Unite 250 g di farina con 50 g di burro, un pizzico di sale, il tuorlo e l'uovo sbattuti, unendo poca acqua per volta. Formate una palla e fatela riposare per 1 ora coperta con un telo. Quindi stendete la pasta in una sfoglia sottile, su un telo infarinato.

Preparate il ripieno. Lavorate in una terrina 50 g di burro, lo zucchero e i tuorli, il sale e la scorza di limone lavata e grattuggiata. Passate la ricotta e la mollica strizzata al setaccio e uniteli al composto con l'uva sultanina strizzata e il pangrattato. Incorporatevi gli albumi montati e distribuite il tutto sulla pasta, lasciando un bordo di 2 cm.

Arrotolate lo strudel, chiudendo i bordi, e mettetelo su una placca imburrata. Sbattete l'uovo con il burro, fuso a parte, e lo zucchero e spennellate la superficie del dolce. Cuocete lo strudel nel forno già caldo a 180 °C per circa 40 minuti, spennellandolo con il composto rimasto ancora 2 volte durante la cottura.

Strudel di uva

Ingredienti per 6 persone

Per la pasta ❋ 290 g di farina
❋ 70 g di burro ❋ 2 uova
❋ 1 cucchiaio di zucchero ❋ sale
Per il ripieno ❋ 1 kg di uva nera
❋ 70 g di burro ❋ 100 g di zucchero
❋ 150 g di pangrattato ❋ 1 pizzico di cannella
Per la guarnizione ❋ 1 uovo ❋ 20 g di burro
❋ 1 bustina di zucchero a velo ❋ 2 cucchiai di zucchero

DIFFICOLTÀ
Media

PREPARAZIONE
30 minuti
più 30 minuti
di riposo
della pasta

COTTURA
55 minuti

VINO
Alto Adige
Moscato Rosa
(rosso,
Trentino-Alto
Adige)

Aleatico
di Gradoli
(rosso,
Lazio)

Preparate la pasta. Impastate 250 g di farina con un pizzico di sale, 1 cucchiaio di zucchero, 5-6 cucchiai d'acqua tiepida, 1 uovo e il burro. Formate una palla, avvolgetela in un telo infarinato, copritela con una terrina e fatela riposare per 30 minuti.

Preparate il ripieno. Lavate i chicchi d'uva e mescolateli con lo zucchero e la cannella. Fate dorare in un tegame il pangrattato con il burro.

Stendete la sfoglia su un telo infarinato e cospargetela con il pangrattato. Distribuite sulla superficie il composto di chicchi d'uva, zucchero e cannella, lasciando intorno un bordo di 2 cm. Arrotolate la sfoglia, sigillando le estremità.

Imburrate e infarinate la placca e disponetevi nel centro lo strudel. Sbattete 1 uovo con 20 g di burro fuso e 2 cucchiai di zucchero in una terrina, poi spennellate il composto sulla superficie del dolce.

Fate cuocere lo strudel nel forno già caldo a 200 °C per 50 minuti spennelandolo più volte con il composto di uovo. Servite lo strudel cosparso con lo zucchero a velo.

Tart Tatin

Ingredienti per 6 persone

❋ 1 kg di mele renette a spicchi

❋ 100 g di burro

❋ 100 g di zucchero

❋ 200 g di pasta sfoglia

❋ 1 arancia biologica

❋ 1 limone biologico

DIFFICOLTÀ
Bassa

PREPARAZIONE
20 minuti
più il tempo di
preparazione
della pasta
sfoglia e
15 minuti di
raffreddamento
del composto
di mele

COTTURA
20 minuti

VINO
Colli Orientali
del Friuli
Verduzzo
Friulano
(bianco,
Friuli-Venezia
Giulia)

Colli Etruschi
Viterbesi
Moscatello
Amabile
(bianco,
Lazio)

Stendete il burro sul fondo di una tortiera tiepida, cospargetelo con lo zucchero e disponetevi sopra a raggiera gli spicchi di mele. Ponetela su fuoco basso e fate caramellare lo zucchero uniformemente, quindi lasciate raffreddare il composto.

Ricoprite le mele raffreddate nella tortiera con un disco di pasta sfoglia spesso 3 mm e leggermente più grande della tortiera. Ripiegate il bordo in eccesso verso l'interno e bucherellate con una forchetta la superficie della sfoglia.

Fate cuocere la torta nel forno già caldo a 200 °C per circa 20 minuti, finché la superficie avrà assunto un bel colore dorato; toglietela dal forno e lasciatela raffreddare senza sformarla.

Nel frattempo lavate il limone e l'arancia e ricavatene con il rigalimoni delle striscioline di scorza. Ponete rapidamente la tortiera su fuoco vivace, spostatela sulla fiamma facendo scaldare tutto il fondo e capovolgetela subito sul piatto da portata. Disponetevi al centro le striscioline di scorza d'arancia e di limone avvolte a spirale e servitela tiepida.

Timballo di more

Ingredienti per 6 persone

Per la pasta ❋ 200 g di farina ❋ 100 g di zucchero

❋ 1/2 cucchiaio di scorza grattugiata di limone biologico

❋ 120 g di burro ❋ 3 tuorli ❋ sale

Per il ripieno ❋ 400 g di more

❋ 1 pizzico di noce moscata

❋ 1/2 cucchiaio di scorza grattugiata di limone biologico

❋ 1 pizzico di cannella in polvere

❋ 80 g di zucchero

DIFFICOLTÀ
Media

PREPARAZIONE
30 minuti
più 30 minuti
di riposo
della pasta

COTTURA
55 minuti

VINO
Brachetto
d'Acqui
(rosso,
Piemonte)

Vernaccia di
Serrapetrosa
Dolce
(rosso,
Marche)

Preparate la pasta frolla. Impastate la farina con lo zucchero, la scorza di limone, un pizzico di sale, i tuorli e 100 g di burro. Formate una palla, mettetela in una terrina, copritela e lasciatela riposare per almeno 30 minuti.

Nel frattempo preparate il ripieno. Mondate e lavate le more, sgocciolatele e mettetele in una terrina tenendone da parte alcune per la decorazione. Conditele con lo zucchero, la scorza di limone, un pizzico di cannella e di noce moscata, mescolando delicatamente.

Imburrate una tortiera, foderatela con 2/3 della pasta, stesa sottile, e riempitela con le more. Ricavate un disco dalla pasta rimasta e usatelo per coprire la torta, sigillando bene i bordi.

Mettete la tortiera nel forno già caldo a 200 °C e fate cuocere per circa 50 minuti.

Servite in tavola il timballo, decorandolo, a piacere, con altre more.

Timballo di pere alla milanese

Ingredienti per 6 persone

Per la pasta ✾ 270 g di farina ✾ 140 g di burro
✾ 1 tuorlo ✾ 70 g di zucchero ✾ 1/2 bustina di vanillina
✾ la scorza grattugiata di 1/2 limone biologico
Per il ripieno ✾ 3 pere Williams
✾ 60 g di confettura di albicocche
✾ 5 dl di vino rosso ✾ 100 g di zucchero
Per la guarnizione ✾ 20 g di zucchero a velo
✾ 1 pera Williams

DIFFICOLTÀ
Media

PREPARAZIONE
30 minuti
più 1 ora
di riposo
della pasta
e 30 minuti di
raffreddamento
delle pere

COTTURA
1 ora

REGIONE
Lombardia

VINO
Oltrepò Pavese
Sangue
di Giuda
(rosso,
Lombardia)

Aglianico
del Vulture
Spumante
(rosso,
Basilicata)

Preparate la pasta. Impastate 250 g di farina con lo zucchero, la vanillina, la scorza di limone, il tuorlo e 120 g di burro. Formate una palla, mettetela in una terrina, copritela e lasciatela riposare in frigorifero per 1 ora.

Preparate il ripieno. Mettete tutte le pere, sbucciate e tagliate a spicchi, in una casseruola, unite il vino, 3 dl d'acqua e lo zucchero, fatele cuocere, a fuoco medio, per 10 minuti. Lasciatele raffreddare nel liquido di cottura.

Foderate una tortiera, imburrata e infarinata, con 2/3 della pasta e bucherellatela con una forchetta. Sgocciolate gli spicchi di pera, distribuiteli nella tortiera e ricopriteli con la confettura di albicocche. Stendete la pasta rimasta, coprite la tortiera, sigillate i bordi, bucherellate la superficie. Fate cuocere il timballo nel forno già caldo a 180 °C per 50 minuti.

Preparate la guarnizione. Ponete il timballo su un piatto da portata, spolverizzatelo di zucchero a velo e decoratelo con la pera intera, sgocciolata, priva del torsolo e incisa a fettine lasciate attaccate dalla parte del picciolo. Servite in tavola.

Timballo di pere alle mandorle

Ingredienti per 6 persone

Per la pasta ✾ 170 g di farina ✾ 95 g di burro ✾ 1 tuorlo
✾ 40 g di zucchero ✾ 1/2 bustina di vanillina
✾ la scorza grattugiata di 1/2 limone biologico
Per il ripieno ✾ 1,5 kg di pere a spicchi ✾ 30 g di burro
✾ 100 g di zucchero ✾ 1 cucchiaio di mandorle pelate
✾ 4 cucchiai di vino bianco ✾ 50 g di uva sultanina
Per la guarnizione ✾ 1 cucchiaio di mandorle pelate
✾ 1 cucchiaio di gelatina di albicocche

DIFFICOLTÀ
Media

PREPARAZIONE
30 minuti
più 1 ora
di riposo
della pasta

COTTURA
1 ora e
10 minuti

VINO
Recioto
di Soave
(bianco,
Veneto)

Molise
Moscato
Passito
(bianco,
Molise)

Preparate la pasta. Impastate 150 g di farina con lo zucchero, la vanillina, la scorza di limone, il tuorlo e 75 g di burro. Formate una palla e fatela riposare in frigo, coperta, per 1 ora.

Preparate il ripieno. Lavate l'uva sultanina e asciugatela. Rosolate per 5 minuti le pere con il burro, lo zucchero e il vino, mescolando. Aggiungete a metà cottura l'uva sultanina, togliete dal fuoco, fate raffreddare e unite le mandorle.

Foderate uno stampo, imburrato e infarinato con 2/3 della pasta, bucherellatela con una forchetta. Distribuitevi il composto di pere, tenendo da parte 2-3 spicchi. Coprite con la pasta rimasta, pizzicottando il bordo. Cuocete nel forno già caldo a 180 °C per 1 ora.

Preparate la guarnizione. Affettate sottilmente gli spicchi di pera tenuti da parte, fate bollire la gelatina di albicocche con 1 cucchiaio d'acqua e spennellatela sul timballo, cospargetelo con le mandorle e decoratelo con le fettine di pera. Tenete il timballo al fresco fino al momento di servire.

Torta agli agrumi

Ingredienti per 6 persone
❀ 220 g di farina ❀ 145 g burro ❀ 2 uova
❀ 150 g di zucchero di canna ❀ 1 dl di latte
❀ 4 cucchiai di scorza grattugiata d'arancia biologica
❀ 90 g di semi di papavero ❀ 1 bustina di lievito
Per la julienne ❀ 2 arance biologiche ❀ il succo di 1 limone
❀ 2 cucchiai di zucchero di canna

DIFFICOLTÀ
Bassa

PREPARAZIONE
30 minuti
più 1 ora
e 30 minuti di
raffreddamento
della torta

COTTURA
40 minuti

VINO
Moscato
Passito
di Pantelleria
(bianco,
Sicilia)

Oltrepò Pavese
Moscato
Passito
(bianco,
Lombardia)

Lavorate 130 g di burro, precedentemente fuso a bagnomaria, con lo zucchero. Aggiungete le uova, 200 g di farina, il latte e i semi di papavero, amalgamando bene il composto.

Sempre mescolando, unite le scorze d'arancia grattugiate e il lievito.

Imburrate e infarinate uno stampo per ciambella e versatevi il composto. Cuocete la torta nel forno già caldo a 180 °C per 25 minuti. Sfornate la torta e lasciatela raffreddare.

Preparate la julienne di arance. Sbucciate le arance, private la scorza della parte bianca interna e tagliatela a bastoncini lunghi 2-3 cm e spessi 1-2 cm. Versate in una padella lo zucchero di canna, la julienne e il succo di limone. Fate sciogliere, a fuoco medio, con dell'acqua, finché i bastoncini diventeranno morbidi e quasi trasparenti.

Decorate con la julienne candita la sommità della torta e versatevi sopra il resto dello sciroppo. Servite il dolce tagliato a fette.

Torta ai due cioccolati

Ingredienti per 6 persone

❋ 100 g di cioccolato fondente fuso ❋ 20 g di burro

Per la mousse di cioccolato al latte ❋ 1 dl di panna ❋ 4 cucchiai di Rum

❋ 200 g di cioccolato al latte tritato ❋ 100 g di zucchero ❋ 4 uova

Per la mousse di cioccolato bianco ❋ 200 g di cioccolato bianco ❋ 50 g di burro

❋ 4 albumi ❋ 6 g di gelatina in fogli già ammollata in acqua fredda

Per la guarnizione ❋ 30 g di cioccolato fondente fuso

DIFFICOLTÀ
Media

PREPARAZIONE
30 minuti
più 20 minuti
di riposo
del cioccolato,
30 minuti
di riposo
della mousse,
2 ore di
raffreddamento
della base e
della mousse
e 30 minuti
di riposo della
preparazione

COTTURA
20 minuti

VINO
Aleatico
di Puglia
Liquoroso
(rosso,
Puglia)

Pornassio
di Ormeasco
Liquoroso
(rosso,
Liguria)

Imburrate una tortiera, foderatela con carta da forno, spennellate il bordo e le pareti con il cioccolato fuso e fatelo solidificare in frigo.

Per la mousse di cioccolato al latte. Sciogliete a bagnomaria il cioccolato con la panna. Lavorate i tuorli con lo zucchero e unite il cioccolato; fate raffreddare e versate il Rum. Incorporate gli albumi montati a neve, stendete la mousse nella tortiera e ponete in frigo.

Per la mousse al cioccolato bianco. Fondete a bagnomaria il cioccolato con 3 cucchiai d'acqua. Fuori dal fuoco, aggiungete il burro e la gelatina sgocciolata e strizzata, poi incorporatevi gli albumi montati a neve. Riprendete la torta, stendetevi la mousse al cioccolato bianco e ponetela in frigo per 2 ore.

Per la guarnizione, spennellate con il cioccolato fuso un disco di carta da forno e adagiatelo sopra la torta con il cioccolato rivolto verso il basso; fatelo solidificare in frigo. Sformate la torta, staccate la carta, decorate con il cioccolato fuso e servite.

Torta ai frutti della passione

Ingredienti per 6 persone

Per la pasta ❋ 100 g di farina setacciata ❋ 80 g di zucchero ❋ 3 uova
❋ 40 g di burro fuso ❋ la scorza grattugiata di 1 limone biologico
Per il ripieno ❋ 2 dl di succo di frutti della passione
❋ 100 g di zucchero ❋ 2,5 dl di panna
❋ 15 g di gelatina in fogli ammorbidita in acqua fredda
Per la guarnizione ❋ 1,5 dl di panna ❋ 11 chicchi di ribes

DIFFICOLTÀ
Bassa

PREPARAZIONE
30 minuti
più 1 ora e
30 minuti di
raffreddamento
della torta e
20 minuti di
raffreddamento
del ripieno

COTTURA
55 minuti

VINO
Ramandolo
(bianco,
Friuli-Venezia
Giulia)

Nasco
di Cagliari
Dolce
(bianco,
Sardegna)

Preparate la pasta. Montate le uova con lo zucchero, unite 80 g di farina, la scorza di limone e mescolate. Unite 30 g di burro e distribuite il tutto in una tortiera imburrata e infarinata. Cuocete nel forno già caldo a 180 °C per mezz'ora e fatela raffreddare.

Preparate il ripieno. Sciogliete lo zucchero scaldandolo con il succo di frutti della passione e poi mescolatevi fuori dal fuoco la gelatina. Fate raffreddare e unite la panna montata.

Tagliate la torta a metà in orizzontale e spalmatevi metà del ripieno, sovrapponete l'altra metà della torta e ricopritela completamente anche lungo i bordi con il ripieno rimasto.

Preparate la guarnizione. Montate la panna, mettetela in una tasca da pasticciere con bocchetta a stella e decorate la base della torta e la superficie con una coroncina di rosette di panna. Completate con il ribes e servite.

Torta al cioccolato

Ingredienti per 8 persone

❋ 400 g di cioccolato fondente ❋ 8 uova

❋ 400 g di zucchero ❋ 4 cucchiai di farina

❋ 200 g di burro

❋ 4 cucchiai di Rum o Cognac

Per la guarnizione ❋ 100 g di cioccolato fondente di copertura fuso

❋ 2 cucchiai di granella di cioccolato fondente

Difficoltà
Bassa

Preparazione
30 minuti
più 30 minuti
di indurimento
della copertura
in frigorifero

Cottura
1 ora e
10 minuti

Vino
Barolo Chinato
(rosso,
Piemonte)

Ala Amarascato
(rosso,
Sicilia)

Spezzettate il cioccolato e fatelo fondere in un tegamino a bagnomaria. Togliete il recipiente dal fuoco e incorporatevi il burro, fuso a parte, amalgamando bene il tutto.

Aggiungete lo zucchero e, uno alla volta, i tuorli; unite quindi la farina e il Rum o Cognac, e mescolate finché gli ingredienti saranno bene amalgamati. Incorporate, infine, delicatamente gli albumi montati a neve ben ferma.

Versate il composto preparato in una tortiera foderata con un foglio di carta da forno e livellatelo con una spatola. Mettete la tortiera nel forno già caldo a 160 °C e cuocete per circa 1 ora.

Fate intiepidire la torta, rovesciatela su un piatto da portata, spalmatela completamente con il cioccolato di copertura e spolverizzatela con la granella di cioccolato. Lasciate indurire la copertura e servite.

LA VARIANTE

▶ Per una preparazione più ricca e gustosa unite al composto della torta 2 cucchiai di uva sultanina fatta macerare per 20 minuti nel liquore che avete scelto di usare.

Torta al cioccolato bianco

Ingredienti per 6 persone

Per la pasta ✱ 80 g di zucchero ✱ 110 g di farina ✱ 70 g di burro ✱ 20 g di fecola di patate ✱ 3 uova ✱ 1 bustina di vanillina

Per la mousse ✱ 350 g di cioccolato bianco ✱ 130 g di zucchero ✱ 4 tuorli ✱ 50 g di arancia candita ✱ 3,5 dl di panna ✱ 4 cucchiai di liquore all'arancia

Per la guarnizione ✱ 350 g di cioccolato bianco ✱ 60 g di cioccolato fondente ✱ 50 g di scorza d'arancia candita in 1 solo pezzo

DIFFICOLTÀ
Media

PREPARAZIONE
45 minuti
più 1 ora e
30 minuti di
raffreddamento
della torta
e 3 ore di
raffreddamento
della mousse

COTTURA
1 ora

VINO
Malvasia
delle Lipari
Passito
(bianco,
Sicilia)

Vin Santo di
Montepulciano
(bianco,
Toscana)

Preparate la pasta. Lavorate in una terrina le uova e lo zucchero, incorporate poco alla volta 100 g di farina, la fecola e la vanillina, unite 50 g burro fuso e amalgamate il tutto. Distribuite il composto in una tortiera imburrata e infarinata e cuocetelo nel forno già caldo a 180 °C per circa 40 minuti. Sformate la torta e lasciatela raffreddare.

Preparate la mousse. Fondete il cioccolato a bagnomaria. Sciogliete 80 g di zucchero con 1 dl d'acqua; cuocendoli per 8 minuti. Lavorate i tuorli con le fruste elettriche, versate a filo lo sciroppo caldo e continuate a lavorare finché il composto sarà freddo. Aggiungete il cioccolato e l'arancia candita tritata; incorporate la panna montata e mettete la mousse in frigo per 3 ore.

Fate bollire lo zucchero rimasto in 1 dl d'acqua per 3 minuti, sciogliendolo. Togliete lo sciroppo dal fuoco, fatelo raffreddare e unitevi il liquore all'arancia.

Dividete la torta in orizzontale in 3 strati. Spennellate 1 disco di sciroppo e stendetevi sopra 1/3 della mousse; proseguite fino a esaurimento degli ingredienti e terminate con un disco di pasta. Spennellatelo con lo sciroppo rimasto. Stendete la mousse rimasta su tutta la superficie della torta.

Preparate la guarnizione. Tagliate 2 strisce di carta da forno lunghe 40 cm e larghe quanto lo spessore della torta. Fondete a bagnomaria il cioccolato bianco; stendetene uno strato sottile sopra le strisce di carta e fatelo solidificare un po'. Appoggiate le strisce attorno al bordo della torta, lasciando la carta all'esterno e premendole. Mettete la torta in frigo e fate solidificare il cioccolato, poi staccate le strisce di carta.

Stendete il cioccolato rimasto in uno strato sottile sul piano di lavoro, lasciatelo solidificare un poco e, premendo con il bordo di una spatola, tirate il cioccolato con un movimento circolare, formando dei piccoli "volant" larghi 4-5 cm. Fateli soldificare in frigo e disponeteli sulla torta in cerchi concentrici.

Ritagliate un piccolo disco dalla scorza d'arancia candita e adagiatelo al centro della torta, sopra le decorazioni di cioccolato. Sciogliete a bagnomaria il cioccolato fondente e spennellatelo lungo il bordo dei "volant". Tenete la torta in frigo fino al momento di servirla.

Torta al cioccolato e menta

Ingredienti per 6 persone

Per la pasta ❊ 90 g di biscotti secchi ❊ 120 g di burro

Per il ripieno ❊ 120 g di burro ❊ 120 g di zucchero a velo ❊ 2 uova

❊ 60 g di cioccolato fondente

❊ 2 cucchiai di sciroppo alla menta

Per la guarnizione ❊ 150 g di pasta di mandorle ❊ 30 g di biscotti secchi

❊ 2 cucchiai di sciroppo alla menta ❊ 1 dl di panna

❊ 50 g di cioccolato fondente ❊ 1 cucchiaio di zucchero a velo

DIFFICOLTÀ
Bassa

PREPARAZIONE
30 minuti
più 12 ore di
raffreddamento
della torta

COTTURA
20 minuti

VINO
Moscato
Passito
di Strevi
(bianco,
Piemonte)

Moscato
di Trani Dolce
(bianco,
Puglia)

Preparate la pasta. Disponete i biscotti sulla spianatoia e con il matterello riduceteli in polvere. Fate fondere 100 g di burro in un tegame, versatelo in una terrina, aggiungete i biscotti in polvere, lavorate fino a ottenere un composto omogeneo. Distribuitelo in una tortiera imburrata, premetelo sul fondo e sulle pareti e cuocete nel forno già caldo a 180 °C per circa 10 minuti.

Preparate il ripieno. Lavorate in una ciotola il burro, a pezzetti, con lo zucchero a velo. Spezzettate il cioccolato, fatelo fondere a bagnomaria e lasciatelo raffreddare. Unitelo al composto, aggiungete le uova sbattute e lavorate ancora. Poi unite lo sciroppo alla menta e stendete il composto sulla pasta. Copritelo e mettetelo in frigorifero per 12 ore.

Preparate la guarnizione. Incorporate lo sciroppo alla menta alla pasta di mandorle, lavorando con la punta della dita e stendetela, allo spessore di 3 mm, con il matterello sul piano di lavoro spolverizzato con lo zucchero a velo. Riprendete la torta, sformatela e copritela con la pasta di mandorle alla menta ed eliminate la pasta in eccesso.

Sbriciolate i biscotti e raccoglieteli in una ciotolina; tritate il cioccolato, fatelo fondere a bagnomaria e versatelo sui biscotti. Mescolate gli ingredienti e formate con il composto 6 palline di uguale dimensione e 1 più grande. Ritagliate i bordi della torta con uno stampino tondo del diametro di 3 cm, ricavandone 6 cerchietti, toglieteli con una spatolina, adagiateli sul piano di lavoro, ritagliateli con uno stampino dentellato, stendeteli un poco, formando degli ovali, ricavatene delle foglie, disegnate le venature con la punta di un coltellino, curvatele in modo armonico e distribuitele al centro della torta.

Montate la panna, mettetela in una tasca da pasticciere con bocchetta a stella, distribuitela a ciuffetti nei vuoti praticati nella copertura di pasta di mandorle, formate un ciuffetto al centro della torta e adagiate sopra quest'ultimo la pallina di cioccolato più grande e sopra gli altri quelle piccole. Servite in tavola.

Torta al cioccolato e meringa

Ingredienti per 8 persone

❀ 200 g di cioccolato fondente ❀ 150 g di zucchero

❀ 4 uova ❀ 120 g di burro ❀ 30 g di fecola ❀ 20 g di farina

Per la meringa ❀ 4 albumi ❀ 300 g di zucchero a velo ❀ sale

Per la copertura ❀ 200 g di cioccolato fondente

❀ 2,5 dl di panna ❀ 80 g di zucchero a velo

Per la guarnizione ❀ lamponi ❀ confettini argentati

❀ foglioline di menta

DIFFICOLTÀ
Media

PREPARAZIONE
30 minuti
più 1 ora e
30 minuti di
raffreddamento
della torta

COTTURA
1 ora

VINO
Montefalco
Sagrentino
Passito
(rosso,
Umbria)

Recioto della
Valpolicella
(rosso,
Veneto)

Preparate la torta. Tritate il cioccolato, mettetelo in un tegamino, unite 100 g di burro diviso a pezzetti e fatelo fondere a bagnomaria. Montate in una ciotola i tuorli con lo zucchero, unite il cioccolato e il burro e la fecola, sempre mescolando. Incorporate delicatamente gli albumi montati a neve. Distribuite il composto in una tortiera imburrata e infarinata e cuocete nel forno già caldo a 170 °C per 40 minuti. Lasciate intiepidire la torta, senza sformarla.

Preparate la meringa. Montate a neve gli albumi con le fruste elettriche; unite 150 g di zucchero e un pizzico di sale, montateli ancora un poco e incorporate lo zucchero rimasto. Mettete il composto in una tasca da pasticciere con bocchetta dentellata e, premendola, formate una coroncina di grossi ciuffi lungo il bordo della torta e un grosso ciuffo al centro della stessa. Rimettete la torta nel forno già caldo a 200 °C per 7 minuti, lasciatela raffreddare completamente e sformatela su un piatto da portata.

Preparate la copertura. Tritate il cioccolato, mettetelo in un tegamino, aggiungete la panna, fatelo fondere a bagnomaria. Lasciatelo intiepidi-

re, quindi montate il composto con le fruste elettriche, aggiungendo lo zucchero a velo. Ricoprite con una parte del composto i bordi della torta, poi mettete quella rimasta in una tasca da pasticciere con bocchetta dentellata e formate una coroncina di ciuffetti sulla superficie della torta, riempiendo lo spazio tra le meringhe.

Per la guarnizione: lavate i lamponi e asciugateli; pulite le foglioline di menta; decorate a piacere la torta con i lamponi, le foglioline di menta e i confettini argentati e tenetela in frigorifero sino al momento di servirla.

IL CONSIGLIO

▶ Ricordate sempre che quando montate gli albumi la ciotola e la frusta devono essere perfettamente pulite e asciutte e gli albumi non devono contenere tracce di tuorlo.

Torta al cioccolato e noci

Ingredienti per 8 persone

❈ 400 g di cioccolato fondente a pezzetti ❈ 4 uova
❈ 145 g di burro a pezzetti ❈ 20 g di farina
❈ 250 g di gherigli di noce ❈ 150 g di zucchero
Per la guarnizione ❈ 2,5 dl di panna
❈ 1 cucchiaio di zucchero a velo
❈ 60 g di cioccolato fondente

DIFFICOLTÀ
Bassa

PREPARAZIONE
30 minuti
più 1 ora e
30 minuti di
raffreddamento
della torta

COTTURA
1 ora e
20 minuti

VINO
Aleatico
di Gradoli
Liquoroso
(rosso,
Lazio)

Gioia del Colle
Aleatico
Liquoroso
Dolce
(rosso,
Puglia)

Tritate nel mixer il cioccolato con i gherigli di noce. Lavorate in una ciotola 125 g di burro, aggiungete lo zucchero e continuate a mescolare. Unite i tuorli, il composto di cioccolato e noci e incorporate infine gli albumi montati a neve.

Imburrate la tortiera, coprite il fondo con un disco di carta da forno imburrato e infarinato e stendetevi uno strato uniforme di composto. Cuocete nel forno già caldo a 150 °C per 1 ora e 15 minuti. Eliminate la carta e fate raffreddare la torta.

Preparate la guarnizione. Montate la panna con lo zucchero a velo e stendetene 3/4 sulla torta. Mettete la panna montata rimasta in una tasca da pasticciere con bocchetta dentellata e formate tanti ciuffetti alla base della torta. Tritate il cioccolato, fatelo fondere a bagnomaria, versatelo in un cornetto di carta con la punta tagliata e tracciate delle linee continue sulla superficie della torta.

> **IL CONSIGLIO**
>
> ▶ Utilizzate per questa torta noci di qualità pregiata come quelle di Sorrento, colte se possibile solo da qualche mese, quando i gherigli conservano ancora tutta la loro fragranza.

Torta al mascarpone con i biscotti

Ingredienti per 6 persone

❈ 500 g di mascarpone
❈ 150 g di biscotti secchi
❈ il succo e la scorza grattugiata di 2 limoni biologici
❈ 100 g di zucchero
❈ 2 uova
❈ 60 g di burro

DIFFICOLTÀ
Bassa

PREPARAZIONE
20 minuti
più 1 ora
e 30 minuti di
raffreddamento
della torta

COTTURA
45 minuti

VINO
Moscadello
di Montalcino
Frizzante
(bianco,
Toscana)

Moscato d'Asti
(bianco,
Piemonte)

Imburrate con 20 g di burro il fondo di una tortiera di 25 cm di diametro e foderatela con un disco di carta da forno.

Fate fondere il resto del burro in una casseruola e unitevi i biscotti pestati, mescolando bene.

Utilizzate il composto per foderare il fondo e i bordi della tortiera, poi trasferitela in frigorifero.

Nel frattempo sbattete il mascarpone con lo zucchero, la scorza grattugiata e il succo dei limoni e i tuorli. Incorporate delicatamente anche gli albumi montati a neve e versate la miscela sopra la base di biscotti nella tortiera.

Mettete la torta nel forno già caldo a 180 °C e fatela cuocere per circa 40 minuti.

A cottura ultimata, sfornatela, lasciatela raffreddare, quindi trasferitela su un piatto da portata e servitela in tavola.

Torta all'ananas e noci

Ingredienti per 6 persone

* 370 g di farina * 130 g di zucchero
* 3 uova * 1 bustina di lievito
* 400 g di ananas sciroppato a pezzetti
* 100 g di gherigli di noce tritati
* 2 dl di latte * 120 g di burro
* 2 dl di liquido di conservazione dell'ananas
* 1 bustina di vanillina * sale

DIFFICOLTÀ
Media

PREPARAZIONE
30 minuti

COTTURA
50 minuti

VINO
Alto Adige
Traminer
Aromatico
Passito
(bianco,
Trentino-Alto
Adige)

Sannio
Falanghina
Passito
(bianco,
Campania)

Sbattete in una terrina i tuorli con lo zucchero e 100 g di burro, fino a renderli spumosi. Amalgamatevi 350 g di farina alternata a un poco di latte e di sciroppo di ananas. Incorporartevi quindi il lievito in polvere, i gherigli di noce tritati, la vanillina e i pezzetti di ananas.

Unite un pizzico di sale e gli albumi montati a neve fermissima. Mescolate, poi travasate il composto in una tortiera unta di burro e spolverizzata con un poco di farina.

Passate il recipiente nel forno già caldo a 180 °C e cuocete la torta per circa 50 minuti. Togliete dal forno, sformate la torta su un piatto da portata e lasciatela intiepidire.

Decorate il dolce, a piacere, con fettine di ananas e gherigli di noce e servitelo in tavola.

Torta all'arancia

Ingredienti per 6 persone

* 270 g di farina * 200 g di zucchero
* 120 g di burro * 50 g di uva sultanina
* 30 g di pinoli * 30 g di cedro candito
* 3 uova * 20 g di burro
* il succo e la scorza grattugiata di 2 arance biologico
* 1 bustina di lievito per dolci
* 5 cucchiai di Rum * sale

DIFFICOLTÀ
Bassa

PREPARAZIONE
30 minuti
più 20 minuti
di ammollo
dell'uva
sultanina

COTTURA
35 minuti

VINO
Greco
di Bianco
(bianco,
Calabria)

Erbaluce di
Caluso Passito
(bianco,
Piemonte)

Fate ammollare l'uva sultanina in una ciotola d'acqua tiepida per 20 minuti. Sciogliete il lievito in 2 cucchiai d'acqua tiepida.

Sbattete le uova. Mescolate in una terrina 250 g di farina, lo zucchero, un pizzico di sale, le uova sbattute e 100 g di burro, fuso a parte.

Amalgamate il tutto e unitevi la scorza e il succo d'arancia, l'uva sul-

tanina, ben sgocciolata e strizzata, il cedro candito tagliato a pezzetti, i pinoli, il lievito e il Rum, mescolando fino a ottenere un composto dalla consistenza omogenea.

Imburrate e infarinate una tortiera, e versatevi il composto. Mettetela nel forno già caldo a 180 °C e fate cuocere per circa 30 minuti. Sfornate, lasciate intiepidire la torta e servitela in tavola.

LA VARIANTE

▶ Se volete intensificare il gusto di arancia della torta, utilizzate al posto del Rum la stessa quantità di un liquore all'arancia come il Grand Marnier.

Torta alla crema di amarene

Ingredienti per 6 persone

Per la pasta ❀ 3 uova ❀ 90 g di farina ❀ 80 g di zucchero

❀ 50 g di mandorle pelate ❀ 40 g di burro

❀ la scorza grattugiata di 1 limone biologico

Per la crema alle amarene ❀ 150 g di zucchero

❀ 40 g di albumi ❀ 300 g di amarene

❀ 170 g di burro ❀ 1 baccello di vaniglia

Per lo sciroppo ❀ 50 g di zucchero ❀ 3 cucchiai di Kirsch

Per la guarnizione ❀ 30 g di mandorle pelate

DIFFICOLTÀ
Media

PREPARAZIONE
30 minuti

COTTURA
1 ora

VINO
Malvasia
di Castelnuovo
Don Bosco
(rosso,
Piemonte)

Vernaccia
di Serrapetrosa
Dolce
(rosso,
Marche)

Preparate la pasta. Tritate le mandorle riducendole in polvere; lavorate in una terrina le uova e lo zucchero, aggiungete la scorza di limone, 70 g di farina, quindi incorporate 20 g di burro fuso.

Versate il composto in una tortiera a forma di fiore, imburrata e infarinata, mettete nel forno già caldo a 180 °C e fate cuocere per 40 minuti.

Nel frattempo preparate la crema. Lavate le amarene, privatele del picciolo, snocciolatele, mettetele in una casseruola, con 50 g di zucchero e il baccello di vaniglia. Portate a ebollizione e cuocete per circa 25 minuti, mescolando ogni tanto, poi togliete dal fuoco, tenete da parte 9 amarene e frullate le altre.

Fate bollire per 10 minuti 90 g di zucchero in 1,5 dl d'acqua, fino a ottenere uno sciroppo denso e trasparente. Montate in una terrina gli albumi a neve con lo zucchero rimasto, aggiungete a filo lo sciroppo caldo, lavorate il composto con le fruste elettriche finché sarà quasi freddo. Incorporate il burro a pezzetti, continuando a lavorare con le fruste, e infine unite le amarene frullate.

Preparate lo sciroppo. Sciogliete in un tegamino lo zucchero con 1 dl d'acqua; fate cuocere per 1-2 minuti. Togliete dal fuoco, lasciate intiepidire e aggiungete il Kirsch.

Dividete la torta orizzontalmente in 2 parti, spennellatene una con lo sciroppo al Kirsch, distribuitevi sopra uno strato di crema alle amarene, adagiatevi la parte rimasta, spennellatela con lo sciroppo rimanente e coprite la torta con la crema avanzata.

Cospargete il bordo della torta con le mandorle tritate, decorate la superficie con ciuffetti di crema alle amarene e con le amarene tenute da parte. Servitela in tavola.

L'INGREDIENTE

▶**Amarena.** Varietà di ciliegia dal gusto acidulo e amaragnolo, a cui appartengono anche due altri frutti derivanti da altre sottospecie: la marasca e la visciola. Ha un colore rosso pallido e un succo incolore. Viene generalmente utilizzata per sciroppi, confetture, bibite e liquori.

Torta alla crema di caffè

Ingredienti per 6 persone

Per la pasta ❀ 80 g di zucchero ❀ 50 g di fecola di patate ❀ 50 g di burro ❀ 6 uova ❀ 30 g di mandorle pelate ❀ 1 cucchiaio di gelatina di albicocche ❀ 20 g di farina

Per la crema ❀ 1 albume ❀ 50 g di zucchero ❀ 85 g di burro ❀ 1 cucchiaio di caffè solubile

Per lo sciroppo ❀ 50 g di zucchero ❀ 1 cucchiaio di liquore al caffè

Per la guarnizione ❀ 200 g di zucchero a velo ❀ 1 albume ❀ 1 cucchiaino di caffè solubile ❀ 20 g di chicchi di caffè

DIFFICOLTÀ
Media

PREPARAZIONE
30 minuti
più 20 minuti di
raffreddamento
della glassa

COTTURA
1 ora

VINO
Trentino
Vin Santo
(bianco,
Trentino-Alto
Adige)

Vin Santo
di Carmignano
(bianco,
Toscana)

Tritate le mandorle; lavorate in una terrina i tuorli con lo zucchero, unite poco alla volta la fecola, le mandorle e 30 g di burro, diviso a pezzetti. Amalgamate bene gli ingredienti e incorporate delicatamente gli albumi montati a neve.

Distribuite il composto in una tortiera imburrata e infarinata, mettete nel forno già caldo a 160 °C e fate cuocere per 40 minuti.

Nel frattempo preparate la crema. Fate sciogliere in un tegamino il caffè solubile con 2 cucchiai d'acqua; unite 30 g di zucchero, portate a ebollizione e cuocete per 5-6 minuti.

Montate a neve l'albume con lo zucchero rimasto, versatevi delicatamente a filo la crema al caffè calda e lavorate il composto fino a quando si sarà raffreddato. Unite il burro, diviso a pezzetti e lavorate ancora fino a ottenere una crema dalla consistenza liscia e omogenea.

Preparate lo sciroppo. Versate in un tegamino 1 dl d'acqua, aggiungete lo zucchero e bollite per 1 minuto, mescolando ogni tanto; togliete dal fuoco, lasciate raffreddare e unite il liquore al caffè.

Tagliate la torta in 2 strati orizzontali, spennellate un disco con lo sciroppo al caffè, stendetevi sopra la crema, sovrapponete il secondo disco di pasta e spalmatelo con lo sciroppo rimasto. Infine, spennellate completamente la torta con la gelatina di albicocche, sciolta con 1 cucchiaio di acqua bollente.

Preparate la guarnizione. Fate sciogliere in una tazzina il caffè solubile con 1 cucchiaio d'acqua tiepida; mettete in una terrina l'albume con qualche goccia di caffè e aggiungete poco alla volta lo zucchero a velo, mescolando fino a ottenere una crema dalla consistenza piuttosto densa ma morbida.

Ricoprite la torta con la glassa al caffè preparata, stendendola con una spatola, e mettete il dolce in luogo fresco per farla solidificare. Unite alla glassa rimasta il rimanente caffè e versatela in un cornetto di carta vegetale. Formate una coroncina di gocce di glassa intorno alla base della torta, 2 coroncine lungo il bordo superiore, ricoprite un terzo della superficie con altre gocce, distribuite i chicchi di caffè sulla parte libera, fissandoli con una goccia di glassa. Servite in tavola.

Torta alla crema di cioccolato

Ingredienti per 6 persone

Per la pasta ✿ 30 g di farina ✿ 6 albumi ✿ 30 g di burro
✿ 100 g di zucchero ✿ 100 g di zucchero a velo
✿ 100 g di mandorle tostate e tritate
Per la crema ✿ 1 albume e 1/2
✿ 100 g di zucchero ✿ 100 g di cioccolato fondente
✿ 170 g di burro ✿ 1 cucchiaio di Rum
Per la guarnizione ✿ 2 cucchiai di mandorle sfilettate
✿ 1 cucchiaio di zucchero a velo

DIFFICOLTÀ
Media

PREPARAZIONE
30 minuti
più 1 ora
e 30 minuti di
raffreddamento
della torta

COTTURA
35 minuti

VINO
Montefalco
Sagrantino
Passito
(rosso,
Umbria)

Recioto della
Valpolicella
(rosso,
Veneto)

Mescolate in una ciotola le mandorle tritate, lo zucchero a velo e 3 albumi. In una terrina montate a neve gli albumi rimasti con lo zucchero e incorporateli delicatamente al composto.

Imburrate 2 placche da forno, foderatele con carta vegetale, imburratele e infarinatele. Con il composto preparato, formate su ogni placca un disco del diametro di 26 cm. Distribuite solo su un disco le mandorle tritate. Cuocete i dischi nel forno già caldo a 180 °C per 20 minuti; lasciateli raffreddare.

Preparate la crema. Fondete il cioccolato a bagnomaria. Fate bollire lo zucchero in 1 dl d'acqua per 8 minuti. Montate l'albume a neve, aggiungete a filo lo zucchero cotto, lavorando con una frusta, finché il composto sarà freddo. Unite il burro a pezzetti, amalgamate il cioccolato fuso e infine il Rum.

Adagiate il disco di pasta senza mandorle sul piano di lavoro e distribuite la crema a ciuffetti sul disco. Coprite con l'altro disco, spolverizzate la torta con lo zucchero a velo e le mandorle sfilettate e servitela in tavola.

Torta alla crema di fragole

Ingredienti per 8 persone

Per la pasta ✿ 150 g di fecola di patate ✿ 6 uova
✿ 150 g di zucchero ✿ 1 bustina di lievito in polvere
✿ 30 g di burro ✿ 20 g di farina ✿ sale
Per la crema ✿ 3 tuorli ✿ 50 g di zucchero
✿ 2,5 dl di latte ✿ 35 g di farina ✿ 2,5 dl di panna
✿ la scorza grattugiata di 1 limone biologico
Per la guarnizione ✿ 400 g di fragole ✿ 1 rametto di menta
✿ 1 cucchiaio di zucchero a velo

DIFFICOLTÀ
Media

PREPARAZIONE
30 minuti
più 20 minuti di
raffreddamento
della crema
e 1 ora di
raffreddamento
della torta

COTTURA
1 ora e
35 minuti

VINO
Malvasia
di Casorzo
d'Asti
(rosso,
Piemonte)

Cesanese
del Piglio
Amabile
(rosso,
Lazio)

Preparate la pasta. Mescolate i tuorli con lo zucchero e poi unitevi la fecola e il lievito. Montate gli albumi a neve con il sale e uniteli al composto. Versatelo in una tortiera imburrata e infarinata e cuocete nel forno a 160 °C per 1 ora e 20 minuti. Sfornate, fate intiepidire la torta e sformatela su un piatto da portata.

Preparate la crema. Portate a ebollizione il latte con la scorza di limone. Lavorate i tuorli con lo zucchero e unite la farina e il latte bollente filtrato. Cuocete la crema per 8 minuti a fuoco medio. Fatela raffreddare e incorporate la panna montata.

Dividete 12 fragole a metà e tagliatene 3 a fettine. Fate aderire al bordo, imburrato, una striscia di carta da forno. Dividete orizzontalmente a metà la torta; adagiate 1 disco nella tortiera e copritelo con metà della crema. Disponete le mezze fragole contro il bordo della tortiera, riempite il centro con le fragole intere e ricoprite con la crema rimasta. Sovrapponete il disco di pasta rimasto e mettete la torta in frigorifero. Servitela spolverizzata di zucchero a velo e decorata con le fettine di fragola e le foglioline di menta.

Torta alla crema di mandaranci

Ingredienti per 6 persone

Per la pasta ❉ 100 g di farina ❉ 4 uova

❉ 100 g di zucchero ❉ 30 g di burro

❉ 1/2 cucchiaino di lievito per dolci

❉ 1 bustina di zucchero vanigliato

Per la crema ❉ 5 dl di latte ❉ 100 g di zucchero ❉ 4 tuorli

❉ 3 fogli di colla di pesce ammorbiditi in acqua fredda

❉ il succo e la scorza di 3 mandaranci biologici

❉ 2 dl di panna

DIFFICOLTÀ
Media

PREPARAZIONE
30 minuti
più 2 ore di
raffreddamento
della torta

COTTURA
1 ora

VINO
Moscato
di Pantelleria
(bianco,
Sicilia)

Elba Moscato
(bianco,
Toscana)

Lavorate i tuorli con lo zucchero e 1 cucchiaio d'acqua, aggiungete la farina e il lievito, mescolate e unite gli albumi montati a neve.

Foderate una tortiera con carta da forno, imburrate e versatevi 1/3 del composto; livellatelo e fatelo cuocere nel forno già caldo a 190 °C per 20 minuti. Sformate e procedete ugualmente per avere altri 2 dischi.

Preparate la crema. Grattuggiate la scorza lavata dei mandarini e unitene la metà al latte; quindi scolatelo. Lavorate i tuorli con lo zucchero; unite a filo il latte caldo. Portate a ebollizione il composto, unitevi la colla di pesce strizzata e mescolate continuamente. Togliete dal fuoco e fate intiepidire. Aggiungetevi il succo dei mandaranci, la scorza rimasta e infine unite delicatamente la panna, montata a parte.

Adagiate un disco di pasta in una tortiera, versatevi metà della crema; ricoprite con un altro disco di pasta e spalmatevi la crema rimasta. Terminate con il terzo disco. Lasciate la torta in frigo per 2 ore, sformatela, spolverizzatela di zucchero vanigliato e decoratela con scorze d'arancia.

Torta alla crema di nocciole

Ingredienti per 6 persone

Per la pasta ❋ 60 g di farina ❋ 25 g di fecola di patate
❋ 120 g di zucchero ❋ 100 g di nocciole pralinate tritate
❋ 4 uova ❋ 2 cucchiai di Kirsch ❋ 20 g di burro
Per la crema ❋ 150 g di nocciole tostate e tritate ❋ 5 tuorli
❋ 5 dl di latte ❋ 80 g di zucchero ❋ 1/2 bustina di vanillina
❋ 60 g di farina ❋ la scorza grattugiata di 1 limone biologico
Per la guarnizione ❋ 100 g di nocciole tostate e tritate
❋ 1 cucchiaio di gelatina di albicocche

DIFFICOLTÀ
Media

PREPARAZIONE
30 minuti
più 20 minuti di
raffreddamento
della crema

COTTURA
1 ora

VINO
Loazzolo
(bianco,
Piemonte)

Moscato
di Noto
Naturale
(bianco,
Sicilia)

Per la pasta. Lavorate in una terrina i tuorli con lo zucchero, unite poco alla volta 40 g di farina e la fecola di patate. Aggiungete le nocciole e il Kirsch, mescolate e incorporate gli albumi montati a neve. Distribuite il composto in una tortiera imburrata e infarinata e cuocetelo nel forno già caldo a 180 °C per circa 40 minuti. Lasciate intiepidire.

Preparate la crema. Portate a ebollizione il latte con la scorza di limone. Lavorate i tuorli con lo zucchero, unite poco alla volta la farina e la vanillina e versate a filo il latte bollente filtrato. Portate a ebollizione il composto e fate cuocere per 8 minuti. Togliete dal fuoco, amalgamate le nocciole e lasciate raffreddare.

Dividete la torta in 3 strati, stendete sopra uno strato metà della crema, ricoprite con il secondo strato, distribuitevi sopra la crema rimasta e coprite con l'ultimo strato.

Per la guarnizione, portate a bollore in un tegamino la gelatina di albicocche con 1 cucchiaio d'acqua, spennellatela sulla superficie della torta e fatevi aderire le nocciole tritate. Servite in tavola.

Torta alla frutta mista

Ingredienti per 8 persone
Per la pasta ❋ 3 uova ❋ 50 g di zucchero ❋ 80 g di farina
❋ 1/2 bustina di vanillina ❋ 20 g di burro
Per la crema ❋ 1,5 dl di latte ❋ 2 tuorli ❋ 100 g di zucchero
❋ 1,5 dl di panna ❋ 6 g di gelatina in fogli ❋ 1 dl di Rum
❋ 1 baccello di vaniglia ❋ 800 g di frutta mista a dadini
Per la guarnizione ❋ 1 mazzetto di foglie di menta
❋ 1 grossa fragola

DIFFICOLTÀ
Media

PREPARAZIONE
30 minuti
più 20 minuti
di macerazione
della frutta,
30 minuti di
raffreddamento
della crema
e 1 ora e
15 minuti di
raffreddamento
della torta

COTTURA
30 minuti

VINO
Oltrepò Pavese
Moscato
(bianco,
Lombardia)

Moscadello di
Montepulciano
Frizzante
(bianco,
Toscana)

Per la pasta, lavorate i tuorli con 30 g di zucchero e la vanillina; unite 60 g di farina, incorporate gli albumi montati a neve con lo zucchero rimasto, poi riempitevi una tasca da pasticciere con bocchetta liscia. Formate su una placca, imburrata e infarinata, 2 dischi di 23 cm e cuocete nel forno a 180 °C per 20 minuti; fateli intiepidire.

Nel frattempo preparate il ripieno. Fate macerare la frutta nel Rum e ammorbidite la gelatina in acqua. Portate a ebollizione il latte con la vaniglia.

Lavorate i tuorli con lo zucchero, unite il latte bollente, mescolando, poi portate quasi a ebollizione a fuoco basso. Fuori dal fuoco, fatevi sciogliere la gelatina strizzata. Filtrate la crema, fatela raffreddare e incorporatevi la panna montata.

Adagiate 1 disco di pasta in una tortiera, distribuitevi metà della frutta, coprite con uno strato di crema e mettete in frigorifero per 15 minuti. Riprendete la torta, adagiate sulla crema il secondo disco di pasta, distribuitevi la frutta e la crema rimaste e mettete in frigo per 2 ore. Guarnite con le foglie di menta e la fragola tagliata a fettine, lasciandole unite dalla parte del picciolo.

Torta alla melagrana

Ingredienti per 6 persone
❋ 200 g di farina ❋ 125 g di yogurt intero naturale
❋ 250 g di zucchero ❋ 2 uova
❋ 1/2 bustina di lievito per dolci
❋ 70 g di burro ❋ 1 melagrana
❋ 1 cucchiaio di Kirsch
Per la guarnizione ❋ 2,5 dl di panna
❋ 1 melagrana

DIFFICOLTÀ
Media

PREPARAZIONE
30 minuti
più 1 ora e
30 minuti di
raffreddamento
della torta

COTTURA
45 minuti

VINO
Moscato d'Asti
(bianco,
Piemonte)

Sannio
Moscato
Spumante
(bianco,
Campania)

Sgranate la melagrana, raccogliete i chicchi in una terrina, cospargeteli con 50 g di zucchero, irrorateli con il Kirsch, mescolateli delicatamente e lasciateli macerare per 1-2 minuti.

Mettete in una ciotola lo yogurt, unite lo zucchero rimasto, mescolate, aggiungete le uova, uno alla volta, unite poco alla volta 180 g di farina, il lievito e 50 g di burro fuso in un tegamino. Amalgamate gli ingredienti e incorporatevi i chicchi di melagrana con il Kirsch.

Imburrate e infarinate una tortiera, versatevi il composto e fate cuocere nel forno già caldo a 180 °C per 40 minuti. Lasciate raffreddare la preparazione.

Preparate la guarnizione. Sgranate la melagrana; montate la panna, ricoprite la superficie della torta, stendendola con una spatola. Distribuitevi al centro e lungo i bordi i chicchi di melagrana, quindi mettete la panna rimasta in una tasca da pasticciere con bocchetta dentellata e formate una coroncina di ciuffetti lungo il bordo superiore della torta. Terminate adagiando un chicco di melagrana sopra ogni ciuffetto e servite in tavola.

Torta alle nocciole con marrons glacés

Ingredienti per 6 persone

Per la pasta ✽ 110 g di farina ✽ 80 g di zucchero ✽ 3 uova
✽ 70 g di burro ✽ 50 g di nocciole tostate

Per lo sciroppo ✽ 50 g di zucchero ✽ 3 cucchiai di Rum

Per il ripieno ✽ 300 g di marrons glacés ✽ 3 dl di panna ✽ 10 pistacchi sgusciati
✽ 1 albume ✽ 1 cucchiaio di gelatina di albicocche ✽ 100 g di zucchero a velo

DIFFICOLTÀ
Media

PREPARAZIONE
1 ora
più 1 ora di
raffreddamento
della torta
e 20 minuti di
raffreddamento
dello sciroppo

COTTURA
50 minuti

VINO
Erbaluce
di Caluso
Passito
(bianco,
Piemonte)

Moscato
Passito
di Pantelleria
(bianco,
Sicilia)

Preparate la pasta. Tritate finemente le nocciole, riducendole in polvere. Lavorate in una terrina le uova con lo zucchero fino a ottenere un composto gonfio e spumoso; aggiungetevi 100 g di farina setacciata e le nocciole, mescolate e poi incorporatevi 60 g di burro, fuso a parte.

Distribuite il composto in una tortiera di 20 cm di diametro imburrata e infarinata. Mettete il dolce nel forno già caldo a 180 °C e fate cuocere per 40 minuti, finché la superficie della pasta avrà assunto un bel colore dorato.

Sformate la torta, lasciatela raffreddare, poi dividetela con un coltello seghettato ottenendo 2 strati dello stesso spessore.

Preparate lo sciroppo. Portate a ebollizione lo zucchero in un tegamino con 1 dl d'acqua e fate bollire per 2-3 minuti, mescolando di tanto in tanto, finché lo zucchero sarà sciolto. Togliete il recipiente dal fuoco, fate raffreddare lo sciroppo e aggiungetevi il Rum.

Preparate il ripieno. Tritate grossolanamente i marrons glacés. Sbollentate i pistacchi, privateli della pellicina e divideteli a metà nel senso della lunghezza. Portate a ebollizione in un tegamino la gelatina di albicocche con 1 cucchiaio d'acqua. Montate la panna.

Adagiate un disco di pasta sul piatto da portata, spennellatelo con un po' di sciroppo, copritelo con la metà della panna montata e distribuitevi sopra la metà dei marrons glacés. Adagiatevi il disco di pasta rimasto, spennellatelo con lo sciroppo, quindi spennellate tutta la superficie della torta con la gelatina di albicocche.

In una terrina unite all'albume, poco alla volta, lo zucchero a velo setacciato, mescolando continuamente fino a ottenere una crema liscia e fluida. Versatela sulla torta, stendendola con una spatola e coprendo anche i bordi. Fate aderire su questa i marrons glacés rimasti, premendoli leggermente, e mettendone un mucchietto al centro, circondato di pistacchi.

IL CONSIGLIO

▶ Il modo migliore di conservare i pistacchi, così come noci, nocciole e mandorle, è tenerli nel freezer in un contenitore a chiusura ermetica. Al momento dell'uso, tostateli per qualche minuto: riacquisteranno tutto il loro aroma.

Torta alle pere

Ingredienti per 8 persone

❀ 370 g di farina ❀ 4 pere ❀ 6 uova

❀ 2 cucchiai di uva sultanina

❀ 0,5 dl di Maraschino ❀ 120 g di burro

❀ 250 g di zucchero ❀ 1 bustina di lievito per dolci

❀ 1 dl di latte ❀ sale

DIFFICOLTÀ
Bassa

PREPARAZIONE
30 minuti

COTTURA
45 minuti

VINO
Recioto
di Soave
(bianco,
Veneto)

Molise
Moscato
Passito
(bianco,
Molise)

Fate ammollare l'uva sultanina in una ciotola d'acqua tiepida per 20 minuti.

Intanto lavorate i tuorli d'uovo in una terrina con lo zucchero. Aggiungete 100 g di burro, fuso a parte, poi unitevi, a poco a poco, 350 g di farina setacciata con il lievito e un pizzico di sale, alternandola al latte e al Maraschino.

Sbucciate le pere, privatele dei torsoli e dei semi e tagliatele a fettine.

Amalgamate all'impasto le pere e l'uva sultanina, sgocciolata e strizzata. Incorporate delicatamente gli albumi montati a neve ben ferma, quindi versate il composto in una tortiera, unta di burro e spolverizzata con la farina.

Mettete la torta nel forno già caldo a 180 °C e cuocetela per 40 minuti.

Togliete la torta dal forno, lasciatela intiepidire, sformatela su un piatto da portata. Servitela in tavola.

Torta alle pesche

Ingredienti per 4 persone
* 1 fetta sottile di pan di Spagna da 150 g
* 450 g di pesche sciroppate * 3 uova
* 125 g di zucchero * 35 g di farina
* 2,5 dl di panna * 1,5 dl di Marsala
* 1 pizzico di noce moscata
* 1 bustina di vanillina * 10 g di burro

DIFFICOLTÀ
Bassa

PREPARAZIONE
30 minuti
più il tempo di
preparazione
del pan di
Spagna

COTTURA
40 minuti

VINO
Ramandolo
(bianco,
Friuli-Venezia
Giulia)

Molise
Moscato
Passito
(bianco,
Molise)

Tagliate la fetta di pan di Spagna a strisce di circa 6 cm di larghezza e della lunghezza adatta a foderare il fondo di una teglia da forno imburrata. Bagnate quindi il pan di Spagna con 0,5 dl di Marsala.

Sgocciolate molto bene le pesche dal liquido di conservazione, tagliatele a spicchi o a fettine regolari, e sistemateli nella teglia sopra il pan di Spagna.

In una ciotola rompete le uova, unitevi lo zucchero, la farina, un pizzico di noce moscata, la vanillina e sbattete il tutto con una piccola frusta. Incorporatevi quindi il Marsala rimasto e la panna senza mai smettere di sbattere con la frusta. Versate quindi il composto preparato sulle pesche nella teglia.

Passate la teglia nel forno già caldo a 180 °C e fate cuocere la torta per circa 40 minuti.

Togliete il dolce dal forno, trasferitelo su un piatto da portata e servitelo tiepido o freddo, a piacere.

Torta allo zabaione

Ingredienti per 6 persone

Per la torta ❋ 70 g di farina ❋ 40 g di fecola di patate ❋ 80 g di zucchero ❋ 3 uova ❋ 70 g di burro fuso

Per la crema ❋ 5 tuorli ❋ 100 g di zucchero ❋ 3 dl di panna ❋ 2 dl di Marsala ❋ 1 dl di vino bianco ❋ 40 g di farina ❋ 4 cucchiai di Grand Marnier

Per la guarnizione ❋ 50 g di cioccolato fondente ❋ 1 dl di panna

DIFFICOLTÀ
Media

PREPARAZIONE
30 minuti
più 1 ora e
30 minuti di
raffreddamento
della torta
e 30 minuti di
raffreddamento
della crema

COTTURA
40 minuti

VINO
Malvasia
delle Lipari
(bianco,
Sicilia)

Colli di Parma
Malvasia
Amabile
(bianco,
Emilia-
Romagna)

Preparate la torta. Lavorate le uova con lo zucchero; unite 60 g di farina, la fecola, sempre mescolando, e 60 g di burro fuso. Versate il composto in una tortiera imburrata e infarinata; cuocete nel forno già riscaldato a 180 °C per 40 minuti. Lasciate raffreddare la torta.

Nel frattempo preparate la crema. Scaldate il Marsala e il vino in un tegamino. Lavorate i tuorli con lo zucchero, unite la farina e, poco alla volta, il composto di Marsala e vino. Versate il tutto in un tegame sul fuoco, portate a ebollizione mescolando e cuocete la crema per 3-4 minuti. Trasferitela in una terrina e lasciatela raffreddare; aggiungete infine la panna, montata a parte.

Tagliate la torta in 2 strati orizzontali. Spennellatene uno con un poco di Grand Marnier, stendetevi metà della crema e coprite con il secondo strato di torta, disponendolo con la crosta verso la crema. Spennellate con il liquore rimasto e coprite con il resto della crema.

Preparate la guarnizione. Fondete il cioccolato a bagnomaria e decoratevi la torta come una ragnatela. Distribuite la panna montata a ciuffetti intorno alla base della torta e servite.

Torta allo zafferano e noci

Ingredienti per 8 persone

❈ 300 g di farina ❈ 170 g di burro ❈ 4 cucchiai di farina di mais ❈ 6 uova
❈ 300 g di zucchero ❈ 4 dl di panna ❈ 5 dl di latte ❈ 1 dl di Brandy
❈ 200 g di gherigli di noce ❈ 60 g di uva sultanina ammollata
❈ 2 bustine di vanillina ❈ 2 bustine di zafferano sciolto in 0,5 dl d'acqua ❈ sale

DIFFICOLTÀ
Media

PREPARAZIONE
30 minuti
più 2 ore
di riposo
della pasta

COTTURA
1 ora

VINO
Colli
del Trasimeno
Vin Santo
(bianco,
Umbria)

Trentino
Vin Santo
(bianco,
Trentino-Alto
Adige)

Sbattete 2 uova con 50 g di zucchero, unite a pioggia metà della farina e 150 g di burro a pezzetti. Poi unitevi la farina rimasta, un pizzico di sale e 2 cucchiai di panna. Impastate, formate una palla e fatela riposare, coperta per 2 ore.

Portate a ebollizione il latte con un pizzico di sale, lo zucchero rimasto e la vanillina. Versate a pioggia la farina di mais e fate cuocere per circa 15 minuti, mescolando. Aggiungete la panna rimasta e togliete dal fuoco. Lasciate intiepidire il composto.

Unite i gherigli di noce tritati, l'uva sultanina strizzata e le uova rimaste, sbattute con lo zafferano. Completate con il liquore e mescolate.

Stendete la pasta in una tortiera, imburrata, foderando il fondo e le pareti. Versatevi il composto preparato ripiegate i bordi di pasta, formando un cordoncino.

Cuocete la torta nel forno già caldo a 180 °C per 40 minuti. Sfornate la torta, fatela intiepidire, trasferitela su un piatto da portata e servite.

1 Unite al composto di latte, farina di mais e zucchero, i gherigli di noce tritati, l'uva sultanina e le uova.

2 Stendete la pasta in una tortiera imburrata, foderando il bordo e le pareti.

3 Versate nella tortiera il composto preparato.

Torta arrotolata al pistacchio

Ingredienti per 6 persone

❋ 6 uova ❋ 2,5 dl di panna ❋ 0,5 dl di Grand Marnier
❋ 150 g di pistacchi sgusciati ❋ 300 g di farina
❋ 1 bustina di lievito per dolci
❋ 30 g di burro ❋ 300 g di zucchero
❋ 2 cucchiai di zucchero a velo ❋ sale

DIFFICOLTÀ
Media

PREPARAZIONE
30 minuti
più 1 ora di
raffreddamento
del rotolo
e 2 ore di
raffreddamento
della torta

COTTURA
15 minuti

VINO
Moscato
di Siracusa
(bianco,
Sicilia)

Oltrepò Pavese
Moscato
Passito
(bianco,
Lombardia)

Sbattete le uova con lo zucchero e un pizzico di sale finché diventeranno soffici. Aggiungete, poco alla volta, la farina setacciata insieme al lievito, poi versate la crema ottenuta in una teglia foderata con un foglio di carta da forno ben imburrato, stendetela a uno spessore di circa 2 cm, formando un quadrato.

Mettete la teglia nel forno già caldo a 180 °C e fate cuocere per 15 minuti, quindi sfornatela.

Cospargete di zucchero a velo un telo, eliminate la carta da forno e posate il dolce sul telo; arrotolatelo su se stesso aiutandovi con il telo, chiudetelo e fatelo raffreddare completamente.

Nel frattempo sbollentate i pistacchi, privateli della pellicina, asciugateli e tritateli. Montate la panna, mescolatevi il rimanente zucchero a velo, poco alla volta, unitevi infine il Grand Marnier e i pistacchi tritati.

Stendete nuovamente il dolce, cospargetelo con la crema ottenuta, arrotolatelo su se stesso e fatelo raffreddare per circa 2 ore in frigorifero prima di servirlo.

Torta bassa di biscotti e cioccolato

Ingredienti per 6 persone

❋ 225 g di biscotti frollini ❋ 8 ciliegie candite
❋ 225 g di cioccolato fondente a pezzetti
❋ 225 g di burro ❋ 4 cucchiai di miele
❋ 4 cucchiai di uva sultanina
❋ 115 g di mandorle a scaglie

DIFFICOLTÀ
Bassissima

PREPARAZIONE
20 minuti
più 20 minuti
di ammollo
dell'uva
sultanina e
3 ore di
raffreddamento
della torta

COTTURA
5 minuti

VINO
Pornassio
di Ormeasco
Liquoroso
(rosso,
Liguria)

Aleatico
di Puglia
Liquoroso
(rosso,
Puglia)

Mettete i biscotti in un sacchetto e servendovi di un matterello rompeteli a pezzettini. Tagliate le ciliegie in quattro parti; fate ammorbidire l'uva sultanina in acqua tiepida.

Fate sciogliere a bagnomaria a fuoco basso il cioccolato, il burro e il miele. Togliete il composto dal fuoco e lasciatelo intiepidire. Unite i biscotti sbriciolati, le ciliegie, l'uva sultanina strizzata e le mandorle e amalgamate bene il tutto.

Stendete delicatamente l'impasto ottenuto in uno stampo rettangolare di 20 x 30 cm a bordi bassi e trasferite il dolce in frigorifero per circa 3 ore, finché si sarà rassodato. Tagliate il dolce a fettine e servitelo in tavola.

IL CONSIGLIO

▶ Quando fate fondere il cioccolato, prima tagliatelo a pezzetti, che si sciolgono più facilmente, lasciatelo ammorbidire qualche istante e poi iniziate a mescolarlo finché non si sarà del tutto sciolto. Qualora non usaste il bagnomaria, non scaldatelo mai troppo, perché potrebbe bruciare e diventare amaro e mantenete sempre la fiamma bassa: un'eccessiva temperatura può farlo "impazzire" e si possono creare dei grumi.

Torta brioche alle albicocche

Ingredienti per 6 persone
❉ 1 kg di albicocche ❉ 270 g di farina ❉ 145 g di burro
❉ 2 cucchiai di latte ❉ 15 g di lievito di birra
❉ 2 uova ❉ 40 g di zucchero ❉ sale
Per la guarnizione ❉ 1 cucchiaio di gelatina di albicocche
❉ 1 rametto di menta

DIFFICOLTÀ
Media

PREPARAZIONE
30 minuti
più 12 ore e
30 minuti
di lievitazione
della pasta
e 1 ora e
30 minuti di
raffreddamento

COTTURA
1 ora e
15 minuti

VINO
Alto Adige
Müller Thurgau
Vendemmia
Tardiva
(bianco,
Trentino-Alto
Adige)

Moscadello
di Montalcino
Vendemmia
Tardiva
(bianco,
Toscana)

Sciogliete il lievito di birra nel latte tiepido. Impastate 250 g di farina con il lievito diluito, le uova, lo zucchero, un pizzico di sale e 125 g di burro. Coprite con un telo e lasciate lievitare in luogo tiepido per 30 minuti. Riprendete l'impasto, lavoratelo un poco, mettetelo in una ciotola, copritelo con la pellicola e lasciatelo in frigorifero per 12 ore.

Scottate le albicocche in acqua bollente, sgocciolatele, pelatele, dividetele a metà ed eliminate il nocciolo.

Ricavate dalla pasta un disco spesso 1 cm e adagiatelo sul fondo di un tortiera, imburrata e infarinata. Arrotolate la pasta rimasta e adagiatela lungo il bordo del disco; distribuite le mezze albicocche sulla pasta. Cuocete la torta nel forno già caldo a 180 °C per 1 ora e 10 minuti.

Preparate la guarnizione. Fate bollire in un pentolino la gelatina di albicocche in 1 dl d'acqua e poi spennellate con questa le albicocche. Decorate con le foglioline di menta e portate in tavola.

Torta brioche alle pesche

Ingredienti per 8 persone

❉ 270 g di farina ❉ 1 kg di pesche ❉ 145 g di burro ❉ 2 uova
❉ 2 cucchiai di latte ❉ 15 g di lievito di birra ❉ 290 g di zucchero
❉ la scorza di limone biologico ❉ la scorza d'arancia biologica
❉ 1 baccello di vaniglia ❉ 1 cucchiaio di gelatina di albicocche ❉ sale

DIFFICOLTÀ
Bassa

PREPARAZIONE
40 minuti
più 13 ore di
riposo della
pasta, 1 ora di
raffreddamento
della torta e
30 minuti di
riposo delle
pesche

COTTURA
1 ora

VINO
Recioto
di Soave
(bianco,
Veneto)

Frascati
Cannellino
(bianco,
Lazio)

Preparate la pasta brioche con 250 g di farina, le uova, 40 g di zucchero, il lievito, il latte, un pizzico di sale e 125 g di burro. Formate una palla, copritela e lasciatela lievitare per 30 minuti. Riprendete la pasta, lavoratela ancora un poco, mettetela in una ciotola, copritela con pellicola trasparente e fatela riposare in frigo per 12 ore.

Stendete la pasta a un 1 cm di spessore, ritagliatevi un disco e adagiatelo in una tortiera, imburrata e infarinata. Formate con la pasta rimasta tante palline di 3 cm di diametro, ponetele sul bordo del disco, distanziate di 1,5 cm. Coprite il fondo con carta da forno e fate lievitare per 30 minuti. Cuocete la torta nel forno già caldo a 180 °C per 50 minuti e lasciatela raffreddare per 1 ora.

Sbollentate le pesche, sgocciolatele, sbucciatele e tagliatele a spicchi. Portate a ebollizione 5 dl d'acqua con lo zucchero rimasto, la scorza degli agrumi e la vaniglia. Fate bollire per 2 minuti, mescolando finché lo zucchero si sarà sciolto. Versate lo sciroppo sulle pesche in una ciotola, fatele riposare per 30 minuti, quindi sgocciolatele, distribuitele sulla torta e spennellatele con la gelatina di albicocche sciolta con 1 cucchiaio di acqua bollente. Servite in tavola.

Torta brioche alle prugne

Ingredienti per 8 persone

❋ 270 g di farina ❋ 0,3 dl di latte ❋ 15 g di lievito di birra

❋ 2 uova ❋ 40 g di zucchero ❋ 145 g di burro

❋ 600 g di prugne secche

❋ sale

DIFFICOLTÀ
Media

PREPARAZIONE
30 minuti
più 13 ore di
riposo della
pasta e
30 minuti di
ammollo delle
prugne

COTTURA
30 minuti

VINO
Malvasia di
Casorzo d'Asti
Passito
(rosso,
Piemonte)

Montefalco
Sagrantino
Passito
(rosso,
Umbria)

Scaldate il latte in un pentolino e fatevi sciogliere il lievito di birra. Lavorate in una ciotola le uova, lo zucchero e un pizzico di sale. Impastate 250 g di farina con il lievito diluito, il composto di uova, zucchero e sale e 125 g di burro. Formate una palla, copritela e lasciatela riposare per 30 minuti.

Lavorate ancora la pasta, mettetela in una ciotola, copritela con la pellicola trasparente e lasciatela riposare in frigorifero per 12 ore.

Snocciolate le prugne, mettetele in una terrina con poca acqua tiepida e lasciatele ammorbidire per 30 minu-

ti. Nel frattempo imburrate e infarinare una tortiera. Riprendete la pasta, stendetela con il matterello, foderatevi una tortiera e lasciatela lievitare per altri 30 minuti.

Trascorso questo tempo, sgocciolate le prugne, asciugatele e distribuitele nella tortiera.

Fate cuocere la torta nel forno già caldo a 180 °C per 25-30 minuti. Togliete la torta dal forno, sformatela su un piatto da portata e servitela tiepida o fredda, a piacere.

LA VARIANTE

▶ Se la torta non è destinata ai bambini, potete intensificarne il sapore mettendo a bagno le prugne secche invece che nell'acqua tiepida in un liquore di vostra scelta, come Rum o Cognac.

Torta cappuccino

Torta Chantilly

Torta cappuccino

TORTE | LE RICETTE

Ingredienti per 8 persone

Per la pasta ❉ 200 g di farina ❉ 20 g di fecola di patate
❉ 3 uova ❉ 80 g di zucchero ❉ 90 g di burro
❉ 1 cucchiaio di caffè solubile ❉ 1 bustina di vanillina
Per la crema ❉ 150 g di zucchero ❉ 5 dl di latte
❉ 6 tuorli ❉ 40 g di farina ❉ 1/2 bustina di vanillina
❉ 1 cucchiaio di caffè solubile
Per la guarnizione ❉ 3 dl di panna ❉ 1 cucchiaino di cacao
❉ 20 g di chicchi di caffè ❉ 1 cucchiaino di caffè solubile

DIFFICOLTÀ
Media

PREPARAZIONE
30 minuti
più 2 ore di
raffreddamento
della torta,
30 minuti di
raffreddamento
della crema e
15 minuti di
raffreddamento
del caffè

COTTURA
1 ora

VINO
Trentino
Vin Santo
(bianco,
Trentino-Alto
Adige)

Colli del
Trasimeno
Vin Santo
(bianco,
Umbria)

Preparate la pasta. Lavorate le uova e lo zucchero in una terrina, incorporate poco alla volta 180 g di farina, la fecola e la vanillina. Versate il caffè solubile sciolto con 1 cucchiaio d'acqua e 70 g di burro fuso. Distribuite il composto in una tortiera imburrata e infarinata e cuocete nel forno già caldo a 180 °C per 40 minuti. Fate raffreddare la torta per 2 ore.

Preparate la crema. Unite il caffè solubile al latte bollente. Mescolate in una terrina i tuorli, lo zucchero e la vanillina, unite poco alla volta la farina e versate a filo il latte bollente filtrato. Portate a bollore, mescolando, cuocete per 8 minuti e fate raffreddare.

Dividete la torta a metà orizzontalmente, ottenendo 2 dischi. Adagiatene uno nella tortiera, stendetevi la crema e chiudete con il secondo disco. Mettete in frigorifero per 1 ora e poi sformate.

Preparate la guarnizione. Sciogliete il caffè con 1 cucchiaino d'acqua calda e fatelo raffreddare per 15 minuti. Montate la panna, unitevi il caffè, poi stendetela sulla superficie e i lati del dolce. Cospargete con il cacao, completate con i chicchi di caffè e servite.

Torta Chantilly

Ingredienti per 8 persone

❉ 500 g di pan di Spagna
Per lo sciroppo ❉ 200 g di zucchero
❉ 2 dl di Maraschino
Per la crema Chantilly ❉ 5 dl di latte ❉ 40 g di farina ❉ 4 tuorli
❉ 3,5 dl di panna ❉ 150 g di zucchero
❉ la scorza di 1/2 limone biologico
Per la guarnizione ❉ 8 dl di panna ❉ 200 g di fragoline
❉ 45 biscotti lingue di gatto ❉ 10 bignè ❉ 100 g di zucchero

DIFFICOLTÀ
Elevata

PREPARAZIONE
30 minuti
più 30 minuti di
raffreddamento
dello sciroppo

COTTURA
55 minuti

VINO
Collio Picolit
(bianco,
Friuli-Venezia
Giulia)

Greco
di Bianco
(bianco,
Calabria)

Preparate lo sciroppo. Portate a bollore 2 dl d'acqua con lo zucchero e, quando sarà sciolto, unite il Maraschino. Fate raffreddare per 30 minuti.

Preparate la crema. Portate a bollore il latte con la scorza di limone. Lavorate i tuorli con lo zucchero; unite la farina, versatevi il latte filtrato e fate cuocere per 7-8 minuti. Quindi amalgamatevi la panna, montata a parte, e 3 cucchiai di sciroppo.

Preparate la guarnizione. Montate 2 dl di panna e farcite i bignè. Fate caramellare 2 cucchiai di zucchero in un tegamino, quindi immergetevi i bignè. Private il pan di Spagna della crosta, dividetelo in 3 dischi e spennellateli con lo sciroppo. Montate la panna rimasta con lo zucchero, spalmatene una parte sul disco di base e su quello centrale e poi ricomponete il dolce. Copritelo completamente con la panna montata rimasta, quindi rivestite i fianchi con le lingue di gatto.

Disponete i bignè intorno alla torta e completate la decorazione con le fragoline.

Torta con crema allo yogurt

Ingredienti per 8 persone

Per la pasta ❋ 125 g di zucchero ❋ 3 albumi e 5 tuorli
❋ 75 g di farina ❋ 50 g di fecola di patate ❋ 55 g di burro
❋ 5 tuorli ❋ 3 cucchiai di farina di cocco
❋ 30 g di mandorle a lamelle ❋ sale
Per la crema ❋ 1,5 dl di panna
❋ 1 cucchiaio di zucchero ❋ 100 g di yogurt intero
❋ 1 cucchiaio di farina di cocco
Per la guarnizione ❋ 2 cucchiai di zucchero a velo

DIFFICOLTÀ
Bassa

PREPARAZIONE
30 minuti
più 1 ora
e 30 minuti di
raffreddamento
della torta

COTTURA
30 minuti

VINO
Moscato d'Asti
(bianco,
Piemonte)

Moscadello
di Montalcino
Frizzante
(bianco,
Toscana)

Preparate la pasta. Lavorate i tuorli con lo zucchero; unite al composto 35 g di burro fuso, poi gli albumi, montati a neve con un pizzico di sale, incorporandoli con movimenti regolari dal basso verso l'alto. Aggiungete 1 cucchiaio di farina di cocco, la farina e la fecola.

Imburrate uno stampo, distribuite sul fondo un po' di mandorle a lamelle, cospargetelo poi con la farina di cocco rimasta e riempitelo con il composto. Cuocete la torta nel forno già caldo a 180 °C per 30 minuti; lasciatela raffreddare.

Preparate la crema. Montate la panna e mescolatela con lo yogurt, la farina di cocco e lo zucchero. Tagliate la torta a metà in senso orizzontale e farcitela con la crema.

Adagiate la torta su un piatto da portata, cospargetela con lo zucchero a velo e servitela in tavola.

295

Torta con crema e marroni

Ingredienti per 8 persone

❋ 1 pan di Spagna da 500 g ❋ 250 g di purè di castagne
❋ 1 cucchiaio di cacao amaro ❋ 200 g di zucchero ❋ 50 g di burro
❋ 7 cucchiai di Rum ❋ 1 pizzico di cannella in polvere ❋ ciliegine candite
❋ 7,5 dl di latte ❋ 4 tuorli ❋ 2 cucchiai di farina
❋ 1 bustina di vanillina ❋ 4 dl di panna

DIFFICOLTÀ
Media

PREPARAZIONE
30 minuti
più 30 minuti di
raffreddamento
della crema

COTTURA
1 ora

VINO
Valle d'Aosta
Chambave
Moscato
Passito
(bianco,
Valle d'Aosta)

Greco
di Bianco
(bianco,
Calabria)

Mescolate il purè di castagne con 2,5 dl di latte, 100 g di zucchero, il cacao e la cannella; incorporatevi il burro fuso e 3 cucchiai di Rum.

Montate i tuorli con lo zucchero e il latte caldo rimasti, la farina e la vanillina e cuocete per 8 minuti, mescolando. Togliete dal fuoco, fate raffreddare e unite 2 cucchiai di Rum, quindi incorporatevi metà della panna montata.

Dividete il pan di Spagna in 2 dischi e bagnateli con poco Rum. Farcite un disco con metà della crema e copritelo con il secondo disco. Versate al centro della torta la crema rimasta, circondatela con le ciliegine candite e mettetevi in mezzo una pallina formata con il purè di castagne.

Mettete il resto della panna montata in una tasca da pasticciere con bocchetta a stella e ricoprite la superficie con tanti ciuffetti disposti a cerchi concentrici. Distribuite sulla torta il purè di castagne rimasto passandolo attraverso uno schiacciapatate.

1 Amalgamate il purè di castagne con il latte, lo zucchero, il cacao e la cannella.

2 Stendete sul disco di base del pan di Spagna parte della crema.

3 Coprite il disco di pan di Spagna spalmato di crema con il secondo disco.

Torta con frutti di bosco

Ingredienti per 8 persone

Per la torta ❋ 120 g di farina ❋ 50 g di burro
❋ 120 g di zucchero ❋ 5 uova
Per la composta ❋ 200 g di mirtilli ❋ 200 g di fragole
❋ 200 g di uva spina ❋ 180 g di zucchero di canna
Per lo sciroppo ❋ 50 g di zucchero ❋ 3 cucchiai di Maraschino
Per la guarnizione ❋ 50 g di gelatina di albicocche
❋ 200 g di mirtilli ❋ 30 g di lamponi

DIFFICOLTÀ
Media

PREPARAZIONE
50 minuti
più 3 ore
30 minuti di
raffreddamento
della torta
e 30 minuti di
raffreddamento
della composta

COTTURA
1 ora e 10
minuti

VINO
Malvasia
di Castelnuovo
Don Bosco
(rosso,
Piemonte)

Vernaccia di
Serrapetrona
Dolce
(rosso,
Marche)

Imburrate e infarinate la placca del forno. Preparate la torta. In una terrina lavorate le uova con lo zucchero. Aggiungete la farina e il burro rimasto, fuso a parte. Amalgamate bene e versate il composto nella placca del forno. Cuocete nel forno già caldo a 180 °C la torta per 40 minuti, quindi fatela raffreddare per 1 ora e mezza.

Nel frattempo preparate lo sciroppo. Versate 1 dl d'acqua e lo zucchero in un tegamino e portate a ebollizione. Fate bollire per 2-3 minuti, mescolando ogni tanto. Togliete dal fuoco, fate intiepidire lo sciroppo e mescolatevi il Maraschino.

Preparate la composta. Lavate in acqua ghiacciata i frutti di bosco, tenendoli separati, e asciugateli. Mettete l'uva spina, le fragole e i mirtilli in 3 casseruole distinte, aggiungete in ognuna 60 g di zucchero di canna e mettetele su fuoco medio. Portate a ebollizione e fate cuocere per circa 15 minuti. Poi lasciate raffreddare.

Pareggiate i bordi della torta e dividetela in 4 parti uguali nel senso della lunghezza. Tagliate quindi ogni parte in 2 strati orizzontali. Disponete uno strato di torta sul fondo di uno stampo da plum-cake, spennellatelo con lo sciroppo al Maraschino e distribuitevi sopra metà della composta di fragole, stendendola in uno strato uniforme. Procedete nello stesso modo con gli altri strati di torta e le altre composte e terminate con uno strato di torta. Mettete lo stampo in frigo per 2 ore; quindi capovolgete il dolce su un piatto da portata.

Preparate la finitura. In un tegamino portate a ebollizione la gelatina di albicocche con 2 cucchiai d'acqua e spennellate la parte superiore del dolce. Lavate i mirtilli e i lamponi in acqua ghiacciata e asciugateli; adagiate i mirtilli sulla torta in modo da ricoprirne completamente la superficie e distribuitevi al centro i lamponi. Completate spennellando la frutta con la gelatina di albicocche rimasta. Tenete la torta in frigo fino al momento di servirla.

L'INGREDIENTE

▶ **Uva spina.** È una varietà di ribes, così chiamato per la forma delle sue bacche, di colore verde o rosso violaceo. Il suo sapore è più acidulo di quello degli altri ribes.

Torta con gli ovetti di cioccolato

Ingredienti per 8 persone

❀ 1 pan di Spagna di 24 cm di diametro
❀ 5,5 dl di panna
❀ 250 g di cioccolato fondente
❀ 0,7 dl di Rum
❀ 18 ovetti di cioccolato

DIFFICOLTÀ
Bassa

PREPARAZIONE
30 minuti
più 30 minuti di
raffreddamento
della crema

COTTURA
Nessuna

VINO
Aleatico
di Puglia
Liquoroso
(rosso,
Puglia)

Recioto della
Valpolicella
(rosso)

Preparate uno sciroppo mescolando il Rum con altrettanta acqua. Spezzettate il cioccolato, mescolatelo a 2,5 dl di panna e fatelo sciogliere a bagnomaria. Togliete il composto dal bagnomaria, fatelo raffreddare, quindi lavoratelo con la frusta elettrica fino a ottenere una crema soffice.

Tagliate il pan di Spagna in 3 dischi e bagnateli con lo sciroppo preparato. Spalmate il disco di base con un 1/3 di crema al cioccolato, adagiatevi il secondo disco di pasta, stendetevi 1/3 di crema e coprite con l'ultimo disco di pasta.

Con la restante crema, ricoprite completamente la torta e, con una spatola dentellata, rigatene la superficie.

Montate in una terrina la panna rimasta, mettetela in una tasca da pasticciere con bocchetta a stella e distribuitela a ciuffetti sul dolce.

Completate con gli ovetti di cioccolato, disponendoli in modo armonico sulla superficie della torta. Tenete la torta in frigorifero fino al momento di servirla.

Torta con i fiori di zucca

Ingredienti per 8 persone

❋ 250 g di pasta sfoglia ❋ 10 fiori di zucca ❋ 40 g di burro
❋ 100 g di farina ❋ 100 g di zucchero ❋ 50 g di canditi
❋ 100 g di gherigli di noce ❋ 0,5 dl di Grappa
❋ la scorza grattugiata di 1 limone biologico ❋ 1 uovo
❋ 2 cucchiai di zucchero vanigliato

DIFFICOLTÀ
Bassa

PREPARAZIONE
40 minuti

COTTURA
30 minuti
più il tempo di
preparazione
della pasta
sfoglia

VINO
Trentino
Moscato Rosa
(rosso,
Trentino-Alto
Adige)

Cesanese
del Piglio Dolce
(rosso,
Lazio)

Spezzettate i gherigli di noce. Mondate e lavate i fiori di zucca, tagliateli a pezzetti e metteteli sul fuoco in un tegame con il burro; fateli soffriggere per qualche minuto, poi toglieteli dal fuoco e lasciateli raffreddare.

Nel frattempo versate in una terrina la farina, i fiori di zucca, i gherigli di noce, i canditi, l'uovo, la scorza grattugiata di limone e stemperate con la Grappa il composto; quindi mescolate accuratamente gli ingredienti.

Ricavate dalla sfoglia 2 dischi di pasta, di cui uno leggermente più grande. Foderate una teglia con carta da forno e disponete il disco di pasta più largo facendolo aderire bene alle pareti della teglia. Versate il composto preparato, livellatelo e ricopritelo con la restante pasta, saldandone l'orlo a quello della sfoglia sottostante.

Mettete la torta nel forno già caldo a 160 °C e fatela cuocere per 30 minuti.

Togliete la torta dal forno, lasciatela intiepidire, sformatela e, prima di portarla in tavola, cospargetela di zucchero vanigliato.

Torta con l'uva

Ingredienti per 8 persone

❋ 220 g di farina ❋ 300 g di uva bianca e 200 g di uva nera
❋ 3 uova ❋ 140 g di burro ❋ 120 g di zucchero
❋ 1 bustina di lievito per dolci
Per la finitura ❋ qualche acino di uva bianca e nera

Difficoltà
Bassa

Preparazione
30 minuti

Cottura
40 minuti

Vino
Brachetto
d'Acqui
(rosso,
Piemonte)

Aleatico
di Gradoli
(rosso,
Lazio)

Lavate l'uva, staccate gli acini, asciugateli, divideteli a metà e privateli dei semi.

Impastate 200 g di farina con il lievito, lo zucchero, le uova e 120 g di burro fuso. Lavorate gli ingredienti e incorporatevi infine gli acini d'uva.

Versate il composto in una tortiera, imburrata e infarinata, livellatelo e fate cuocere la torta nel forno già caldo a 180 °C per 40 minuti.

Lasciate riposare la torta per 5 minuti nel forno, quindi sformatela e adagiatela su un piatto da portata. Decoratela con i chicchi d'uva rimasti e servite.

Torta con le prugne

Ingredienti per 8 persone

❋ 260 g di farina ❋ 20 g di prugne secche ❋ 2 dl di latte
❋ 80 g di zucchero ❋ 100 g di burro ❋ 4 uova ❋ sale
❋ la scorza grattugiata di 1 limone biologico
❋ 1 bustina di lievito per dolci ❋ 50 g di gherigli di noce

Difficoltà
Bassa

Preparazione
30 minuti
più 20 minuti
di ammollo
delle prugne

Cottura
50 minuti

Vino
Alto Adige
Moscato Rosa
(rosso)

Vernaccia di
Serrapetrona
Dolce
(rosso,
Marche)

Fate ammorbidire le prugne in una ciotola d'acqua calda per 20 minuti; snocciolatele e tritatele. Tritate i gherigli di noce.

In una ciotola lavorate con un cucchiaio di legno 80 g di burro fino a renderlo morbido e spumoso. Aggiungete lo zucchero e, uno alla volta, le uova, mescolando continuamente.

Aggiungete al composto 240 g di farina, il lievito, un pizzico di sale e amalgamate bene. Unite la scorza di limone grattugiata e le noci tritate; versate il latte e, senza mai smettere di mescolare, aggiungete le prugne tritate.

Imburrate e infarinate una teglia, versatevi il composto e fatelo cuocere nel forno già caldo a 180 °C per 50 minuti circa. Togliete la torta dal forno, lasciatela intiepidire, sformatela e servite in tavola.

IL CONSIGLIO

▶ Ricordatevi che i recipienti da forno in metallo trattengono meno il calore ed evitano che i cibi si brucino, mentre quelli scuri e antiaderenti assorbono e mantengono di più il calore e vanno utilizzati con una temperatura leggermente inferiore.

Torta con mandorle e confettura di fragole

Ingredienti per 8 persone

❀ 225 g di farina ❀ 225 g di confettura di fragole ❀ 100 g di zucchero ❀ 100 g di zucchero di canna ❀ 225 g di burro ❀ 150 g di fiocchi d'avena ❀ 100 g di gocce di cioccolato fondente ❀ 1/2 bustina di lievito per dolci ❀ 25 g di mandorle tritate

DIFFICOLTÀ
Bassa

PREPARAZIONE
30 minuti

COTTURA
35 minuti

VINO
Aleatico
di Gradoli
(rosso,
Lazio)

Cagnina
di Romagna
(rosso,
Emilia-
Romagna)

Foderate uno stampo rettangolare piuttosto grande con carta da forno.

In una terrina capiente setacciate la farina e il lievito; unitevi i due tipi di zucchero e mescolate bene. Incorporate quindi il burro, lavorandolo con la punta delle dita finché il composto assumerà una consistenza granulosa, infine aggiungete i fiocchi d'avena, amalgamandoli molto bene.

Premete 3/4 del composto sul fondo dello stampo e cuocete la torta nel forno già caldo a 190 °C per 10 minuti.

Estraete la torta dal forno, spalmatevi sulla superficie la confettura e spolverizzatela con le gocce di cioccolato. Amalgamate le mandorle al composto rimasto e cospargetelo sopra la farcitura, premendo leggermente.

Proseguite la cottura per 25 minuti, finché la torta risulterà ben dorata, quindi toglietela dal forno, sformatela e servitela in tavola.

Torta con mousse pralinata

Ingredienti per 8 persone

Per la pasta biscotto ❋ 60 g di farina ❋ 50 g di zucchero
❋ 10 g di cacao amaro ❋ 3 uova ❋ 1/2 bustina di vanillina ❋ 15 g di burro
Per la mousse pralinata ❋ 60 g di cioccolato fondente e 60 g al latte
❋ 75 g di burro ❋ 3 dl di panna ❋ 2 tuorli ❋ 50 g di zucchero
❋ 100 g di nocciole tostate ❋ la scorza grattugiata di 1 arancia biologica
❋ 1 cucchiaio di olio di mandorle
Per la guarnizione ❋ 50 g di cioccolato fondente ❋ 10 g di burro
❋ 20 g di zucchero a velo ❋ 1 cucchiaio di latte ❋ 1,5 dl di panna
❋ 20 g di scorzette d'arancia candite

DIFFICOLTÀ
Media

PREPARAZIONE
40 minuti
più 30 minuti di
raffreddamento
della mousse e
15 minuti di
raffreddamento
delle nocciole

COTTURA
40 minuti

VINO
Recioto della
Valpolicella
(rosso,
Veneto)

Montefalco
Sagrantino
Passito
(rosso,
Umbria)

Preparate la pasta. Mettete i tuorli in una terrina e mescolateli con metà dello zucchero e la vanillina. Incorporatevi delicatamente gli albumi montati a neve con lo zucchero rimasto e aggiungete poco alla volta la farina setacciata con il cacao. Foderate la placca con un foglio di carta da forno, imburratela e versatevi dentro il composto. Cuocetelo nel forno già caldo a 190 °C per 20 minuti.

Nel frattempo, preparate la mousse. Dividete il cioccolato a pezzetti e fatelo fondere a bagnomaria, quindi aggiungete il burro diviso a pezzetti e mescolate, finché il burro non si sarà completamente sciolto. Togliete dal fuoco, amalgamate i tuorli, uno alla volta, e la scorza d'arancia grattugiata, lasciate raffreddare per 30 minuti e incorporate infine la panna montata.

Versate 3 cucchiai d'acqua in un tegamino, unite lo zucchero, e fate cuocere per 7-8 minuti. Fuori dal fuoco unite le nocciole, mescolate e rimettete sul fuoco. Continuate a mescolare finché lo zucchero sarà caramellato. Spennellate con l'olio

di mandorla un piano di lavoro, distribuitevi le nocciole e lasciatele raffreddare per 15 minuti, quindi pelatele e amalgamatele alla mousse.

Tagliate dalla pasta biscotto un disco del diametro di 22 cm, adagiatelo nella tortiera, foderate con la pasta rimasta il bordo della stessa, versatevi la mousse e stendetela in uno strato uniforme.

Preparate la guarnizione. Spezzettate il cioccolato, mettetelo in un tegamino con il burro, il latte e lo zucchero a velo e fate fondere il composto, a bagnomaria, mescolando continuamente. Versatelo sopra la mousse e stendetelo in uno strato di 2-3 mm.

Montate la panna, mettetela in una tasca da pasticciere con bocchetta a stella e formate tanti ciuffetti lungo il bordo superiore della torta e un grosso ciuffo al centro. Terminate distribuendo le scorzette d'arancia candite tagliate a listarelle e servite.

Torta con yogurt e prugne

Ingredienti per 8 persone

❁ 170 g di farina ❁ 125 g di yogurt intero
❁ 250 g di prugne ❁ 250 g di zucchero ❁ 2 uova
❁ 1/2 bustina di lievito per dolci ❁ 2 cucchiai di Kirsch
❁ 1/2 dl di olio di semi ❁ 20 g di burro
Per la decorazione ❁ 150 g di prugne
❁ 2,5 dl di panna ❁ 30 g di mandorle sfilettate

DIFFICOLTÀ
Bassa

PREPARAZIONE
30 minuti
più 5 minuti
di ammollo
delle prugne,
15 minuti di
raffreddamento
delle mandorle
e 1 ora e
30 minuti di
raffreddamento
della torta

COTTURA
1 ora

VINO
Malvasia
di Castelnuovo
Don Bosco
(rosso,
Piemonte)

Vernaccia di
Serrapetrona
Dolce
(rosso,
Marche)

Preparate la torta. Lavate le prugne, dividetele a metà, privatele del nocciolo, tagliatele a pezzetti e mettetele in una terrina con 50 g di zucchero e il Kirsch, poi fate macerare per 5 minuti. Mettete in una ciotola lo yogurt, unite lo zucchero rimasto, le uova, 150 g di farina, il lievito e l'olio.

Amalgamate gli ingredienti e incorporatevi le prugne con il liquore, quindi distribuite l'impasto in una tortiera, precedentemente imburrata e infarinata, e fate cuocere la torta nel forno già caldo a 180 °C per 50 minuti; fatela raffreddare per 1 ora e mezza.

Preparate la decorazione. Tostate leggermente le mandorle nel forno già caldo a 180 °C e fatele raffreddare pe 15 minuti. Lavate le prugne, asciugatele, dividetele a metà, privatele del nocciolo e tagliatele a fettine.

Montate la panna, stendetene una parte sulla superficie e il bordo della torta e mettete quella rimasta in una tasca da pasticciere con bocchetta dentellata. Cospargete il bordo della torta con le mandorle tostate, facendole aderire bene, decorate la superficie con ciuffetti di panna, con fettine di prugne e con qualche filetto di mandorla e servite.

Torta cremosa ai lamponi

Ingredienti per 8 persone

❁ 250 g di biscotti secchi (o fette biscottate)
❁ 90 g di burro
Per il ripieno ❁ 250 g di lamponi ❁ 2 cucchiai di gelatina
❁ 500 g di formaggio fresco cremoso
❁ 0,8 dl di succo di limone biologico ❁ 3 dl di panna
❁ 150 g di zucchero

DIFFICOLTÀ
Bassa

PREPARAZIONE
50 minuti
più 20 minuti di
raffreddamento
dell'impasto
e 4 ore di
raffreddamento
della torta

COTTURA
Nessuna

VINO
Alto Adige
Moscato Rosa
(rosso,
Trentino-Alto
Adige)

Elba Aleatico
(rosso,
Toscana)

Imburrate una tortiera di circa 23 cm di diametro e rivestitela con carta da forno. Sbriciolate i biscotti nel mixer, unite il burro rimasto, fuso, e mescolate. Premete l'impasto sul fondo e sulle pareti della tortiera in modo da formare una base regolare. Fate rassodare in frigorifero per 20 minuti.

Nel frattempo preparate il ripieno. Versate 0,6 dl d'acqua in una ciotola, immergetevi la gelatina e fatela sciogliere a bagnomaria, mescolando. Lasciatela raffreddare.

Lavorate il formaggio fino a ottenere una crema. Unite il succo di limone, 125 g di zucchero e sbattete gli ingredienti, quindi incorporate al composto la panna montata, a parte e metà della gelatina.

Lavate i lamponi e frullateli con lo zucchero rimasto; filtrate con un colino e unitevi la rimanente gelatina. Versate la crema al formaggio a cucchiaiate sui biscotti, riempite gli spazi rimasti vuoti con il purè di lamponi e con la punta di un coltello mescolate i due composti.

Trasferite il dolce in frigo per 4 ore, poi decoratelo, a piacere, con ciuffetti di panna montata e lamponi.

Torta cremosa alla zucca

Ingredienti per 8 persone

❋ 250 g di polpa di zucca cotta a vapore

❋ 500 g di crescenza ❋ 200 g di zucchero

❋ 2 uova e 2 tuorli ❋ 2 cucchiai di farina ❋ 300 g di panna

❋ 1 cucchiaino di cannella ❋ 100 g di burro

❋ 3 cucchiai di succo di limone ❋ croccante di noci tritato

❋ 200 g di biscotti secchi frullati

DIFFICOLTÀ
Bassa

PREPARAZIONE
40 minuti
più 20 minuti di
raffreddamento
della base
di biscotti

COTTURA
30 minuti

VINO
Albana
di Romagna
Amabile
(bianco,
Emilia-
Romagna)

Moscato
Passito
di Pantelleria
(bianco,
Sicilia)

Amalgamate in una ciotola i biscotti secchi e il burro con 1 cucchiaio abbondante di zucchero, fino a ottenere un impasto sbriciolato.

Trasferite il composto così ottenuto in uno stampo foderato con carta da forno e premetelo sul fondo e sulle pareti dello stampo. Fate rassodare in frigorifero per 20 minuti.

Nel frattempo, riunite nella vaschetta del mixer la crescenza, lo zucchero rimasto, le uova, i tuorli, la farina, la cannella, la zucca; bagnate con il succo di limone e la panna e frullate gli ingredienti fino a ottenere un composto omogeneo e ben gonfio.

Estraete lo stampo dal frigorifero, versatevi il composto preparato e livellatelo con una spatola. Fate cuocere la torta nel forno già caldo a 190 °C per 30 minuti, finché la superficie risulterà dorata.

Lasciate intiepidire il dolce nel forno, poi sformatelo, cospargetelo con il croccante e servite subito.

Torta de noxe

Ingredienti per 8 persone

Per la pasta ❋ 145 g di farina ❋ 75 g di noci

❋ 25 g di zucchero ❋ 120 g di burro ❋ 1 tuorlo

Per il ripieno ❋ 375 g di noci

❋ 450 g di zucchero ❋ 300 g di panna

❋ 25 g di miele ❋ 2 cucchiai di caffè

❋ il succo di 2 limoni biologici

DIFFICOLTÀ
Media

PREPARAZIONE
40 minuti
più 30 minuti
di riposo
della pasta

COTTURA
40 minuti

REGIONE
Veneto

VINO
Recioto
di Soave
(bianco,
Veneto)

Montefalco
Sagrantino
Passito
(rosso,
Umbria)

Preparate la pasta. Tritate le noci e unitele a 125 g di farina; a parte, impastate 100 g di burro con lo zucchero e il tuorlo, poi incorporatevi la farina mescolata alle noci. Impastate velocemente il tutto e fate riposare l'impasto, coperto, nella parte meno fredda del frigorifero per almeno 30 minuti.

Nel frattempo preparate il ripieno. Ottenete un caramello in una casseruolina con lo zucchero, il succo dei limoni e l'acqua necessaria. Appena il composto assumerà un colore ambrato, unite la panna, fatta bollire a parte con il miele e il caffè. Incorporate le noci tritate e fate intiepidire il composto.

Stendete la pasta, foderatevi con i 2/3 una tortiera non molto alta, imburrata e infarinata; distribuitevi il composto di noci e caramello, ricoprite il ripieno con la pasta rimasta e pizzicottate bene le due sfoglie lungo i bordi.

Mettete la tortiera nel forno già caldo a 180 °C e fate cuocere la torta per circa 30 minuti. Toglietela dal forno, lasciatela intiepidire, sformatela e servitela in tavola.

Torta del Gattopardo

Ingredienti per 8 persone

Per la pasta ❊ 300 g di farina ❊ 100 g di burro ❊ 100 g di zucchero ❊ 2 tuorli ❊ la scorza grattugiata di 1 limone biologico ❊ 2 cucchiai di latte ❊ sale

Per il ripieno ❊ 5 uova ❊ 150 g di zucchero ❊ 200 g di mandorle ❊ 1 dl di Passito di Pantelleria ❊ 1 bustina di vanillina

Per la decorazione ❊ 1 cucchiaio di zucchero a velo

DIFFICOLTÀ
Bassa

PREPARAZIONE
40 minuti
più 30 minuti
di riposo
della pasta
e 15 minuti di
raffreddamento
delle mandorle

COTTURA
40 minuti

REGIONE
Sicilia

VINO
Moscato
Passito
di Pantelleria
(bianco,
Sicilia)

Oltrepò Pavese
Moscato
Passito
(bianco,
Lombardia)

Preparate la pasta. Setacciate la farina a fontana, mettete al centro il burro a pezzetti, lo zucchero, i tuorli, la scorza di limone, un pizzico di sale e il latte. Impastate velocemente, formate una palla, avvolgetela in un telo e fatela riposare per 30 minuti. Stendete i 2/3 della pasta allo spessore di 4 mm, foderatevi una tortiera e bucherellate la base di pasta.

Preparate il ripieno. Tostate nel forno le mandorle; toglietele, fatele raffreddare e tritatele finemente. Lavorate i tuorli con lo zucchero; unite le mandorle, la vanillina e il vino, poi incorporatevi gli albumi montati a neve. Versate il composto nella tortiera.

Stendete la pasta rimasta allo spessore di 3 mm e adagiatela sopra il ripieno. Pizzicottate i bordi tutt'attorno per sigillare e bucherellate ripetutamente la superficie con una forchetta. Cuocete la torta nel forno già caldo a 190 °C per 40 minuti circa, fatela raffreddare prima di sformarla e servitela cosparsa di zucchero a velo.

1 Incorporate al composto di tuorli e zucchero le mandorle tostate e tritate, poi unite la vanillina e il vino.

2 Unite con delicatezza al composto gli albumi montati a neve ben ferma.

3 Trasferite il composto nella tortiera, precedentemente foderata con i 2/3 della pasta.

Torta del Gianduia

Ingredienti per 8 persone
❊ 4 cucchiai di cacao dolce ❊ 70 g di burro
❊ 150 g di zucchero ❊ 140 g di farina ❊ 4 uova
Per la crema ❊ 100 g di burro ❊ 50 g di farina ❊ 5 dl di latte
❊ 2 tuorli ❊ 100 g di cioccolato grattugiato
❊ 150 g di zucchero ❊ 1 piccola stecca di vaniglia
Per la decorazione ❊ 2 cucchiai di mandorle pelate e tritate

DIFFICOLTÀ
Media

PREPARAZIONE
40 minuti

COTTURA
50 minuti

REGIONE
Piemonte

VINO
Moscato
Passito
di Strevi
(rosso,
Piemonte)

Moscato
di Trani Dolce
(rosso,
Puglia)

Preparate la torta. Sbattete in una terrina i tuorli con lo zucchero, unite 120 g di farina, il cacao e 3 cucchiai di albumi, montati a neve. Amalgamate gli ingredienti e incorporatevi il resto degli albumi non sbattuti.

Fate sciogliere 50 g di burro, lasciatelo intiepidire e unitelo al composto. Imburrate e infarinate una tortiera e versatevi il composto. Fate cuocere la torta nel forno già caldo a 180 °C per 40 minuti.

Preparate la crema. Sbattete in una casseruola i tuorli con lo zucchero, unite la farina, il burro a pezzetti, il cioccolato grattugiato e la vaniglia. Diluite con il latte e, sempre mescolando, fate addensare a fuoco basso la crema.

Tagliate la torta in orizzontale in modo da ottenere 2 dischi e coprite la superficie del primo disco con metà della crema; mettetevi sopra l'altro disco, coprite con la crema rimasta, livellandola bene, cospargete con le mandorle tritate e portate in tavola.

Torta delizia con fragole e banane

Ingredienti per 8 persone

❊ 220 g di farina ❊ 350 g di fragole ❊ 2 banane ❊ 3 uova
❊ 120 g di burro ❊ 0,5 dl di Kirsch ❊ 2 dl di vino bianco
❊ 1 bustina di lievito per dolci ❊ 200 g di zucchero
❊ il succo di 1/2 limone ❊ 1 cucchiaio di gelatina di fragole
Per la guarnizione ❊ 1 cucchiaio di gelatina di fragola
❊ alcune fragole fresche di uguale forma e grossezza

DIFFICOLTÀ
Bassa

PREPARAZIONE
40 minuti

COTTURA
40 minuti

VINO
Oltrepò Pavese
Sangue
di Giuda
(rosso,
Lombardia)

Vernaccia di
Serrapetrona
Dolce
(rosso,
Marche)

Sbucciate le banane e tagliatele a pezzettini; mondate le fragole e risciacquatele con poco vino bianco, poi passate la frutta nel frullatore elettrico con il succo di limone, 50 g di zucchero e il liquore.

Montate 100 g di burro con il restante zucchero e i tuorli, tenendo da parte gli albumi. Aggiungete 200 g di farina mescolata con il lievito, facendola scendere a pioggia. Sempre mescolando, unitevi il frullato di banane e fragole e incorporate con delicatezza gli albumi montati a neve.

Versate l'impasto in una tortiera, imburrata e leggermente infarinata, e fatelo cuocere nel forno già caldo a 180 °C per circa 40 minuti.

Togliete il dolce dal forno, poi sformatelo su un piatto da portata e decorate il bordo del piatto con le fragole fresche spennellate con la gelatina di fragola diluita con un po' di acqua tiepida. Servite freddo.

Torta della Foresta Nera

Ingredienti per 8 persone

Per il pan di Spagna ❋ 120 g di farina ❋ 100 g di fecola ❋ 250 g di zucchero ❋ 40 g di cacao amaro ❋ 6 uova ❋ 20 g di burro ❋ 1 bustina di vanillina

Per il ripieno ❋ 4 dl di panna ❋ 60 g di zucchero a velo ❋ 300 g di amarene sciroppate

Per la finitura ❋ alcune amarene sciroppate

DIFFICOLTÀ
Media

PREPARAZIONE
40 minuti
più 1 ora e
30 minuti di
raffreddamento
del pan di
Spagna

COTTURA
40 minuti

VINO
Recioto della
Valpolicella
(rosso,
Veneto)

Montefalco
Sagrantino
Passito
(rosso,
Umbria)

Preparate il pan di Spagna. Lavorate i tuorli con lo zucchero e la vanillina in una terrina, con le fruste elettriche. Aggiungete poco alla volta 100 g di farina, la fecola e il cacao setacciati insieme. Incorporate infine gli albumi, montati a neve a parte.

Distribuite il composto in una tortiera imburrata e infarinata e cuocete il pan di Spagna nel forno già caldo a 190 °C per 40 minuti; fatelo raffreddare per 30 minuti.

Montate la panna con lo zucchero a velo. Dividete la torta in 3 dischi e spalmate sul primo 1/3 della panna montata, quindi disponete su questa 150 g di amarene, ben sgocciolate e snocciolate.

Sovrapponete il secondo disco di pasta e farcitelo con 1/3 di panna e le amarene rimaste. Terminate con l'ultimo disco di pasta, coprite con la panna rimasta e livellate la superficie con una spatola.

Guarnite la torta con alcune amarene sciroppate, ben sgocciolate, disponendole a cerchio lungo il bordo e al centro della superficie, e portate in tavola.

Torta di albicocche

Ingredienti per 8 persone

❋ 250 g di farina ❋ 1 kg di albicocche ❋ 80 g di burro ❋ 2 uova ❋ 300 g di zucchero ❋ 1 cucchiaino di lievito per dolci ❋ 1/2 cucchiaino di bicarbonato ❋ 1/2 bustina di zucchero vanigliato ❋ 50 g di amaretti

DIFFICOLTÀ
Media

PREPARAZIONE
40 minuti

COTTURA
1 ora e
10 minuti

VINO
Ramandolo
(bianco,
Friuli-Venezia
Giulia)

Moscato
di Trani Dolce
(bianco,
Puglia)

Lavate le albicocche, snocciolatele e tagliatele a fette, tenendone qualcuna intera da parte per la guarnizione. Fate cuocere le fette di albicocca con 1 dl d'acqua in una casseruola, finché saranno asciutte, poi passatele al setaccio e lasciatele raffreddare.

Nel frattempo lavorate in una terrina con un cucchiaio di legno 60 g di burro, quindi unitevi, poco alla volta e sempre mescolando, lo zucchero e poi le uova sbattute.

Setacciate insieme per tre volte la farina, il lievito, il bicarbonato e lo zucchero vanigliato, poi uniteli a cucchiaiate alla crema di burro, alternandoli a cucchiaiate di passato di albicocche. Infine amalgamate all'impasto gli amaretti pestati.

Imburrate e infarinate una tortiera larga 22 cm e alta 5 cm e versatevi il composto. Fate cuocere la torta nel forno già caldo a 180 °C per circa 50 minuti.

Sfornate la torta e, prima di portarla in tavola, guarnitela con le fette di albicocche tenute da parte e, a piacere, con foglioline di menta fresca.

Torta di albicocche e pistacchi

Ingredienti per 8 persone

❋ 120 g di farina ❋ 250 g di albicocche sciroppate
❋ 2 cucchiai di pistacchi ❋ 160 g di zucchero
❋ 3 uova e 2 tuorli ❋ 70 g di fecola di patate
❋ 80 g di burro ❋ 0,5 dl di Brandy ❋ 1 cucchiaino di lievito per dolci

DIFFICOLTÀ
Bassa

PREPARAZIONE
30 minuti

COTTURA
50 minuti

VINO
Recioto
di Soave
(bianco,
Veneto)

Greco
di Bianco
(bianco,
Calabria)

Mettete le uova e i tuorli in una terrina, aggiungete lo zucchero e sbattete con una frusta finché il composto apparirà spumoso.

Incorporate al composto 100 g di farina e la fecola di patate fatte scendere a pioggia, 60 g di burro sciolto a bagnomaria, i pistacchi sbucciati, pelati e tritati, il liquore e il lievito.

Sgocciolate le albicocche, tagliatele a pezzetti e incorporatele all'impasto, mescolando il tutto fino a ottenere un composto omogeneo. Imburrate e infarinate una tortiera di 26 cm di diametro e versatevi il composto.

Mettete la tortiera nel forno già caldo a 180 °C e fate cuocere per 50 minuti.

Togliete la torta dal forno, sformatela su un piatto da portata, poi servitela in tavola tiepida o fredda, a piacere.

LA VARIANTE

▶ Potrete velare la superficie della torta, dopo che si sarà raffreddata, con qualche cucchiaio di gelatina di albicocche diluita con 2 cucchiai di liquore e 1 di acqua, stemperata a fuoco basso per alcuni minuti e poi lasciata raffreddare a temperatura ambiente.

Torta di ananas al Maraschino

Ingredienti per 8 persone

❊ 220 g di farina ❊ 400 g di ananas sciroppate ❊ 200 g di zucchero
❊ 160 g di burro ❊ 200 g di ciliegine candite ❊ 1 bustina di lievito per dolci
❊ 0,5 dl di Maraschino ❊ 2 dl di latte ❊ 1 uovo ❊ sale
Per la glassa ❊ 250 g di zucchero a velo ❊ 2 cucchiai di Maraschino

DIFFICOLTÀ
Bassa

PREPARAZIONE
40 minuti
più 1 ora e
30 minuti di
raffreddamento
della torta

COTTURA
40 minuti

VINO
Alto Adige
Moscato Rosa
(rosso,
Trentino-Alto
Adige)

Cesanese
del Piglio Dolce
(rosso,
Lazio)

Lavorate in una terrina 140 g di burro con lo zucchero fino a ottenere un composto spumoso, quindi unitevi l'uovo, 200 g di farina, il liquore, un pizzico di sale e diluite con il latte. Incorporate infine il lievito, mescolando dal basso verso l'alto.

Imburrate e infarinate una tortiera di circa 26 cm di diametro, versatevi metà del composto e stendetelo uniformemente. Disponete sopra al composto le fette di ananas sgocciolate e le ciliegie candite, poi coprite con il rimanente composto. Cuocete la torta nel forno già caldo a 180 °C per 40 minuti. Toglietela dal forno e lasciatela raffreddare.

IL CONSIGLIO

▶ Potete arricchire la torta con una glassa mescolando in una ciotola lo zucchero a velo con 1 cucchiaio d'acqua e il Maraschino fino ad ottenere una pastella densa. Spalmatela sul dolce, ricoprendolo completamente.

Torta di arance al Grand Marnier

Ingredienti per 8 persone

Per la pasta ✽ 250 g di farina ✽ 120 g di farina di mandorle
✽ 7 uova ✽ 225 g di zucchero ✽ 180 g di burro ✽ sale
✽ 1 bustina di lievito ✽ 1 bustina di zucchero vanigliato
Per il ripieno ✽ 1 dl di Grand Marnier
✽ 75 g di zucchero ✽ 4 arance

DIFFICOLTÀ
Media

PREPARAZIONE
40 minuti

COTTURA
50 minuti

VINO
Moscato
Passito
di Pantelleria
(bianco,
Sicilia)

Valle d'Aosta
Chambave
Moscato
Passito
(bianco,
Valle d'Aosta)

Lavate e asciugate le arance; ta-gliate a fette solo la parte centrale di ciascun frutto in modo che que-ste risultino tutte larghe uguali. Met-tete 5 cucchiai di zucchero in una padella con il Grand Marnier e il succo spremuto delle parti di aran-cia rimaste non affettate. Fate ridur-re lo sciroppo alla metà, quindi im-mergetevi le fette di arancia.

Preparate la pasta. Sbattete 160 g di burro in una terrina con lo zuc-chero e lo zucchero vanigliato, con una frusta. Incorporatevi poi le uo-va, uno alla volta, senza smettere di sbattere, quindi aggiungete i due tipi di farina, il lievito e un pizzico di sale.

Versate il composto in una tortiera a bordi alti, imburrata, e livellate la superficie. Sgocciolate le fette di arancia profumate al Grand Marnier e disponetele una accanto all'altra a distanza di 2 cm nella tortiera.

Cuocete la torta nel forno già caldo a 180 °C per 40 minuti. Sfornatela e versatevi sopra lo sciroppo di cot-tura delle fette di arancia. Lasciate intiepidire per 15 minuti, poi sfor-mate la torta su un piatto da por-tata e lasciatela raffreddare prima di servire in tavola.

Torta di banane

Ingredienti per 6 persone

❉ 150 g di farina integrale ❉ 450 g di banane mature
❉ 120 g di noci ❉ 1 dl di olio di semi di girasole
❉ 75 g di fiocchi d'avena ❉ 100 g di uva sultanina
❉ 1/2 cucchiaino di essenza di mandorle
❉ 10 g di burro ❉ sale

DIFFICOLTÀ
Bassa

PREPARAZIONE
30 minuti
più 20 minuti
di ammollo
dell'uva
sultanina

COTTURA
1 ora

VINO
Oltrepò Pavese
Moscato
(bianco,
Lombardia)

Moscato
di Trani
(bianco,
Puglia)

Fate ammorbidire l'uva sultanina in una ciotola con acqua tiepida per circa 20 minuti.

Sbucciate le banane e schiacciatele con una forchetta. Rompete le noci e tritatene grossolanamente i gherigli.

Sgocciolate l'uva sultanina e strizzatela bene, quindi raccoglietela in una ciotola con le banane schiacciate, i gherigli di noce tritati e i fiocchi d'avena.

Mescolate il tutto e unite poi la farina integrale, l'essenza di mandorle, un pizzico di sale e l'olio di semi. Amalgamate gli ingredienti fino a ottenere un impasto soffice e umido.

Distribuite il composto in uno stampo da plum-cake ben imburrato. Ponete lo stampo nel forno già caldo a 180 °C e fate cuocere il dolce per 1 ora.

Togliete lo stampo dal forno, lasciate intiepidire per 10 minuti, sformate la torta, trasferitela su un piatto da portata e decoratela, a piacere, con qualche fogliolina di menta fresca, quindi servite.

Torta di banane e amaretti

Ingredienti per 8 persone

❋ 400 g di pasta frolla ❋ 2 banane

❋ 150 g di amaretti

❋ 150 g di confettura di amarene

❋ 100 g di pinoli

❋ 20 g di burro

❋ 2 cucchiai di zucchero a velo

❋ 0,5 dl di liquore di amaretto

DIFFICOLTÀ
Bassa

PREPARAZIONE
20 minuti
più il tempo di
preparazione
della pasta
frolla

COTTURA
40 minuti

VINO
Moscadello
di Montalcino
Vendemmia
Tardiva
(bianco,
Toscana)

Loazzolo
(bianco,
Piemonte)

Dividete la pasta frolla in due parti, quindi stendetela in due dischi di circa 30 cm di diametro.

Adagiate un disco in uno stampo imburrato, distribuitevi sopra la confettura, le banane a fette e gli amaretti sbriciolati. Spruzzate con il liquore e coprite con l'altro disco di pasta frolla.

Cospargete la superficie con i pinoli, mettete la torta nel forno già caldo a 180 °C e fate cuocere per circa 40 minuti.

Togliete la torta dal forno, lasciatela intiepidire, sformatela e, prima di portarla in tavola, spolverizzatela con lo zucchero a velo.

L'INGREDIENTE

▶ **Liquore all'amaretto**. Antico liquore composto da alcol e una mistura di ben 17 elementi aromatici, tra cui si trovano le mardorle, le ciliegie, le prugne e il cacao comunemente utilizzato in pasticceria. Il risultato è un liquore dal sapore intenso particolarmente adatto ad essere accostato ai dolci, sia per il loro consumo che per la loro preparazione.

Torta di banane e ananas

Ingredienti per 8 persone

❋ 270 g di farina ❋ 300 g di banane

❋ 400 g di polpa di ananas

❋ 200 g di burro ❋ 3 uova

❋ 180 g di zucchero

❋ la scorza grattugiata di 1 limone biologico

❋ 1 bustina di lievito per dolci

❋ 1 dl di Brandy ❋ 3 cucchiai di gelatina di albicocche

DIFFICOLTÀ
Bassa

PREPARAZIONE
40 minuti
più 10 minuti
di macerazione
di banane
e ananas

COTTURA
50 minuti

VINO
Moscato d'Asti
(bianco,
Piemonte)

Frascati
Cannellino
(bianco,
Lazio)

Imburrate e infarinate una tortiera del diametro di 24 cm. Tagliate a pezzetti la polpa di ananas e mettetela in una terrina. Sbucciate le banane, dividetele a fettine, aggiungetele ai pezzetti di ananas, cospargete con 1 cucchiaio di zucchero, irrorate con metà del Brandy, mescolate e lasciate macerare per 10 minuti.

Nel frattempo lavorate in una terrina le uova con lo zucchero rimasto, incorporatevi poco alla volta la farina rimasta e il restante burro, fuso a parte. Unite anche il lievito, la scorza di limone e il resto del Brandy. Aggiungete infine il composto di ananas e banane, tenendo da parte qualche rondella di banana e qualche pezzetto di anans per la decorazione, e amalgamate bene il tutto.

Versate il composto nella tortiera e cuocete la torta nel forno già caldo a 180 °C per 50 minuti. Poi toglietela dal forno, lasciatela intiepidire, sformatela e decoratela con le rondelle di banana e i pezzetti di ananas tenuti da parte, spennellati con la gelatina di albicocche, e servitela.

Torta di cacao con crema al caffè

Ingredienti per 6 persone

Per la pasta ❋ 20 g di farina ❋ 4 uova ❋ 60 g di zucchero ❋ 20 g di burro
❋ 50 g di mandorle tritate ❋ 1/2 bustina di vanillina ❋ 2 cucchiai di caffè solubile
❋ 30 g di cacao amaro ❋ 2 cucchiai di latte
Per lo sciroppo ❋ 10 g di caffè solubile ❋ 125 g di zucchero
Per la crema ❋ 3 dl di panna ❋ 50 g di zucchero a velo
❋ 1/2 cucchiaino di caffè solubile
Per la guarnizione ❋ 40 g di scaglie di cioccolato fondente
❋ 2 cucchiai di cacao amaro ❋ 6-8 chicchi di caffè

DIFFICOLTÀ
Media

PREPARAZIONE
30 minuti

COTTURA
40 minuti

VINO
Trentino
Vin Santo
(bianco,
Trentino-Alto
Adige)

Colli Perugini
Vin Santo
(bianco,
Umbria)

Preparate la pasta. Lavorate i tuorli con lo zucchero, unite il cacao, le mandorle, la vanillina e il caffè sciolto nel latte tiepido. Incorporate gli albumi montati a neve e poi versate in una tortiera quadrata imburrata e infarinata. Cuocete nel forno già caldo a 180 °C per 35 minuti.

Preparate lo sciroppo. Fate bollire 2,5 dl d'acqua con lo zucchero per 2 minuti, unite il caffè e fate raffreddare. Nel frattempo preparate la crema. Sciogliete il caffè nel-la panna, poi montatela con lo zucchero a velo.

Dividete la torta a metà orizzontalmente, spennellatene una parte con lo sciroppo e con metà della crema; sovrapponete l'altra metà, spennellatela con lo sciroppo rimasto e coprite tutta la torta con la crema, tenendone da parte un poco. Cospargete la superficie e il bordo del dolce con le scagliette di cioccolato, spolverizzate con il cacao, decorate con ciuffetti di crema rimasta e con i chicchi di caffè.

Torta di cachi

Ingredienti per 6 persone

❋ 6 cachi ❋ 400 g di farina ❋ 200 g di zucchero

❋ 50 g di mandorle ❋ 100 g di noci

❋ 100 g di amaretti

❋ 100 g di canditi misti ❋ 200 g di fichi secchi

❋ 2 bustine di lievito per dolci ❋ 80 g di cacao

❋ la scorza grattugiata di 1 limone biologico

❋ 20 g di burro

❋ 100 g di uva sultanina ❋ 1 dl di Rum

DIFFICOLTÀ
Bassa

PREPARAZIONE
20 minuti
più 20 minuti
di ammollo
dell'uva
sultanina

COTTURA
40 minuti

VINO
Malvasia di
Casorzo d'Asti
Passito
(rosso,
Piemonte)

Gioia del Colle
Aleatico Dolce
(rosso,
Puglia)

Fate ammorbidire l'uva sultanina nel Rum, poi sgocciolatela e strizzatela bene.

Sbucciate i cachi, poneteli in una ciotola e schiacciateli. Unite la farina, lo zucchero, le mandorle, l'uva sultanina, le noci, tenendone da parte qualcuna, gli amaretti, i fichi sminuzzati, il cacao e la scorza di limone, amalgamando il tutto. Unite quindi il lievito e versate il composto in una tortiera imburrata del diametro di 30 cm.

Decorate la superficie del composto con i canditi e con i gherigli di noce tenuti da parte, mettete nel forno già caldo a 200 °C e fate cuocere per 10 minuti. Dopodiché portate la temperatura del forno a 180 °C e proseguite la cottura per altri 30 minuti circa, fino a quando, inserendo uno stecchino nel centro del dolce, ne uscirà asciutto.

Togliete la torta dal forno, sformatela su un piatto da portata e servitela tiepida o fredda, a piacere.

Torta di carote, mele e uva sultanina

Ingredienti per 8 persone

Per la pasta ❋ 220 g di farina ❋ 120 g di burro
❋ 1 tuorlo ❋ 1 cucchiaio di zucchero ❋ sale

Per il ripieno ❋ 60 g di uva sultanina ❋ 200 g di carote
❋ 300 g di mele ❋ 2 cucchiai di amido di mais
❋ 100 g di zucchero ❋ 1 cucchiaino di cannella in polvere
❋ 15 g di burro ❋ 1/2 cucchiaino di chiodi di garofano in polvere

Per la guarnizione ❋ 1 mela ❋ 1 carota
❋ 7 acini di uva sultanina ❋ 100 g di zucchero
❋ 0,5 dl di vino bianco ❋ zucchero a velo

DIFFICOLTÀ
Media

PREPARAZIONE
30 minuti
più 20 minuti
di ammollo
dell'uva
sultanina,
1 ora di riposo
della pasta
e 30 minuti di
raffreddamento
del composto
di mele

COTTURA
1 ora e
20 minuti

VINO
Recioto
di Soave
(bianco,
Veneto)

Molise
Moscato
Passito
(bianco,
Molise)

Fate ammollare l'uva sultanina in una ciotola d'acqua tiepida per 20 minuti.

Preparate la pasta. Impastate 200 g di farina, con 100 g di burro a pezzetti, il tuorlo, lo zucchero, un pizzico di sale e 0,5 dl d'acqua ghiacciata. Avvolgete l'impasto nella pellicola trasparente e lasciatelo riposare in frigo per 1 ora.

Preparate il ripieno. Sgocciolate e strizzate l'uva sultanina; raschiate le carote, grattugiatele, mettetele in una casseruola con l'uva sultanina, lo zucchero, l'amido di mais, la cannella, i chiodi di garofano e 1,5 dl d'acqua. Fate bollire per 12 minuti, mescolando ogni tanto, a fuoco medio e coperto.

Nel frattempo lavate le mele, sbucciatele, dividetele a metà, eliminate il torsolo e i semi e tagliatele a dadini. Togliete il composto dal fuoco, mescolatevi i dadini di mele e il burro a pezzetti e lasciate raffreddare.

Stendete 2/3 della pasta in una sfoglia sottile, foderate la tortiera, imburrata e infarinata, distribuite il ripieno. Stendete la pasta rimasta, co-prite il dolce, bucherellate la superficie. Cuocete la torta nel forno già caldo a 180 °C per 50 minuti e lasciatela raffreddare.

Preparate la decorazione. Tagliate a spicchi la mela sbucciata e mondata. Bollite in un tegamino 50 g di zucchero, il vino e 3 cucchiai d'acqua, per 1-2 minuti. Aggiungete gli spicchi di mela, cuoceteli per 5 minuti, facendoli leggermente caramellare, e lasciateli raffreddare.

Raschiate la carota, lavatela, tagliatela, per il lungo, a fette spesse 0,5 cm; ricavate dalla carota un dischetto del diametro di 1 cm e con un tagliapasta a forma di goccia 12 gocce. Scottateli per 2 minuti in acqua bollente, sgocciolateli. Bollite in un altro tegamino lo zucchero rimasto con 3 cucchiai d'acqua, unite le gocce e il dischetto di carota, fateli caramellare per 3 minuti; sgocciolateli e asciugateli.

Spolverizzate la torta con lo zucchero a velo e decoratela con gli spicchi di mela caramellati, le gocce e il dischetto di carota canditi e l'uva sultanina. Servite in tavola.

Torta di Chiavari

Ingredienti per 6 persone

❈ 100 g di farina ❈ 70 g di fecola di patate ❈ 20 g di burro
❈ 1 bustina di vanillina ❈ 6 uova ❈ 150 g di zucchero ❈ sale
Per il ripieno ❈ 1 dl di Rum ❈ 5 dl di panna
❈ 100 g di amaretti sbriciolati ❈ 3 tuorli
❈ 0,5 dl di Marsala ❈ 30 lingue di gatto
❈ 60 g di zucchero ❈ 2 cucchiai di zucchero a velo

DIFFICOLTÀ
Media

PREPARAZIONE
30 minuti
più 1 ora di
raffreddamento
della torta

COTTURA
55 minuti

REGIONE
Liguria

VINO
Cinque Terre
Sciacchetrà
Dolce
(rosso,
Liguria)

Moscato
di Trani
Liquoroso
(rosso,
Puglia)

Preparate il pan di Spagna. Montate i tuorli con lo zucchero e incorporate gli albumi montati a neve ferma con un pizzico di sale. Unite 80 g di farina, la fecola e la vanillina, facendole cadere a pioggia.

Versate il composto in uno stampo a cerniera imburrato e infarinato e cuocete nel forno già caldo a 180 °C per circa 40 minuti. Sfornatelo e fatelo raffreddare. Preparate il ripieno. Con una frusta, montate, a bagnomaria, i tuorli con lo zucchero; versate poco a poco il Marsala e sbattete fino a ottenere uno zabaione gonfio e soffice.

Tagliate la crosta del pan di Spagna e sbriciolatela. Dividete la torta in 2 dischi, bagnate la base con del Rum e spalmatevi 1/3 di panna montata; distribuitevi gli amaretti bagnati e sbriciolati nel Rum (tenendone alcuni da parte), cospargete con lo zabaione e coprite con metà della panna montata. Ricoprite la farcitura con il pan di Spagna rimasto, inzuppato di Rum. Spalmate tutta la torta di panna e cospargetela di briciole di pan di Spagna e decoratela con gli amaretti rimasti. Spolverizzate con lo zucchero a velo e decorate i bordi e il centro con le lingue di gatto. Fate riposare la torta in frigorifero per 1 ora e servite.

Torta di ciliegie

Ingredienti per 6 persone

❈ 1 kg di ciliegie mature
❈ 3/4 di bustina di lievito per dolci
❈ 100 g di burro ❈ 420 g di farina
❈ 150 g di zucchero
❈ 4 uova ❈ 1 dl di Rum
❈ latte ❈ sale

DIFFICOLTÀ
Bassa

PREPARAZIONE
30 minuti
più 1 ora e
30 minuti di
raffreddamento

COTTURA
40 minuti

VINO
Brachetto
d'Acqui
(rosso,
Piemonte)

Vernaccia di
Serrapetrona
Dolce
(rosso,
Marche)

Mescolate in una terrina 400 g di farina, con un pizzico di sale e lo zucchero; unite le uova, 80 g di burro, ammorbidito a temperatura ambiente e tagliato a fiocchetti, e il Rum. Amalgamate gli ingredienti fino a ottenere una pasta morbida, aggiungendo, se fosse necessario, poco latte tiepido.

Lavate le ciliegie, asciugatele, snocciolatele e tagliatele a metà, tenetene da parte alcune intere per la guarnizione. Aggiungete le ciliegie e il lievito all'impasto e mescolate ancora.

Ungete una tortiera con il burro rimasto, cospargetela con la restante farina; versatevi il composto e decorate la superficie con le ciliegie tenute da parte.

Mettete la tortiera nel forno già caldo a 180 °C e fate cuocere il dolce per 40 minuti.

Togliete dal forno, sformate la torta, trasferitela su un piatto da portata e, prima di servirla, cospargetela, a piacere, con granella di zucchero.

Torta di cioccolato con arancia candita

Ingredienti per 6 persone

Per la pasta ❋ 145 g di burro ❋ 125 g di zucchero ❋ 125 g di pinoli tostati tritati ❋ 125 g di cioccolato fondente ❋ 30 g di biscotti secchi ❋ 20 g di farina ❋ 40 g di scorza d'arancia candita tritata ❋ 3 uova

Per la guarnizione ❋ 150 g di cioccolato fondente ❋ 50 g di cioccolato al latte ❋ 30 g di burro ❋ 20 g di pinoli tostati ❋ 20 g di scorzette d'arancia candita ❋ 100 g di zucchero a velo

DIFFICOLTÀ
Media

PREPARAZIONE
30 minuti
più 1 ora
e 30 minuti di
raffreddamento
della torta,
30 minuti di
raffreddamento
della glassa
e 30 minuti di
raffreddamento
della
guarnizione

COTTURA
1 ora e
10 minuti

VINO
Recioto della
Valpolicella
(rosso,
Veneto)

Montefalco
Sagrantino
Passito
(rosso,
Umbria)

Lavorate in una ciotola 125 g di burro, a pezzetti, con lo zucchero, aggiungete uno alla volta i tuorli. Unite i pinoli, il cioccolato tritato, la scorza d'arancia e i biscotti; amalgamate bene e incorporate gli albumi montati a neve. Versate il composto in una tortiera foderata con carta da forno, cuocete la torta nel forno già caldo a 160 °C per 50 minuti; sformatela e lasciatela raffreddare.

Preparate la guarnizione. Sciogliete il cioccolato fondente a bagnomaria

e amalgamatevi il burro. Togliete dal fuoco, unite lo zucchero a velo, 3 cucchiai d'acqua e mescolate. Spalmate completamente la torta con la glassa preparata e fatela raffreddare.

Guarnite fondendo a bagnomaria il cioccolato al latte, mettendolo in un conetto di carta da forno a cui avrete tagliato la punta e disegnando sulla superficie della torta delle linee incrociate. Formate dei fiorellini con i pinoli e le scorzette d'arancia e fate solidificare il cioccolato in luogo fresco.

1 Mescolate in una ciotola tutti gli ingredienti per la preparazione dell'impasto della torta.

2 Quindi incorporate con molta delicatezza gli albumi montati a neve ben ferma e mescolate con cura.

3 Versate il composto nella tortiera foderata con carta da forno.

Torta di cioccolato e albicocche

Ingredienti per 8 persone

❋ 200 g di cioccolato fondente ❋ 220 g di burro
❋ 200 g di zucchero ❋ 8 uova ❋ 200 g di farina
❋ 40 g di zucchero a velo ❋ 0,5 dl di liquore all'anice
❋ 4 cucchiai di confettura di albicocche
Per la guarnizione ❋ 50 g di burro ❋ 12 mandorle dolci pelate
❋ 50 g di cacao ❋ 200 g di zucchero a velo ❋ 3 ciliegie candite

DIFFICOLTÀ
Media

PREPARAZIONE
30 minuti
più 2 ore di
riposo della
torta

COTTURA
1 ora e
5 minuti

VINO
Alto Adige
Moscato Giallo
(bianco
Trentino-Alto
Adige)

Moscato
Passito
di Pantelleria
(bianco,
Sicilia)

Fate fondere il cioccolato a bagno-maria; unite 200 g di burro, a pezzi, lo zucchero e il liquore all'anice. Mescolate, togliete dal fuoco e incorporate, uno alla volta, i tuorli, poi la farina. Montate a neve gli albumi con lo zucchero a velo e amalgamateli al composto.

Imburrate una tortiera e foderatela con un foglio d'alluminio di dimensioni tali che fuoriesca di 2 cm dal bordo. Ungete di burro anche l'alluminio, poi versatevi l'impasto, livellatelo e fatelo cuocere nel forno già caldo a 180 °C per 50 minuti.

Passate al setaccio la confettura di albicocche e spalmatela uniformemente sull'intero dolce.

Preparate la guarnizione. Amalgamate il burro fuso al cacao e allo zucchero a velo; mescolate e unitevi poco alla volta 0,5 dl d'acqua. Continuate a mescolare fino a ottenere una crema densa e omogenea, quindi spalmatela sulla torta.

Lasciate riposare per 2 ore in luogo fresco, poi decorate la torta con alcune mandorle dolci, poste come petali intorno a una ciliegina rossa candita. Servite in tavola.

Torta di cioccolato e amarene

Ingredienti per 6 persone

❋ 90 g di farina ❋ 35 g di burro ❋ 10 g di vanillina ❋ 3 uova
❋ 20 g di cacao ❋ 80 g di zucchero ❋ 3 dl di panna
❋ 200 g di cioccolato fondente ❋ 200 g di amarene sciroppate
Per lo sciroppo ❋ 50 g di zucchero ❋ 2 cucchiai di Rum
Per la guarnizione ❋ 5 dl di panna ❋ 50 g di riccioli di cioccolato
❋ scriroppo all'amarena ❋ 20 amarene

DIFFICOLTÀ
Media

PREPARAZIONE
30 minuti
più 1 ora e
30 minuti di
raffreddamento
della torta
e 30 minuti di
raffreddamento
dello sciroppo

COTTURA
1 ora

VINO
Elba Aleatico
(rosso,
Toscana)

Recioto della
Valpolicella
(rosso,
Veneto)

Preparate il pan di Spagna. Montate le uova con lo zucchero. Unite poco alla volta 70 g di farina, il cacao e la vanillina, mescolando, incorporate 15 g di burro, fuso a parte. Distribuite il composto in una tortiera imburrata e infarinata e cuocete nel forno già riscaldato a 180 °C per 40 minuti. Lasciate raffreddare.

Fate fondere a bagnomaria il cioccolato; toglietelo dal fuoco, amalgamate metà della panna montata e poi, delicatamente, l'altra metà. Preparate lo sciroppo. Fate bollire lo zucchero in 1 dl d'acqua per 2 minuti, mescolando. Fate raffreddare lo sciroppo e unitevi il Rum.

Dividete la torta in 3 dischi, spennellatene uno con lo sciroppo, stendetevi 1/3 del composto al cioccolato, adagiatevi sopra un poco di amarene e coprite con la panna montata; procedete allo stesso modo formando gli altri strati.

Per la guarnizione, coprite l'intera torta di panna montata e fatevi aderire i riccioli di cioccolato. Con la panna montata formate una coroncina di ciuffetti sul bordo superiore e al centro della torta. Decoratele con foglie di cioccolato, le amarene, lo sciroppo e servite.

Torta di cioccolato e lamponi

Ingredienti per 8 persone

✱ 4 uova ✱ 100 g di zucchero ✱ 120 g di mandorle pelate
✱ 60 g di cacao amaro ✱ 40 g di farina ✱ 120 g di burro ✱ 3 dl di panna
✱ 450 g di cioccolato fondente ✱ 3 cucchiai di confettura di lamponi
Per lo sciroppo ✱ 3 cucchiai di zucchero ✱ 3 cucchiai di Grappa di lamponi
Per la guarnizione ✱ 100 g di lamponi ✱ 130 g di cioccolato bianco
✱ 50 g di cioccolato fondente ✱ 2 cucchiai di gelatina di albicocche

DIFFICOLTÀ
Media

PREPARAZIONE
30 minuti
più 1 ora e
30 minuti di
raffreddamento
della torta,
10 minuti
di riposo
degli strati
e 20 minuti di
solidificazione
del cioccolato

COTTURA
50 minuti

VINO
Pornassio
di Ormeasco
Liquoroso
(rosso,
Liguria)

Aleatico
di Gradoli
(rosso,
Lazio)

Tritate le mandorle e mettetele in una ciotola. Lavorate in una terrina 1 uovo intero, 3 tuorli e lo zucchero; incorporate le mandorle tritate, unite 100 g di burro fuso, alternandolo alla farina setacciata con il cacao. Incorporate delicatamente gli albumi rimasti montati a neve, versate il composto in uno stampo imburrato e cuocetelo nel forno già caldo a 180 °C per 25 minuti. Lasciate raffreddare.

Scaldate la panna in un tegamino; grattugiate il cioccolato, mettetelo in una terrina, versatevi la panna calda. Fate riposare per qualche minuto, poi mescolate finché il cioccolato sarà sciolto e lasciate raffreddare.

Preparate lo sciroppo. Fate bollire in una casseruola 1 dl d'acqua con lo zucchero per 2 minuti; togliete dal fuoco, lasciate raffreddare e aggiungete la Grappa di lamponi.

Tagliate la torta in orizzontale in 3 strati, adagiatene uno su un piatto da portata, spennellatelo con lo sciroppo, spalmatevi 1 cucchiaio di confettura di lamponi e fate riposare 10 minuti. Montate la crema di cioccolato con le fruste elettriche, spalmatene 1/4 sopra la confettura, appoggiate il secondo strato di torta e proseguite alternando gli strati, fino a esaurimento degli ingredienti. Terminate con la crema al cioccolato, ricoprendo anche il bordo della torta.

Preparate la guarnizione. Spezzettate il cioccolato fondente, fatelo fondere a bagnomaria, versatelo in un conetto di carta da forno e disegnate delle strisce trasversali sulla superficie del dolce, suddividendolo in 7 fasce, 3 più strette e 4 più larghe. Fate solidificare il cioccolato in luogo fresco. Ricavate con un pelapatate ad archetto tanti riccioli dal cioccolato bianco. Riempite le fasce più larghe con i riccioli di cioccolato bianco e quelle più strette con 2 file di lamponi, lavati e asciugati.

Portate a ebollizione la gelatina di albicocche con 1 cucchiaio d'acqua, spennellate i lamponi e lasciatela rapprendere prima di portare in tavola la torta.

IL CONSIGLIO

▶ Se non è la stagione giusta, utilizzate pure i lamponi surgelati. L'importante è che li facciate scongelare in frigorifero in modo che non si rovinino e non perdano il sapore.

Torta di cioccolato
e patate

Ingredienti per 6 persone

✽ 200 g di patate ✽ 150 g di cioccolato ✽ 135 g di burro ✽ 100 g di zucchero ✽ 2 uova e 1 albume ✽ 1/2 cucchiaino di cannella in polvere ✽ 150 g di farina ✽ 75 g di nocciole tritate ✽ 4 cucchiai di latte ✽ 1 cucchiaino di lievito per dolci ✽ 0,5 dl di Rum ✽ 170 g di zucchero a velo ✽ 2 cucchiai di cacao ✽ sale

DIFFICOLTÀ
Bassa

PREPARAZIONE
30 minuti
più 1 ora
e 30 minuti di
raffreddamento
della torta

COTTURA
55 minuti

VINO
Albana
di Romagna
Passito
(bianco,
Emilia-
Romagna)

Sannio
Falanghina
Passito
(bianco,
Campania)

Mondate le patate liberandole di tutta la terra residua, pelatele e lavatele accuratamente. Sgocciolatele e asciugatele poi con un telo da cucina; infine grattugiatele e, a parte, grattugiate anche il cioccolato.

Montate in una ciotola 120 g di burro con lo zucchero e 150 g di zucchero a velo; unite un pizzico di sale, la cannella, le uova, le nocciole, 130 g di farina, il lievito e il latte e mescolate bene tutti gli ingredienti amalgamandoli perfettamente. Incorporate infine le patate e il cioccolato grattugiati e amalgamate bene anche questi al resto del composto.

Versate il composto ben amalgamato in una tortiera a forma di cuore, precedentemente imburrata e infarinata, mettetela nel forno già caldo a 180 °C e fate cuocere per circa 55 minuti. Togliete la torta dal forno, sformatela su un piatto da portata e fatela raffreddare.

Nel frattempo sbattete l'albume in una ciotola e unitevi lo zucchero a velo rimasto, il cacao e il Rum, mescolate e sbattete fino ad ottenere una glassa omogenea. Spalmate la glassa sulla torta con una spatolata e decoratela con ciuffetti di panna montata; quindi servite la torta in tavola.

Torta di cioccolato e pistacchi

Ingredienti per 10 persone

❋ 150 g di pistacchi tostati tritati ❋ 6 uova ❋ 20 g di farina ❋ 170 g di burro ❋ 250 g di cioccolato fondente ❋ 150 g di zucchero ❋ 1 bustina di vanillina

Per la guarnizione ❋ 100 g di burro ❋ 110 g di pistacchi tostati tritati ❋ 1 dl di panna ❋ 200 g di cioccolato fondente ❋ alcuni pistacchi interi

DIFFICOLTÀ
Media

PREPARAZIONE
30 minuti
più 30 minuti
di riposo
della torta

COTTURA
1 ora e
15 minuti

VINO
Alto Adige
Moscato Rosa
(rosso,
Trentino-Alto
Adige)

Elba Aleatico
(rosso,
Toscana)

Tritate il cioccolato e fatelo fondere con 150 g di burro a bagnomaria. Lavorate in una terrina le uova e lo zucchero, unite i pistacchi, la vanillina e il cioccolato fuso, amalgamando bene. Versate il composto in una tortiera, imburrata e infarinata, e fatelo cuocere nel forno già caldo a 160 °C per 1 ora. Lasciate raffreddare la torta.

Preparate la guarnizione. Fate fondere il burro; tritate il cioccolato, mettetelo in una ciotola, versatevi sopra il burro e lavorate il composto fino a renderlo liscio e scorrevole. Sformate la torta, spalmatevi il composto preparato in uno strato uniforme e

lasciatela in un luogo fresco per circa 30 minuti.

Fate aderire una parte dei pistacchi tritati sul bordo della torta. Quindi montate la panna, mettetela in una tasca da pasticciere con bocchetta dentellata, distribuitela a ciuffetti sulla superficie della torta, formando la sagoma di una farfalla e riempite la parte interna delle ali con i pistacchi tritati rimasti.

Completate adagiando con una pinzetta i pistacchi interi sulla parte centrale della farfalla e conservate la torta in frigorifero fino al momento di servirla in tavola.

Torta di cioccolato, prugne e Armagnac

Ingredienti per 8 persone

❋ 100 g di prugne secche snocciolate ❋ 100 g di zucchero
❋ 4 cucchiai di Armagnac ❋ 180 g di cioccolato fondente
❋ 3 cucchiai di caffè ristretto ❋ 140 g di burro ❋ 3 uova
❋ 40 g di amido di mais ❋ 20 g di farina ❋ sale
Per la copertura ❋ 150 g di cioccolato fondente
❋ 2 cucchiai di Armagnac ❋ 100 g di zucchero a velo
❋ 2 cucchiai di gelatina di albicocche ❋ 40 g di burro
Per la guarnizione ❋ 2 prugne secche snocciolate
❋ 60 g di gherigli di noce ❋ 100 g di zucchero
❋ 1 cucchiaio di olio di mandorla

DIFFICOLTÀ
Media

PREPARAZIONE
30 minuti
più 30 minuti di
macerazione
delle prugne,
1 ora di
raffreddamento
e 1 ora di riposo
della torta e
30 minuti di
solidificazione
della copertura

COTTURA
1 ora e
20 minuti

VINO
Aleatico
di Puglia
Liquoroso
(rosso,
Puglia)

Moscato
di Scanzo
(rosso,
Lombardia)

Lavate le prugne, asciugatele, tritatele, mettetele in una ciotola, irroratele con l'Armagnac e lasciatele macerare per 30 minuti.

Tritate il cioccolato, mettetelo in un tegamino con il caffè e fatelo fondere a bagnomaria. Toglietelo dal fuoco e amalgamatevi poco alla volta 20 g di burro, diviso a pezzetti. Lavorate in una ciotola i tuorli con lo zucchero, unite il cioccolato fuso, aggiungete le prugne con l'Armagnac e l'amido di mais. Incorporate infine delicatamente gli albumi montati a neve con un pizzico di sale.

Versate il composto in una tortiera, imburrata e infarinata, e cuocete nel forno già caldo a 160 °C per 50 minuti. Lasciate raffreddare la torta, sformatela su un piatto da portata e tenetela in frigorifero per 1 ora.

Preparate la copertura. Portate a ebollizione in un tegamino la gelatina di albicocche con 2 cucchiai d'acqua e spennellate la superficie della torta. Tritate il cioccolato, fatelo fondere a bagnomaria, amalgamatevi il burro a pezzetti e togliete dal fuo-

co. Aggiungete, poco alla volta e sempre mescolando, lo zucchero a velo e l'Armagnac. Spalmate il composto sulla torta e lasciate solidificare in un luogo fresco.

Preparate la guarnizione. Ungete d'olio il piano di lavoro. Fate caramellare lo zucchero in una casseruola con 2 cucchiai d'acqua; toglietelo dal fuoco e immergetevi i gherigli di noce. Sgocciolateli sul piano e lasciate solidificare il caramello.

Tagliate le prugne a pezzetti. Adagiate lungo il bordo della torta una parte dei gherigli di noce caramellati, formando una corona; disponete quelli rimasti al centro del dolce, formando un piccolo cerchio. Completate distribuendo nel centro di quest'ultimo i pezzettini di prugne. Servite in tavola.

L'INGREDIENTE

▶**Armagnac**. La più antica acquavite francese, risalente al XVII secolo, prende il nome dal territorio in cui viene prodotta, in Guascogna, a ridosso dei Pirenei nel Sudovest della Francia.

Torta di cocco e cioccolato

Ingredienti per 8 persone

❀ 2 noci di cocco ❀ 220 g di farina ❀ 140 g di zucchero
❀ 100 g di fecola di patate ❀ 150 g di cioccolato fondente ❀ 3 uova
❀ 120 g di burro ❀ 2 dl di latte ❀ 1 bustina di lievito per dolci
Per la crema ❀ 150 g di cioccolato fondente
❀ 2 dl di panna ❀ 1 cucchiaio di Rum
Per la glassa ❀ 100 g di zucchero a velo ❀ 25 g di burro
❀ 150 g di cioccolato fondente
Per la guarnizione ❀ 10 tartufi al cioccolato

DIFFICOLTÀ
Media

PREPARAZIONE
30 minuti
più 1 ora
e 30 minuti di
raffreddamento
della torta e
1 ora di riposo
della crema

COTTURA
1 ora e
15 minuti

VINO
Elba Aleatico
(rosso,
Toscana)

Aleatico
di Gradoli
(rosso,
Lazio)

Rompete le noci di cocco, raccogliete il latte in una terrina, staccate la polpa con uno scavino e grattugiatela. Tritate il cioccolato e fatelo sciogliere nel latte caldo, mescolandolo spesso; lasciatelo riposare per 2-3 minuti, mescolate di tanto in tanto e lasciatelo intiepidire.

Nel frattempo lavorate in una terrina 100 g di burro, diviso a pezzetti, con 100 g di zucchero. Amalgamate i tuorli, uno alla volta, aggiungete poco alla volta 200 g di farina, la fecola e il lievito, unite il cioccolato fuso nel latte e incorporate delicatamente gli albumi montati a neve. Versate il composto in una tortiera imburrata e infarinata e cuocete la torta nel forno già caldo a 170 °C per 50 minuti. Lasciatela raffreddare.

Portate a bollore in un tegamino 1 dl d'acqua con lo zucchero rimasto; togliete dal fuoco, lasciatelo intiepidire e unite il latte di cocco.

Preparate la crema. Tritate il cioccolato e mettetelo in una terrina; portate a ebollizione la panna, versatela sul cioccolato tritato, lasciate riposare per 2-3 minuti, mescolate finché il cioccolato sarà sciolto e fate riposare il composto per 1 ora. Incorporate il Rum e montate la crema con le fruste elettriche finché avrà quasi raddoppiato di volume; fatela riposare per 1 ora.

Preparate la glassa. Tritate il cioccolato, fatelo fondere a bagnomaria, aggiungete il burro a pezzetti, togliete dal fuoco e incorporatevi, poco alla volta, lo zucchero a velo. Bagnate con 2-3 cucchiai d'acqua e mescolate fino a ottenere una crema lucida e abbastanza fluida.

Dividete la torta in 3 strati orizzontali, spennellate un disco con lo sciroppo, stendetevi sopra un leggero strato di crema e uno di cocco grattugiato, sovrapponete il secondo disco e ripetete le operazioni precedenti.

Completate la torta con il terzo disco e spennellatelo con lo sciroppo rimasto. Coprite quindi completamente la torta con la glassa, cospargete la superficie e i bordi con il cocco grattugiato rimasto, premendolo leggermente, e distribuite sulla superficie i tartufi di cioccolato.

336

Torta di crespelle

Ingredienti per 8 persone

Per le crespelle ❈ 2,5 dl di latte
❈ 120 g di farina ❈ 20 g di burro
❈ 2 uova ❈ sale
Per il ripieno ❈ 500 g di ricotta piemontese
❈ 100 g di zucchero
❈ 1 arancia biologica ❈ 0,5 dl di Grand Marnier
Per la guarnizione ❈ zucchero a velo
❈ ciliegine candite

DIFFICOLTÀ
Media

PREPARAZIONE
30 minuti

COTTURA
30 minuti

VINO
Loazzolo
(bianco,
Piemonte)

Malvasia
di Cagliari
Liquoroso
(bianco,
Sardegna)

Preparate le crespelle. In una padellina sciogliete il burro, e in una ciotola mescolate le uova con la farina e un pizzico di sale. Stemperate l'impasto con il latte freddo, poi aggiungete il burro fuso.

Riscaldate la padellina già unta e versatevi un mestolino di composto facendolo allargare sul fondo. Non appena sarà rappreso, girate la crespella per completarne la cottura, quindi sformatela su un piatto e ripetete l'operazione fino a esaurimento della pastella.

Preparate il ripieno. Mescolate in una ciotola la ricotta con lo zucchero semolato, la scorza di 1 arancia a filetti e il succo spremuto della stessa. Profumate quindi con il Grand Marnier.

Montate la torta spalmando una crespella con un po' di ripieno e continuando a sovrapporre crespelle e ripieno fino a esaurimento degli ingredienti. Terminate con una crespella, cospargete con zucchero a velo, quindi decorate con fettine d'arancia e ciliegine.

Torta di crespelle e mele

Ingredienti per 8 persone

Per le crespelle ❈ 2,5 dl di latte ❈ 120 g di farina
❈ 20 g di burro ❈ 2 uova ❈ sale
Per la pasta brisée ❈ 300 g di farina ❈ 150 g di burro
❈ 70 g di zucchero semolato ❈ sale
Per la crema ❈ 5 dl di latte ❈ 150 g di zucchero ❈ 4 tuorli
❈ 50 g di farina ❈ 0,5 dl di Rum ❈ 10 g di vanillina
Per la guarnizione ❈ 550 g di mele
❈ 15 g di burro ❈ 6 amaretti

DIFFICOLTÀ
Media

PREPARAZIONE
30 minuti
più 1 ora di
riposo della
pasta

COTTURA
1 ora e
15 minuti

VINO
Trentino Pinot
Bianco
Vendemmia
Tardiva
(bianco,
Trentino-Alto
Adige)

Moscato di
Trani Dolce
(bianco,
Puglia)

Preparate le crespelle. Mescolate le uova con la farina e un pizzico di sale, unite il latte e il burro fuso. Versate 1 mestolino di composto in un tegame unto e fatelo rapprendere, girate la crespella completando la cottura, sformatela su un piatto e ripetete l'operazione esaurendo la pastella.

Preparate la pasta. Impastate la farina con il burro morbido, lo zucchero, un pizzico di sale e 0,75 dl d'acqua. Avvolgetela nella pellicola trasparente e mettetela in frigorifero per 1 ora.

Preparate la crema. Mescolate i tuorli con la farina e lo zucchero, unite il latte caldo e cuocete per 8 minuti; infine aromatizzate la crema con la vanillina e il Rum. Affettate sottilmente le mele sbucciate e rosolatele nel burro.

Rivestite uno stampo con la pasta facendola debordare. Stendete più strati di crema, mele, crespelle e crema. Cospargete l'ultimo strato con gli amaretti tritati e ribaltate verso l'interno la parte eccedente della pasta.

Cuocete la torta nel forno già caldo a 200 °C per 40 minuti. Servitela in tavola tiepida e guarnire a piacere con amaretti e fettine di mela.

Torta di datteri

Ingredienti per 4 persone

- ❋ 350 g di datteri
- ❋ 1 cucchiaio di olio di mandorla
- ❋ 1 bustina di zucchero a velo vanigliato
- ❋ 200 g di mandorle dolci
- ❋ 200 g di zucchero
- ❋ 3 albumi ❋ sale

DIFFICOLTÀ
Bassa

PREPARAZIONE
30 minuti

COTTURA
45 minuti

VINO
Malvasia
delle Lipari
Passito
(bianco,
Sicilia)

Oltrepò Pavese
Moscato
Passito
(bianco,
Lombardia)

Sgusciate le mandorle, sbollentatele per 1 minuto in acqua bollente, sgocciolatele e privatele della pellicina. Snocciolate i datteri. Passate nel tritatutto le mandorle e i datteri e trasferiteli in una terrina.

Aggiungete un pizzico di sale, lo zucchero e gli albumi. Mescolate più volte l'impasto e versatelo in una tortiera foderata con carta da forno unta con olio di mandorla.

Passate il composto nel forno già caldo a 180 °C e cuocetelo per 40 minuti circa. Quindi lasciate raffreddare la torta, spolverizzatene la superficie con lo zucchero vanigliato e trasferitela su un piatto da portata. Servite in tavola.

L'INGREDIENTE

▶ **Olio di mandorla.** L'olio di mandorla è un olio molto emolliente, che in pasticceria viene usato per ungere il piano di lavoro al posto di quello d'oliva, che trasmetterebbe all'impasto un sapore troppo deciso.

Torta di farina di grano saraceno

Ingredienti per 8 persone

❊ 300 g di farina di grano saraceno ❊ 320 g di burro

❊ 3 cucchiai di farina ❊ 300 g di zucchero

❊ 6 uova ❊ 1 bustina di lievito per dolci

❊ 250 g di marmellata di mirtilli rossi

❊ 2 dl di panna montata

❊ 1 cucchiaio di zucchero a velo

DIFFICOLTÀ
Bassa

PREPARAZIONE
30 minuti
più 1 ora e
30 minuti di
raffreddamento
della torta

COTTURA
40 minuti

REGIONE
Trentino-Alto
Adige

VINO
Alto Adige
Moscato Rosa
(rosso,
Trentino-Alto
Adige)

Aleatico
di Gradoli
(rosso,
Lazio)

Lavorate 300 g di burro a crema e aggiungetevi i tuorli, uno alla volta e lo zucchero, mescolando bene affinché lo zucchero si sciolga perfettamente.

Mescolate in una ciotola le due farine con il lievito, poi unitele a cucchiaiate al composto di burro e uova; incorporate delicatamente anche gli albumi montati a neve molto soda e versate il composto in una tortiera imburrata. Cuocete la torta nel forno già caldo a 180 °C per circa 40 minuti o finché, inserendovi al centro uno stecchino, questo ne uscirà asciutto.

Fatela raffreddare completamente, tagliatela orizzontalmente a metà e farcitela con la marmellata di mirtilli; montate la panna con lo zucchero a velo e ricoprite la superficie della torta. Servitela in tavola.

LA VARIANTE

▶ La versione più moderna di questa torta prevede l'aggiunta all'impasto di un quantitativo di mandorle sbucciate e tritate pari a quello della farina.

Torta di fichi e mele

Ingredienti per 6 persone

Per la pasta ✼ 190 g di farina ✼ 95 g di burro ✼ 1 tuorlo
✼ 50 g di zucchero ✼ 50 g di nocciole tostate e tritate
✼ la scorza grattugiata di 1/2 limone biologico
Per il ripieno ✼ 4 mele ✼ 6 fichi freschi
✼ 70 g di gherigli di noci ✼ 0,5 dl di Grand Marnier
✼ 15 g di cannella in polvere ✼ 20 g di zucchero vanigliato
✼ 2 cucchiai di panna ✼ 3 cucchiai di zucchero di canna
✼ la scorza grattugiata di 1 arancia biologico

DIFFICOLTÀ
Media

PREPARAZIONE
30 minuti
più 1 ora
di riposo
della pasta

COTTURA
1 ora

VINO
Albana
di Romagna
Passito
(bianco,
Emilia-
Romagna)

Isonzo
Verduzzo
Friulano
(bianco,
Friuli-Venezia
Giulia)

Preparate la pasta. Impastate 170 g di farina con 75 g di burro, le nocciole, lo zucchero, il tuorlo e la scorza di limone. Avvolgete l'impasto nella pellicola trasparente e lasciatelo riposare in luogo fresco per 1 ora.

Nel frattempo preparate il ripieno. Tagliate a fettine sottili le mele sbucciate e mondate. Dividete a pezzetti i fichi sbucciati. Mettete la frutta preparata in una terrina, aggiungete la cannella, il Grand Marnier, la panna, lo zucchero di canna, la scorza dell'arancia e mescolate bene.

Imburrate una tortiera del diametro di 22-24 cm e disponete a giri concentrici i gherigli di noci divisi a metà con la parte bombata verso il basso. Ricavate 2 dischi dalla pasta stesa, uno di diametro maggiore di 2 cm dell'altro. Ricoprite le noci con il disco più grande, foderando la tortiera. Distribuitevi sopra il ripieno, coprite con l'altro disco, pizzicottate il bordo e bucherellate la superficie.

Cuocete la torta nel forno già caldo a 180 °C per 1 ora. Sfornatela, capovolgetela su un piatto da portata e, prima di servirla, spolverizzatela con lo zucchero vanigliato.

Torta di fichi e pesche

Ingredienti per 4 persone

✼ 5 fichi maturi e sodi
✼ 3 grosse pesche a pasta bianca
✼ 100 g di zucchero
✼ 60 g di burro ✼ 1 amaretto
✼ 40 g di biscotti secchi
✼ 1 uovo e 1 tuorlo
✼ 20 g di farina
✼ 2 cucchiai di Rum

DIFFICOLTÀ
Media

PREPARAZIONE
30 minuti

COTTURA
3 ore e
15 minuti

VINO
Loazzolo
(bianco,
Piemonte)

Sannio Greco
Passito
(bianco,
Campania)

Private i fichi del picciolo, lavateli e asciugateli. Mettete 40 g di burro in una padella, ponetela sul fuoco e, appena sarà fumante e spumoso, friggetevi i fichi per 6-7 minuti, girandoli in modo che risultino uniformemente dorati. Sgocciolateli e adagiateli su carta assorbente.

Lavate le pesche, asciugatele con cura, dividetele a metà, privatele del nocciolo, tagliatele a spicchi e fatele friggere nello stesso burro dei fichi per 7-8 minuti.

Trasferitele con il condimento di cottura in una terrina, lasciatele raffreddare, aggiungete i biscotti e l'amaretto sbriciolati, l'uovo, il tuorlo, lo zucchero e amalgamate gli ingredienti, irrorandoli con il Rum.

Imburrate e infarinate una teglia, distribuitevi il composto a base di pesche, livellatene la superficie con una spatola, praticatevi 5 incavi con il dorso di un cucchiaio, adagiate in ognuno un fico.

Cuocete la torta nel forno già caldo a 100 °C per circa 3 ore; sformatela su un piatto da portata e servitela tiepida o fredda, a piacere.

Torta di fichi freschi

Ingredienti per 6 persone

❋ 500 g di fichi maturi

❋ 270 g di farina

❋ 2 uova ❋ 100 g di zucchero

❋ la scorza grattugiata di 1 limone biologico

❋ vino bianco

❋ 1 bustina di lievito per dolci

❋ 70 g di burro ❋ sale

DIFFICOLTÀ
Bassa

PREPARAZIONE
30 minuti

COTTURA
40 minuti

VINO
Moscato
di Pantelleria
(bianco,
Sicilia)

Elba Moscato
(bianco,
Toscana)

Sbucciate i fichi e tritateli grossolanamente. In una terrina lavorate 50 g di burro ammorbidito con lo zucchero; aggiungete, uno alla volta, le uova, 250 g di farina setacciata con il lievito e un pizzico di sale, la scorza del limone e poco vino bianco.

Amalgamate bene gli ingredienti e aggiungete i fichi. Mescolate e versate il composto in una teglia imburrata e infarinata.

Cuocete la preparazione nel forno già caldo a 190 °C per 40 minuti circa. Sformate la torta su un piatto da portata e servitela in tavola tiepida o fredda, a piacere.

LA VARIANTE

▶ Per un dolce altrettanto delizioso, potete usare al posto dei fichi lo stesso quantitativo di prugne fresche (sono perfette quelle della qualità Regina Claudia) cotte e private del liquido di cottura, oppure di prugne secche, ammollate e poi tritate.

Torta di fichi, noci e arancia

Ingredienti per 6 persone

❋ 140 g di farina ❋ 80 g di burro ❋ 100 g di zucchero

❋ 1 uovo ❋ 1/4 di cucchiaino di bicarbonato di sodio

❋ 5 cucchiai di latte ❋ 250 g di fichi freschi

❋ 50 g di gherigli di noce ❋ 1 bustina di vanillina

❋ 1/2 cucchiaio di scorza grattugiata di 1 arancia biologica

Per la guarnizione ❋ 2 cucchiai di gelatina di albicocche

❋ 20 g di gherigli di noce tritati ❋ 80 g di fichi freschi

DIFFICOLTÀ
Media

PREPARAZIONE
30 minuti

COTTURA
1 ora e
5 minuti

VINO
Colli Orientali
del Friuli Picolit
(bianco,
Friuli-Venezia
Giulia)

Molise
Moscato
Passito
(bianco,
Molise)

Fate cuocere per 10 minuti i fichi sbucciati con 40 g di zucchero, a fuoco medio, poi fateli raffreddare. Lavorate a parte 60 g di burro con lo zucchero rimasto, poi unite l'uovo. Aggiungete 120 g di farina setacciata con il bicarbonato, alternandola con il latte; unite i fichi, i gherigli di noce tritati, la scorza d'arancia, la vanillina e amalgamate il tutto.

Versate il composto in una stampo per torta, imburrato e infarinato, copritelo con un foglio di alluminio, fatelo cuocere nel forno già caldo a 180 °C per 30 minuti. Poi togliete il foglio e continuate la cottura per 20 minuti; sformate la torta.

Preparate la guarnizione. Tagliate a metà in orizzontale 3 fichi sbucciati; dividetene un altro in 5 spicchi, mantenendoli attaccati alla base, e apritelo a fiore. Tagliate i fichi rimasti a spicchi. Fate bollire la gelatina d'albicocche in 1 dl d'acqua.

Spennellate la torta con la gelatina, cospargetela di gherigli di noce, posate al centro i fichi a spicchi, disponete a raggiera i fichi a metà, sistematevi al centro il fico tagliato a fiore e servite.

Torta di frutta e noci

Ingredienti per 6 persone

Per la pasta ❈ 160 g di farina ❈ 100 g di burro
❈ 1 uovo ❈ 1 pizzico di cannella in polvere
❈ 2 cucchiai di zucchero a velo ❈ sale
Per il ripieno ❈ la scorza di 1/2 limone biologico
❈ 500 g di frutta fresca mista (mele, pere, banane)
❈ 4 noci ❈ 1 uovo e 1 tuorlo ❈ 1,5 dl di panna
❈ 2 cucchiai di latte ❈ 4 cucchiai di zucchero

DIFFICOLTÀ
Media

PREPARAZIONE
30 minuti
più 1 ora di
riposo della
pasta

COTTURA
40 minuti

VINO
Recioto
di Soave
(bianco,
Veneto)

Malvasia
delle Lipari
(bianco,
Sicilia)

Disponete la farina a fontana sul piano di lavoro. In una ciotola mescolate 80 g di burro a pezzi, lo zucchero, la cannella e un pizzico di sale; unite 1 uovo e sbattete fino a ottenere una crema. Versate questo composto al centro della farina e impastate il tutto. Formate una palla, copritela con un telo e lasciatela riposare per 1 ora in luogo fresco.

Stendete la pasta formando un disco; imburrate una tortiera, adagiatevi la pasta e bucherellate la superficie con una forchetta.

Sbucciate le mele, le pere e le banane e sistematele a fettine sopra la pasta, disposte le une accanto le altre. Completate con i gherigli di noce sminuzzati. Cuocete la torta nel forno già caldo a 180 °C per 20 minuti.

In una terrina sbattete 1 uovo con 1 tuorlo, lo zucchero, la panna, il latte e la scorza di limone lavata e grattugiata. Sformate e versate la crema ottenuta sulla torta. Rimettete ancora nel forno e continuate la cottura per altri 20 minuti. Sformate la torta, lasciatela raffreddare e servitela in tavola.

Torta di lamponi

Ingredienti per 6 persone

❈ 270 g di farina
❈ 1 bustina di lievito in polvere
❈ 1 cucchiaino di cannella in polvere
❈ 100 g di zucchero
❈ 70 g di burro
❈ 1 uovo ❈ 200 g di lamponi
❈ 2 dl di latte ❈ sale

DIFFICOLTÀ
Bassa

PREPARAZIONE
30 minuti

COTTURA
45 minuti

VINO
Alto Adige
Moscato Rosa
(rosso,
Trentino-Alto
Adige)

Aleatico
di Gradoli
(rosso,
Lazio)

Imburrate e infarinate la tortiera. Lavate i lamponi in acqua con ghiaccio, sgocciolateli e asciugateli molto delicatamente.

Setacciate la farina rimasta con il lievito e un pizzico di sale in una terrina; aggiungete lo zucchero, il burro rimasto e mescolate gli ingredienti.

In una ciotola sbattete leggermente l'uovo, aggiungetevi il latte; versate il composto nella terrina con la farina e mescolate fino a ottenere un composto omogeneo. Incorporatevi quindi, delicatamente, i lamponi, tenendone da parte 7 per la guarnizione finale.

Versate il composto nella tortiera preparata e fate cuocere la torta nel forno già caldo a 180 °C per 45 minuti. Togliete la tortiera dal forno, sformate la torta e lasciatela intiepidire.

Poco prima di servire la torta in tavola, cospargetela con la cannella e adagiatevi al centro i lamponi tenuti da parte.

Torta di mandorle e fragole

Ingredienti per 6 persone

❋ 110 g di farina ❋ 50 g di fecola ❋ 70 g di burro
❋ 150 g di zucchero ❋ 50 g di mandorle tostate e tritate
❋ 3 uova e 3 tuorli ❋ 2,5 dl di latte ❋ 2 dl di panna
❋ 250 g di fragole ❋ la scorza di 1 limone biologico
Per la guarnizione ❋ 2 cucchiai di gelatina di albicocche
❋ 100 g di granella di mandorle ❋ 100 g di fragole

DIFFICOLTÀ
Media

PREPARAZIONE
30 minuti
più 1 ora
e 30 minuti di
raffreddamento
della torta
e 20 minuti di
raffreddamento
della crema

COTTURA
1 ora

VINO
Oltrepò Pavese
Sangue
di Giuda
(rosso,
Lombardia)

Aglianico
del Vulture
Spumante
(rosso,
Basilicata)

Lavorate le uova con 100 g di zuc-chero. Aggiungete 50 g di burro fuso, incorporate 50 g di farina e la fecola, mescolando. Amalgamatevi infine le mandorle tritate. Versate il composto in una tortiera, imburrata e infarinata, e cuocetelo nel forno già caldo a 180 °C per 40 minuti; poi lasciate raffreddare.

Nel frattempo lavorate i tuorli con lo zucchero rimasto, unite la farina rima-sta e il latte fatto bollire con la scorza di limone, lavata e grattuggiata, e fil-trato. Cuocete la crema per 8 minuti; fatela raffredare e incorporatevi la pan-na montata. Lavate e mondate tutte le fragole, tenete da parte quelle per la guarnizione e affettate le altre.

Ricavate 2 dischi tagliando a metà la torta, versate su un disco la crema, distribuitevi sopra le fette di fragole in un solo strato e copritele con il disco di pasta rimasto.

Preparate la guarnizione. Fate bolli-re la gelatina di albicocche in 1 dl d'acqua e spennellatevi la superficie e il bordo della torta. Cospargetela di granella di mandorle e decorate il bordo e la base con le fragole tenu-te da parte, a spicchi. Adagiate al centro una fragola tagliata a fettine e servite in tavola.

Torta di mele

Ingredienti per 4 persone

✽ 1 kg di mele ✽ 200 g di farina

✽ 150 g di zucchero ✽ 80 g di burro

✽ 2 uova ✽ 2 dl di latte

✽ 1 bustina di lievito per dolci

✽ la scorza garattugiata di 1/2 limone biologico

✽ 2 cucchiai di pangrattato ✽ 1 cucchiaio di zucchero a velo

DIFFICOLTÀ
Bassa

PREPARAZIONE
30 minuti

COTTURA
1 ora

VINO
Asti Spumante
(bianco,
Piemonte)

Moscadello
di Montalcino
Frizzante
(bianco,
Toscana)

Sbucciate le mele e tagliatele a fettine. Sbattete a lungo con una frusta le uova con lo zucchero finché saranno gonfie e spumose

Unite al composto ottenuto la farina a pioggia, il latte, la scorza di limone e infine il lievito, poi amalgamate bene il tutto, fino a ottenere un composto dalla consistenza omogenea.

Ungete una tortiera con il burro, cospargetela con il pangrattato e versatevi il composto preparato. Quindi disponetevi sopra a raggiera le fettine di mela e distribuitevi sopra il resto del burro a pezzettini.

Mettete la tortiera nel forno già caldo a 170 °C e fate cuocere per circa 1 ora.

Togliete la tortiera dal forno, sformate la torta su un piatto da portata e, prima di servirla in tavola, cospargetela con un po' di zucchero a velo.

Torta di mele alla ferrarese

Ingredienti per 4 persone

❊ 1 kg di mele renette ❊ 80 g di farina

❊ 80 g di zucchero ❊ 2 uova

❊ 1/2 bustina di lievito per dolci

❊ 1,5 dl di latte

❊ 1 cucchiaio di succo di limone

❊ 20 g di burro

DIFFICOLTÀ
Bassa

PREPARAZIONE
30 minuti

COTTURA
45 minuti

REGIONE
Emilia-
Romagna

VINO
Colli Piacentini
Malvasia Dolce
Frizzante
(bianco,
Emilia-
Romagna)

Controguerra
Moscato
Frizzante
(bianco,
Abruzzo)

In una terrina lavorate i tuorli con una frusta, aggiungete 60 g di farina e il lievito, versate il latte e mescolate fino a ottenere una pastella dalla consistenza morbida.

Sbucciate e affettate sottilmente le mele, mettetele in una terrina, irroratele con succo di limone, spolverizzatele con lo zucchero e aggiungetele alla pastella preparata mescolando delicatamente.

In una terrina montate gli albumi a neve ben ferma e incorporateli al composto di mele.

Imburrate e infarinate una tortiera e versatevi il composto preparato. Fate cuocere la torta nel forno già caldo a 180 °C per 45 minuti circa. Servitela su un piatto da portata.

LA RICETTA TRADIZIONALE

▶Esiste un'altra versione, sempre ferrarese, di questa torta, che non prevede l'uso degli albumi montati a neve e nella quale, invece di immergere le mele nella pastella, esse vengono semplicemente distribuite nell'impasto.

Torta di mele alla piemontese

Ingredienti per 4 persone

❊ 1 kg di mele renette ❊ 80 g di zucchero

❊ 50 g di amaretti ❊ 40 di pangrattato (solo mollica)

❊ 30 g di uva sultanina ❊ 0,5 dl di Marsala (o di Rum)

❊ 1 dl di caffè ristretto ❊ 1 cucchiaio di cacao amaro

❊ 3 uova ❊ 1 cucchiaio di farina

❊ 20 g di burro ❊ la scorza grattugiata di 1 arancia biologica

DIFFICOLTÀ
Media

PREPARAZIONE
30 minuti
più 30 minuti
di riposo del
composto di
amaretti e
20 minuti
di ammollo
dell'uva
sultanina

COTTURA
1 ora e
30 minuti

REGIONE
Piemonte

VINO
Erbaluce
di Caluso
Passito
(bianco,
Piemonte)

Nasco
di Cagliari
(bianco,
Sardegna)

Sbriciolate gli amaretti, metteteli in una ciotola, unite il pangrattato, lo zucchero, il Marsala, le uova, il caffè e mescolate. Lasciate quindi riposare il composto per 30 minuti, mescolandolo ogni tanto.

Imburrate una tortiera, foderatela con un foglio di carta da forno, imburrate anche la carta e cospargetela con la farina. Fate ammorbidire l'uva sultanina in una ciotola con poca acqua tiepida.

Sbucciate le mele, grattugiatele, unitele al composto di amaretti, aggiungete l'uva sultanina strizzata, la scorza di arancia, il cacao amaro e amalgamate il composto. Versatelo nella tortiera preparata, livellatelo e fate cuocere nel forno già caldo a 160 °C per circa 1 ora e 30 minuti.

Togliete la tortiera dal forno, lasciate raffreddare la torta, capovolgetela su un piatto da portata, eliminate la carta da forno e servitela.

TORTE LE RICETTE

Torta di mele alle mandorle

Ingredienti per 4 persone

❋ 300 g di pasta frolla ❋ 1 kg di mele ❋ 70 g di zucchero
❋ 50 g di uva sultanina ❋ 100 g di mandorle
❋ la scorza grattugiata di 1/2 limone biologico
❋ 1 bustina di zucchero a velo ❋ cannella in polvere

DIFFICOLTÀ
Media

PREPARAZIONE
30 minuti
più il tempo di
preparazione
della pasta frolla
e 20 minuti
di ammollo
dell'uva
sultanina

COTTURA
40 minuti

VINO
Alto Adige
Moscato Giallo
(bianco,
Trentino-Alto
Adige)

Moscadello
di Montalcino
(bianco,
Toscana)

Mettete l'uva sultanina in una ciotola d'acqua tiepida e lasciatela ammorbidire per 20 minuti. Sbucciate e grattugiate le mele. Sgusciate le mandorle, scottatele in acqua bollente per 1 minuto, poi privatele della pellicina e tritatele finemente.

Mettete in una terrina le mele e amalgamate l'uva sultanina, sgocciolata e strizzata, le mandorle tritate, la scorza di limone, lo zucchero e la cannella.

Dividete la pasta in due parti, di cui una leggermente più grande; stendetele entrambe in modo da ottenere due sfoglie rotonde. Foderate con la sfoglia maggiore una tortiera, lasciando sporgere dai bordi circa 2 cm di pasta.

Bucherellate il fondo con una forchetta e distribuitevi sopra il composto di mele, coprite con il disco di sfoglia più piccolo e ripiegate i bordi, pizzicando tutto intorno in modo da formare un cordone.

Praticate un'incisione a croce nel centro della pasta e passate nel forno già caldo a 180 °C per 40 minuti, finché la pasta avrà assunto un bel colore dorato. Togliete la torta dal forno, sformatela su un piatto da portata, cospargetela di zucchero a velo e servitela tiepida.

Torta di mele caramellata

Ingredienti per 4 persone

* 300 g di pasta sfoglia
* 120 g di zucchero
* 60 g di burro
* 5 mele renette

DIFFICOLTÀ
Bassa

PREPARAZIONE
30 minuti

COTTURA
40 minuti
più il tempo di
preparazione
della pasta
sfoglia

VINO
Ramandolo
(bianco,
Friuli-Venezia
Giulia)

Molise
Moscato
Passito
(bianco,
Molise)

Sbucciate le mele, dividetele in quattro parti, privatele dei torsoli e tagliatele a fettine.

Sul fondo di una tortiera, di 28 cm di diametro, distribuite lo zucchero e il burro tagliato a pezzetti; mettete sul fuoco e lasciate caramellare. Quindi adagiate nel caramello le fettine di mele tenendole molto ravvicinate.

Stendete la pasta sfoglia con il matterello, formando un disco grande quanto la tortiera e adagiatelo sopra le mele.

Passate il recipiente nel forno già caldo a 200 °C e fate cuocere la torta per 30 minuti. Poi capovolgetela su un piatto da portata e servitela tiepida, accompagnandola, a piacere, con della panna montata.

LA VARIANTE

▶ Per una preparazione altrettanto gustosa, in questa ricetta potete utilizzare al posto dello zucchero bianco semolato lo zucchero di canna, dal sapore leggermente più rustico.

Torta di mele con la crusca

Ingredienti per 6 persone

❋ 200 g di farina ❋ 50 g di crusca in polvere

❋ 1 uovo ❋ 100 g di zucchero

❋ 145 g di burro ❋ 5 mele renette

❋ 50 g di uva sultanina ❋ 50 g di pinoli

❋ 2 cucchiai di vino bianco

DIFFICOLTÀ
Bassa

PREPARAZIONE
30 minuti
più 20 minuti
di ammollo
dell'uva
sultanina,
1 ora di riposo
della pasta e
30 minuti di
raffreddamento
delle mele

COTTURA
35 minuti

VINO
Gambellara
Recioto
(bianco,
Veneto)

Malvasia
delle Lipari
(bianco,
Sicilia)

Fate ammorbidire l'uva sultanina in una ciotola d'acqua tiepida per circa 20 minuti.

Impastate 180 g di farina con la crusca, 125 g di burro a pezzetti, la metà dello zucchero, l'uovo e il vino bianco. Avvolgete l'impasto in un telo infarinato e fatelo riposare in frigorifero per 1 ora.

Sbucciate 3 mele, privatele del torsolo e dei semi e affettatele. Riprendete la pasta e, con il matterello, stendetela a uno spessore di circa 3 mm e foderate una tortiera, imburrata e infarinata.

Disponete a raggiera, sopra la pasta, le fettine di mele, distribuitevi sopra l'uva sultanina e i pinoli. Fate cuocere la torta nel forno già caldo a 180 °C per 30 minuti.

Nel frattempo pelate e tagliate a cubetti le mele rimaste; mettetele in una casseruola con lo zucchero rimasto e fatele cuocere per 5 minuti; toglietele dal fuoco e lasciatele raffreddare. Quando saranno fredde, frullatele ottenendo una purea omogenea.

Servite la torta accompagnando ogni piatto con 1 cucchiaio di purea di mele.

Torta di mele e cocco al cioccolato

Ingredienti per 6 persone

❋ 170 g di farina ❋ 150 g di zucchero

❋ 3 dl di latte ❋ 1 bustina di lievito per dolci

❋ 4 cucchiai di noce di cocco grattugiata

❋ 3 uova ❋ 3 mele renette ❋ 80 g di burro

❋ 2 cucchiai di cioccolato bianco grattugiato

DIFFICOLTÀ
Bassa

PREPARAZIONE
30 minuti

COTTURA
50 minuti

VINO
Prosecco di
Valdobbiadene
Demi
(bianco,
Veneto)

Moscato
di Trani Dolce
(bianco,
Puglia)

Sbattete in una terrina 50 g di burro con 75 g di zucchero fino a ottenere un composto soffice. Incorporate, uno alla volta, le uova, poi versate a pioggia 150 g di farina setacciata con il lievito, alternandola al latte. Mescolate, quindi aggiungete la noce di cocco e il cioccolato grattugiati.

Imburrate e infarinate una tortiera del diametro di 24 cm, quindi versatevi il composto. Pelate le mele, privatele del torsolo e tagliatele a fettine sottili; distribuitele sopra il composto. Cospargete con il rimanente burro, a fiocchetti, e lo zucchero rimasto.

Fate cuocere nel forno già caldo a 180 °C per 50 minuti. Sformate la torta sopra un piatto da portata e consumatela tiepida.

L'INGREDIENTE

▶ **Noce di cocco**. Frutto della palma da cocco, di cui sui nostri mercati si trova il nocciolo, già privato della buccia esterna. Se volete utilizzarne la polpa, al momento dell'acquisto scegliete un frutto maturo e pesante. In pasticceria la polpa viene utilizzata tritata per la preparazione di molti dolci ripieni, per praline e gelati.

Torta di mele e noci

Ingredienti per 4 persone

❋ 1 kg di mele renette ❋ 200 g di farina
❋ 0,5 dl di Cognac ❋ 2 tuorli ❋ 100 g di zucchero
❋ 2 cucchiai di pangrattato ❋ 2 dl di latte
❋ la scorza grattugiata di 1/2 limone biologico
❋ 40 g di gherigli di noce ❋ 4 amaretti
❋ 40 g di uva sultanina ❋ 1/2 bustina di lievito per dolci
❋ 70 g di burro ❋ 1 bustina di zucchero vanigliato

DIFFICOLTÀ
Bassa

PREPARAZIONE
30 minuti

COTTURA
50 minuti

VINO
Albana
di Romagna
Passito
(bianco)

Frascati
Cannellino
(bianco,
Lazio)

Fate ammorbidire l'uva sultanina in una ciotola d'acqua tiepida per circa 20 minuti.

Intanto imburrate una tortiera del diametro di 22-24 centimetri e cospargetela con il pangrattato. Sbucciate le mele, lavatele, privatele del torsolo e tagliatele a fette sottili.

Mescolate in una terrina i tuorli con lo zucchero, aggiungete il burro, quindi unite poco alla volta la farina e il lievito, il latte, il Cognac e la scorza di limone. Lavorate gli ingredienti, amalgamando bene il tutto.

Distribuite metà impasto nella tortiera, adagiatevi sopra la metà delle mele, spolverizzatele con gli amaretti sbriciolati, distribuitevi un poco di uva sultanina sgocciolata e strizzata, di gherigli di noce e di zucchero vanigliato. Formate poi un altro strato con le mele rimaste, cospargetele con i gherigli, l'uva sultanina e lo zucchero rimasti, ricoprite con l'altra metà dell'impasto e stendetelo in uno strato uniforme.

Fate cuocere la torta nel forno già caldo a 170 °C per 50 minuti circa, quindi toglietela dal forno, lasciatela intiepidire, sformatela e servite.

Torta di mele e panna acida

Ingredienti per 6 persone

Per la pasta ❋ 170 g di farina ❋ 45 g di zucchero di canna
❋ 110 g di burro ❋ 0,5 dl di panna acida ❋ noce moscata ❋ sale
Per il ripieno ❋ 600 g di mele renette ❋ 2 dl di panna acida
❋ 150 g di zucchero ❋ 3 tuorli
❋ 1 bustina di vanillina ❋ 20 g di farina
Per la guarnizione ❋ 30 g di zucchero di canna
❋ 20 g di zucchero a velo

DIFFICOLTÀ
Media

PREPARAZIONE
30 minuti

COTTURA
1 ora e
10 minuti

VINO
Colli di Parma
Malvasia
Amabile
(bianco,
Emilia-
Romagna)

Greco
di Bianco
(Calabria)

Preparate la pasta. Disponete 150 g di farina a fontana e mettetevi al centro 90 g di burro a pezzetti, la panna acida, 15 g di zucchero, una grattata di noce moscata, un pizzico di sale e impastate gli ingredienti fino a ottenere un composto simile a tante briciole.

Foderate una tortiera, imburrata e infarinata, con 2/3 della pasta. Amalgamate la pasta e lo zucchero rimasti e ponete il composto in frigo.

Preparate il ripieno. Sbucciate le mele e dividetele a metà. Togliete torsolo e semi e disponete 1/2 mela al centro della tortiera distribuendo intorno le altre.

In una terrina unite lo zucchero, la panna acida, la farina, i tuorli e la vanillina e amalgamate bene. Versate il composto nella tortiera; togliete dal frigorifero la pasta rimasta, sbriciolatela tra le mani e spargetela uniformemente sulle mele.

Cuocete la torta nel forno già caldo a 180 °C per 1 ora e 10 minuti. Servite la torta tiepida, cosparsa con lo zucchero a velo e lo zucchero di canna, accompagnandola, a piacere, con altra panna acida.

Torta di mele e patate

Ingredienti per 6 persone

❉ 4 mele renette ❉ 500 g di patate ❉ 120 g di farina
❉ 50 g di burro ❉ 1 bustina di zucchero vanigliato
❉ 2 cucchiai di zucchero ❉ cannella ❉ sale

DIFFICOLTÀ
Media

PREPARAZIONE
30 minuti

COTTURA
1 ora

VINO
Moscato d'Asti
(bianco,
Piemonte)

Sannio
Moscato
Spumante
(bianco,
Campania)

Lavate le patate e fatele lessare in in abbondante acqua leggermente salata. Sbucciatele e passatele nello schiacciapatate, raccogliendo il passato in una terrina.

Aggiungete 100 g di farina, fino a ottenere un composto morbido e liscio. Impastate il composto, poi dividete la pasta in due parti uguali, che stenderete sulla spianatoia infarinata formando due dischi.

Sbucciate le mele, eliminate i torsoli e affettatele. In una padella di ferro mettete 35 g di burro, scal-date a fuoco medio e disponetevi un disco di pasta. Distribuitevi sopra le mele affettate, spolverizzate con lo zucchero un pizzico di cannella e cospargete con il burro rimasto.

Coprite con l'altro disco, saldate il bordo e fate cuocere a fuoco basso, finché la torta sarà colorita da un lato. Aiutandovi con un coperchio, rovesciatela e fatela colorire anche dall'altro lato. Fate scivolare la torta su un piatto da portata, cospargetela di zucchero vanigliato e servitela subito.

1 Dopo averle pelate, passate le patate allo schiacciapatate e raccoglietele in una terrina.

2 Sbucciate le mele, privatele del torsolo, quindi affettatele sottilmente.

3 Adagiate un disco di pasta nella padella con il burro e distribuitevi le mele affettate.

Torta di mele senza uova

Ingredienti per 6 persone

❄ 180 g di farina ❄ 30 g di amido di mais
❄ 300 g di zucchero di canna
❄ 40 g di margarina ❄ 1 dl di latte di soia
❄ 5 mele renette ❄ 25 g di lievito di birra
❄ 1/2 cucchiaio di vaniglia
❄ 1/2 cucchiaio di cannella in polvere
❄ 2 cucchiai di miele

DIFFICOLTÀ
Bassa

PREPARAZIONE
30 minuti

COTTURA
1 ora

VINO
Trentino
Moscato Giallo
(bianco,
Trentino-Alto
Adige)

Frascati
Cannellino
(bianco,
Lazio)

Lavate e sbucciate le mele, poi tagliatele a spicchi. In una casseruola con un poco d'acqua cuocete le mele con il miele e la cannella, facendole rimanere sode.

Sciogliete il lievito in 2 cucchiai di acqua tiepida. In una terrina mescolate 160 g di farina con lo zucchero di canna, l'amido, 20 g di margarina fusa a bagnomaria, il lievito, il latte di soia e un poco del liquido di cottura delle mele.

Amalgamate bene il tutto fino a ottenere un impasto omogeneo. Versatelo in una tortiera, unta con la margarina rimasta e infarinata, in modo da ottenere uno strato dello spessore di circa 2 cm.

Adagiatevi sopra le mele comprimendole e spolverizzate il tutto con la vaniglia.

Mettete la torta nel forno già caldo a 180 °C e fatela cuocere per 40 minuti. Sfornatela, trasferitela su un piatto da portata e servitela tiepida.

Torta di mirtilli

Ingredienti per 6 persone

Per la pasta ❄ 320 g di farina ❄ 2 uova ❄ 120 g di burro
❄ 3 cucchiai di zucchero ❄ 6 cucchiai di latte
❄ 10 g di lievito di birra sciolto in 0,5 dl d'acqua ❄ sale
Per il ripieno ❄ 400 g di composta di mirtilli
Per la guarnizione ❄ qualche fogliolina di menta
❄ 30 g di mirtilli ❄ 1 cucchiaio di zucchero a velo
❄ 1 cucchiaino di gelatina di albicocche

DIFFICOLTÀ
Media

PREPARAZIONE
30 minuti
più 13 ore
di riposo
della pasta

COTTURA
50 minuti

VINO
Brachetto
d'Acqui
(rosso,
Piemonte)

Vernaccia di
Serrapetrona
Dolce
(rosso,
Marche)

Preparate la pasta. Fate sciogliere nel latte 100 g di burro e lo zucchero, mescolando. Togliete dal fuoco e fate intiepidire; incorporate poi il lievito di birra. Mescolate a parte 300 g di farina, un pizzico di sale, le uova e unitevi il composto preparato.

Lavorate l'impasto, copritelo e fatelo lievitare in luogo tiepido per 30 minuti. Quindi lavorate ancora la pasta, copritela e tenetela in frigo per 12 ore.

Foderate una tortiera imburrata e infarinata con metà della pasta, versatevi al centro la composta di mirtili e stendetela, lasciando libero 1 cm di bordo. Coprite il ripieno con la pasta rimasta, sigillando i bordi. Fate lievitare il dolce in luogo tiepido per 30 minuti. Cuocetelo nel forno caldo a 180 °C per 45 minuti.

Nel frattempo preparate la guarnizione. Scaldate la gelatina di albicocche con 1 cucchiaio d'acqua, versatela sopra i mirtilli, lavati e asciugati e mescolate.

Prima di servirlo, cospargete il dolce con lo zucchero a velo, disponetevi al centro i mirtilli formando un grappolino decorato con le foglie di menta.

Torta di mirtilli e biscotti

Ingrediento per 4 persone

❋ 300 g di mirtilli
❋ 1/2 cucchiaino di vaniglia in polvere
❋ 150 g di zucchero
❋ 200 g di biscotti secchi
❋ 2,5 dl di panna
❋ 5 uova
❋ 20 g di burro

DIFFICOLTÀ
Bassa

PREPARAZIONE
30 minuti
più 1 ora e
30 minuti di
raffreddamento
della torta

COTTURA
40 minuti

VINO
Alto Adige
Moscato Rosa
(rosso,
Trentino-Alto
Adige)

Elba Aleatico
(rosso,
Toscana)

Separate i tuorli e gli albumi e metteli in due terrine; sbattete i primi con 120 g di zucchero, finché diventeranno chiari e spumosi. Lavate i mirtilli sotto acqua fredda corrente, sgocciolateli, asciugateli e metteteli in una terrina.

Aggiungete i tuorli sbattuti, i biscotti sbriciolati e la vaniglia e mescolate il tutto. Montate gli albumi a neve, non troppo soda, e incorporateli delicatamente ai mirtilli.

Imburrate una pirofila, cospargetela con 1 cucchiaio di zucchero, quindi travasatevi il composto di mirtilli. Mettete la torta nel forno già caldo a 180 °C e cuocetela per 40 minuti circa; sfornatela e lasciatela raffreddare.

Montate la panna con lo zucchero rimasto, mettetela in una tasca da pasticciere e decorate la superficie della torta. Servitela in tavola nella pirofila di cottura.

Torta di Natale di Cerreto di Spoleto

Ingredienti per 4 persone

Per la pasta ❋ 270 g di farina bianca ❋ 70 g di burro ❋ 1 uovo ❋ 1 cucchiaio di zucchero ❋ latte tiepido ❋ sale

Per il ripieno ❋ 500 g di mele ❋ 80 g di gherigli di noce ❋ 100 g di cioccolato fondente ❋ 60 g di zucchero ❋ 80 g di mandorle sgusciate ❋ 80 g di nocciole sgusciate ❋ 80 g di uva sultanina ❋ 80 g di frutta candita ❋ 1 limone biologico ❋ 50 g di pinoli ❋ 50 g di fichi secchi ❋ 20 g di semi di anice ❋ 1 dl di Vin Santo ❋ 1 pizzico di cannella ❋ 1 pizzico di noce moscata

DIFFICOLTÀ
Media

PREPARAZIONE
30 minuti
più 1 ora di
riposo della
pasta e
20 minuti
di ammollo
dell'uva
sultanina

COTTURA
1 ora

REGIONE
Umbria

VINO
Colli Perugini
Vin Santo
(bianco,
Umbria)

Trentino
Vin Santo
(bianco,
Trentino-Alto
Adige)

Impastate 250 g di farina, 50 g di burro, lo zucchero, un pizzico di sale, poco latte e l'uovo. Fate riposare l'impasto in luogo tiepido per 1 ora.

Nel frattempo affettate sottilmente le mele sbucciate. Mettete l'uva sultanina in una ciotola e copritela con 0,5 dl di Vin Santo. Scottate in acqua bollente i gherigli di noci, le mandorle e le nocciole; pelateli, asciugateli e uniteli alle mele, aggiungendo anche i pinoli.

Tagliate a pezzetti i fichi e i canditi, uniteli all'altra frutta secca e aggiungete il cioccolato a scaglie, lo zucchero, i semi d'anice, una grattugiata di scorza di limone lavata, la cannella e la noce moscata. Strizzate l'uva sultanina, quindi unitela agli altri ingredienti, irrorando con il Vin Santo rimasto, e mescolate.

Infarinate un telo, adagiatevi la pasta e stendetela in una sfoglia sottilissima; distribuitevi il ripieno, lasciando libero un bordo di 2 cm. Arrotolate la sfoglia, premendo i bordi perché aderiscano bene. Imburrate una teglia e cuocete nel forno già caldo a 180 °C per 55 minuti. Servite il dolce tiepido o freddo, a piacere.

Torta di nocciole, ricotta e more

Ingredienti per 4 persone

* 250 g di ricotta
* 220 g di zucchero
* 150 g di more
* 80 g di nocciole sgusciate
* 2 uova * 150 g di farina
* 75 g di burro
* 1/2 cucchiaino di vanillina * sale

DIFFICOLTÀ
Media

PREPARAZIONE
30 minuti
più 1 ora di
macerazione
delle more

COTTURA
1 ora e
5 minuti

VINO
Alto Adige
Moscato Rosa
(rosso,
Trentino-Alto
Adige)

Cesanese
del Piglio Dolce
(rosso,
Lazio)

In una ciotola mescolate le more, lavate e asciugate, con 70 g di zucchero; coprite la ciotola e mettetela in frigorifero per circa 1 ora.

Tostate le nocciole nel forno già caldo a 180 °C, poi lasciatele raffreddare e tritatele. Versate la ricotta in una terrina, unitevi le uova, 80 g di zucchero, un pizzico di sale, la vanillina e mescolate, amalgamando bene gli ingredienti.

In una ciotola montate il rimanente zucchero con il burro, aggiungete la farina e qualche goccia d'acqua, quindi mescolate finché l'impasto risulterà ben amalgamato. Unite le nocciole tritate, mescolate e versate il tutto in uno stampo rotondo a bordi alti del diametro di 22 cm.

Schiacciate con le dita l'impasto sul fondo e sui bordi dello stampo; versatevi sopra il composto di ricotta, livellandone la superficie. Mettete lo stampo nel forno già caldo a 160 °C e lasciate cuocere per 1 ora.

Sfornate e fate intiepidire la torta, poi coprite la superficie con le more fatte macerare e il loro sciroppo di zucchero. Servite in tavola.

Torta di noci con prugne

Ingredienti per 6 persone

* 270 g di farina * 300 g di zucchero * 4 uova
* 170 g di burro * 1 bustina di lievito per dolci
* la scorza grattugiata di 1 limone biologico
* 200 g di prugne secche ammollate in acqua fredda
* 100 g di gherigli di noci
* 2 dl di latte * sale

DIFFICOLTÀ
Bassa

PREPARAZIONE
30 minuti

COTTURA
50 minuti

VINO
Colli Piacentini
Bonarda
Spumante
(rosso,
Emilia-
Romagna)

Aglianico
del Vulture
Spumante
(rosso,
Basilicata)

Strizzate le prugne, snocciolatele e tritatele. Tritate i gherigli di noci.

Lavorate 150 g di burro fino a renderlo morbido e spumoso, unite lo zucchero, un pizzico di sale e le uova, uno alla volta, mescolando.

Unite poi 250 g di farina e il lievito, il latte, la scorza di limone, le noci e le prugne tritate e mescolate amalgamando bene il tutto.

Distribuite il composto in una tortiera, imburrata e infarinata, livellatelo e cuocetelo nel forno a 180 °C per 50 minuti. Sfornate la torta e servitela tiepida o fredda, a piacere.

IL CONSIGLIO

▶ Invece di tritare finemente i gherigli di noci, è possibile lasciarli a pezzetti irregolari e unirli al composto. Il risultato sarà senz'altro più rustico, ma sarà molto gustoso e gradevole sentire la noce che si spezza nel morsicare la fetta di torta. Lo stesso si può fare con le prugne: invece di tritarle, potete lasciarle a pezzettoni irregolari.

Torta di noci e ananas al caramello

Ingredienti per 8 persone

✻ 6 fette di ananas

✻ 100 g di gherigli di noci

✻ 200 g di zucchero

✻ 50 g di burro

✻ 3 uova ✻ 75 g di farina

✻ 4 cucchiai di succo di ananas

✻ 1 cucchiaino di lievito per dolci

DIFFICOLTÀ
Bassa

PREPARAZIONE
30 minuti

COTTURA
1 ora

VINO
Ramandolo
(bianco,
Friuli-Venezia
Giulia)

Verdicchio
di Matelica
Passito
(bianco,
Marche)

In una tortiera mettete 100 g di zucchero e il burro; ponete sul fuoco e fate caramellare mescolando in continuazione. Quando lo zucchero sarà sciolto e avrà assunto un bel colore dorato, togliete dal fuoco e disponete immediatamente sul fondo le fette d'ananas e i gherigli di noci.

In una ciotola lavorate i tuorli con lo zucchero rimasto, aggiungete la farina e il succo d'ananas; incorporate gli albumi montati a neve e il lievito.

Versate l'impasto nella tortiera sopra il caramello e le fette di ananas. Mettete nel forno già caldo a 180 °C e fate cuocere per 40 minuti. Sfornate la torta, trasferitela su un piatto da portata e servitela tiepida o fredda, a piacere.

IL CONSIGLIO

▶ Per preparare il caramello, utilizzate dello zucchero a grana grossa, meglio ancora se in zollette; in questo modo eviterete che durante la cottura si formi troppa schiuma.

Torta di pane alla piemontese

Ingredienti per 6 persone

✻ 150 g di pane raffermo ✻ 80 g di amaretti ✻ 5 dl di latte

✻ 2 uova ✻ 90 g di burro✻ 50 g di zucchero ✻ 30 g di pinoli

✻ 70 g di uva sultanina ✻ 30 g di cacao amaro

✻ 40 g di cioccolato fondente ✻ 30 g di cedro candito

✻ 1 bustina di vanillina ✻ 1 bustina di lievito per dolci

✻ 2 cucchiai di pangrattato ✻ 0,5 dl di liquore all'amaretto

✻ la scorza grattugiata di 1 limone biologico

Per la guarnizione ✻ 40 g di riccioli di cioccolato fondente e bianco

DIFFICOLTÀ
Bassa

PREPARAZIONE
30 minuti
più 20 minuti
di ammollo
dell'uva
sultanina e
1 ora e
30 minuti di
raffreddamento

COTTURA
55 minuti

REGIONE
Piemonte

VINO
Erbaluce
di Caluso
Passito
(bianco,
Piemonte)

Greco
di Bianco
(bianco,
Calabria)

Fate ammorbidire l'uva sultanina in acqua tiepida; tagliate a cubetti il cedro candito. Portate a ebollizione il latte con la vanillina.

Private il pane della crosta, tagliatelo a pezzetti, versatevi sopra il latte e fatelo ammorbidire. Mescolate, unite gli amaretti sbriciolati, lo zucchero, il cacao, il cioccolato fondente tritato, 70 g di burro fuso, il lievito e amalgamate gli ingredienti. Unite, uno alla volta, le uova, il liquore, l'uva sultanina strizzata, i pinoli, il cedro e la scorza di limone.

Distribuite il composto in una tortiera imburrata e cosparsa con il pangrattato, mettete la torta nel forno già caldo a 180 °C e fatela cuocere per 50 minuti.

Lasciatela intiepidire, decorate, a piacere, la superficie con i riccioli di cioccolato bianco e di cioccolato fondente e portate in tavola.

Torta di patate

Ingredienti per 4 persone

❋ 500 g di patate ❋ 100 g di zucchero di canna

❋ 50 g di farina ❋ 100 g di burro ❋ 30 g di zucchero

❋ 2 dl di latte ❋ 1 uovo e 1 tuorlo

❋ il succo e la scorza grattugiata di 1/2 limone biologico

❋ 20 g di pangrattato ❋ 1 bustina di lievito per dolci

❋ 1 cucchiaio di zucchero a velo

DIFFICOLTÀ
Media

PREPARAZIONE
30 minuti
più 30 minuti di
raffreddamento
dell'impasto

COTTURA
1 ora

VINO
Molise
Moscato
Frizzante
(bianco,
Molise)

Moscato d'Asti
(bianco,
Piemonte)

Lessate le patate, pelatele e passatele allo schiacciapatate. Riunite il purè ottenuto in una terrina con 80 g di burro, fuso a parte, e il latte tiepido, mescolando bene tutti gli ingredienti.

Mettete il tutto in una casseruola sul fuoco e unitevi lo zucchero, mescolando bene per qualche minuto. Togliete dal fuoco e incorporatevi la farina setacciata con il lievito, la scorza di limone, il succo di 1/2 limone e i tuorli. Lasciate raffreddare.

Montate l'albume a neve fermissima e unitelo al composto quando questo si sarà raffreddato, amalgamando delicatamente il tutto.

Versate il composto così ottenuto in una tortiera imburrata e spolverata di pangrattato. Mettete la torta nel forno già caldo a 180 °C e fatela cuocere per circa 30 minuti.

Una volta sfornata, adagiatela su un piatto da portata e, prima di servirla, cospargetela con lo zucchero a velo.

Torta di patate dolci

Ingredienti per 4 persone

❄ 4 patate americane grosse ❄ 3 grosse mele

❄ 2 dl di latte ❄ 4 cucchiai di zucchero ❄ 20 g di burro

❄ 100 g di uva sultanina già ammollata

❄ 1 cucchiaio di miele ❄ 100 g di farina ❄ 2 uova

❄ 0,5 dl di liquore all'anice ❄ 100 g di fichi secchi

❄ 2 cucchiai di pangrattato ❄ sale

DIFFICOLTÀ
Bassa

PREPARAZIONE
30 minuti

COTTURA
1 ora e
30 minuti

VINO
Ramandolo
(bianco,
Friuli-Venezia
Giulia)

Moscato
di Trani Dolce
(bianco,
Puglia)

Lessate le patate americane e sbucciatele; schiacciatele con le mani e raccoglietele in una terrina. Sbucciate le mele, privatele del torsolo e tagliatele a pezzetti.

Unite alle patate la farina, le mele e i fichi a pezzetti, bagnate con il latte, aggiungete l'uva sultanina strizzata, lo zucchero e il miele. Legate l'impasto con le uova e aggiungete il liquore e un pizzico di sale.

Imburrate una tortiera e cospargetela con il pangrattato; versatevi dentro l'impasto e cuocete la torta nel forno già caldo a 180 °C per 1 ora. Sfornatela, trasferitela su un piatto da portata e servitela tiepida o fredda, a piacere.

L'INGREDIENTE

▶ **Patata americana.** Nota anche con il nome di "batata" o "patata dolce", è un grosso tubero, di sapore dolce e delicato. Non appartiene alla famiglia botanica delle patate comuni, ma fa parte di una diversa famiglia che vive nelle regioni tropicali e alla quale appartengono anche specie ornamentali.

Torta di patate e riso

Ingredienti per 6 persone

❄ 800 g di patate ❄ 180 g di riso

❄ 4 dl di latte ❄ 30 g di zucchero

❄ la scorza grattugiata di 1/2 limone biologico

❄ 80 g di farina ❄ 1 uovo ❄ 100 g di confettura di frutta

❄ 1 cucchiaio di lievito per dolci

❄ 50 g di burro ❄ pangrattato

DIFFICOLTÀ
Bassa

PREPARAZIONE
30 minuti

COTTURA
1 ora e
15 minuti

VINO
Prosecco di
Valdobbiadene
Extra Dry
(bianco,
Veneto)

Orvieto
Amabile
(bianco,
Umbria)

Lavate le patate e cuocetele in acqua bollente per 30 minuti circa. Sgocciolatele e ricavatene un puré passandole al setaccio.

Nel frattempo portate a bollore il latte con lo zucchero e la scorza di limone. Unite il riso e fatelo cuocere per 20 minuti.

Lavorate il purè di patate con la farina, unite il riso scolato, la confettura, l'uovo, 30 g di burro, fuso a parte, e il lievito. Mescolate bene poi rovesciate il composto in uno stampo, imburrato e cosparso di pangrattato.

Mettete la torta nel forno già caldo a 180 °C e fatela cuocere per circa 45 minuti.

Toglietela dal forno, sformatela e lasciatela intiepidire; quindi tagliatela a cubetti, spolverizzatela di zucchero a velo e servitela in tavola.

Torta di pere

Ingredienti per 4 persone

❄ 8 pere Williams del peso di 150 g ciascuna

❄ 1/2 bustina di lievito per dolci vanigliato

❄ 200 g di farina

❄ 200 g di zucchero

❄ 80 g di burro

❄ 3 uova ❄ latte

DIFFICOLTÀ
Bassa

PREPARAZIONE
20 minuti

COTTURA
25 minuti

VINO
Recioto
di Soave
(bianco,
Veneto)

Sannio
Coda di Volpe
passito
(bianco,
Campania)

In una terrina sbattete con una frusta per qualche minuto 180 g di zucchero con le uova. Unite la farina a poco a poco, senza mai smettere di mescolare. Se la pasta non risultasse sufficientemente morbida, versate qualche cucchiaio di latte e, continuando a mescolare, aggiungete il lievito vanigliato.

Ungete di burro una teglia e versatevi l'impasto preparato. Sbucciate le pere, privatele del torsolo, tagliatele a fettine sottili e appoggiatele sulla pasta nella teglia; cospargetele con lo zucchero rimasto e distribuite qualche fiocchetto di burro sulla superficie.

Trasferite la teglia nel forno già caldo a 200 °C e lasciate cuocere per 25 minuti.

Sformate la torta su un piatto da portata, lasciatela intiepidire e servitela in tavola.

Torta di pere al formaggio

Ingredienti per 8 persone
* 145 g di farina * 70 g di burro * 3 uova e 1 tuorlo
* 110 g di zucchero * 1/2 bustina di vanillina
* 0,5 di Grappa alle pere * 3 cucchiai di latte * 4 pere
* 2,5 dl di vino bianco * 150 g di formaggio cremoso
* la scorza di 1 limone biologico * 1 pezzetto di cannella
* la scorza di 1/2 arancia biologica * sale

DIFFICOLTÀ
Media

PREPARAZIONE
20 minuti
più 30 minuti
di riposo
della pasta
e 30 minuti di
raffreddamento
delle pere

COTTURA
1 ora e
10 minuti

VINO
Albana
di Romagna
Amabile
(bianco,
Emilia-
Romagna)

Frascati
Amabile
(bianco,
Lazio)

Formate un impasto con 125 g di farina, la vanillina, 50 g di burro, 30 g di zucchero, 1 tuorlo e la scorza lavata e grattuggiata di 1/2 limone. Avvolgetelo nella pellicola trasparente e ponete in frigorifero per 30 minuti.

Nel frattempo dividete a metà le pere sbucciate e cuocetele per 30 minuti in 7,5 dl d'acqua a cui avrete unito il vino, la scorza d'arancia e quella di limone rimasta lavate e grattuggiate e la cannella. Lasciatele raffreddare nel loro sciroppo.

Mettete in una ciotola il formaggio, lo zucchero e i tuorli rimasti e mescolate. Aggiungete il latte e la Grappa alle pere. Amalgamate e unite gli albumi montati a neve.

Sgocciolate le pere, tagliatene 3 a dadini e la pera rimasta in 12 spicchi. Stendete la pasta allo spessore di 3 mm e foderate una tortiera, imburrata e infarinata.

Bucherellate il fondo della pasta e distribuitevi i dadini di pere. Versatevi il composto di formaggio e sistemate, a raggiera, gli spicchi di pera. Cuocete la torta nel forno già caldo a 170 °C per 40 minuti, sformatela su un piatto da portata e servitela.

Torta di pere al Porto

Ingredienti per 8 persone
* 170 g di farina * 1 kg di pere Williams
* 120 g di zucchero * 120 g di burro * 6 uova
* 1/2 bustina di lievito in polvere
* la scorza grattugiata di 1 limone biologico
* il succo di 1/2 limone * 3 cucchiai di Porto
* 1 cucchiaio di zucchero a velo

DIFFICOLTÀ
Media

PREPARAZIONE
20 minuti

COTTURA
1 ora

VINO
Primitivo
di Manduria
Liquoroso
Dolce Naturale
(rosso,
Puglia)

Pornassio
di Ormeasco
Liquoroso
(rosso,
Liguria)

Sbucciate le pere, affettatele e irroratele con il succo di limone.

Lavorate lo zucchero con i tuorli, la scorza di limone e 100 g di burro a pezzetti; unite 150 g di farina e il lievito, mescolando. Aggiungete il Porto e incorporate infine delicatamente gli albumi montati a neve.

Distribuite il composto in una tortiera, imburrata e infarinata, immergetevi per metà, verticalmente, le fette di pere accostandole tra loro formando dei cerchi concentrici.

Cuocete la torta nel forno già caldo a 180 °C per 1 ora. Cospargetela di zucchero a velo e servitela tiepida.

Torta di pere
alla brianzola

Ingredienti per 6 persone

❋ 250 g di pane di meliga (mais) raffermo

❋ 1 kg di pere abate mature

❋ 150 g di zucchero

❋ 100 g di burro ❋ 40 g di pangrattato

Per la guarnizione

❋ 1 pera abate tagliata a fette sottili lasciate unite dalla parte del picciolo

DIFFICOLTÀ
Bassa

PREPARAZIONE
20 minuti

COTTURA
1 ora

REGIONE
Lombardia

VINO
Oltrepò Pavese
Moscato
(bianco,
Lombardia)

Moscadello
di Montalcino
Frizzante
(bianco,
Toscana)

Grattugiate grossolanamente il pane di meliga. Lavate, sbucciate e tagliate le pere a fette di 0,5 cm di spessore. Imburrate abbondantemente una tortiera e spolverizzate le pareti e il fondo con il pangrattato.

Disponete a strati nella tortiera le fette di pere alternate a strati di zucchero e ricoprite la superficie con un leggero strato di pangrattato. Premete leggermente la superficie del dolce con il dorso di un cucchiaio e distribuitevi sopra il burro rimasto a fiocchetti.

Mettete la tortiera nel forno già caldo a 180 °C e fate cuocere la torta per circa 1 ora. Sformate il dolce su un piatto da portata, lasciatelo intiepidire e servitelo in tavola, decorandolo con le fettine di pera e al centro la pera unita.

LA RICETTA TRADIZIONALE

▶Il pane più adatto è quello giallo, misto di farina bianca e di mais, in forma di grosse pagnotte, con crosta bruno scura. Se non è molto raffermo va fatto asciugare, senza tostarlo in forno, per poi grattugiarlo, dopo aver eliminato l'eventuale crosta troppo cotta e quindi amarognola.

Torta di pere, amaretti e mandorle

Ingredienti per 6 persone

❋ 160 g di farina di mais ❋ 50 g di mandorle spellate
❋ 160 g di farina ❋ 2 uova ❋ 2 cucchiai di pangrattato
❋ 120 g di zucchero di canna ❋ 25 g di burro
❋ 0,5 dl di Acquavite di pera ❋ 2,5 dl di latte
❋ 50 g di amaretti morbidi
❋ 1 pizzico di cannella ❋ 500 g di pere mature

DIFFICOLTÀ
Bassa

PREPARAZIONE
30 minuti

COTTURA
45 minuti

VINO
Erbaluce
di Caluso
Passito
(bianco,
Piemonte)

Malvasia
delle Lipari
Passito
(bianco,
Sicilia)

Mischiate i due tipi di farina in una terrina, aggiungete le uova, lo zucchero di canna e, poco alla volta, il latte mescolando di continuo. Aggiungete quindi il liquore, le mandorle tritate, la cannella e gli amaretti sbriciolati.

Sbucciate le pere, privatele del torsolo e tagliatele a fettine sottili. Incorporatene metà all'impasto amalgamandole con cura.

Imburrate una tortiera del diametro di 26 cm, cospargetela di pangrattato, versatevi il composto, livellatelo con una spatola e completate con le rimanenti fettine di pera, disponendole sulla superficie a cerchi concentrici.

Distribuite qualche fiocchetto di burro sulla superficie della torta, mettetela nel forno già caldo a 190 °C e fatela cuocere per circa 45 minuti. A cottura ultimata sfornate il dolce, lasciatelo intiepidire, disponetelo su un piatto da portata e servite.

Torta di pesche gialle

Ingredienti per 6 persone

❋ 4 pesche gialle ❋ 250 g di zucchero ❋ 1/2 limone biologico
❋ 1/2 arancia biologica ❋ 1/2 baccello di vaniglia
Per la pasta ❋ 60 g di fecola di patate ❋ 80 g di farina
❋ 120 g di zucchero ❋ 3 uova e 2 tuorli ❋ 70 g di burro
Per lo sciroppo ❋ 100 g di zucchero ❋ 2 cucchiai di Maraschino
Per la guarnizione ❋ 4 dl di panna ❋ 1 pesca gialla

DIFFICOLTÀ
Media

PREPARAZIONE
30 minuti
più 20 minuti di
raffreddamento
delle pesche,
15 minuti
di macerazione
della pesca per
la guarnizione
e 15 minuti di
raffreddamento
dello sciroppo

COTTURA
55 minuti

VINO
Albana di
Romagna
Spumante
(bianco,
Emilia-
Romagna)

Sannio
Moscato
Spumante
(bianco,
Campania)

Lavorate le uova, i tuorli e lo zucchero, unite 60 g di farina e la fecola, versate a filo 50 g di burro fuso e mescolate. Distribuite il composto in una tortiera, imburrata e infarinata e infornate a 180 °C per 40 minuti.

Pelate le pesche, dividetele a metà, privatele del nocciolo e affettatele. Fate bollire 5 dl d'acqua con lo zucchero, le scorze del limone e dell'arancia e la vaniglia per 2 minuti, lavate; unite le pesche, cuocetele per 3 minuti, sgocciolatele e lasciatele raffreddare.

Affettate la pesca per la guarnizione, immergetela nel liquido di bollitura delle pesche per 15 minuti.

Preparate lo sciroppo. Fate bollire 2 dl d'acqua bollente con lo zucchero per 2 minuti, mescolando. Fate raffreddare e aggiungetevi il Maraschino.

Dividete la torta in 2 dischi, spennellatene uno con un poco di sciroppo, spalmatelo con uno strato di panna montata di 1 cm e coprite con metà delle fette di pesca. Adagiatevi sopra l'altro disco e proseguite nello stesso modo. Coprite la frutta e la torta con la panna montata rimasta, decorate il centro con le fette di pesca per la guarnizione e tenete il dolce in frigorifero fino al momento di servirlo.

Torta di peschenoci e mandorle

Ingredienti per 6 persone

Per la pasta ❋ 170 g di farina ❋ 40 g di mandorle spellate ❋ 95 g di burro ❋ 50 g di zucchero ❋ 1 tuorlo ❋ la scorza grattugiata di 1/2 limone bioogico

Per il ripieno ❋ 500 g di peschenoci mature ❋ 40 g di burro ❋ 30 g di ciliegie candite ❋ 70 g di zucchero ❋ 25 g di farina ❋ 1 cucchiaio di confettura di albicocche ❋ 1 dl di panna ❋ 1/2 bustina di lievito ❋ 2 uova ❋ 75 g di mandorle spellate ❋ 1 limone bioogico ❋ 2 cucchiai di gelatina di albicocche

DIFFICOLTÀ
Media

PREPARAZIONE
30 minuti
più 1 ora di
lievitazione
della pasta

COTTURA
55 minuti

VINO
Moscadello
di Montalcino
Frizzante
(bianco,
Toscana)

Moscato d'Asti
(bianco,
Piemonte)

Preparate la pasta. Impastate 150 g di farina con 75 g di burro, le mandorle tritate, lo zucchero, il tuorlo e la scorza di limone. Avvolgete l'impasto nella pellicola trasparente e ponetelo in luogo fresco per 1 ora. Poi stendetelo e foderatevi una tortiera imburrata e infarinata. Bucherellate la pasta e pizzicottate il bordo.

Preparate il ripieno. Scottate le pesche in acqua bollente, pelatele, tagliatele a metà e snocciolatele. Tritate 50 g di mandorle; setacciate la farina con il lievito, unite lo zucchero e le uova, mescolando; quindi aggiungete il burro fuso, la scorza lavata e grattugiata del limone, le mandorle, la panna e amalgamate.

Portate a ebollizione la confettura di albicocche con 1 cucchiaio d'acqua e spennellatevi la pasta nella tortiera. Inserite una ciliegina in ogni mezza pesca, ponetele nella tortiera con la parte convessa verso l'alto. Versatevi sopra il ripieno, cospargetelo con le mandorle rimaste. Cuocete la torta nel forno già caldo a 180 °C per 50 minuti. Sformatela e spennellatela con la gelatina di albicocche diluita sul fuoco in 2 cucchiai d'acqua e servitela.

Torta di prugne e mandorle

Ingredienti per 6 persone

❋ 320 g di farina ❋ 120 g di burro ❋ 130 g di zucchero ❋ 4 uova ❋ 1 bustina di lievito ❋ 100 g di mandorle tritate ❋ 0,5 dl di Rum ❋ 1 dl di vino rosso ❋ 600 g di prugne secche snocciolate ❋ 1 pezzetto di scorza di limone bioogico ❋ 1 cucchiaino di cannella ❋ sale

DIFFICOLTÀ
Bassa

PREPARAZIONE
30 minuti
più 1 ora di
ammollo
delle prugne

COTTURA
1 ora e
20 minuti

VINO
Recioto della
Valpolicella
(rosso,
Veneto)

Montefalco
Sagrantino
Passito
(rosso,
Umbria)

Mettete le prugne in una ciotola d'acqua calda e fatele ammollare per 1 ora. Sgocciolatele, tagliatele a pezzettini e raccoglietele in una casseruola. Aggiungete la scorza di limone, il vino e 1 dl d'acqua; coprite il recipiente e lasciate cuocere per circa 20 minuti, a fuoco dolce, mescolando spesso.

Sbattete con una frusta elastica i tuorli con lo zucchero, aggiungetevi 100 g di burro, fuso a parte, e incorporate 300 g di farina, il lievito, la cannella e un pizzico di sale. Mescolate bene gli ingredienti, quindi amalgamatevi le prugne sgocciolate e completate con il liquore, le mandorle e gli albumi montati a neve.

Imburrate uno stampo rotondo a bordi alti, spolverizzatelo con la farina, riempitelo con il composto e fatelo cuocere nel forno già caldo a 180 °C per circa 1 ora.

Togliete la torta dal forno, disponetela su un piatto da portata e servitela tiepida o fredda, a piacere.

Torta di prugne, pane e miele

Ingredienti per 4 persone

✲ 200 g di farina ✲ 250 g di prugne secche
✲ 250 g di mollica di pane
✲ 150 g di uva sultanina
✲ 120 g di miele ✲ 2 dl di latte
✲ 50 g di mandorle ✲ 80 g di burro
✲ 0,5 dl di Cognac
✲ 1 bustina di lievito per dolci ✲ sale

Difficoltà
Bassa

Preparazione
30 minuti
1 ora di ammollo di uva sultanina e prugne

Cottura
55 minuti

Vino
Malvasia di Casorzo d'Asti Passito (rosso, Piemonte)

Aleatico di Puglia Dolce Naturale (rosso, Puglia)

Fate ammorbidire in una terrina le prugne e l'uva sultanina per 1 ora. Sgusciate le mandorle e tostatele leggermente nel forno già caldo a 180 °C, eliminate la pellicina e tritatele nel frullatore.

Mettete la mollica di pane in una ciotola con il latte, poi strizzatela. Sgocciolate le prugne, tagliatele a pezzettini e unitele alle mandorle, all'uva sultanina sgocciolata e alla mollica.

Impastate la farina con 60 g di burro e il miele, aggiungete il lievito e il Cognac e amalgamate bene gli ingredienti. Unite all'impasto la miscela di prugne, uva sultanina, mandorle e mollica di pane; mescolate bene il tutto e salate.

Ungete una tortiera con il burro rimasto, versatevi il composto e fatelo cuocere nel forno già caldo a 180 °C per circa 50 minuti.

Sformate la torta su un piatto da portata e servitela in tavola tiepida o fredda, a piacere.

IN FOTO

Torta di ricotta

Ingredienti per 6 persone

Per la pasta ✲ 470 g di farina ✲ 225 g di zucchero
✲ 1 uovo e 5 tuorli ✲ 245 g di burro
✲ la scorza di 1 limone bioogico ✲ sale
Per il ripieno ✲ 1 kg di ricotta di pecora
✲ 300 g di zucchero ✲ 150 g di scorze d'arancia candite
✲ 150 g di cedro candito ✲ 150 g di zucca candita
✲ 150 g di cioccolato fondente

Difficoltà
Bassa

Preparazione
30 minuti
più 1 ora di riposo della pasta

Cottura
2 ore

Vino
Colli Orientali del Friuli Picolit (bianco, Friuli-Venezia Giulia)

Moscato di Trani Dolce (bianco, Puglia)

Preparate la pasta. Impastate 450 g di farina con 225 g di burro ammorbidito, lo zucchero, i tuorli, la scorza lavata e grattuggiata di limone e un pizzico di sale. Avvolgete la pasta nella pellicola trasparente e fatela riposare in frigorifero per 1 ora.

Preparate il ripieno. Tagliate a dadini il cedro, la zucca e le scorze d'arancia canditi, poi tritate il cioccolato. In una terrina mescolate la ricotta passata al setaccio, con lo zucchero e i canditi e infine aggiungete il cioccolato tritato.

Stendete 2/3 della pasta in una sfoglia sottile, foderatevi una tortiera, imburrata e infarinata, bucherellate il fondo con i rebbi di una forchetta. Distribuitevi il composto di ricotta in uno strato uniforme e spennellate i bordi della pasta con l'uovo leggermente sbattuto.

Stendete la pasta rimasta, adagiatela sopra il ripieno, pizzicottate i bordi e bucherellatene la superficie. Cuocete la torta nel forno già caldo a 160 °C per 2 ore. Poi sformatela su un piatto da portata e servitela.

Torta di ricotta allo zafferano

Ingredienti per 6 persone

❄ 270 g di farina ❄ 300 g di ricotta romana ❄ 3 uova
❄ 250 g di zucchero ❄ 5 g di zafferano ❄ 20 g di burro
❄ la scorza grattugiata di 1 limone biologico
❄ 1 bustina di vanillina ❄ 1 bustina di lievito per dolci
❄ la scorza grattugiata di 1 arancia biologica ❄ sale
Per la guarnizione ❄ 30 g di cacao ❄ 30 g di zucchero a velo

DIFFICOLTÀ
Bassa

PREPARAZIONE
30 minuti

COTTURA
45 minuti

VINO
Frascati
Cannellino
(bianco,
Lazio)

Gambellara
Recioto
(bianco,
Veneto)

Passate 2 volte al setaccio la ricotta, raccoglietela in una ciotola, aggiungete lo zucchero e lo zafferano e amalgamate fino a ottenere una crema omogenea. Unite 250 g di farina, il lievito, la vanillina, i tuorli e le scorze grattugiate, mescolando, e incorporatevi infine gli albumi montati a neve con un pizzico di sale.

Distribuite il composto in una tortiera, imburrata e infarinata, fate cuocere la torta nel forno già caldo a 180 °C per 45 minuti.

Preparate la guarnizione. Ritagliate un disco di carta dello stesso diametro della torta, tracciatevi 4 linee incrociate perpendicolarmente fra loro, in modo da ottenere 8 triangoli regolari. Ritagliate 4 triangoli alternati, eliminateli, appoggiate il disco sulla torta e fate cadere nei triangoli vuoti il cacao, attraverso un colino.

Sollevate il disco, eliminate il cacao rimasto sulla sua superficie, appoggiatelo di nuovo sulla torta in modo che i triangoli chiusi coprano perfettamente i triangoli di cacao, fate cadere in quelli vuoti lo zucchero a velo, attraverso un colino. Togliete la carta, disponete la torta su un piatto da portata e servitela.

Torta di ricotta e mais

Ingredienti per 6 persone

❋ 400 g di ricotta ❋ 250 g di fumetto di mais
❋ 120 g di burro ❋ 120 g di zucchero ❋ 50 g di pinoli
❋ 2 uova ❋ 50 g di uva sultanina ❋ 25 g di farina
❋ 1 bustina di lievito per dolci ❋ 1 dl di latte
Per la guarnizione ❋ 1 cucchiaio di gelatina di albicocche
❋ 30 g di uva sultanina ❋ 20 g di pinoli

DIFFICOLTÀ
Bassa

PREPARAZIONE
30 minuti
più 20 minuti
di ammollo
dell'uva
sultanina

COTTURA
50 minuti

VINO
Alto Adige
Moscato Rosa
(rosso,
Trentino-Alto
Adige)

Aleatico
di Gradoli
(rosso,
Lazio)

Fate ammorbidire l'uva sultanina, anche quella per la guarnizione, in una ciotola d'acqua tiepida per circa 20 minuti.

Mescolate in una terrina 100 g di burro ammorbidito e diviso a pezzetti, i tuorli e lo zucchero. Incorporate poco alla volta la ricotta, il fumetto, il lievito, 1 cucchiaio di farina bianca, il latte, 50 g di uva sultanina strizzata e i pinoli.

Mescolate e incorporate delicatamente gli albumi montati a neve e poi distribuite il composto in una tortiera, imburrata e infarinata.

Mettete la tortiera nel forno già caldo a 150 °C e fate cuocere per 50 minuti, quindi sformate la torta su un piatto da portata.

Preparate la guarnizione. Mettete in un tegamino la gelatina di albicocche con 1 cucchiaio d'acqua, portatela a ebollizione e spennellatela sulla superficie della torta. Decoratela quindi con l'uva sultanina rimasta, sgocciolata e asciugata, e i pinoli, poi servitela in tavola.

Torta di riso

Ingredienti per 4 persone

❀ 160 g di riso ❀ 8 dl di latte

❀ 160 g di mandorle sgusciate

❀ 160 g di zucchero

❀ 1 pezzo di scorza grattugiata di limone biologico

❀ 3 uova e 1 albume

❀ 20 g di burro ❀ sale

DIFFICOLTÀ
Bassa

PREPARAZIONE
30 minuti
più 30 minuti di
raffreddamento
del riso

COTTURA
1 ora e
30 minuti

VINO
Pagadebit
di Romagna
Amabile
(bianco,
Emilia-
Romagna)

Arborea
Trebbiano
Amabile
(bianco,
Sardegna)

Fate cuocere il riso nel latte con un pizzico di sale per 1 ora; quindi fatelo raffreddare.

Sbollentate le mandorle per pochi minuti, sgocciolatele, sbucciatele e tritatele.

Incorporate al riso, ormai freddo, le mandorle tritate, i tuorli, la scorza di limone e lo zucchero e mescolate con cura. Montate a neve ben ferma tutti gli albumi e uniteli, delicatamente, al composto di riso.

Imburrate una teglia, versatevi il composto di riso, mettete nel forno già caldo a 150 °C e fate cuocere per 30 minuti. Togliete la torta dal forno, sformatela, trasferitela su un piatto da portata e servitela in tavola tiepida o fredda, a piacere.

> ### IL CONSIGLIO
> ▶ Per le preparazioni dolci a base di riso, si consiglia di utilizzare un riso di tipo Comune o Originario della varietà "Balilla", "Raffaello" o "Pierrot". Queste varietà, a chicco opaco sono poco resistenti alla cottura e cuociono tra i 10 e i 15 minuti.

Torta di riso ai canditi

Ingredienti per 6 persone

❀ 220 g di riso ❀ 80 g di canditi misti a pezzetti

❀ 250 g di pasta frolla ❀ 1 dl di latte

❀ 60 g di nocciole tritate ❀ 150 g di zucchero

❀ 20 g di burro ❀ 20 g di farina

❀ 2 uova e 2 tuorli ❀ 1 dl di Maraschino

❀ 1 baccello di vaniglia ❀ sale

DIFFICOLTÀ
media

PREPARAZIONE
30 minuti
più il tempo di
preparazione
della pasta frolla
e 30 minuti di
raffreddamento
del riso

COTTURA
1 ora e
25 minuti

VINO
Alto Adige
Müller Thurgau
Vendemmia
Tardiva
(bianco,
Trentino-Alto
Adige)

Moscadello
di Montalcino
Vendemmia
Tardiva
(bianco,
Toscana)

Tagliate in due parti il baccello di vaniglia e portatelo a ebollizione nel latte con un pizzico di sale. Eliminate quindi la vaniglia e versate nel liquido rimasto il riso. Fatelo lessare per 20 minuti mescolandolo spesso. Terminata la cottura toglietelo dal fuoco, scolatelo, unite lo zucchero e la-sciate raffreddare il composto, poi incorporatevi le uova, i tuorli, le nocciole, i canditi e il liquore.

Stendete la pasta frolla in una sfoglia non troppo sottile e foderatevi una tortiera a cerniera del diametro di circa 26 cm, imburrata e infarinata. Bucherellate il fondo con i rebbi di una forchetta e versatevi il composto a base di riso e canditi.

Fate cuocere la torta nel forno già caldo a 180 °C per circa 1 ora. Sfornatela, aprite la cerniera e depositate la torta su un piatto da portata, pronta per essere servita.

> ### DEFINIZIONE
> ▶ **Maraschino.** Liquore da dessert, ottenuto dalla distillazione delle marasche, una varietà di ciliegie; ha un colore bianco, con un retrogusto di ciliegia e una gradazione alcolica di circa 38 gradi.

Torta di riso carrarina

Ingredienti per 6 persone

❃ 150 g di riso ❃ 500 g di zucchero

❃ 15 uova ❃ 1 l di latte

❃ 0,5 dl di liquore all'anice

❃ la scorza grattugiata di 1 limone biologico

❃ 20 g di farina

❃ 20 g di burro ❃ sale

DIFFICOLTÀ
Bassa

PREPARAZIONE
30 minuti
più 30 minuti di
raffreddamento
del riso

COTTURA
1 ora

REGIONE
Toscana

VINO
Moscadello
di Montalcino
(bianco,
Toscana)

Friuli Isonzo
Verduzzo
Friulano
(bianco,
Friuli-Venezia
Giulia)

Fate bollire il riso in una pentola con abbondante acqua salata per circa 15 minuti. Scolatelo e lasciatelo raffreddare.

Lavorate le uova con lo zucchero e un pizzico di sale e aggiungetevi, mescolando continuamente, il latte, il liquore all'anice e la scorza di limone.

Ungete con il burro una tortiera e cospargetela con la farina. Distribuite il riso sul fondo della teglia e copritelo con l'impasto di latte e uova.

Mettete la torta nel forno già caldo a 180 °C e fatela cuocere per circa 1 ora. Sfornatela e servitela tiepida o fredda, a piacere.

LA RICETTA TRADIZIONALE

▶Nella ricetta originaria il liquore viene indicato con il termine generico di "r'nfresc", cioè qualche cosa di rinfrescante, in genere un liquore d'anice, ma anche semplicemente dell'acqua aromatizzata con qualche seme di finocchio o addirittura delle caramelle alla menta fatte sciogliere nel latte.

Torta di riso e arance

Ingredienti per 6 persone

❋ 250 g di riso ❋ 2,5 dl di latte
❋ 270 g di zucchero ❋ 50 g di mandorle pelate
❋ 4 uova ❋ 3 arance biologiche
❋ 1 pezzetto di angelica candita
❋ 2 gocce di essenza di mandorle amare
❋ 20 g di burro ❋ 2 cucchiai di pangrattato ❋ sale

DIFFICOLTÀ
Media

PREPARAZIONE
30 minuti
più 15 minuti di
raffreddamento
dello sciroppo

COTTURA
1 ora e
30 minuti

VINO
Malvasia
delle Lipari
(bianco,
Sicilia)

Moscato
Passito
di Strevi
(bianco,
Piemonte)

Fate bollire il riso in 6 dl d'acqua salata per 15 minuti. Quindi scolatelo, versatelo di nuovo nella casseruola, unite il latte e cuocete per altri 15 minuti, mescolando ogni tanto.

Amalgamate al riso, fuori dal fuoco, 120 g di zucchero e le mandorle tritate, versate il composto in una terrina e fatelo raffreddare. Unite i tuorli, uno alla volta, la scorza di 1 arancia lavata e grattuggiata, l'essenza di mandorle amare e gli albumi montati.

Imburrate uno stampo e cospargetelo con il pangrattato. Versatevi il composto e cuocete la torta nel forno già caldo a 180 °C per 45 minuti.

Nel frattempo tagliate l'angelica candita a listarelle; togliete qualche listarella di scorza all'arancia rimasta, pelatele entrambe al vivo e tagliatele a rondelle. Scottate le listarelle di scorza d'arancia in acqua bollente e scolatele.

Bollitele in 2 dl d'acqua con lo zucchero rimasto per 8 minuti, addensando lo sciroppo. Fatelo quindi raffreddare. Decorate la torta con le rondelle d'arancia, l'angelica e le listarelle di scorza d'arancia, spennellando la superficie di sciroppo.Quindi servite.

Torta di riso e banane

Ingredienti per 6 persone

✳ 200 g di riso ✳ 1 l di latte

✳ 300 g di banane ✳ 150 g di zucchero

✳ 4 uova ✳ 4-5 amaretti

✳ 50 g di cedro candito a dadini

✳ la scorza grattugiata di 1 limone biologico

✳ 20 g di burro ✳ 2 cucchiai di pangrattato

✳ 2 cucchiai di zucchero a velo

DIFFICOLTÀ
Media

PREPARAZIONE
30 minuti
più 30 minuti di
raffreddamento
del riso

COTTURA
1 ora

VINO
Recioto
di Soave
(bianco,
Veneto)

Molise
Moscato
Passito
(bianco,
Molise)

Mettete il latte in una casseruola con 1 cucchiaio di zucchero e la scorza di limone; unite il riso e cuocetelo a fuoco medio per 15 minuti, finché avrà assorbito completamente il liquido. Togliete la casseruola dal fuoco, eliminate la scorza di limone e lasciate raffreddare.

Sbattete in una ciotola i tuorli con lo zucchero rimasto. Aggiungete il riso cotto, gli amaretti sbriciolati, le banane sbucciate e tagliate a dadini e il cedro candito. Montate a neve ferma gli albumi e incorporateli al composto con delicatezza.

Ungete la tortiera con il burro, spolverizzatela con il pangrattato, poi versatevi il composto.

Mettete la torta nel forno già caldo a 180 °C e fatela cuocere per circa 45 minuti. Servitela tiepida o fredda, a piacere, spolverizzata con lo zucchero a velo.

Torta di susine ramassin

Ingredienti per 8 persone

✳ 800 g di susine secche "ramassin"

✳ 400 g di amaretti ✳ 12 uova

✳ 150 g di zucchero ✳ 100 g di cacao

✳ 5 dl di latte ✳ 0,5 dl di Rum

✳ la scorza grattugiata di 1 limone biologico

✳ 20 g di burro ✳ 20 g di farina

✳ 2 cucchiai di zucchero a velo

DIFFICOLTÀ
Bassa

PREPARAZIONE
30 minuti
più 20 minuti
di ammollo
delle susine

COTTURA
40 minuti

REGIONE
Piemonte

VINO
Erbaluce
di Caluso
Passito
(bianco,
Piemonte)

Sannio
Falanghina
Passito
(bianco,
Campania)

Mettete in ammollo in acqua tiepida le susine e bagnate gli amaretti con poco latte. Trascorsi 20 minuti, sgocciolate le susine, strizzatele bene e tritatele.

In una casseruola versate il latte rimasto, unite il cacao, lo zucchero, le uova, gli amaretti, le susine, la scorza di limone e il Rum. Lavorate bene gli ingredienti fino a ottenere un impasto omogeneo.

Imburrate una tortiera, spolverizzatela di farina e versatevi l'impasto preparato.

Mettete la torta nel forno già caldo a 180 °C e fatela cuocere per 40 minuti. Spolverizzatela di zucchero a velo e servitela in tavola.

L'INGREDIENTE

▶ **Susine ramassin.** Frutti del susino damaschino, queste piccolissime prugne appartengono al gruppo delle susine dette "siriache" in quanto originarie della Siria. Coltivate nel Saluzzese, in Piemonte, vengono raccolte a terra dopo la loro completa maturazione e vendute sulle bancarelle dei mercati rionali piemontesi "al palot", cioè non a peso ma a palate.

Torta di tagliolini

Ingredienti per 6 persone

Per la pasta ❋ 100 g di zucchero ❋ 220 g di farina
❋ 1 cucchiaio di liquore di mandorle amare
❋ 1 uovo ❋ 70 g di burro ❋ 1/2 bustina di lievito per dolci
Per i tagliolini ❋ 200 g di farina ❋ 1 uovo
Per il ripieno ❋ 100 g di mandorle pelate ❋ 70 g di zucchero
❋ 50 g di cedro candito ❋ la scorza di 1 limone biologico
❋ 50 g di burro ❋ 3-4 cucchiai di liquore di mandorla amara

DIFFICOLTÀ
Elevata

PREPARAZIONE
1 ora
più 1 ora
di riposo
dell'impasto

COTTURA
30 minuti

REGIONE
Emilia-
Romagna

VINO
Albano di
Romagna
(bianco,
Emilia-
Romagna)

Gambellara
Recioto
(bianco,
Veneto)

Preparate la pasta. Impastate 200 g di farina setacciata con il lievito con l'uovo, lo zucchero, 50 g di burro e il liquore di mandorle amare e lavorate gli ingredienti fino a ottenere un impasto omogeneo. Formate una palla con l'impasto e lasciatelo riposare in un luogo fresco per circa 1 ora.

Nel frattempo preparate i tagliolini. Impastate bene la farina con l'uovo, stendete la pasta e tagliatela a listarelle. Tritate le mandorle con il cedro e la scorza di limone, poi aggiungete lo zucchero: il tutto dovrà avere una consistenza granulosa.

Stendete la pasta in una sfoglia sottile. Foderatevi una tortiera imburrata e infarinata, poi distribuitevi un sottile strato del composto a base di mandorle, adagiatevi uno strato di tagliolini e continuate alternando gli strati. Cospargete la superficie con il burro a fiocchetti e cuocete la torta nel forno già caldo a 220 °C per 30 minuti, finché la base sarà cotta e i tagliolini dorati.

Sformate la torta su un piatto da portata e completatela con una spruzzata di liquore prima di servire in tavola.

Torta di zucca al fior d'arancio

Ingredienti per 6 persone

❋ 1 kg di zucca gialla ❋ 4 dl di latte

❋ 100 g di zucchero ❋ 80 g di fecola di patate

❋ 80 g di burro ❋ 3 uova

❋ la scorza di 1 limone biologico

❋ 40 g di arancia e cedro canditi

❋ 1 cucchiaio di acqua di fior d'arancio

❋ 2-3 biscotti secchi ❋ 2 cucchiai di zucchero a velo

DIFFICOLTÀ
Media

PREPARAZIONE
30 minuti

COTTURA
2 ore

VINO
Trentino
Moscato Giallo
(bianco,
Trentino-Alto
Adige)

Malvasia
delle Lipari
(bianco,
Sicilia)

Private la zucca della scorza e dei semi e tagliatela a fette; mettetene a cuocere 600 g nel forno già caldo a 200 °C per circa 1 ora.

Togliete la zucca dal forno e passatela al setaccio, lasciando cadere il ricavato in una ciotola; unite 60 g di burro fuso raffreddato, 3 tuorli, la fecola, lo zucchero, la scorza del limone grattugiata, il latte e amalgamate bene il tutto.

Aggiungete l'arancia e il cedro canditi tagliati a cubetti; incorporate delicatamente gli albumi montati a neve ben ferma e l'acqua di fior d'arancio e mescolate.

Tritate i biscotti secchi, distribuiteli sul fondo di una tortiera imburrata e poi versatevi sopra il composto preparato.

Mettete la tortiera nel forno già caldo a 200 °C e fate cuocere la torta per circa 1 ora.

Toglietela dal forno e capovolgetela su un piatto da portata; spolverizzatela con lo zucchero a velo e servitela in tavola.

Torta di zucca e cioccolato

Ingredienti per 6 persone

Per il pan di Spagna ❄ 90 g di farina ❄ 20 g di cacao ❄ 3 uova
❄ 80 g di zucchero ❄ 35 g di burro ❄ 1 bustina di vanillina
Per il ripieno ❄ 1 kg di zucca ❄ 250 g di zucchero
❄ 1 cucchiaino di cannella in polvere
❄ 1 pizzico di chiodi di garofano in polvere
❄ la scorza grattugiata di 1 limone biologico
❄ 200 g di cioccolato fondente
❄ 1 dl di panna ❄ 4 uova ❄ 4 cucchiai di Rum

DIFFICOLTÀ
Media

PREPARAZIONE
30 minuti
più 30 minuti di
raffreddamento
della crema

COTTURA
1 ora e
20 minuti

VINO
San Martino
della Battaglia
Liquoroso
(bianco,
Lombardia)

Malvasia
di Cagliari
Liquoroso
(bianco,
Sardegna)

Preparate il pan di Spagna. Servendovi delle fruste elettriche, montate le uova con lo zucchero. Aggiungete, poco alla volta, 70 g di farina, il cacao e la vanillina, continuando a mescolare. Incorporate quindi 15 g di burro, fuso a parte e amalgamate bene il tutto.

Versate il composto ottenuto in una tortiera, imburrata e infarinata, e livellatelo con una spatola.

Mettete la tortiera nel forno già caldo a 180 °C e fate cuocere per circa 40 minuti.

Nel frattempo preparate il ripieno. Eliminate la scorza dalla zucca, tagliatela a fette spesse 3 cm e privatele dei semi. Sistematele in una teglia e mettetele nel forno già caldo a 200 °C per 30 minuti. Dopodiché passatela al passaverdura, raccogliendo il purè in una ciotola. Unite 150 g di zucchero, i chiodi di garofano, la cannella in polvere, la scorza di limone grattugiata e amalgamate gli ingredienti perfettamente.

Lavorate in una terrina i tuorli con lo zucchero rimasto. Tritate il cioc-colato, fatelo fondere in una casseruola con la panna, unitelo al composto di tuorli e zucchero e mescolate con cura.

Versate il composto in un tegame e cuocete dolcemente la crema per circa 8 minuti. Toglietela dal fuoco, lasciatela raffreddare e aggiungete il Rum. Tenetene da parte 2 cucchiai, unite il resto alla zucca e incorporate gli albumi montati a neve.

Tagliate il pan di Spagna in senso orizzontale, ricavando un disco spesso di 1 cm e adagiatelo sul fondo della tortiera. Ricavate poi dal resto del pan di Spagna delle fette spesse 1 cm, foderate le pareti della tortiera e versatevi il composto di zucca e cioccolato.

Tracciate sulla superficie delle righe orizzontali e verticali usando un pettine da pasticceria, distribuitevi sopra, in modo irregolare, la crema al cioccolato rimasta e tracciatevi un'altra serie di righe. Sformate la torta e servitela.

Torta di zucca e mele

Ingredienti per 6 persone

❁ 400 g di zucca gialla ❁ 400 g di mele ❁ 80 g di zucchero
❁ 50 g di cioccolato fondente ❁ 50 g di amaretti ❁ 50 g di fichi secchi
❁ 30 g di uva sultanina ❁ 1 cucchiaio di cacao amaro ❁ 1 uovo
❁ la scorza grattugiata di 1/2 limone biologico ❁ 1 dl di latte ❁ 1 dl di Rum
❁ 1 bustina di vanillina ❁ 20 g di burro ❁ 20 g di farina ❁ sale

DIFFICOLTÀ
Media

PREPARAZIONE
30 minuti
più 20 minuti
di ammollo
dell'uva
sultanina

COTTURA
1 ora e
55 minuti

VINO
Ramandolo
(bianco,
Friuli-Venezia
Giulia)

Moscato
di Trani Dolce
(bianco,
Puglia)

Mettete l'uva sultanina in ammollo nell'acqua per 20 minuti. Sbucciate la zucca, privatela dei semi e dei filamenti, tagliatela a fette. Fate cuocere la zucca con il latte e metà dello zucchero per 20 minuti.

Nel frattempo affettate le mele, sbucciate e fatele cuocere con lo zucchero rimasto in 3 dl d'acqua per 20 minuti circa. Sgocciolate la zucca e le mele e raccoglietele entrambe in una terrina; aggiungete l'uva sultanina strizzata e,

mescolando, amalgamatevi il cioccolato a scagliette, un pizzico di sale, i fichi secchi tritati, il cacao, gli amaretti sbriciolati, la vanillina, l'uovo sbattuto, il Rum e la scorza di limone grattugiata,

Ungete una tortiera con il burro e cospargetela con la farina. Versatevi il composto, livellate la superficie e cuocete la torta nel forno già caldo a 160 °C per 1 ora e 15 minuti, sformatela, decoratela a piacere con alcuni amaretti e servite.

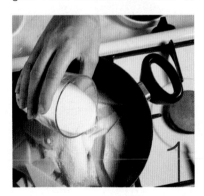

1 Fate cuocere le fette di zucca nel latte con metà dello zucchero.

2 In un'altra pentola cuocete le mele con 3 dl d'acqua e lo zucchero rimasto.

3 Raccogliete la zucca e le mele in una terrina con gli altri ingredienti e grattugiatevi la scorza di limone.

Torta diplomatica

Ingredienti per 6 persone
* ❈ 350 g di pasta sfoglia
* *Per il pan di Spagna* ❈ 3 uova ❈ 100 g di zucchero
* ❈ 120 g di farina ❈ 5 g di vanillina ❈ 20 g di burro
* *Per la crema* ❈ 240 g di burro ❈ 200 g di zucchero
* ❈ 5 tuorli ❈ 1 albume ❈ 5 g di vanillina ❈ 0,5 dl di Rum
* *Per la guarnizione* ❈ 3 cucchiai di gelatina di albicocche
* ❈ 1 cucchiaio di Maraschino ❈ 30 g di zucchero a velo

DIFFICOLTÀ
Bassa

PREPARAZIONE
30 minuti
più il tempo di
preparazione
della pasta
sfoglia
e 1 ora di
raffreddamento
delle sfoglie

COTTURA
1 ora e
5 minuti

VINO
Loazzolo
(bianco,
Piemonte)

Moscadello
di Montalcino
Vendemmia
Tardiva
(bianco,
Toscana)

Preparate il pan di Spagna. Lavorate le uova con lo zucchero, fino a ottenere un composto spumoso. Aggiungete 100 g di farina e la vanillina e amalgamate bene. Versate il composto in una tortiera imburrata e infarinata e cuocetelo nel forno già caldo a 180 °C per 25 minuti. Fate raffreddare e tagliatelo a fette di 4 cm di spessore.

Nel frattempo, preparate la crema. Lavorate 200 g di burro con lo zucchero, i tuorli, l'albume montato a neve e la vanillina. Versate il Rum e mescolate delicatamente. Disponete in due tortiere imburrate, uguali a quella usata per il pan di Spagna, la pasta sfoglia e stesa in due sfoglie. Infornate per 40 minuti in forno già caldo a 180 °C; fate raffreddare.

Disponete su un piatto da portata una delle sfoglie, spennellatela con poca gelatina di albicocche e spalmatevi sopra uno strato di crema. Sovrapponetevi le fette di pan di Spagna bagnate con il Maraschino e stendetevi sopra la crema rimasta. Spennellate con la gelatina rimasta e coprite con la seconda sfoglia. Spolverizzate il dolce con lo zucchero a velo e tenetelo in frigo fino al momento di servirlo in tavola.

Torta dolce di erbette

Ingredienti per 6 persone
* ❈ 400 g di pasta frolla
* ❈ 4 cucchiai di uva sultanina già ammollata
* ❈ 600 g di erbette fresche
* ❈ 80 g di zucchero
* ❈ 1 cucchiaio di pangrattato
* ❈ 80 g di burro
* ❈ 2 uova

DIFFICOLTÀ
Bassa

PREPARAZIONE
30 minuti
più il tempo di
preparazione
della pasta frolla
più 12 ore di
asciugatura
delle erbette

COTTURA
1 ora

VINO
Albana
di Romagna
Amabile
(bianco,
Emilia-
Romagna)

Frascati
Amabile
(bianco,
Lazio)

Pulite, lavate, sgocciolate e tritate le erbette, fatele asciugare, stese su un telo da cucina, per 12 ore. Imburrate una tortiera e spolverizzatela con il pangrattato.

Dividete la pasta in due pezzi, uno grosso circa il doppio dell'altro. Stendete il pezzo più grosso in modo da ottenere un disco largo e rivestite la tortiera; pareggiate il bordo e con i rebbi di una forchetta bucherellate il fondo.

Quando le erbette saranno asciutte, stendetene un primo strato sul fondo della tortiera. Spolverizzate con parte dello zucchero e dell'uva sultanina e con pezzettini di burro. Continuate a strati alternati sino a esaurimento di tutti gli ingredienti.

Rompete le uova in una ciotola, sbattetele leggermente e versatele uniformemente sulle erbette. Quindi pressate leggermente le erbette.

Stendete la pasta rimasta e coprite le erbette ripiegando il bordo verso l'interno e pizzicandolo. Incidete la torta al centro e fatela cuocere nel forno già caldo a 180 °C per circa 1 ora. Sformatela su un piatto da portata e servitela.

Torta dolce di fagioli

Ingredienti per 6 persone

❀ 100 g di fagioli secchi ❀ 100 g di zucchero

❀ 2 cucchiai di Rum ❀ 2 uova ❀ 60 g di burro

❀ 1 cucchiaio di scorza grattugiata di limone biologico

❀ 1 bustina di lievito per dolci

DIFFICOLTÀ
Bassa

PREPARAZIONE
30 minuti
più 12 ore
di ammollo
dei fagioli

COTTURA
3 ore e
40 minuti

VINO
Recioto
di Soave
(bianco,
Veneto)

Controguerra
Passito Bianco
(Abruzzo)

Tenete a bagno i fagioli secchi per 12 ore in acqua fredda. Trascorso il tempo di ammollo, sgocciolateli, metteteli in una casseruola coperti d'acqua, coprite il recipiente e fateli cuocere a fuoco basso per 3 ore. Terminata la cottura, sgocciolateli e passateli al passaverdura, raccogliendoli in una terrina.

Fate fondere 40 g di burro e unitelo ai fagioli. Aggiungete poi il Rum, lo zucchero e il lievito. Mescolate bene gli ingredienti per amalgamarli e aggiungete, infine, la scorza grattugiata di limone.

Amalgamate al composto i tuorli d'uovo; montate a neve gli albumi e incorporateli delicatamente per non smontarli.

Imburrate una teglia e versatevi il composto. Mettetela nel forno già caldo a 200 °C e fate cuocere per 40 minuti. Sfornate la torta e portatela in tavola tiepida o fredda, guarnendola a piacere.

Torta farcita alla crema di banane

Ingredienti per 6 persone

❋ 1 pan di Spagna del diametro di 26 cm ❋ 250 g di crema alla vaniglia
❋ 1,5 dl di panna montata ❋ 0,5 dl di Rum ❋ 8 amaretti morbidi sbriciolati
❋ 3 banane mature ❋ il succo di 1 limone ❋ 2 cucchiai di zucchero a velo
Per la guarnizione ❋ 150 g di panna montata ❋ 60 g di cioccolato fondente

DIFFICOLTÀ
Bassa

PREPARAZIONE
30 minuti
più il tempo di
preparazione
del pan di
Spagna
e 15 minuti
di macerazione
delle banane

COTTURA
Nessuna

VINO
Ramandolo
(bianco,
Friuli-Venezia
Giulia)

Moscato
di Trani Dolce
(bianco,
Puglia)

Sbucciate le banane, tagliatele a rondelle e allineatele su un piatto. Spolverizzatele con lo zucchero a velo, irroratele con il succo di limone e fatele macerare per 15 minuti.

Ricavate dal pan di Spagna un cerchio del diametro di 23 cm, privatelo di gran parte della pasta interna e sistematelo su un piatto da portata.

Mescolate la crema alla vaniglia con 0,3 dl di Rum e la panna montata. Stendete uno strato di crema all'interno del pan di Spagna e distribuitevi sopra qualche rondella di banana. Cospargete con un poco di amaretti e con la pasta di pan di Spagna sbriciolata e spruzzata di Rum. Continuate così fino a esaurimento degli ingredienti e terminate con la crema alla vaniglia.

Guarnite la superficie del dolce con il cioccolato fondente tritato o grattugiato, distribuite ciuffetti di panna montata lungo tutto il bordo e al centro della torta e servite.

L'INGREDIENTE

▶ **Crema alla vaniglia.** Portate a bollore 5 dl di latte con 1 bustina di vanillina. Sbattete 3 uova con 125 g di zucchero e, fuori dal fuoco unitele al latte caldo, mescolando. Rimettete sul fuoco e, sempre mescolando, fate addensare senza far prendere il bollore, finché la crema velerà il dorso di un cucchiaio. Filtrate la crema e fatela raffreddare.

Torta farcita
alla crema di cioccolato
e nocciole

Ingredienti per 8 persone
* 8 uova ❋ 250 g di cioccolato fondente ❋ 270 g di burro
* 150 g di farina bianca ❋ 130 g di farina di nocciole tostate
* 1 bustina di lievito per dolci ❋ 400 g di crema di cioccolato
* 0,5 dl di Brandy ❋ 100 g di nocciole tostate
* 100 g di zucchero a velo vanigliato
* 1 dl di caffè allungato con acqua e zuccherato
* 0,5 dl di Kirsch ❋ sale

DIFFICOLTÀ
Media

PREPARAZIONE
30 minuti
più il tempo di
preparazione
della crema al
cioccolato
e 4 ore di
raffreddamento
della torta

COTTURA
55 minuti

VINO
Pornassio
di Ormeasco
Liquoroso
(rosso,
Liguria)

Aleatico
di Gradoli
Liquoroso
(rosso,
Lazio)

Riducete il cioccolato fondente a pezzetti e raccoglieteli in una casseruola, ponetela su fuoco molto basso e unite 250 g di burro a pezzetti e 4 cucchiai d'acqua. Appena il cioccolato inizierà a sciogliersi, cominciate a mescolare, quindi togliete la casseruola dal fuoco e mescolate finché la crema si sarà intiepidita.

In una terrina sbattete a lungo i tuorli con lo zucchero. Incorporate a cucchiaiate il cioccolato sciolto e versate a pioggia 130 g di farina mischiata al lievito. Aggiungete la farina di nocciole e infine il Brandy. Completate con gli albumi montati a neve con un pizzico di sale e mescolate bene il tutto.

Versate la preparazione in una tortiera, imburrata e infarinata, quindi passate la torta nel forno già caldo a 180 °C per circa 40 minuti. Una volta sfornata fatela raffreddare per almeno 1 ora.

Tagliate il dolce a metà orizzontalmente, ricavandone due dischi. Spruzzate uniformemente il primo disco con un poco di Kirsch allungato con 0,5 dl di caffè zuccherato, quindi spalmate il disco con la crema di cioccolata e spolverizzate il tutto con metà delle nocciole tritate.

Coprite con il disco di pasta rimasto, spruzzato di Kirsch e spalmatelo con la crema di cioccolato rimasta, livellando bene la superficie. Decorate a piacere con le nocciole tritate e alcune sferette argentate, lasciate il dolce in un luogo fresco per 3 ore e servite.

IL CONSIGLIO

▶ Se non riuscite a reperire la farina di nocciole, potete ricavarla tostando leggermente le nocciole nel forno già caldo a 180 °C, pelandole, passandole nel tritatutto e riducendole in polvere.

Torta farcita alla crema di limone

Ingredienti per 8 persone

Per la pasta ❋ 200 g di fecola ❋ 250 g di farina ❋ 20 g di lievito per dolci ❋ 280 g di zucchero ❋ la scorza grattugiata di 2 limoni biologici ❋ 1 bustina di vanillina ❋ 150 g di burro ❋ 3 uova ❋ sale

Per la crema ❋ 80 g di burro ❋ 100 g di zucchero a velo ❋ il succo e la scorza di 1 limone biologico ❋ 2 tuorli

Per la guarnizione ❋ 8 mezze rotelline di gelatina di limone ❋ 30 g di zucchero vanigliato ❋ 8 ciliegine candite verdi

DIFFICOLTÀ
Media

PREPARAZIONE
30 minuti
più 1 ora e
30 minuti di
raffreddamento
della torta

COTTURA
45 minuti

VINO
Trentino
Traminer
Aromatico
Vendemmia
Tardiva
(bianco,
Trentino-Alto
Adige)

Malvasia
di Cagliari
Liquoroso
(bianco,
Sardegna)

Preparate la pasta. In una terrina unite 130 g di burro, lo zucchero, la scorza dei limoni, le uova sbattute, un pizzico di sale, 230 g di farina, la fecola, il lievito e la vanillina. Amalgamate bene il tutto fino a ottenere un composto omogeneo e versatelo in una tortiera, imburrata e infarinata.

Cuocete la torta nel forno già caldo a 180 °C per 45 minuti. Lasciate raffreddare il dolce e tagliatelo orizzontalmente in 3 dischi.

Preparate la crema. Lavorate il burro in una terrina con la frusta fino a montarlo, unite lo zucchero a velo, continuate a sbattere incorporando poco alla volta la scorza grattugiata e il succo di limone e i tuorli sbattuti. Spalmate la crema ottenuta sulla superficie di un disco, copritelo con un altro disco, spalmate anche questo di crema e terminate con il terzo disco.

Per la guarnizione. Spolverizzate la torta con lo zucchero vanigliato, guarnitela con le mezze rotelline di gelatina di limone alternandole alle ciliegine candite e servite in tavola.

Torta farcita alla crema di noci

Ingredienti per 8 persone

Per la pasta ✽ 160 g di burro ✽ 140 g di gherigli di noce ✽ 5 g di vanillina ✽ 1 pizzico di cannella ✽ 7 uova ✽ la scorza grattugiata di 1 limone biologico ✽ 60 g di pan di Spagna ✽ 20 g di farina ✽ 140 g di zucchero *Per la crema* ✽ 1 albume ✽ 100 g di gherigli di noce ✽ 100 g di zucchero ✽ 170 g di burro ✽ 2 cucchiai di Rum *Per la guarnizione* ✽ 50 g di gherigli di noci ✽ 0,5 dl di panna ✽ 120 g di cioccolato al latte

DIFFICOLTÀ
Media

PREPARAZIONE
30 minuti
più 1 ora e
30 minuti di
raffreddamento
della torta
e il tempo di
preparazione
del pan di
Spagna

COTTURA
1 ora e
15 minuti

VINO
Breganze
Torcolato
(bianco,
Veneto)

Molise
Moscato
Passito
(bianco,
Molise)

Preparate la pasta. Sbriciolate il pan di Spagna e amalgamatevi le noci tritate. Lavorate 140 g di burro, a pezzetti, con lo zucchero, la vanillina, la scorza di limone e la cannella. Unite i tuorli e il pan di Spagna con le noci e incorporate gli albumi montati a neve. Versate il composto in una tortiera, imburrata e infarinata, e cuocetelo nel forno già caldo a 160 °C per 1 ora. Fate raffreddare e dividete orizzontalmente la torta in 3 dischi.

Preparate la crema. Fate bollire 60 g di zucchero in 1 dl d'acqua per 5 minuti. Versate lo sciroppo sugli albumi montati a neve con lo zucchero rimasto e lavorate fino a che il composto sarà freddo. Unite il burro, le noci tritate e il Rum. Spalmate la crema ottenuta sulla superficie di due dischi di torta, sovrapponeteli tra loro e terminate con il terzo disco. Mettete la crema rimasta in frigorifero.

Preparate la guarnizione. Portate a ebollizione la panna, versatela sul cioccolato al latte tritato e mescolate finché il cioccolato sarà sciolto; distribuitelo sulla torta e fatelo solidificare. Quindi completate la decorazione distribuendo a ciuffetti la crema posta in frigo e i gherigli di noce. Servite.

Torta farcita alla panna

Ingredienti per 6 persone

❋ 5 dl di panna montata ❋ 75 g di farina bianca
❋ 100 g di torrone tritato ❋ 100 g zucchero a velo
❋ 125 di zucchero ❋ 100 g di cioccolato amaro tritato
❋ 75 g di fecola di patate ❋ 6 cucchiai di Cointreau
❋ 20 ciliege candite ❋ alcune listarelle di cedro candito
❋ 70 g di burro ❋ 1/2 bustina di lievito per dolci
❋ alcuni biscotti secchi sbriciolati ❋ 2 uova ❋ 1 dl latte

DIFFICOLTÀ
Media

PREPARAZIONE
30 minuti

COTTURA
30 minuti

VINO
Malvasia
delle Lipari
Passito
(bianco,
Sicilia)

Oltrepò Pavese
Moscato
Passito
(bianco,
Lombardia)

Imburrate una tortiera e cospargetela con i biscotti sbriciolati. Mescolate insieme il burro rimasto e lo zucchero fino a ottenere una crema. Unite, amalgamando, i tuorli, la farina, la fecola, il lievito e il latte. Montate a neve gli albumi e amalgamateli al composto; versatelo nella tortiera e fatelo cuocere nel forno già caldo a 180 °C per 30 minuti.

Nel frattempo amalgamate 80 g di zucchero a velo e 2 cucchiai di liquore. Versate metà della panna montata in una ciotola e unitevi il cioccolato tritato. Incorporate il torrone alla panna rimasta.

Tagliate orizzontalmente la torta, ottenendo 3 dischi uguali. Mettetene uno su un piatto da portata e spennellatelo con parte del restante liquore diluito in poca acqua. Stendetevi la panna al torrone, coprite con il secondo disco, spennellatelo con il liquore rimasto, versatevi sopra la panna con il cioccolato e terminate con l'ultimo disco di torta.

Cospargete la torta con il restante zucchero a velo, decorate il bordo con le ciliege, intervallandole con listarelle di cedro candito, e servite in tavola.

Torta farcita con ciliegie

Ingredienti per 6 persone

❋ 200 g di farina
❋ 300 g di ciliegie
❋ 200 g di burro ❋ 4 uova
❋ 200 g di zucchero
❋ 1/2 bustina di lievito per dolci
❋ la scorza grattugiata di 1 limone biologico
❋ 2 cucchiai di zucchero a velo ❋ sale

DIFFICOLTÀ
Bassa

PREPARAZIONE
20 minuti

COTTURA
1 ora

VINO
Brachetto
d'Acqui
(rosso,
Piemonte)

Vernaccia di
Serrapetrona
Dolce
(rosso,
Marche)

Lavate le ciliege, asciugatele bene, tagliatele a metà e privatele dei noccioli. Imburrate e infarinate una tortiera del diametro di 24 cm e alta 5 cm.

Mescolate in una terrina il burro rimasto, diviso a pezzetti, con lo zucchero; aggiungete i tuorli, uno alla volta, la farina rimasta setacciata con il lievito, la scorza di limone grattugiata e amalgamate bene gli ingredienti.

Montate a neve ben ferma gli albumi con un pizzico di sale e incorporateli delicatamente al composto. Versatene metà nella tortiera, distribuitevi sopra le ciliege, disponendole con la parte curva verso l'alto, ricopritele con il composto rimasto e livellatelo.

Mettete la tortiera nel forno già caldo a 180 °C e fate cuocere per 1 ora, quindi toglietela dal forno, sformatela e, prima di portarla in tavola, spolverizzatela con lo zucchero a velo.

Torta farcita con cioccolato e castagne

Ingredienti per 6 persone

❋ 100 g di crema di castagne
❋ 170 g di zucchero ❋ 3 uova
❋ 150 g di cioccolato fondente
❋ 50 g di farina ❋ 1,5 dl di panna
❋ 20 g di burro
❋ granella di cioccolato

DIFFICOLTÀ
Bassa

PREPARAZIONE
30 minuti
più 1 ora di
raffreddamento
del composto
di uova e
2 ore di
riposo della
torta

COTTURA
30 minuti

VINO
Valle d'Aosta
Chambave
Moscato
Passito
(bianco,
Valle d'Aosta)

Moscato
di Siracusa
(bianco,
Sicilia)

Montate i tuorli con 150 g di zucchero e la farina in modo che risultino ben gonfi e spumosi.

Fate fondere il cioccolato a bagnomaria, poi versatelo a filo in una ciotola in cui avrete messo la crema di castagne. Aggiungete il composto di uova, poi gli albumi montati a neve ben ferma.

Stendete il composto su una placca da forno imburrata e fatelo cuocere nel forno già riscaldato a 180 °C per circa 30 minuti. Lasciatelo raffreddare e tagliatelo in 3 rettangoli di dimensioni uniformi.

Montate la panna ben soda con lo zucchero rimasto, spalmatela sul primo strato di torta, sovrapponetevi il secondo, stendetevi ancora la panna e coprite con l'ultimo rettangolo di pasta, decorando a piacere con la panna rimasta e granella di cioccolato.

Fate riposare il dolce per circa 2 ore in frigorifero prima di servirlo.

Torta farcita con fettine di limone caramellate

Ingredienti per 6 persone

❋ 3 dischi di pan di Spagna di 26 cm di diametro
❋ 2 dl di crema pasticciera
❋ 200 g di marmellata di limoni
❋ 1 dl di liquore al limone ❋ 3 limoni biologici succosi
❋ 50 g di zucchero di canna
❋ 30 g di burro

DIFFICOLTÀ
Bassa

PREPARAZIONE
30 minuti
più il tempo di
preparazione
del pan di
Spagna

COTTURA
10 minuti

VINO
Si sconsiglia
l'abbinamento
enologico

Lavate 3 limoni, asciugateli e tagliateli a fette molto sottili. Disponetele su una placca foderata con carta da forno, spennellatele con il burro fuso, cospargetele con lo zucchero di canna e passatele sotto il grill del forno per 5 minuti, finché saranno leggermente caramellate.

Mettete la marmellata in un pentolino, diluitela con il liquore e lasciatela sul fuoco per qualche minuto, finché sarà sciolta. Spalmatela quindi sui 3 dischi di pan di Spagna.

Disponete su un piatto da portata un disco con la parte spalmata verso l'alto, copritelo con parte della crema pasticciera, proseguite con un altro disco di pan di Spagna, distribuite la restante crema e terminate con l'ultimo disco, tenendo la parte spalmata di marmellata verso l'alto.

Sistemate sulla superficie le fettine di limone caramellate e decorate, a piacere, con ciuffetti di panna montata. Servite in tavola.

Torta farcita di mele

Ingredienti per 6 persone

❉ 270 g di farina ❉ 250 g di zucchero ❉ 270 g di burro
❉ 4 mele renette ❉ 4 uova ❉ 2 cucchiai di Brandy
❉ 1 bustina di lievito per dolci ❉ 20 g di cannella
❉ 40 g di mandorle tritate
❉ la scorza grattugiata di 1 limone biologico ❉ sale

DIFFICOLTÀ
Bassa

PREPARAZIONE
30 minuti

COTTURA
1 ora

VINO
Alto Adige
Moscato Giallo
(bianco,
Trentino-Alto
Adige)

Moscadello
di Montalcino
(bianco,
Toscana)

Sbattete in una terrina i tuorli con lo zucchero. Unite 250 g di burro ammorbidito e lavorate il composto con una frusta.

Aggiungete 250 g di farina a pioggia, unite un pizzico di sale, la scorza di limone e irrorate con il Brandy. Completate con il lievito e mescolate l'impasto. Montate a neve gli albumi e incorporateli al composto con delicatezza.

Sbucciate le mele, tagliatele a spicchi e privatele dei torsoli, quindi infarinatele leggermente. Imburrate e infarinate una tortiera del diametro di 24 cm.

Versate nello stampo poco più della metà del composto, adagiatevi sopra gli spicchi di mele e cospargeteli con la cannella e le mandorle tritate. Coprite con il rimanente composto e fate cuocere la torta nel forno già caldo a 180 °C per circa 1 ora.

Togliete la tortiera dal forno, sformate il dolce su un piatto da portata e servitelo quando si sarà intiepidito.

Torta fragolona

Ingredienti per 12 persone
❋ 1 pan di Spagna del diametro di 24 cm ❋ 1,5 dl di panna
❋ 1 kg di fragole grosse ❋ 220 g di zucchero
❋ 6 g di gelatina in fogli già ammollata in acqua fredda
Per lo sciroppo ❋ 50 g di zucchero
❋ 1 cucchiaio di Maraschino

DIFFICOLTÀ
Elevata

PREPARAZIONE
30 minuti
più il tempo di
preparazione
del pan
di Spagna,
più 30 minuti
di riposo
del frullato e
1 ora e
30 minuti di
raffreddamento
della torta

COTTURA
10 minuti

VINO
Brachetto
d'Acqui
(rosso,
Piemonte)

Vernaccia di
Serrapetrona
Dolce
(rosso,
Marche)

Lavate, mondate le fragole, affetta-
tene regolarmente 1/3 e frullate le
altre con lo zucchero, passatele al
setaccio e fatele riposare per 30 minuti. Fate sciogliere la gelatina a bagnomaria e poi unitela al frullato di
fragole amalgamandola bene.

Distribuite su una tortiera uno strato di
gelatina spesso 3 mm e fatela solidificare in frigorifero per 7 minuti. Disponetevi al centro le fette di fragole,
formando una stella e adagiate le altre
in modo armonico. Distribuite sulle
fragole dell'altra gelatina e rimettete in
frigo per altri 7 minuti. Ricoprite con
uno strato di gelatina di 1 cm e lasciate in frigo altri 15 minuti.

Preparate lo sciroppo. Fate bollire lo
zucchero in 1 dl d'acqua per 5 minuti, ottenendo un liquido denso. Fatelo poi raffreddare e unite il Maraschino.

Ricavate dal pan di Spagna due
dischi uguali e adagiatene uno sulla
gelatina. Spennellatelo di sciroppo,
distribuitevi sopra la panna montata,
copritela con l'altro disco e spennellatelo con lo sciroppo rimasto.

Versate la gelatina rimasta sul secondo disco e sul bordo della torta,
riempiendo lo spazio tra il dolce e
le pareti della tortiera. Lasciate in frigo per 1 ora, quindi servite.

Torta integrale di arance e prugne

Ingredienti per 6 persone

Per la pasta ❋ 270 g di farina integrale ❋ 150 g di burro ❋ 1 cucchiaio di miele ❋ la scorza grattugiata di 1 arancia biologica ❋ sale

Per il ripieno ❋ 600 g di prugne ❋ il succo di 2 arance ❋ 1 cucchiaio di miele d'acacia

Per la guarnizione ❋ 2 prugne a fette ❋ 20 g di zucchero a velo ❋ 3 cucchiai di listerelle di scorza d'arancia candite

DIFFICOLTÀ
Media

PREPARAZIONE
30 minuti
più 1 ora
di riposo
della pasta

COTTURA
1 ora

VINO
Oltrepò Pavese
Sangue
di Giuda
(rosso,
Lombardia)

Aglianico
del Vulture
Spumante
(rosso,
Basilicata)

Preparate la pasta. Impastate 250 g di farina con 130 g di burro, un pizzico di sale, la scorza d'arancia, il miele e 3 dl d'acqua fredda. Avvolgete l'impasto nella pellicola trasparente e lasciatelo in frigo per 1 ora.

Preparate il ripieno. Fate cuocere per 5 minuti, a tegame coperto, le prugne, tagliate a metà e snocciolate, insieme con il miele e il succo delle arance.

Stendete la pasta in una sfoglia spessa 5 mm e foderate con 2/3 di essa la tortiera, imburrata e infarinata. Sgocciolate le prugne e adagiatele sopra la pasta con la parte tagliata verso il basso. Fate poi ridurre il liquido di cottura delle prugne, tenetene da parte 2 cucchiai e versate il resto sopra le prugne. Stendete la pasta rimasta, coprite la torta e cuocetela nel forno già caldo a 180 °C per 50 minuti.

Spolverizzate la torta ormai cotta con lo zucchero a velo, copritela con le fette di prugne e distribuite a ciuffetti le listerelle di scorze candite. Versatevi sopra il sugo di cottura delle prugne tenuto da parte e quindi servite in tavola.

Torta integrale di pere

Ingredienti per 6 persone

❋ 60 g di farina bianca ❋ 1 kg di pere ❋ 40 g di farina integrale ❋ 2 uova ❋ 1/2 bustina di lievito per dolci ❋ 1 cucchiaio di succo di limone ❋ 80 g di zucchero ❋ 1 dl di latte ❋ 20 g di burro ❋ sale

DIFFICOLTÀ
Bassa

PREPARAZIONE
30 minuti

COTTURA
50 minuti

VINO
Recioto
di Soave
(bianco,
Veneto)

Sannio
Coda di Volpe
Passito
(bianco,
Campania)

Lavate le pere, sbucciatele, privatele del torsolo e tagliatele a fette sottili. Mettetele in una ciotola, irroratele con il succo di limone, cospargetele con lo zucchero e mescolate il composto.

In un'altra ciotola lavorate i tuorli con la frusta; unite 40 g di farina bianca e la farina integrale, il lievito e amalgamate bene. Versate a filo il latte e incorporatelo mescolando, fino a ottenere una pastella morbida.

A parte, montate a neve gli albumi con un pizzico di sale e incorporateli molto delicatamente alla pastella. Versate il tutto nella ciotola contenente le pere e mescolate delicatamente il composto.

Trasferite il composto in una tortiera imburrata e infarinata, mettetela nel forno già caldo a 180 °C e fate cuocere la torta per 50 minuti.

Togliete la torta dal forno, sformatela, trasferitela su un piatto da portata e servitela tiepida o fredda, a piacere, eventualmente spolverizzata di zucchero a velo.

Torta meringata

Ingredienti per 8 persone
❄ 350 g di farina ❄ 30 g di zucchero ❄ 5 dl di latte
❄ 20 g di lievito di birra ❄ 200 g di mandorle sgusciate
❄ 20 g di zucchero a velo ❄ 1 cucchiaio di pangrattato
❄ 3 uova e 1 tuorlo ❄ 185 g di burro ❄ sale

DIFFICOLTÀ
Elevata

PREPARAZIONE
30 minuti
più 1 ora di
lievitazione
della pasta
e 1 ora e
30 minuti di
raffreddamento
della torta

COTTURA
55 minuti

VINO
Erbaluce
di Caluso
Passito
(bianco,
Piemonte)

Greco
di Bianco
(bianco,
Calabria)

Sciogliete il lievito nel latte tiepido. Mescolate la farina con un pizzico di sale e il latte con il lievito; amalgamate bene il tutto e lasciatelo riposare in luogo tiepido per 30 minuti.

Quindi incorporatevi 165 g di burro a pezzetti, 2 uova, 2 tuorli, lo zucchero e lavorate a lungo l'impasto. Lasciatelo lievitare coperto in luogo tiepido per 30 minuti.

Scottate le mandorle in acqua bollente, sgocciolatele, privatele della pellicina e fatele tostare leggermente nel forno già caldo a 180 °C. Lasciatele raffreddare e tritatele. Imburrate uno stampo e cospargetelo con il pangrattato e metà delle mandorle.

Riprendete la pasta, lavoratela un poco, distribuitela nello stampo e lasciatela lievitare ancora. Cuocetela quindi nel forno già caldo a 180 °C per 45 minuti. Sformate la torta su un piatto da portata e lasciatela raffreddare per 1 ora e mezza.

Montate a neve l'albume rimasto, incorporatevi delicatamente lo zucchero a velo e le rimanenti mandorle tritate. Distribuite il composto a ciuffetti sulla superficie del dolce. Passate la torta nel forno già caldo a 220 °C per qualche minuto e servitela subito.

Torta meringata al cioccolato

Ingredienti per 8 persone

❋ 200 g di zucchero ❋ 2 albumi ❋ 6 dl di panna
❋ 150 g di cioccolato fondente ❋ 100 di mandorle tostate
❋ cacao in polvere ❋ scaglie di cioccolato fondente ❋ sale
Per la guarnizione ❋ cacao in polvere ❋ scaglie di cioccolato

DIFFICOLTÀ
Elevata

PREPARAZIONE
30 minuti
più 1 ora di
raffreddamento
delle meringhe,
10 minuti di
raffreddamento
del cioccolato
e 1 ora di
raffreddamento
della torta

COTTURA
4 ore e
15 minuti

VINO
Aleatico
di Gradoli
(rosso,
Lazio)

Pornassio
di Ormeasco
Liquoroso
(rosso,
Liguria)

Fate bollire a fuoco medio lo zucchero in 1 dl d'acqua, finché lo sciroppo avrà raggiunto la temperatura di 116 °C. Intanto, in una ciotola, montate gli albumi con un pizzico di sale, aggiungetevi lo sciroppo di zucchero versandolo a filo e lavorate la meringa con una frusta, finché risulterà soda e lucida.

Rivestite 2 placche con carta da forno. Formate su ciascuna placca un disco di meringa di 22 cm di diametro. Mettete le placche nel forno già caldo a 50 °C per 4 ore, poi spegnete e fate raffreddare i dischi nel forno.

Riducete le mandorle a scaglie e spezzettate il cioccolato; fate sciogliere quest'ultimo a bagnomaria e, intanto, montate la panna. Incorporatene metà al cioccolato fuso e freddo e le scaglie di mandorle, quindi distribuite questa crema tra i dischi di meringa, spalmandovi la torta anche lungo i bordi. Mettetela in frigo per 1 ora.

Trascorso questo tempo, togliete la torta dal frigorifero e spalmatela completamente con la panna montata rimasta, cospargetela con le scaglie di cioccolato e completate con una spolverata di cacao. Conservate la torta in frigorifero fino al momento di servirla.

Torta meringata con fragoline

Ingredienti per 8 persone

Per la pasta ❋ 80 g di farina ❋ 3 uova e 2 tuorli
❋ 120 g di zucchero ❋ 60 g di fecola ❋ 70 g di burro
Per la crema ❋ 4 tuorli ❋ 1 dl di Marsala
❋ 50 g di zucchero ❋ 2 cucchiai di vino bianco
❋ 2 dl di panna ❋ 250 g di fragoline di bosco
Per lo sciroppo ❋ 100 g di zucchero
❋ 40 g di scorze d'agrumi ❋ 2 cucchiai di Maraschino
Per la guarnizione ❋ 1 cucchiaio di zucchero a velo
❋ 2 albumi ❋ sale

DIFFICOLTÀ
Elevata

PREPARAZIONE
30 minuti
più 30 minuti di
raffreddamento
della crema e
15 minuti di
raffreddamento
dello sciroppo

COTTURA
40 minuti

VINO
Recioto della
Valpolicella
(rosso,
Veneto)

Cesanese
del Piglio Dolce
(rosso,
Lazio)

Preparate la pasta. Montate le uova, i tuorli e lo zucchero; incorporate 60 g di farina e la fecola. Unite 50 g di burro fuso. Versate il composto in una tortiera imburrata, e cuocete nel forno a 180 °C per 25 minuti.

Preparate la crema. Lavorate i tuorli con lo zucchero, mescolatevi il vino e il Marsala e scaldateli in una casseruola a bagnomaria, lavorate con la frusta per 5 minuti e togliete la crema dal fuoco. Fate raffreddare, incorporatevi la panna montata e le fragoline di bosco lavate. Per la preparazione dello sciroppo bollite lo zucchero e le scorze d'agrumi in 2 dl d'acqua per 5 minuti. Fate raffreddare e unite il Maraschino.

Dividete la pasta in 3 dischi uguali; spennellateli con lo sciroppo, distribuitevi un primo strato di crema, sovrapponete il secondo disco e ripetete l'operazione ricoprendo con il terzo disco. Per la meringata montate gli albumi con lo zucchero a velo e un pizzico di sale e scaldateli a bagnomaria, a fuoco basso. Decorate la torta a piacere con la meringa e passate il dolce nel forno già caldo a 250 °C per 10 minuti.

Torta meringata con le pere

Ingredienti per 8 persone

❋ 1 disco di pan di Spagna di 24 cm di diametro
Per la crema ❋ 2,5 dl di latte ❋ 75 g di zucchero
❋ 20 g di farina ❋ 2 tuorli
❋ 1/2 bustina di vanillina
Per la guarnizione ❋ 4 pere ❋ 200 g di zucchero
❋ 0,5 dl di Grappa alle pere
❋ ciliegine sciroppate
Per la meringa ❋ 70 g di zucchero ❋ 2 albumi
❋ la scorza di 1/2 limone biologico ❋ sale

DIFFICOLTÀ
Elevata

PREPARAZIONE
30 minuti
più 30 minuti di
raffreddamento
della crema e
30 minuti di
raffreddamento
delle mele
sciroppate

COTTURA
50 minuti

VINO
Molise
Moscato
Passito
(bianco,
Molise)

Ramandolo
(bianco,
Friuli-Venezia
Giulia)

Preparate la crema. Mescolate i tuorli con lo zucchero, la farina e la vanillina, quindi stemperate il tutto con il latte caldo, versandolo a filo. Scaldate la crema a fuoco medio e lasciatela bollire per 7-8 minuti, quindi lasciate raffreddare.

Preparate la guarnizione. Portate a ebollizione 3 dl d'acqua con lo zucchero. Sbucciate le pere, privatele del torsolo e tagliatele a metà per il senso della lunghezza. Immergetele nello sciroppo e cuocetele per 12 minuti. Lasciatele raffreddare nello sciroppo, poi sgocciolatele. Conservate metà dello sciroppo con cui spennellerete il pan di Spagna, dopo avervi aggiunto la Grappa. Spalmate il dolce con la crema e guarnitelo con le mezze pere, disposte come i petali di un fiore.

Preparate la meringa. A bagnomaria, a fuoco basso, montate gli albumi con lo zucchero e un pizzico di sale. Quindi incorporatevi la scorza di limone grattugiata. Decorate la torta a piacere con la meringa e passate il dolce nel forno già caldo a 250 °C per 10 minuti. Decorate con qualche ciliegina sciroppata e servite.

Torta meringata di castagne

Ingredienti per 6 persone

❈ 2 dischi di meringa di 22 cm di diametro ciascuno

Per la mousse ❈ 300 g di crema di castagne

❈ 3 dl di panna ❈ 30 g di cacao amaro

Per la guarnizione ❈ 1 cucchiaio di cacao amaro

❈ 30 g di scagliette di cioccolato fondente

❈ 3 marrons glacés

❈ 2 dl di panna

DIFFICOLTÀ
Media

PREPARAZIONE
30 minuti
più il tempo di
preparazione
della meringa

COTTURA
Nessuna

VINO
Valle d'Aosta
Chambave
Moscato
Passito
(bianco,
Valle d'Aosta)

Moscato
di Siracusa
(bianco,
Sicilia)

Preparate la mousse. Stemperate in una ciotola il cacao amaro con 2 cucchiai di panna. Lavorate a parte in una terrina la crema di castagne e aggiungetevi il composto di cacao e panna, mescolando.

Incorporate delicatamente la panna rimasta, montata a parte, e mettete il composto in una tasca da pasticciere con bocchetta liscia.

Appoggiate un disco di meringa su un piatto da portata, distribuitevi sopra la mousse a ciuffetti, sovrapponetevi il secondo disco e decorate il bordo alternando ciuffetti di mousse e di panna, montata a parte.

Distribuite al centro un ciuffo di panna montata, appoggiatevi i marrons glacés, quindi cospargete la superficie del dolce con il cacao e con le scagliette di cioccolato e servite.

IL CONSIGLIO

▶ Dopo aver guarnito una meringa, soprattutto se il ripieno è a base di frutta, non aspettate più di 1 ora prima di servirla per evitare che perda di consistenza. Ricordate inoltre che anche un ambiente eccessivamente umido può renderle meno croccanti.

Torta mimosa

Ingredienti per 4 persone

Per il pan di Spagna ❈ 4 uova ❈ 200 g di zucchero

❈ 220 g di farina ❈ 12 g di lievito per dolci ❈ 20 g di burro

Per la crema ❈ 3 tuorli ❈ 2 cucchiai di farina

❈ 2 cucchiai di zucchero ❈ 3 dl di latte

❈ 1 pezzetto di scorza di limone biologico ❈ 3 dl di panna

Per la guarnizione ❈ 1 cucchiaio di zucchero a velo

❈ 0,5 dl di liquore per dolci (Maraschino, Galliano, ecc.)

DIFFICOLTÀ
Media

PREPARAZIONE
30 minuti
più 30 minuti di
raffreddamento
della crema

COTTURA
45 minuti

VINO
Moscato d'Asti
(bianco,
Piemonte)

Moscadello
di Montalcino
Frizzante
(bianco,
Toscana)

Preparate il pan di Spagna. Montate le uova e lo zucchero con le fruste elettriche; incorporate 200 g di farina e il lievito, versatelo in una tortiera, imburrata, infarinata e cuocete nel forno già caldo a 180 °C per 30 minuti.

Preparate la crema. Lavorate i tuorli con lo zucchero, aggiungete la farina e mescolate. A parte bollite il latte con la scorza di limone, unitelo, filtrandolo in un passino, al composto di tuorli e mettete sul fuoco, mescolando continuamente.

Togliete la crema dal fuoco appena inizia a bollire, mescolatela, rimettetela sul fuoco e ripetete 3 volte l'operazione. Lasciatela raffreddare e incorporatevi la panna montata.

Tagliate il pan di Spagna in 3 dischi uguali, dividetene uno a cubetti e teneteli da parte, spennellate un altro disco con un poco di liquore, distribuitevi sopra uno strato uniforme di crema, copritela con il disco rimasto, spennellate anche questo con il liquore e ricopritelo con la crema rimasta.

Distribuite sulla superficie del dolce i cubetti di pan di Spagna tenuti da parte, spolverizzateli con lo zucchero a velo e servite.

Torta morbida di banane

Ingredienti per 8 persone

❀ 600 g di banane mature

❀ 250 g di biscotti savoiardi

❀ 40 g di amaretti ❀ 150 g di burro ❀ 5 uova

❀ 100 g di zucchero

❀ 1 cucchiaio di zucchero a velo

❀ 2 cucchiai di pangrattato ❀ sale

DIFFICOLTÀ
Bassa

PREPARAZIONE
30 minuti
più 1 ora e
30 minuti di
raffreddamento

COTTURA
45 minuti

VINO
Oltrepò Pavese
Moscato
(bianco,
Lombardia)

Controguerra
Moscato
Frizzante
(bianco,
Abruzzo)

Sbucciate le banane e dividetele a rondelle. Mettete i biscotti savoiardi e gli amaretti sulla spianatoia, schiacciateli con il matterello e riduceteli in polvere, oppure passateli nel tritatutto.

In una terrina lavorate con una frustina metallica 130 g di burro con lo zucchero; incorporate, uno alla volta, i tuorli. Aggiungete i savoiardi e gli amaretti e lavorate bene il composto, finché risulterà morbido e omogeneo. Unite le rondelle di banane, tenendone da parte alcune e incorporatele al composto.

A parte montate a neve gli albumi con un pizzico di sale e aggiungeteli delicatamente all'impasto. Versatelo in una tortiera, imburrata e cosparsa di pangrattato e fate cuocere nel forno già caldo a 190 °C per circa 45 minuti. Sformate la preparazione e lasciatela raffreddare.

Spolverizzate leggermente la superficie della torta con lo zucchero a velo, decorate con le rondelle di banane rimaste, adagiatela su un piatto da portata e servitela.

Torta morbida di carote

Ingredienti per 8 persone

❀ 300 g di carote ❀ 150 g di zucchero

❀ 150 g di cocco secco grattugiato

❀ 150 g di mandorle pelate

❀ 3 uova ❀ la scorza di 1 arancia biologica

❀ 1/2 bustina di lievito per dolci

❀ 200 g di cioccolato al latte ❀ 0,5 dl di panna

DIFFICOLTÀ
Media

PREPARAZIONE
30 minuti
più 1 ora e
50 minuti di
raffreddamento
della torta

COTTURA
55 minuti

VINO
Recioto
di Soave
(bianco,
Veneto)

Moscato
di Trani Dolce
(bianco,
Puglia)

Pelate le carote, tritatele nel mixer e versatele in una terrina. Tritate le mandorle con lo zucchero e unitele alle carote. Aggiungete il cocco, le uova e il lievito. Amalgamate il tutto con un cucchiaio di legno e aromatizzate con la scorza grattugiata dell'arancia.

Versate il composto in una tortiera di 20 cm di diametro, foderata con carta oleata. Cuocete la torta nel forno già caldo a 160 °C per circa 10 minuti, poi alzate la temperatura a 180 °C e proseguite la cottura per altri 40 minuti. Fate raffreddare la torta.

In un tegame a bagnomaria, fate sciogliere il cioccolato nella panna, mescolando. Fate riposare la glassa e quando avrà raggiunto la giusta densità, ricopritevi la torta, livellandone la superficie.

Lasciate raffreddare la torta per circa 20 minuti in frigorifero e servitela tagliata a fette.

Torta Ortisei

Ingredienti per 6 persone

❋ 150 g di zucchero

❋ 120 g di burro

❋ 200 g di farina

❋ 750 g di mele renette

❋ 50 g di uva sultanina già ammollata

❋ 3 uova ❋ 3 cucchiai di latte

❋ 1 bustina di lievito per dolci

❋ 2 cucchiai di semolino ❋ sale

DIFFICOLTÀ
Bassa

PREPARAZIONE
30 minuti
più 1 ora e
30 minuti di
raffreddamento
della torta

COTTURA
45 minuti

REGIONE
Trentino-Alto
Adige

VINO
Trentino
Pinot Bianco
Vendemmia
Tardiva
(bianco,
Trentino-Alto
Adige)

Moscadello
di Montalcino
Vendemmia
Tardiva
(bianco,
Toscana)

Lavorate in una terrina con una frusta metallica i tuorli con 125 g di zucchero, aggiungete 100 g di burro, fuso a parte, e la farina setacciata con il lievito. Versate quindi il latte e continuate a lavorare fino a ottenere un composto soffice e cremoso.

Montate a parte gli albumi a neve con un pizzico di sale e aggiungeteli all'impasto delicatamente con movimento dal basso verso l'alto. Imburrate una tortiera di 24 cm di diametro, spolverizzatela con lo zucchero rimasto e il semolino e versatevi dentro metà del composto.

Sbucciate le mele, levate il torsolo e tagliatele a fette piuttosto spesse, disponetele sulla superficie dell'impasto, aggiungete l'uva sultanina e coprite tutto con il composto rimasto. Cuocete la torta nel forno già caldo a 190 °C per 45 minuti.

Sfornate la torta, lasciatela raffreddare completamente, sformatela su un piatto da portata e servitela.

Torta ricca alla frutta

Ingredienti per 8 persone

❋ 225 g di farina integrale autolievitante ❋ 125 g di prugne

❋ 75 g di datteri secchi ❋ 2 dl di succo d'arancia

❋ 2 cucchiai di melassa scura ❋ 125 g di uva sultanina

❋ 1 cucchiaio di scorza di limone biologico ❋ 3 uova

❋ 1 cucchiaio di scorza di arancia biologica ❋ 20 g di burro

❋ 1 cucchiaio di spezie miste ❋ 125 g di mirtilli essiccati

Per la guarnizione ❋ 2 cucchiai di zucchero a velo

❋ 125 g di ribes

DIFFICOLTÀ
Media

PREPARAZIONE
30 minuti
più 20 minuti
di ammollo
dell'uva
sultanina
e 1 ora e
30 minuti di
raffreddamento
della
preparazione

COTTURA
1 ora e
40 minuti

VINO
Moscato
di Scanzo
(rosso,
Lombardia)

Primitivo
di Manduria
Dolce Naturale
(rosso,
Puglia)

Mettete in ammollo l'uva sultanina e nel frattempo imburrate una tortiera di 20 cm di diametro e foderatela con carta da forno. Snocciolate e tritate i datteri e le prugne e cuoceteli entrambi in una casseruola con il succo d'arancia per 10 minuti. Fate sciogliere il composto e unitevi la melassa e le scorze di agrumi; lasciate quindi raffreddare.

Setacciate le spezie e la farina in una terrina, aggiungete la frutta secca e l'uva sultanina ben strizzata. Amalgamate i tuorli al purè di prugne e datteri. Montate a parte gli albumi a neve.

Unite alla farina il purè e gli albumi, amalgamate bene il composto e versatelo nella tortiera precedentemente preparata. Fate cuocere la torta nel forno già caldo a 160 °C per 1 ora e 30 minuti e poi lasciatela raffreddare.

Sformate la torta su un piatto da portata. Cospargetela con lo zucchero a velo, decoratela con i ribes e servitela in tavola.

Torta ripiena di frutti di bosco

Ingredienti per 6 persone

❅ 100 g di mirtilli ❅ 100 g di lamponi ❅ 100 g di more ❅ 220 g di farina
❅ 25 g di nocciole tritate ❅ 120 g di burro ❅ 50 g di zucchero
❅ la scorza grattugiata di 1 limone biologico ❅ 1 tuorlo
❅ 4 cucchiai di latte ❅ 2 cucchiai di zucchero a velo

DIFFICOLTÀ
Bassa

PREPARAZIONE
30 minuti
più 30 minuti
di riposo
della pasta

COTTURA
45 minuti

VINO
Brachetto
d'Acqui
(rosso,
Piemonte)

Vernaccia di
Serrapetrona
Dolce
(rosso,
Marche)

Mettete la frutta in un tegame con 3 cucchiai di zucchero e fatela sobbollire, mescolando, per 5 minuti. In una terrina setacciate 200 g di farina e unite le nocciole. Incorporatevi 100 g di burro a tocchetti, lavorate e aggiungete lo zucchero rimasto. Unite la scorza di limone, il tuorlo e 3 cucchiai di latte. Rovesciate la pasta sul piano di lavoro infarinato e lavoratela un poco. Fatela riposare 30 minuti.

Stendete 2/3 della pasta sfoglia e foderatevi una tortiera imburrata.

Distribuite la frutta sulla base di pasta e spennellatene il bordo con acqua. Stendete la pasta rimasta e disponetela sulla frutta chiudendo la torta.

Rifilate e pizzicate i bordi della torta, incidete 2 fessure sulla superficie e guarnite con 2 foglie di pasta ricavate dai ritagli. Spennellate la superficie della torta con il latte rimasto e cuocete per 40 minuti nel forno caldo a 190 °C. Spolverizzatela con lo zucchero a velo e accompagnate a piacere con la panna, montata a parte.

1 Mettete in una terrina la farina setacciata e le nocciole e incorporatevi il burro, lo zucchero, la scorza di limone, il tuorlo e il latte.

2 Distribuite la frutta sulla pasta e spennellate il bordo con acqua.

3 Disponete sulla frutta la pasta rimasta.

Torta ripiena di mele, noci e more

Ingredienti per 8 persone

❋ 320 g di farina ❋ 4 mele renette ❋ 300 g di more
❋ 100 g di zucchero ❋ 1 cucchiaino di lievito per dolci
❋ 120 g di burro ❋ 1 uovo ❋ 50 g di zucchero a velo
❋ 1 bustina di vanillina ❋ 80 g di gherigli di noce
Per la guarnizione ❋ 1 dl di panna ❋ 50 g di more
❋ 4 gherigli di noce ❋ 50 g di zucchero ❋ 20 g di cacao

DIFFICOLTÀ
Media

PREPARAZIONE
30 minuti
più 30 minuti di
raffreddamento
delle mele

COTTURA
1 ora e
30 minuti

VINO
Recioto della
Valpolicella
(rosso,
Veneto)

Montefalco
Sagrantino
Passito
(rosso,
Umbria)

Sbucciate e affettate sottilmente le mele; fatele cuocere con 1 cucchiaio di zucchero, a recipiente coperto, per 7 minuti. Lasciatele raffreddare. Fate lo stesso per le more, intere.

Lavorate 100 g di burro a pezzetti con lo zucchero a velo, unite l'uovo, la vanillina e poco alla volta 300 g di farina setacciata con il lievito; amalgamate e dividete l'impasto in 2 parti, una poco più grande dell'altra.

Foderate una tortiera, imburrata e infarinata, con la parte più grande d'impasto, distribuitevi le mele cotte, copritele con i gherigli di noce e completate con il composto di more. Stendete la pasta rimasta e adagiatela sul composto, pizzicottate il bordo e bucherellate la superficie. Cuocete la torta nel forno già caldo a 160 °C per 1 ora.

Preparate la guarnizione. Fate bollire lo zucchero in 1 dl d'acqua per circa 10 minuti. Togliete dal fuoco e immergetevi per un attimo i gherigli di noce, sgocciolateli e fateli solidificare.

Spolverizzate il bordo esterno della torta con il cacao e al centro disegnate un cerchietto di ciuffi di panna, montata a parte. Fate un cerchio più piccolo con le more, sistemate al centro i gherigli di noce e servite.

Torta rovesciata all'ananas

Ingredienti per 6 persone

❋ 350 g di pasta brisée
❋ 200 g di zucchero
❋ 100 g di burro
❋ 20 g di farina
❋ 6 fette di ananas
❋ il succo di 1 limone

DIFFICOLTÀ
Bassa

PREPARAZIONE
30 minuti
più il tempo di
preparazione
della pasta
brisée

COTTURA
45 minuti

VINO
Alto Adige
Pinot Grigio
Vendemmia
Tardiva
(bianco,
Trentino-Alto
Adige)

Malvasia
di Bosa Dolce
Naturale
(bianco,
Sardegna)

Fate sciogliere il burro in una padella, unitevi lo zucchero, 1 cucchiaio d'acqua e qualche goccia di limone. Mescolate finché lo zucchero avrà assunto un colore uniforme bruno dorato.

Versate il caramello sul fondo di uno stampo rotondo del diametro di 24 cm, foderato con carta da forno. Disponetevi le fette di ananas.

Stendete la pasta sulla spianatoia infarinata, formando un disco delle dimensioni della tortiera e appoggiatelo sulle fette d'ananas.

Cuocete la torta nel forno già riscaldato a 200 °C per circa 30 minuti. Rovesciate il dolce su un piatto da portata, togliete la carta e servite in tavola.

IL CONSIGLIO

▶ Quando lo zucchero inizia a caramellare, muovete la pentola in modo che il calore si distribuisca e lo zucchero cuocia uniformemente senza bruciare.

Torta rovesciata alle albicocche con pasta di mandorle

Ingredienti per 6 persone

❋ 160 g di farina ❋ 100 g di mandorle pelate
❋ 200 g di burro ❋ 1 uovo
❋ 1/2 cucchiaio di lievito per dolci
❋ 1 kg di albicocche ❋ 150 g di zucchero ❋ sale
❋ la scorza e il succo di 1 limone biologico

DIFFICOLTÀ
Bassa

PREPARAZIONE
30 minuti
più 1 ora
di riposo
della pasta e
10 minuti
di riposo della
preparazione

COTTURA
40 minuti

VINO
Colli Orientali
del Friuli
Picolit
(bianco,
Friuli-Venezia
Giulia)

Verdicchio
di Matelica
Passito
(bianco,
Marche)

Frullate le mandorle con 50 g di zucchero. Mescolatele con la farina, il lievito, 125 g di burro, la scorza del limone grattugiata e un pizzico di sale.

Amalgamate gli ingredienti, unite l'uovo e impastate aggiungendo 3-4 cucchiai di acqua fredda. Formate un panetto e lasciatelo riposare in frigorifero per 1 ora.

Lavate le albicocche, asciugatele e tagliatele a metà. In una tortiera fate caramellare lo zucchero e il burro rimasti per 5 minuti. Unite le albicocche, con la parte concava rivolta verso l'alto, versate il succo del limone e cuocete per 5 minuti.

Stendete la pasta allo spessore di circa 3 mm. Coprite le albicocche tiepide con la pasta e fate rientrare il bordo di 2 cm dentro la tortiera. Bucherellate la superficie della pasta con i rebbi di una forchetta e cuocete la torta nel forno già caldo a 200 °C per circa 30 minuti.

Lasciate riposare la torta per 10 minuti, rovesciatela in un piatto e fate colare sulle albicocche lo sciroppo caramellato. Servite subito.

Torta rovesciata ai fichi

Ingredienti per 6 persone

❋ 1 kg di fichi sodi
❋ 250 g di pasta brisée
❋ 50 g di zucchero
❋ 50 g di burro
❋ 2 dl di panna

DIFFICOLTÀ
Bassa

PREPARAZIONE
30 minuti
più il tempo di
preparazione
della pasta
brisée,
10 minuti
di riposo
dei fichi e
10 minuti
di riposo
della pasta

COTTURA
55 minuti

VINO
Moscato
di Trani Dolce
(bianco,
Puglia)

Colli Etruschi
Viterbesi
Moscatello
Passito
(bianco,
Lazio)

Pelate i fichi e tagliateli a spicchi. Fate fondere il burro e versatelo in una tortiera di alluminio a bordi bassi. Cospargete il fondo con lo zucchero e distribuite sopra gli spicchi di fichi, sovrapponendoli leggermente.

Trasferite la tortiera sul fuoco, a fiamma molto dolce, e cuocete i fichi per 30 minuti, senza mescolare. Lasciate quindi riposare per 10 minuti.

Stendete la pasta in un disco dello stesso diametro della tortiera e di circa 3 mm di spessore e conservatela in frigorifero.

Coprite i fichi con la pasta, facendone rientrare il bordo all'interno; fate cuocere la torta nel forno già caldo a 180 °C per circa 25 minuti.

Sfornate, attendete qualche minuto e rovesciate la torta su un piatto da portata. Servitela tiepida, accompagnandola con la panna liquida ben fredda.

Torta rovesciata di pere

Ingredienti per 6 persone

❀ 250 g di pasta sfoglia

❀ 1 kg di pere

❀ 100 g di zucchero

❀ 70 g di burro ammorbidito

DIFFICOLTÀ
Bassa

PREPARAZIONE
20 minuti
più il tempo di
preparazione
della pasta
sfoglia,
più 30 minuti di
raffreddamento
delle pere
caramellate
e 1 ora di
raffreddamento
della torta

COTTURA
30 minuti

VINO
Recioto
di Soave
(bianco,
Veneto)

Molise
Moscato
Passito
(bianco,
Passito)

Sbucciate le pere, privatele del torsolo e tagliatele a fette spesse. Spalmate con il burro il fondo di una tortiera e cospargetelo con lo zucchero. Adagiatevi sopra, a raggiera, sovrapponendole un poco, le fette di pera, riempiendo uniformemente tutto il fondo.

Ponete la tortiera su fuoco dolcissimo e, facendola ruotare sulla fiamma, caramellate a poco a poco lo zucchero. Toglietela quando avrà assunto un colore dorato e fate raffreddare completamente le pere.

Nel frattempo, stendete la pasta sfoglia allo spessore di 3 mm e ricavatene un disco dello stesso diametro della tortiera. Adagiatelo sopra le fette di pera e bucherellatelo con una forchetta. Cuocete la torta nel forno già caldo a 200 °C per 20 minuti. Lasciate raffreddare.

Mettete nuovamente la tortiera su fuoco vivace e ruotatela sopra di esso. Capovolgete subito la torta sul piatto da portata e servitela tiepida, accompagnandola, a piacere, con gelato al fiordilatte.

Torta rovesciata
di pesche e prugne

Ingredienti per 6 persone

✿ 250 g di pasta sfoglia

✿ 700 g di pesche scottate in acqua bollente e pelate

✿ 400 g di prugne

✿ 80 g di burro ✿ 100 g di zucchero

DIFFICOLTÀ
Bassa

PREPARAZIONE
20 minuti
più il tempo di
preparazione
della pasta
sfoglia
e 1 ora
e 30 minuti di
raffreddamento
della torta

COTTURA
30 minuti

VINO
Malvasia
di Casorzo
d'Asti Passito
(rosso,
Piemonte)

Elba Aleatico
(rosso,
Toscana)

Lavate e tagliate le pesche e le prugne in 4 spicchi e privatele dei noccioli.

Stendete il burro ammorbidito sul fondo di una tortiera del diametro di 24 cm, cospargetelo con lo zucchero e disponetevi sopra, a raggiera e alternandole, le prugne e le pesche; ponete la tortiera su fuoco dolcissimo, fate caramellare lo zucchero ruotandola, poi toglietela dal fuoco e fate intiepidire.

Stendete la pasta, ritagliatene un disco poco più grande della tortiera e adagiatelo sopra alla frutta. Ripiegate il bordo all'interno e bucherellate la pasta.

Cuocete la torta nel forno già caldo a 200 °C per circa 20 minuti, finché la superficie assumerà un colore dorato; toglietela dal forno e lasciatela raffreddare nella tortiera.

Poco prima di servire, ponete di nuovo la tortiera su fuoco vivace e ruotatela sulla fiamma; capovolgetela quindi sul piatto da portata e lasciatela intiepidire prima di servirla.

Torta rustica di ciliegie

Ingredienti per 6 persone

❊ 370 g di farina ❊ 3 uova e 1 tuorlo ❊ 200 g di zucchero
❊ 120 g di burro ❊ 1 bustina di lievito per dolci
❊ 2 gocce di estratto di mandorle amare
❊ il succo di 1 arancia ❊ 200 g di ciliegie ❊ 2 cucchiai di Rum
Per la crema ❊ 2,5 dl di latte ❊ 60 g di zucchero ❊ 3 tuorli
❊ 20 g di farina ❊ 1 bustina di vanillina
❊ la scorza grattugiata di 1/2 limone biologico

DIFFICOLTÀ
Media

PREPARAZIONE
20 minuti
più 30 minuti
di riposo
della pasta,
15 minuti di
raffreddamento
del latte e
20 minuti di
raffreddamento
della crema

COTTURA
1 ora e
10 minuti

VINO
Brachetto
d'Acqui
(rosso,
Piemonte)

Vernaccia di
Serrapetrona
Dolce
(rosso,
Marche)

Montate le uova con lo zucchero, unite 100 g di burro fuso e poi, poco alla volta, 350 g di farina setacciata con il lievito, il Rum, il succo d'arancia e l'estratto di mandorle; mescolate bene il tutto e fate riposare in frigorifero per 30 minuti.

Preparate la crema. Portate a ebollizione il latte con la scorza di limone e fate poi raffreddare.

Montate in una casseruola i tuorli con lo zucchero, unite, poco alla volta, la farina setacciata con la vanillina, versate il latte filtrato e fate cuocere a fuoco moderato, mescolando, fino a ottenere una crema densa. Fate raffreddare, mescolando ogni tanto. Nel frattempo, lavate e snocciolate le ciliegie.

Foderate una tortiera, imburrata e infarinata, con metà dell'impasto e distribuitevi sopra la crema, lasciando libero 1 cm di bordo. Coprite la crema con le ciliegie e stendetevi sopra la pasta rimasta.

Spennellate la superficie con il tuorlo diluito con 1 cucchiaio d'acqua, leggermente sbattuto e cuocete nel forno già caldo a 180 °C per 50 minuti.

Torta rustica di pane

Ingredienti per 6 persone

❊ 400 g di pane raffermo ❊ 1 l di latte ❊ 5 amaretti
❊ 3 cucchiai di farina ❊ 2 cucchiai di farina di mais
❊ 130 g di zucchero ❊ 130 g di noci sgusciate
❊ la scorza grattugiata di 1 limone biologico
❊ 70 g di uva sultanina già ammollata ❊ 3 mele renette
❊ 3 pere Williams ❊ 3 uova ❊ 1 dl di panna
❊ 70 g di burro ❊ sale

DIFFICOLTÀ
Bassa

PREPARAZIONE
30 minuti
più 1 ora
di ammollo
del pane

COTTURA
1 ora

VINO
Moscadello
di Montalcino
Vendemmia
Tardiva
(bianco,
Toscana)

Alto Adige
Traminer
Aromatico
Vendemmia
Tardiva
(bianco,
Trentino-Alto
Adige)

Spezzettate il pane, mettetelo in una terrina, versatevi sopra il latte bollente e lasciate ammorbidire per circa 1 ora. Sbriciolate gli amaretti e tritate le noci.

Lavorate il composto di pane e latte con una forchetta, mescolatevi gli amaretti, la farina bianca e quella di mais, la scorza di limone, lo zucchero, l'uva sultanina ben strizzata, le noci e un pizzico di sale.

Unite le uova e lavorate il composto con un cucchiaio di legno sino a ottenere un impasto omogeneo. Pulite le mele e le pere eliminando bucce e torsoli, tagliatele a fettine sottili e aggiungetele al composto.

Ungete una tortiera piuttosto grande con 30 g di burro, versatevi l'impasto, cospargetelo con il burro rimasto a fiocchetti e fatelo cuocere nel forno già caldo a 180 °C per circa 1 ora. Servite la torta tiepida, accompagnandola con la panna, montata a parte.

Torta Saint-Honoré

Ingredienti per 8 persone

❀ 1 disco di pan di Spagna del diametro di 24 cm e spesso 3 cm ❀ 7 bignè vuoti
❀ 3 dl di crema Chantilly bianca e 1,5 dl di crema Chantilly al cacao
❀ 200 g di pasta sfoglia stesa in un disco di 26 cm di diametro spesso 3 mm
Per la crema Saint Honoré ❀ 80 g di zucchero ❀ 5 dl di latte ❀ 60 g di farina
❀ 1/2 bustina di vanillina ❀ la scorza di 1 limone biologico ❀ 2 dl di panna
❀ 2 cucchiai di Marsala ❀ 20 g di cacao amaro ❀ 5 tuorli
Per lo sciroppo ❀ 50 g di zucchero ❀ 1 cucchiaio di Rum ❀ 1,5 dl di caramello
❀ la scorza di 1/2 arancia e di 1/2 limone biologici

DIFFICOLTÀ
Elevata

PREPARAZIONE
1 ora
più il tempo di
preparazione
del pan di
Spagna, della
pasta sfoglia
e delle creme
Chantilly,
e 1 ora di
raffreddamento
della crema

COTTURA
30 minuti

VINO
Ramandolo
(bianco,
Friuli-Venezia
Giulia)

Malvasia
delle Lipari
(bianco,
Sicilia)

Adagiate la pasta sfoglia su una placca spennellata d'acqua e bucherellatela. Cuocetela nel forno già caldo a 220 °C per 15 minuti.

Preparate la crema Saint-Honoré. Portate ad ebollizione il latte con la scorza di limone. Intanto, lavorate i tuorli con lo zucchero, unite poco alla volta la farina, la vanillina e versate a filo il latte bollente filtrato.

Travasate il composto in una casseruola, mettetela su fuoco medio e, mescolando, portate a ebollizione; continuate la cottura per 6 minuti, mescolando. Togliete la crema dal fuoco e unite il Marsala; dividetela in 2 parti, aggiungete a una il cacao, lasciate raffreddare e incorporate a entrambe 1 dl di panna montata.

Preparate lo sciroppo. Fate bollire lo zucchero e le scorze di limone e d'arancia in 1 dl d'acqua per 4 minuti, mescolando. Togliete lo sciroppo dal fuoco, passatelo al colino, lasciatelo raffreddare e unite il Rum.

Con un coltello riducete il disco di pan di Spagna al diametro di 23 cm e tenetene da parte i ritagli. Mettete un poco di crema Saint-Honoré al cacao in una tasca da pasticciere con bocchetta liscia e riempite 4 bignè. Mettete in un'altra tasca un poco di crema Saint-Honoré gialla e riempite i bignè rimasti. Immergete nel caramello fatto intiepidire la punta dei bignè.

Stendete la rimanente crema Saint-Honoré gialla sul disco di pasta sfoglia, adagiatevi sopra il disco di pan di Spagna, spennellatelo con lo sciroppo e ricoprite la superficie e il bordo della torta con la crema Saint-Honoré al cacao rimasta.

Cospargete il bordo della torta con i ritagli di pan di Spagna sbriciolati e fateli aderire usando una spatola.

Mettete la crema Chantilly bianca in una tasca da pasticciere con bocchetta liscia, quindi adagiate attorno al bordo della torta i bignè preparati, alternandoli a ciuffetti di crema Chantilly bianca. Sostituite poi la bocchetta liscia con una oblunga, tracciate sulla superficie della torta tante strisce di ciuffetti di crema Chantilly bianca alternandole a strisce di ciuffetti di crema Chantilly al cacao. Conservate la torta in frigorifero fino al momento di servirla in tavola.

Torta soffice con cioccolato e canditi

Ingredienti per 6 persone

❋ 1 disco di pan di Spagna di 24 cm di diametro spesso 3 cm
Per il ripieno ❋ 1/2 bustina di vanillina ❋ 80 g di mascarpone
❋ 5 tuorli ❋ 200 g di ricotta ❋ 40 g di cioccolato fondente
❋ 60 g di cedro e arancia canditi ❋ 120 g di zucchero
Per lo sciroppo ❋ 50 g di zucchero ❋ 1 cucchiaio di Rum
Per la guarnizione ❋ 1 cucchiaio di zucchero a velo
❋ 30 g di gocce di cioccolato fondente ❋ 2 dl di panna

DIFFICOLTÀ
Media

PREPARAZIONE
30 minuti
più il tempo di
preparazione
del pan di
Spagna
e 6 ore
di riposo della
preparazione

COTTURA
1 ora e
15 minuti

VINO
Recioto della
Valpolicella
(rosso,
Veneto)

Montefalco
Sagrantino
Passito
(rosso,
Umbria)

Preparate il ripieno. Tagliate a dadini il cedro e l'arancia canditi e il cioccolato; setacciate la ricotta, mettetela in una ciotola e amalgamatevi il mascarpone. Fate bollire lo zucchero in 1 dl d'acqua per 10 minuti. Lavorate i tuorli con le fruste elettriche, versate a filo lo sciroppo caldo e continuate a lavorare finché il composto sarà freddo. Unite il composto di ricotta e mascarpone, i dadini di cedro, arancia e cioccolato, la vanillina, e amalgamate gli ingredienti.

Preparate lo sciroppo. Fate bollire lo zucchero in 1 dl d'acqua per 4 minuti. Toglietelo dal fuoco, fatelo raffreddare e unite il Rum.

Ricavate dal pan di Spagna 2 dischi dello spessore di 1 cm e tagliate ciò che rimane a fettine; adagiate un disco in una tortiera a cerniera e foderate le pareti con le fettine. Spennellate il pan di Spagna con lo sciroppo, riempite con il composto di ricotta, coprite con il disco rimasto, spennellatelo con lo sciroppo e mettete la torta in frigo per circa 6 ore.

Poco prima di servire, cospargete la torta di zucchero a velo e decorate con la panna montata a parte e le gocce di cioccolato.

Torta spumosa

Ingredienti per 8 persone

❀ 1 disco di pan di Spagna di 24 cm di diametro

Per le "nuvolette" ❀ 120 g di zucchero

❀ 2 dl di latte ❀ 1 bustina di vanillina ❀ 5 albumi ❀ sale

Per la crema ❀ 5 dl di latte ❀ 150 g di zucchero

❀ 45 g di farina ❀ 5 tuorli ❀ 1 bustina di vanillina

Per la guarnizione ❀ 2 dl di panna ❀ 1 dl di Kirsch

❀ 24 lamponi ❀ 12 petali di primula "brinati"

DIFFICOLTÀ
Media

PREPARAZIONE
30 minuti
più 30 minuti di
raffreddamento
della crema

COTTURA
20 minuti

VINO
Alto Adige
Moscato Rosa
(rosso,
Trentino-Alto
Adige)

Aleatico
di Gradoli
(rosso,
Lazio)

Preparate le "nuvolette". Scaldate il latte unendovi 5 dl d'acqua. Intanto montate a neve soda gli albumi con lo zucchero, un pizzico di sale e la vanillina. Quando il latte avrà raggiunto l'ebollizione, unitevi gli albumi montati: si rapprenderanno in grosse sfere ("nuvolette"), che sgocciolerete con il mestolo forato dopo 2 minuti di bollore, su carta da cucina.

Preparate la crema. Scaldate il latte e intanto, in una ciotola, mescolate i tuorli con lo zucchero, la vanillina e la farina. Stemperate con il latte caldo, poi trasferite il composto in un tegame e, sempre mescolando, cuocete la crema per 7-8 minuti. Spegnete e fatela raffreddare.

Praticate sul pan di Spagna un taglio circolare a 2 cm dai bordi, svuotando l'interno e conservando gli scarti. Bagnate il dolce con 0,5 dl di Kirsch, allungato con altrettanta acqua. Poi riempitelo con metà della crema. Su questa sistemate le "nuvolette" e copritele con la crema rimasta, aromatizzata con 0,5 dl di Kirsch. Cospargete tutto con la mollica di pan di Spagna setacciata. Guarnite il bordo con ciuffetti di panna, montata a parte, con i lamponi e i petali brinati, quindi servite.

Torta tartufata all'arancia

Ingredienti per 8 persone

Per la pasta ❁ 120 g di farina ❁ 50 g di fecola di patate ❁ 50 g di cacao amaro ❁ 6 uova ❁ 100 g di burro ❁ 150 g di zucchero ❁ 1 bustina di vanillina

Per lo sciroppo ❁ 100 g di zucchero ❁ 1 dl di Grand Marnier ❁ la scorza di 1 arancia biologica

Per la ganache ❁ 400 g di cioccolato fondente ❁ 4 dl di panna ❁ 1 dl di Grand Marnier

Per la guarnizione ❁ 1 cucchiaio di cacao amaro ❁ 10 g di cioccolato bianco ❁ 2 cucchiai di granella di cioccolato ❁ 40 g di scorza d'arancia candita

DIFFICOLTÀ
Media

PREPARAZIONE
30 minuti
più 1 ora e
30 minuti di
raffreddamento
e 1 ora di riposo
della ganache

COTTURA
55 minuti

VINO
Elba Aleatico
(rosso,
Toscana)

Primitivo
di Manduria
Liquoroso
Dolce Natuale
(rosso,
Puglia)

Preparate la pasta. Lavorate in una terrina le uova e lo zucchero con le fruste elettriche, aggiungete 100 g di farina, la fecola, il cacao e la vanillina, poi unite 80 g di burro fuso. Amalgamate bene e distribuite il composto in una tortiera, imburrata e infarinata. Cuocete la torta nel forno già caldo a 190 °C per 40 minuti, poi lasciatela raffreddare.

Preparate la ganache. Tritate il cioccolato fondente e raccoglietelo in una ciotola. Portate a ebollizione la panna in un pentolino, versatela sul cioccolato tritato, lasciate riposare per qualche minuto e mescolate facendo sciogliere il cioccolato. Lasciate riposare per 1 ora. Quindi aggiungete il Grand Marnier e montate la crema con le fruste elettriche finché sarà raddoppiato di volume.

Preparate lo sciroppo. Versate 2 dl d'acqua in un tegamino, unite lo zucchero e la scorza d'arancia, portate a ebollizione, mescolando ogni tanto, e fate bollire per 2 minuti. Togliete lo sciroppo dal fuoco, aggiungete il Grand Marnier e lasciate raffreddare.

Tagliate orizzontalmente la torta a metà, spennellate uno dei dischi così ottenuti con lo sciroppo, distribuitevi sopra uno strato di ganache, sovrapponete il secondo disco, spennellatelo con lo sciroppo e stendete la ganache rimasta su tutta la torta, bordo incluso.

Preparate la finitura. Tagliate la scorza di arancia candita a listarelle e ricavate dal cioccolato bianco tanti piccoli riccioli con un pelapatate ad archetto.

Adagiate al centro della torta un disco di carta del diametro di 7 cm e spolverizzate la parte scoperta con il cacao amaro, attraverso un passino. Poi eliminate la carta, disponete nel cerchio, al centro, i riccioli di cioccolato, distribuitevi intorno le listerelle di scorza d'arancia candita e completate facendo aderire in modo uniforme al bordo della torta la granella di cioccolato e servite in tavola.

Torta tirolese con le mele

Ingredienti per 8 persone

❋ 150 g di pasta frolla ❋ 2 dischi di pan di Spagna del diametro di 22 cm
❋ 20 g di farina ❋ 2 cucchiai di confettura di ribes ❋ 20 g di burro
❋ 40 g di uva sultanina ammollata nel Rum
Per il ripieno ❋ 1 kg di mele ❋ 2,5 dl di vino bianco ❋ 130 g di zucchero
❋ 3 cucchiai di Calvados ❋ 4 tuorli ❋ 13 g di gelatina in fogli ❋ 3 dl di panna
Per la guarnizione ❋ 40 g di mandorle pelate ❋ 30 g di gelatina di albicocche

DIFFICOLTÀ
Media

PREPARAZIONE
30 minuti
più il tempo di
preparazione
della pasta
frolla,
30 minuti di
raffreddamento
della pasta
e 30 minuti di
raffreddamento
del ripieno

COTTURA
40 minuti

REGIONE
Trentino-
Alto Adige

VINO
Alto Adige
Sylvaner
Passito
(bianco,
Trentino-Alto
Adige)

Malvasia
delle Lipari
Passito
(bianco,
Sicilia)

Stendete la pasta frolla in una sfoglia sottile e foderatevi una tortiera, imburrata e infarinata. Bucherellate il fondo con una forchetta e pizzicottate il bordo. Mettete la tortiera nel forno già caldo a 180 °C e fate cuocere per circa 20 minuti, poi toglietela dal forno e lasciatela raffreddare.

Preparate il ripieno. Sbucciate le mele, privatele del torsolo e poi tagliatele a fette. Mettete le fette di mela in un tegamino con 80 g di zucchero, 2 dl di vino e con 2 cucchiai di Calvados. Portate a ebollizione e fate cuocere per 8-10 minuti a fuoco medio.

Sgocciolate le mele con un mestolo forato, frullatene 100 g e tenete da parte le altre. Lavorate in una terrina i tuorli e il rimanente zucchero con una frusta finché saranno spumosi, quindi aggiungete il Calvados e il vino rimasti e amalgamate bene tutti gli ingredienti.

Versate il composto ottenuto in una casseruola e cuocetelo a bagnomaria, continuando a lavorarlo con una frusta. Fuori dal fuoco unite la gelatina ammollata e strizzata e mescolate finché si sara sciolta completamente. Aggiungete le mele frul-

late, lasciate raffreddare, poi incorporate la panna, montata a parte.

Spalmate il fondo della pasta frolla con la confettura di ribes, adagiatevi sopra un disco di pan di Spagna e copritelo con un poco di crema di mele. Distribuitevi uno strato di fette di mele cotte, tenendone da parte qualcuna per la decorazione, cospargete con l'uva sultanina, sgocciolata e strizzata, spalmate un altro strato di crema di mele, tenendo da parte quella rimasta, e ricoprite con l'altro disco di pan di Spagna.

Preparate la guarnizione. Stendete la crema rimasta sulla superficie e lungo i lati della torta, escluso il bordo di pasta frolla, che cospargerete con le mandorle. Completate disponendo in cerchi concentrici sulla superficie della torta le fette di mele tenute da parte, sovrapponendole leggermente l'una con l'altra.

Portate a ebollizione in un pentolino la gelatina di albicocche con 1 cucchiaio d'acqua, quindi spennellatela sulle fette di mela. Trasferite la torta su un piatto da portata e servite.

Torta vanigliata alla crema soffice

Ingredienti per 6 persone

Per la pasta ❋ 320 g di farina ❋ 1 bustina di lievito per dolci ❋ 140 g di burro ❋ 140 g di zucchero ❋ 2 uova ❋ 1 bustina di vanillina ❋ 5 cucchiai di latte ❋ sale

Per la crema ❋ 3 uova ❋ 70 g di zucchero ❋ 3 cucchiai di farina ❋ 2,5 dl di panna ❋ 1 bustina di vanillina ❋ sale

Per la copertura ❋ 100 g di mandorle sgusciate ❋ 70 g di zucchero ❋ 1 albume

Per la guarnizione ❋ 1 cucchiaio di zucchero a velo ❋ 40 g di mandorle pralinate

DIFFICOLTÀ
Media

PREPARAZIONE
30 minuti
più 30 minuti di
raffreddamento
della crema
e 1 ora di
raffreddamento
della torta

COTTURA
1 ora

VINO
Molise
Moscato
Passito
(bianco,
Molise)

Ramandolo
(bianco,
Friuli-Venezia
Giulia)

Preparate la pasta. Lavorate 120 g di burro, a pezzetti, con lo zucchero, unite quindi le uova uno alla volta e la vanillina. Aggiungete poco alla volta 300 g di farina e il lievito, alternandola con il latte, e un pizzico di sale. Mescolate bene e distribuite il composto in una tortiera imburrata e infarinata. Cuocete nel forno già caldo a 180 °C per 35 minuti.

Preparate la crema. Portate a ebollizione la panna in una casseruola. Mettete in una terrina i tuorli con lo zucchero e amalgamateli bene, aggiungete poco alla volta la farina e la vanillina, poi versate a filo la panna bollente passata al colino. Travasate il composto in una casseruola, portate a bollore, mescolando, e cuocete per 7-8 minuti. Versate la crema in una terrina, lasciatela raffreddare e incorporatevi poi gli albumi montati a neve con un pizzico di sale.

Preparate la copertura. Scottate le mandorle in acqua in ebollizione, sgocciolatele, pelatele, lasciatele asciugare leggermente nel forno già caldo a 180 °C, quindi tritatele e mettetele in una ciotola. Unite lo zucchero e l'albume e mescolate.

Spalmate il composto appena preparato sulla torta e passatela nel forno già caldo a 180 °C per circa 10 minuti. Sformate la torta e lasciatela raffreddare. Tagliatela in 2 parti in senso orizzontale; stendete su un disco la crema e adagiatevi sopra l'altro.

Preparate la guarnizione. Tagliate un disco di cartoncino del diametro di 20 cm, adagiatelo al centro della torta, spolverizzate con lo zucchero a velo la superficie, togliete il cartoncino e disponete, infine, le mandorle pralinate al centro della torta. Servite in tavola tiepida o fredda, a piacere.

DEFINIZIONE

▶**Pralinato**. Pralina, che deriva dal francese *praline* (confetto), ha dato origine in pasticceria all'aggettivo "pralinato" con cui vengono indicati dolci, generalmente contenenti mandorle e nocciole, rivestite con uno strato esterno di caramello di cioccolato.

Trionfo di frutta meringata

Ingredienti per 6 persone

❄ 500 g di frutta mista (albicocche pesche, ananas, mirtilli e lamponi) ❄ 70 g di zucchero ❄ 5 dl di latte
❄ 50 g di semolino ❄ 1 cucchiaio di Rum
❄ 120 g di zucchero a velo
❄ 2 albumi ❄ 20 g di mandorle a filetti
❄ 50 g di uva sultanina già ammollata in acqua tiepida
❄ 20 g di burro ❄ sale

DIFFICOLTÀ
Media

PREPARAZIONE
30 minuti
più 30 minuti
di riposo della
frutta in
frigorifero

COTTURA
25 minuti

VINO
Oltrepò Pavese
Sangue
di Giuda
(rosso,
Lombardia)

Vernaccia di
Serrapetrona
Dolce
(rosso,
Marche)

Scottate le pesche e le albicocche in acqua bollente, raffreddatele sotto l'acqua fredda; spellatele, dividetele a metà, eliminate il nocciolo e tagliate la polpa a fette. Sbucciate l'ananas, privatelo della parte centrale e tagliatelo a pezzetti.

Raccogliete in una terrina i lamponi e i mirtilli lavati con le fette di pesche e di albicocche e i pezzetti di ananas e mettete il tutto in frigorifero per 30 minuti.

Versate il latte in una casseruola con lo zucchero e un pizzico di sale, portate a ebollizione, unite a pioggia il semolino e cuocete per 15 minuti a fuoco dolce, mescolandolo ogni tanto. Togliete dal fuoco, versate il composto in una terrina, lasciatelo intiepidire, unitevi l'uvetta strizzata, la frutta preparata e il Rum, mescolando. Distribuite il composto in una tortiera imburrata in uno strato uniforme.

Montate a neve in una terrina gli albumi, unite lo zucchero a velo, metteteli in una tasca da pasticciere con la bocchetta dentellata e coprite la superficie della torta, distribuendoli a ciuffetti. Cospargete la torta con le mandorle a filetti e passatela nel forno già caldo a 250 °C per 8 minuti. Servitela tiepida o fredda, a piacere.

Tronchetto di cioccolato bianco

Ingredienti per 6 persone

* 150 g di cioccolato bianco * 3 uova e 2 albumi
* 100 g di farina * 100 g di zucchero * 1 dl di panna
* 3 cucchiai di latte * 200 g di noce di cocco grattugiata
* 120 g di burro * 1 cucchiaio di Rum
Per la guarnizione * 1 grosso spicchio di noce di cocco
* 2 anici stellati * la scorza di 1/2 arancia biologica
* scaglie di cioccolato bianco

DIFFICOLTÀ
Media

PREPARAZIONE
30 minuti
più 2 ore e
30 minuti di
raffreddamento
del dolce

COTTURA
20 minuti

VINO
Moscato
Passito
di Strevi
(bianco,
Piemonte)

Moscato
di Trani Dolce
(bianco,
Puglia)

Montate i tuorli con lo zucchero ottenendo un composto gonfio e chiaro; incorporate la farina setacciata e infine un poco degli albumi montati a neve.

Foderate una placca con un foglio di carta da forno imburrato, versate il composto in uno strato omogeneo e cuocetelo nel forno già caldo a 180 °C per 20 minuti.

Capovolgete quindi la pasta su un altro foglio di carta da forno, staccate la carta di cottura e arrotolate subito il rettangolo di pasta nella carta pulita, facendolo raffreddare.

Sciogliete il cioccolato a bagnomaria con il burro rimasto, il latte e il Rum, ottenendo una crema omogenea; incorporate gli albumi rimasti a neve ferma e la panna montata a parte.

Srotolate la pasta, farcitela con i 2/3 della crema preparata e arrotolatela di nuovo. Spalmate il rotolo con la crema rimasta; distribuite il cocco su un foglio d'alluminio e passatevi il rotolo, ricoprendolo completamente di cocco. Mettete il dolce in frigo per almeno 2 ore e prima di servirlo decoratelo a piacere con il cocco, le scaglie di cioccolato, le scorze d'arancia e l'anice.

Crostate

Una pasta come base

Caratterizzate da una base di pasta friabile abbinata solitamente a una farcia morbida e cremosa, le crostate, dalle più classiche alle più creative, sono un dolce antico ma intramontabile, sempre gradito e facilissimo da preparare.

IL CONSIGLIO

▶ Le farce adatte alla preparazione delle crostate sono tantissime. La più classica è rappresentata dalla confettura, in genere di prugna, di ciliegia o di albicocca, ma che può essere di qualsiasi tipo di frutta. Altrettanto classiche sono poi le crostate farcite con la crema pasticcera, semplice o preparata in una delle sue tante varianti, così come le crostate in cui la base di pasta diventa la base di un variopinto e gustoso "tappeto" di frutta fresca.

In genere rotonda, ma anche rettangolare o quadrata, la crostata è un dolce costituito da una crosta di pasta (da cui il nome) ricoperta, prima o dopo la cottura, con confettura di frutta, frutta fresca, crema o altri ingredienti dolci.

GLI IMPASTI DI BASE

La base di pasta per le crostate può essere costituita da pasta frolla (in tutte le sue varianti, descritte più avanti), da pasta sablée, da pasta brisée o, talvolta, da pasta sfoglia. Con l'eccezione di quest'ultima (per la cui preparazione si rimanda alla scuola di cucina delle torte farcite), si tratta di impasti di facile realizzazione e veloci da preparare. Tutti gli impasti per le crostate si conservano molto bene in frigorifero per 3 o 4 giorni, opportunamente avvolti in pellicola trasparente, o si possono congelare nel freezer per diverse settimane (facendoli poi scongelare nel frigorifero per almeno 24 ore prima dell'uso).

Pasta frolla

Insuperabile per delicatezza e friabilità, la pasta frolla si prepara (nelle dosi sufficienti a foderare uno stampo di 24 cm di diametro, per 6 persone) setacciando 250 g di farina a fontana con un pizzico di sale, mettendo al centro 125 g di burro a pezzetti e impastando gli ingredienti con la punta delle dita, raffreddandole spesso sotto l'acqua corrente, fino a ottenere un composto dalla consistenza simile a quella del pangrattato.

Si dispone poi il composto nuovamente a fontana, si versano al centro 3 tuorli, 100 g di zucchero e la scorza grattugiata di 1 limone non trattato e si lavora delicatamente il tutto per il tempo strettamente necessario a ottenere un impasto bene amalgamato.

Se al termine dell'operazione l'impasto invece di risultare compatto dovesse presentarsi a pezzi, significa che la pasta si è "bruciata": per recuperarla è sufficiente reimpastarla velocemente, aggiungendo 2-3 cucchiai di acqua fredda o 1/2 albume.

Una volta ottenuto un impasto morbido e compatto si forma con la pasta una palla, si avvolge in pellicola trasparente e si mette a riposare in frigorifero per almeno 30 minuti prima di utilizzarla.

Varianti

Accanto alla versione classica della pasta frolla esistono, come già accennato, numerose varianti: per un impasto più secco, si possono utilizzare le uova intere anziché i tuorli, aumentando in questo caso di 25 g la dose di burro e di zucchero; per un impasto particolarmente friabile si possono sostituire i tuorli crudi con altrettanti tuorli sodi; per

▲ Pasta frolla: preparazione

1 Unite alla farina un pizzico di sale, quindi setacciatela attraverso un colino direttamente sulla spianatoia e disponetela a fontana.

2 Sistemate al centro della fontana di farina il burro a pezzetti, quindi con la punta delle dita lavorate velocemente i due ingredienti in modo da ottenere un composto sbriciolato raffreddando spesso le dita nell'acqua fredda in modo da non riscaldare troppo gli ingredienti del composto.

3 Disponete nuovamente il composto a fontana, quindi mettetevi al centro i tuorli, lo zucchero e la scorza grattugiata del limone, poi lavorate gli ingredienti con le mani per il tempo strettamente necessario ad amalgamarli.

4 L'impasto ottenuto dovrà risultare morbido e piuttosto compatto. Infine, raccogliete l'impasto, formatevi una palla, avvolgetela in pellicola trasparente e mettetela a riposare in frigo per 30 minuti.

un impasto dalla consistenza più fine, si può utilizzare lo zucchero a velo anziché lo zucchero semolato; per una pasta che in cottura si gonfi, bisogna aggiungere all'impasto 1/2 bustina di lievito per dolci.

Pasta sablée

Si tratta di una variante della pasta frolla, più ricca e ancora più friabile, indicata in particolare per le crostate di frutta fresca. Si prepara come la pasta frolla, aumentando però la dose del burro a 140 g su 200 g di farina. Per ottenere una pasta sablée ancora più friabile, si possono inoltre sostituire 50 g di farina con la stessa quantità di mandorle in polvere.

Pasta brisée

Friabile e croccante, la pasta brisée è ottima per la preparazione sia di crostate sia di tartellette. La ricetta classica, descritta a lato, non prevede l'uso dello zucchero, ma a piacere se ne può aggiungere un pizzico. Anche questo impasto di base contempla alcune piccole varianti: per una pasta più croccante, per esempio, invece di impastare la farina con il burro e poi aggiungere l'acqua si può amalgamare dapprima solo il burro con il sale e l'acqua per poi aggiungere la farina setacciata.

▲ **Crostata con pasta brisée: preparazione**

1 Disponete a fontana 250 g di farina passandola attraverso un setaccio.

2 Mettetevi al centro 125 g di burro a pezzetti e impastate brevemente fino a ottenere un composto granuloso.

3 Disponete nuovamente il composto a fontana, versatevi al centro 7,5 dl di acqua fredda e 5 g di sale. Formate con l'impasto una palla, avvolgetela in pellicola da cucina e fatela riposare in frigorifero per 1 ora prima di utilizzare la pasta.

4 Stendete la pasta in una sfoglia sottile, dandole la forma dello stampo, aumentando leggermente le dimensioni in modo da poter foderare anche le pareti della teglia.

5 Per non rischiare di romperla durante il trasferimento, arrotolate la sfoglia di pasta attorno al matterello infarinato, quindi srotolatela sopra la tortiera.

6 Premete la pasta per farla aderire al fondo e alle pareti della tortiera, quindi versatevi la farcia.

Per ottenere invece una pasta più gonfia, si può utilizzare il latte al posto dell'acqua e aggiungere 1 uovo al burro nella prima fase della preparazione.

PREPARAZIONE
DELLA BASE DI PASTA

Dopo aver preparato l'impasto previsto dalla ricetta e dopo averlo fatto riposare secondo quanto indicato sopra, si riprende la pasta, la si posa sul piano di lavoro leggermente infarinato e la si stende con il matterello in una sfoglia di circa 0,5 mm di spessore, evitando di toccarla troppo con le mani. Una volta stesa la sfoglia, la si depone sul fondo di una tortiera imburrata. Il trasferimento della sfoglia dal piano di lavoro alla tortiera può avvenire avvolgendo la sfoglia sul matterello e svolgendola sopra la tortiera, come illustrato a lato, oppure stendendo la

pasta su un foglio di carta da forno, sollevando quest'ultimo, rovesciando la pasta nella teglia e staccando la carta con delicatezza. Una volta deposta la sfoglia sul fondo della tortiera, si preme leggermente la pasta per farla aderire alla teglia e alle pareti, formando tutt'intorno con la pasta eccedente un bordo dello spessore di 1 cm.
A questo punto la base di pasta è pronta per ricevere la farcia ed essere messa a cuocere, oppure per essere cotta "a vuoto" o "in bianco" ed essere farcita a freddo in un secondo tempo. In questo caso, per evitare che la base di pasta si sollevi e si sformi durante la cottura è bene, prima di metterla a cuocere nel forno, punzecchiarla con una forchetta, stendervi sopra un disco di carta da forno o un foglio di alluminio e ricoprirla con fagioli secchi.

IL CONSIGLIO

▶Per evitare che una farcitura particolarmente umida inzuppi la base di pasta durante la cottura, si può cospargere il fondo della torta con una manciata di pane grattugiato o di biscotti sbriciolati, che assorbono l'umidità in eccesso, oppure si può spennerlarlo con un poco di albume non sbattuto.

ATTREZZATURA

1 Setaccio
2 Carta di alluminio
3 Carta da forno
4 Ciotola in metallo
5 Stampi
6 Brocca graduata
7 Ciotole in vetro
8 Pentolini
9 Gratella
10 Spatola di metallo
11 Spatola di gomma
12 Matterello
13 Colino
14 Fruste
15 Cucchiai di legno
16 Pennello
17 Coltello grande
18 Rigalimoni
19 Rotella tagliapasta

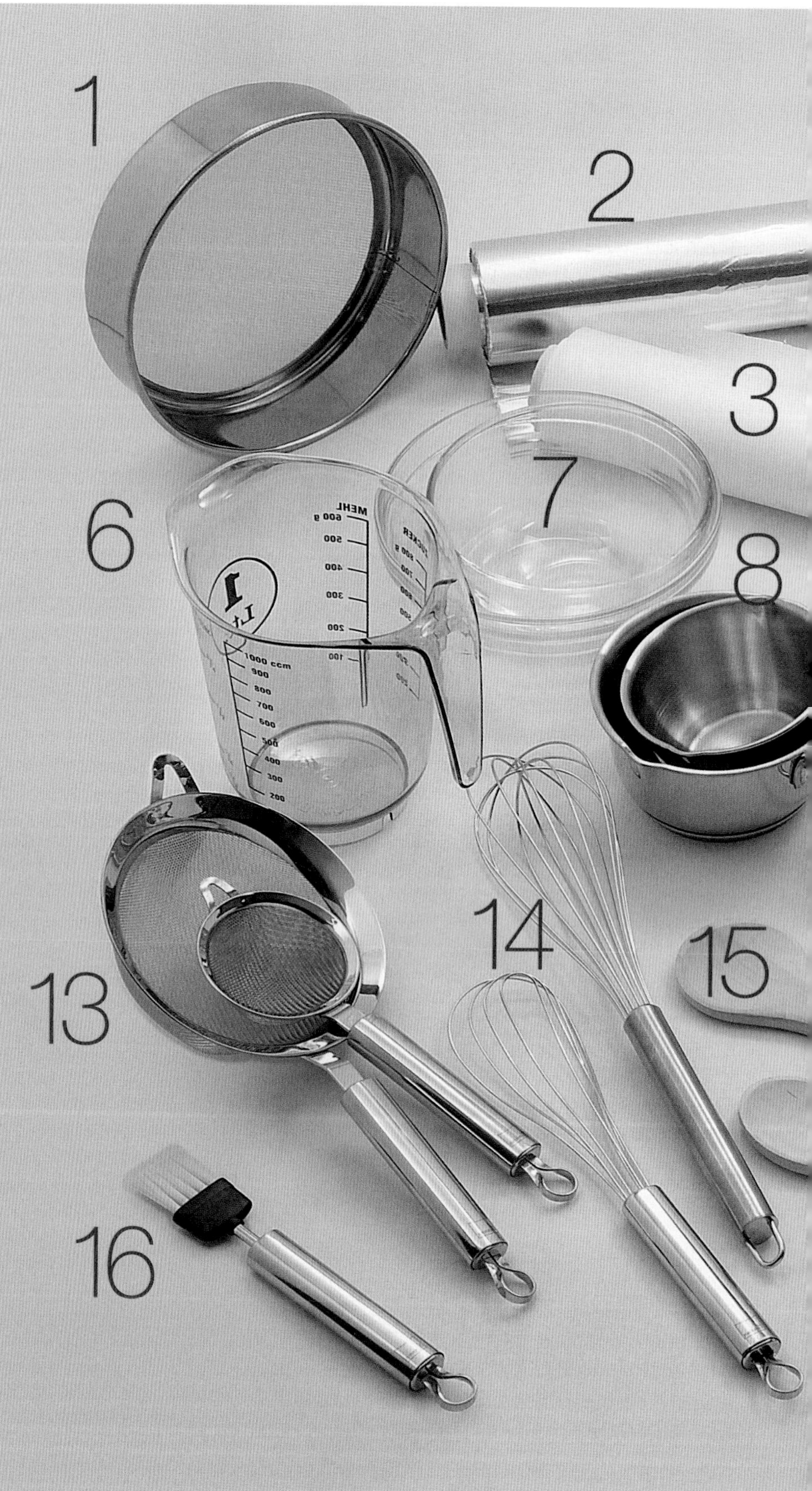

▼ **Crostate: decorazione dei bordi**

Smerlo tondo

Adagiate la pasta in una tortiera rotonda, quindi girate tutto attorno al bordo premendo nello stesso punto con l'indice di una mano dall'interno e con due dita dell'altra mano dall'esterno, pizzicando la pasta.

Piegoline

Foderate una tortiera a bordi lisci, rigirate la pasta formando un cordoncino e premetelo in obliquo con 2 dita unite, in modo da pizzicare la pasta tra le due dita e formare una piega.

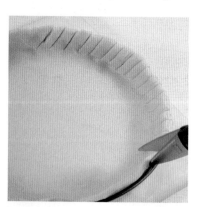

A penna

Rivestite una tortiera a bordi lisci, poi praticate tutto attorno al bordo, con un paio di forbici, tanti taglietti obliqui e profondi a circa 1 cm di distanza uno dall'altro.

A onde

Rivestite una tortiera a bordi lisci, quindi ondulate leggermente i bordi della pasta e incidete le parti più esterne con la punta di un cucchiaino.

DECORAZIONI

Le crostate si possono decorare in vari modi, modellandone i bordi o guarnendone la superficie.

Decorazione dei bordi

Se, per esempio, si utilizza un apposito stampo da crostata con pareti scanalate, basterà aver cura che la pasta aderisca perfettamente a queste ultime in modo che i bordi della torta risultino modellati e passare poi il matterello sopra la teglia per ritagliare la parte di pasta eccedente.

Oltre a questi classici bordi ondulati, con semplici accorgimenti si possono realizzare tante altre rifiniture decorative dei bordi, come quelle descritte a lato.

Se è avanzata un po' di pasta, per esempio, la si può tagliare in 3 lunghe listarelle e modellarle in una treccina che poi si appoggerà lungo tutto il bordo, facendola aderire con un po' d'acqua o con dell'uovo leggermente sbattuto.

Qualunque sia la decorazione che si è deciso di applicare ai bordi, prima di mettere a cuocere la crostata nel forno si possono spennellare questi ultimi con uovo sbattuto diluito con un po' di latte in modo che risultino di un bel colore dorato.

▲ **Crostate: decorazione della superficie**

Decorazione della superficie

Nel caso di crostate farcite con creme o confetture, la decorazione classica è costituita da una griglia di striscioline di pasta che si appoggia sul ripieno.

Tale decorazione – per la quale le crostate vengono dette "all'alsaziana" – si realizza stendendo con il matterello un poco di pasta tenuta da parte prima di foderare la tortiera (o gli avanzi di pasta raccolti dal piano di lavoro) e formandovi un rettangolo. Con una rotella tagliapasta liscia o dentellata si tagliano quindi tante striscioline della larghezza di 1 cm, si posano metà delle strisce di pasta parallele sul ripieno e si sovrappongono le altre strisce, incrociandole, unendo bene le estremità al bordo della pasta che fodera l'interno dello stampo. Oltre che con il classico reticolo di pasta, è possibile decorare la superficie delle crostate farcite con crema o con confettura ritagliando ad arte pezzetti di pasta avanzati o tenuti da parte, con una rotella tagliapasta o con l'ausilio di stampini per biscotti. oppure, nel caso di farciture realizzate con altri ingredienti, disponendo questi ultimi in modo da creare gradevoli accostamenti di colori o un motivo ornamentale.

1 Rivestite con la sfoglia di pasta una tortiera e versatevi la farcia, livellandola bene con il dorso di un cucchiaio. Disponete quindi sopra la farcia la pasta tenuta da parte, precedentemente stesa in una sfoglia sottile e ritagliata in tante striscioline di circa 1 cm di larghezza, in modo da formare una sorta di griglia.

2 Rivestite una tortiera a bordi lisci, poi stendete la pasta tenuta da parte e ritagliatevi 6 strisce di 1 cm di spessore, lunghe quanto il raggio della tortiera e larghe quanto l'altezza della stessa. Disponete le strisce di pasta a raggiera, in modo da formare 6 spicchi, che farcirete con 6 tipi diversi di confettura.

COTTURA

Le crostate preparate con pasta frolla, sablée o brisée si cuociono nel forno già caldo a 180-190 °C per 30-40 minuti (o anche più, a seconda delle dimensioni della torta), che scendono a 15-20 minuti se la base viene cotta "a vuoto" (v. pag. 444).

Lo stampo va messo su una griglia e non su una placca, a metà altezza del forno, in modo che riceva il calore uniformemente sia dall'alto sia dal basso. Se il ripieno è piuttosto liquido, per evitare che la pasta si inzuppi durante la cottura è consigliabile cuocere la base "a vuoto" fino a metà cottura, riempirlo con la farcia e completare la cottura. Nel caso in cui la crostata sia preparata con pasta sfoglia, la torta va cotta nel forno a temperatura piuttosto elevata (200-220 °C) per 30-40 minuti. A causa dell'alto contenuto di burro presente nell'impasto, non è necessario, per le crostate a base di pasta sfoglia, imburrare la tortiera, il cui fondo potrà essere leggermente spennellato con acqua o rivestito con carta da forno.

Qualunque sia il tipo di pasta utilizzato, a cottura avvenuta è preferibile lasciare intiepidire la crostata prima di sformarla, per evitare di romperla.

Barchiglia

Ingredienti per 6 persone

Per la pasta frolla ❋ 200 g di farina
❋ 120 g di burro ❋ 90 g di zucchero
❋ 3 tuorli ❋ sale
Per il ripieno ❋ 150 g di mandorle pelate
❋ 150 g di zucchero ❋ 3 uova
❋ la scorza grattugiata di 1 limone biologico
❋ 30 g di confettura di pere
❋ cannella in polvere ❋ sale
Per la glassa ❋ 150 g di zucchero ❋ 30 g di cioccolato fondente

DIFFICOLTÀ
Media

PREPARAZIONE
30 minuti
più 1 ora
di riposo
della pasta

COTTURA
45 minuti

REGIONE
Puglia

VINO
Moscato
di Trani Passito
(bianco,
Puglia)

Moscato
Passito
di Strevi
(bianco,
Piemonte)

Impastate la farina con 100 g di burro, lo zucchero, i tuorli e un pizzico di sale. Formate una palla e lasciatela riposare per 1 ora in frigo.

Preparate il ripieno, sbattendo i tuorli con lo zucchero. Unite le mandorle pelate, un pizzico di sale e di cannella e la scorza di limone. Montate gli albumi a neve e incorporateli al ripieno.

Imburrate una teglia e stendetevi la pasta allo spessore di 3 mm. Distribuitevi sopra la confettura, versatevi il composto e cuocete nel forno già caldo a 160 °C per 30 minuti.

Preparate la glassa, fondendo il cioccolato a bagnomaria. Unite lo zucchero sciolto in poca acqua e versate la glassa calda sul dolce; poi servite.

1 Dopo aver impastato la farina, il burro, lo zucchero, i tuorli e il sale, formate una palla e mettetela in frigorifero.

2 Stendete la pasta nella teglia e distribuitevi la confettura.

3 Disponete la glassa al cioccolato e lo zucchero e livellate la superficie.

Casadello

Crostata a ventaglio di mandarini

Ingredienti per 6 persone

❋ 200 g di farina

❋ 50 g di zucchero

❋ 20 g di burro

❋ 5 dl di latte

❋ 4 uova

❋ 1/2 bustina di vanillina

Ingredienti per 8 persone

❋ 300 g di mandarini

Per la pasta ❋ 265 g di farina ❋ 75 g di mandorle sgusciate ❋ 75 g di zucchero ❋ 220 g di burro ❋ 1 bustina di vanillina ❋ la scorza grattugiata di 1 limone biologico ❋ 1 tuorlo

Per la crema ❋ 20 g di farina ❋ 25 g di maizena ❋ 6 tuorli ❋ 150 g di zucchero ❋ 2,5 dl di latte ❋ 2,5 dl di panna ❋ 1 bustina di vanillina ❋ 2 cucchiai di liquore Mandarinetto ❋ 1 limone biologico ❋ la scorza di 2 mandarini biologici

Per la guarnizione ❋ 100 g di cioccolato fondente fuso ❋ 1 cucchiaio di gelatina di albicocche ❋ 1 mandarino

---

DIFFICOLTÀ
Media

PREPARAZIONE
30 minuti

COTTURA
2 ore

REGIONE
Emilia-
Romagna

VINO
Albana
di Romagna
Amabile
(bianco,
Emilia-
Romagna)

Frascati
Amabile
(bianco,
Lazio)

Versate il latte in un tegame e cuocetelo con lo zucchero e la vanillina per 30 minuti dall'ebollizione, mescolando spesso, poi fatelo raffreddare. Montate in una ciotola 3 tuorli e 1 uovo intero e uniteli al latte.

Versate la farina sulla spianatoia e, aggiungendovi un poco di acqua fredda, lavoratela per qualche minuto fino a ottenere una "pasta matta" soda ed elastica. Formate quindi un panetto e stendetelo con il matterello in una sfoglia sottile.

Imburrate una tortiera del diametro di 22 cm e foderatela con la sfoglia preparata. Versatevi al centro il composto e cuocete il Casadello nel forno già caldo a 170 °C per circa 1 ora e 30 minuti. Servite subito.

DEFINIZIONE

▶ **Pasta matta.** È così chiamata, nel gergo popolare, la pasta ottenuta solo con farina e acqua. È una pasta non comune per le torte perché si indurisce molto durante la cottura, viene tuttavia utilizzata con buon profitto come contenitore per la farcia.

DIFFICOLTÀ
Media

PREPARAZIONE
30 minuti
più 1 ora
di riposo
della pasta

COTTURA
30 minuti

VINO
Recioto della
Valpolicella
(rosso,
Veneto)

Montefalco
Sagrantino
Passito
(rosso,
Umbria)

Preparate la pasta, lavorando 225 g di farina con lo zucchero, la vanillina, la scorza, il tuorlo, le mandorle e 180 g di burro. Fatela riposare per 1 ora.

Stendete una sfoglia e foderatevi una tortiera imburrata. Bucherellatene il fondo, copritelo con carta da forno e riempitelo di legumi secchi. Con i ritagli di pasta formate un disco del diametro di 20 cm, ponetelo su una placca imburrata e infarinata, bucherellatelo e cuocetelo con la crostata nel forno a 180 ° per 20 minuti.

Preparate la crema. Portate a bollore il latte e la panna con la scorza di limone. Lavorate i tuorli con lo zucchero e la scorza dei mandarini, poi unite la farina, la maizena e la vanillina. Versatevi il latte filtrato e cuocete per 7-8 minuti, quindi lasciate raffreddare, aggiungete il Mandarinetto e versate sulla crostata.

Dividete il disco di pasta in 8 spicchi, immergetene un lato nel cioccolato fuso e lasciatelo solidificare. Adagiateli sopra la crema, alternandoli agli spicchi di mandarino spennellati di gelatina di albicocche.

Crostata ai sei frutti con la crema

Ingredienti per 8 persone

Per la pasta ❋ 270 g di farina
❋ 145 g di burro ❋ 100 g di zucchero ❋ 2 tuorli
❋ la scorza grattugiata di 1 limone biologico ❋ sale
Per la crema ❋ 2,5 dl di latte ❋ 50 g di zucchero ❋ 3 tuorli
❋ 30 g di farina ❋ 2 cucchiai di Maraschino ❋ 0,5 dl di panna
Per la guarnizione ❋ 500 g di frutta fresca (1 kiwi, 1 banana,
 100 g di uva nera, 100 g di fragole, 100 g di mandarini,
 100 g di uva bianca)
❋ 2 cucchiai di gelatina di frutta o marmellata di albicocche

DIFFICOLTÀ
Media

PREPARAZIONE
40 minuti
più 30 minuti
di riposo
della pasta
e 30 minuti di
raffreddamento
della crema

COTTURA
30 minuti

VINO
Oltrepò Pavese
Sangue
di Giuda
(rosso,
Lombardia)

Vernaccia di
Serrapetrona
Dolce
(rosso,
Marche)

Preparate la pasta lavorando 250 g di farina con un pizzico di sale, 125 g di burro, lo zucchero, i tuorli e la scorza di limone, poi lasciatela riposare per almeno 30 minuti.

Stendete la pasta a uno spessore di 3-4 mm e foderatevi una tortiera imburrata e infarinata. Con la pasta rimasta formate tre cordoncini dello spessore di una matita e di lunghezza pari al diametro della tortiera. Adagiateli sulla superficie della torta incrociandoli al centro e formando 6 spicchi. Bucherellate la base di pasta e cuocete la crostata nel forno già caldo a 190 °C per 30 minuti circa.

Preparate la crema lavorando i tuorli con lo zucchero, poi unitevi la farina e il latte caldo. Portate a ebollizione il composto e cuocetelo per qualche minuto, mescolando; fatelo raffreddare. Incorporatevi il Maraschino e la panna montata a parte, poi distribuite la crema su ogni spicchio.

Mondate la frutta, lavatela e distribuitela sopra la crema: un tipo di frutta per ogni spicchio. Spennellatela con la gelatina sciolta in un cucchiaio di acqua bollente e servite in tavola.

Crostata al cioccolato e meringa

Ingredienti per 8 persone

❋ 170 g di farina ❋ 50 g di mandorle tritate
❋ 50 g di zucchero ❋ 150 g di burro ❋ 1 tuorlo
❋ la scorza grattugiata di 1/2 limone biologico
❋ 1/2 bustina di vanillina
Per la crema ❋ 400 g di cioccolato fondente grattugiato
❋ 40 g di mandorle tritate ❋ 2,5 dl di panna
Per le meringhe ❋ 2 albumi ❋ 50 g di zucchero a velo
❋ 50 g di zucchero
Per la guarnizione ❋ 40 g di mandorle pralinate

DIFFICOLTÀ
Media

PREPARAZIONE
50 minuti
più 30 minuti
di riposo
della pasta
e 2 ore di
raffreddamento
della crostata

COTTURA
1 ora e
50 minuti

VINO
Aleatico
di Gradoli
Liquoroso
(rosso,
Lazio)

Pornassio
di Ormeasco
Liquoroso
(rosso,
Liguria)

Preparate le meringhe, montando gli albumi con i 2 zuccheri miscelati. Foderate una placca con carta da forno e, servendovi di una tasca da pasticciere, deponetevi tanti piccoli ciuffi che cuocerete nel forno già caldo a 100 °C per 1 ora e 30 minuti.

Preparate la pasta, lavorando 150 g di farina con le mandorle, 130 g di burro, lo zucchero, la vanillina, il tuorlo e la scorza, poi lasciatela riposare per circa 30 minuti. Stendete la pasta allo spessore di 2-3 mm, foderatevi una tortiera imburrata e infarinata e bucherellatene il fondo. Copritela con carta da forno, riempitela di legumi secchi e cuocetela nel forno già caldo a 180 °C per 20 minuti.

Preparate la crema di cioccolato. Fate bollire la panna per 1 minuto, aggiungetevi il cioccolato e le mandorle e mescolate finché il cioccolato sarà completamente sciolto. Fate raffreddare il composto e versatelo sulla crostata, poi ponete in frigorifero per almeno 2 ore. Al momento di servire, decorate la superficie della crostata con le meringhe e le mandorle pralinate.

Crostata al gelo d'anguria

Ingredienti per 8 persone

Per la pasta ❋ 520 g di farina ❋ 175 g di strutto
❋ 120 g di burro ❋ 1 uovo e 2 tuorli ❋ 180 g di zucchero
❋ 5 gocce di essenza di vaniglia ❋ sale
Per il ripieno ❋ 60 g di amido di mais
❋ 1 l di succo d'anguria ❋ 5 gocce di essenza di vaniglia
❋ 2 gocce di essenza di cannella ❋ 20 g di pistacchi tritati
❋ 2 gocce di essenza di gelsomino
❋ 50 g di cioccolato fondente ❋ 200 g di zucchero
❋ 1 cucchiaio di gelatina di albicocche
❋ 1 cucchiaio di dadini di zucca candita

DIFFICOLTÀ
Elevata

PREPARAZIONE
40 minuti
più 1 ora
di riposo
della pasta
e 12 ore di
raffreddamento
della crostata

COTTURA
35 minuti

VINO
Oltrepò Pavese
Moscato
(bianco,
Lombardia)

Sannio
Moscato
Spumante
(bianco,
Lombardia)

Preparate la pasta, lavorando in una terrina lo strutto e 100 g di burro con 500 g di farina, l'uovo, i tuorli, lo zucchero, l'essenza di vaniglia e un pizzico di sale, poi fatela riposare per 30 minuti.

Stendete la pasta e foderatevi una tortiera imburrata e infarinata. Bucherellate il fondo, ricopritelo con carta da forno e riempitelo di legumi secchi. Fate riposare per 30 minuti, poi cuocete nel forno già caldo a 190 °C per 20 minuti e quindi distribuite sul fondo il cioccolato tritato, che fonderà immediatamente.

Stemperate l'amido di mais in 2 cucchiai di succo d'anguria, aggiungetevi lo zucchero e il succo d'anguria rimasto e portate a bollore. Togliete dal fuoco e unite l'essenza di vaniglia, di cannella e di gelsomino.

Distribuite sulla crostata il composto d'anguria e fatela raffreddare in frigorifero per 12 ore. Al momento di servire, spennellatene il bordo con la gelatina sciolta in 1 cucchiaio d'acqua, cospargetela con i pistacchi tritati e i dadini di zucca e servite.

Crostata al limone con la panna

Ingredienti per 8 persone

Per la pasta ❋ 220 g di farina
❋ 60 g di zucchero ❋ 160 g di burro ammorbidito
❋ 1 tuorlo ❋ sale
Per il ripieno ❋ 2 fogli di colla di pesce ❋ 4 uova
❋ 3 limoni biologici ❋ 190 g di zucchero ❋ 1 dl di panna

DIFFICOLTÀ
Media

PREPARAZIONE
40 minuti
più 30 minuti
di riposo
della pasta
e 2 ore di
raffreddamento
della crostata

COTTURA
35 minuti

VINO
Moscato d'Asti
(bianco,
Piemonte)

Moscadello
di Montalcino
Frizzante
(bianco,
Toscana)

Preparate la pasta, lavorando 200 g di farina, lo zucchero, il tuorlo e 140 g di burro con 1 pizzico di sale. Lasciatela riposare per 30 minuti. Stendetela e foderatevi una tortiera, imburrata e infarinata. Cuocete nel forno già caldo a 180 °C per 25 minuti; quindi lasciate raffreddare.

Grattugiate la scorza di 2 limoni e spremetene il succo. Sciogliete la colla di pesce nel succo di limone. Sbattete i 4 tuorli con 5 cucchiai d'acqua, la scorza dei limoni e 65 g di zucchero; quindi unitevi la colla di pesce e cuocete finché il composto velerà il cucchiaio. Montate i 4 albumi con lo zucchero rimasto e uniteli alla crema di limone; versate sulla pasta e fate rassodare in frigorifero per 2 ore. Decorate con la panna montata a parte e la scorza a filetti e servite.

Crostata
al miele di tiglio

Ingredienti per 8 persone
❁ 320 g di farina ❁ 200 g di miele di tiglio
❁ 60 g di pan speziato ❁ 1 limone biologico
❁ 4 uova ❁ 1,5 dl di panna
❁ 30 g di zucchero ❁ 40 g di gherigli di noci
❁ 150 g di burro ❁ sale

DIFFICOLTÀ
Media

PREPARAZIONE
30 minuti
più 30 minuti
di riposo
della pasta
e 1 ora di
raffreddamento
della crostata

COTTURA
35 minuti

VINO
Recioto
di Soave
(bianco,
Veneto)

Moscato
di Trani Dolce
(bianco,
Puglia)

Lavorate 300 g di farina con 130 g di burro ammorbidito e tagliato a pezzetti, lo zucchero e un pizzico di sale, fino a ottenere un composto a briciole. Unitevi quindi 2 uova e proseguite finché avrete ottenuto un impasto omogeneo. Formate una palla e fatela riposare in frigorifero per almeno 30 minuti.

Nel frattempo scaldate il miele in una casseruola con il succo e la scorza lavata e grattugiata del limone e unite la panna, le uova rimaste e il pan speziato tritato con i gherigli.

Rivestite con la pasta una tortiera imburrata e infarinata. Bucherellatene la base e riempitela con il composto preparato. Con la pasta rimasta formate tante striscioline e disponetele a grata sul ripieno.

Cuocete la crostata nel forno già caldo a 200 °C per circa 30 minuti, poi fate raffreddare e servite.

L'INGREDIENTE

▶ **Pan speziato.** È un dolce tipicamente natalizio, che si prepara con miele, frutta secca, canditi e spezie. Appartiene alla famiglia dei vari panforti e pampepati, con i quali, volendo, può essere in questo caso sostituito.

Crostata al pompelmo rosa

Ingredienti per 8 persone

❊ 170 g di farina ❊ 110 g di burro

❊ 50 g di zucchero ❊ la scorza grattugiata di 1/2 limone biologico

❊ 1 tuorlo ❊ sale

Per la crema ❊ 2 uova ❊ 60 g di burro

❊ il succo di 1 pompelmo rosa

❊ 80 g di zucchero ❊ sale

Per la finitura ❊ 3 pompelmi rosa

DIFFICOLTÀ
Media

PREPARAZIONE
40 minuti
più 30 minuti
di riposo
della pasta
e 1 ora di
raffreddamento
della crostata

COTTURA
35 minuti

VINO
Si sconsiglia
l'abbinamento
enologico

Disponete 150 g di farina a fontana e raccoglietevi al centro 90 g di burro ammorbidito a pezzetti, lo zucchero, il tuorlo, la scorza di limone e un pizzico di sale. Impastate rapidamente gli ingredienti, poi formate una palla, avvolgetela in un foglio di pellicola trasparente e lasciatela riposare in un luogo fresco per almeno 30 minuti.

Con il matterello stendete la pasta in una sfoglia dello spessore di circa 3-4 mm e foderatevi una tortiera imburrata e infarinata. Bucherellate il fondo della pasta con i rebbi di una forchetta e cuocetela nel forno già caldo a 180 °C per 20 minuti, appiattendola leggermente con le mani dopo 8 minuti di cottura per evitare che si formino bolle. Sfornatela e lasciatela raffreddare.

Preparate la crema. In un recipiente d'acciaio, servendovi di una frusta, lavorate i tuorli con lo zucchero fino a ottenere un composto omogeneo, poi cuocetelo a bagnomaria per 3 minuti circa, sbattendolo in continuazione con la frusta.

Incorporate alla crema di uova il burro a pezzetti e continuate la cottura per altri 3 minuti; quindi unite il succo di pompelmo e proseguite la cottura su fuoco basso ancora per 5 minuti, mescolando fino a ottenere una crema fluida. Toglietela dal bagnomaria, fatela raffreddare e amalgamatevi delicatamente gli albumi montati a neve con un pizzico di sale.

Distribuite la crema nella crostata, livellatela in uno strato uniforme e cuocete la torta nel forno già caldo a 250 °C per 3 minuti, facendola gratinare leggermente.

Sfornate la crostata e lasciatela raffreddare completamente. Nel frattempo, pelate al vivo i pompelmi per la finitura, riduceteli a fette sottili, disponeteli sulla crostata e servite.

IL CONSIGLIO

▶ Per una presentazione più scenografica, ricoprite la torta con tre corone concentriche di fettine di agrumi, utilizzando per quella più esterna e quella centrale il pompelmo rosa e per quella di mezzo il pompelmo giallo, in modo da creare un piacevole contrasto di colore.

Crostata al riso

Ingredienti per 8 persone

Per la pasta frolla ❋ 220 g di farina
❋ 100 g di zucchero ❋ 120 g di burro
❋ la scorza grattugiata di 1 limone biologico
❋ 3 tuorli ❋ sale
Per il ripieno ❋ 150 g di riso ❋ 3 dl di latte
Per la crema ❋ 4 tuorli ❋ 120 g di zucchero
❋ 3 dl di latte ❋ 30 g di farina

DIFFICOLTÀ
Media

PREPARAZIONE
30 minuti
più 40 minuti
di riposo della
pasta frolla

COTTURA
1 ora e
10 minuti

VINO
Orvieto
Classico
Amabile
(bianco,
Umbria)

Pagadebit
di Romagna
Amabile
(bianco,
Emilia-
Romagna)

Preparate la pasta frolla lavorando 200 g di farina con 100 g di burro, lo zucchero, un pizzico di sale e la scorza di limone, poi formate un panetto, infarinatelo, copritelo e lasciatelo riposare per 40 minuti.

Nel frattempo, preparate il ripieno. Versate in un tegame 3 dl di latte e 3 dl d'acqua leggermente salata e cuocetevi il riso per circa 30 minuti, a fuoco basso e a recipiente coperto, aggiungendo, se necessario, altra acqua bollente.

Preparate la crema. Versate i tuorli e lo zucchero in una casseruola e lavorateli con la frusta fino a ottenere un composto spumoso. Incorporatevi delicatamente la farina e, mescolando continuamente, versatevi a filo il latte rimasto, caldissimo. Quando si sarà formata una crema densa, toglietela dal fuoco e unitela al riso ormai cotto e scolato.

Infarinate e imburrate una tortiera e foderatela con la pasta, lasciandone da parte un pezzetto per decorare, quindi versatevi il ripieno. Ricavate dalla pasta avanzata tante striscioline che disporrete a grata, poi cuocete la crostata nel forno già caldo a 180 °C per 40 minuti e servite.

Crostata alla confettura d'anguria

Ingredienti per 8 persone

❋ 1 kg di scorza d'anguria
❋ 500 g di pasta frolla
❋ 1 kg di zucchero
❋ 1 bustina di vanillina
❋ 20 g di burro
❋ 1 tuorlo
❋ 20 g di farina

DIFFICOLTÀ
Elevata

PREPARAZIONE
50 minuti
più il tempo di
preparazione
della pasta frolla
e 1 ora e
30 minuti di
raffreddamento
della crostata

COTTURA
2 ore e
40 minuti

VINO
Alto Adige
Moscato Giallo
(bianco,
Trentino-Alto
Adige)

Orvieto
Amabile
(bianco,
Umbria)

Con un coltellino, private la scorza d'anguria della parte verde e tagliate a dadini la parte bianca. Raccoglieteli in una casseruola, non di alluminio, aggiungendo la stessa quantità di zucchero e la vanillina; quindi cuocete la confettura a fiamma bassissima per circa 2 ore, mescolando spesso e, se occorre, schiumando la superficie con un mestolo forato. A fine cottura la confettura dovrà risultare ancora piuttosto liquida, perché tenderà ad addensarsi in seguito, durante il raffreddamento.

Togliete la confettura dal fuoco e mettetela nei vasi ancora calda, tenendone da parte circa 350 g. Chiudete ermeticamente i vasi e riponeteli in un luogo fresco, dove si conserveranno anche per 2 mesi.

Stendete la pasta frolla in una sfoglia dello spessore di 3-4 mm e foderatevi uno stampo per crostate imburrato e infarinato, conservando i ritagli. Riempite la base di pasta con la confettura preparata e disponetevi sopra a grata le striscioline ricavate dai ritagli di pasta. Spennellate la grata con il tuorlo sbattuto e cuocete la crostata nel forno già caldo a 180 °C per 40 minuti. Sfornatela, lasciatela raffreddare e servite.

Crostata alla confettura di fragole

Ingredienti per 6 persone

* 170 g di farina
* 250 g di confettura di fragole
* 100 g di burro
* 70 g di zucchero
* 1/2 cucchiaio di scorza grattugiata di limone biologico
* 1 uovo
* sale

DIFFICOLTÀ
Bassa

PREPARAZIONE
30 minuti
più 30 minuti
di riposo della
pasta e 1 ora di
raffreddamento
della crostata

COTTURA
40 minuti

REGIONE
Emilia
Romagna

VINO
Cagnina
di Romagna
(rosso,
Emilia-
Romagna)

Cesanese
del Piglio Dolce
(rosso,
Lazio)

Lavorate 150 g di farina con 80 g di burro, lo zucchero, l'uovo, la scorza di limone e un pizzico di sale; formate quindi un panetto, copritelo e lasciatelo riposare per 30 minuti circa in un luogo fresco.

Stendete la pasta in una sfoglia molto sottile e foderatevi una tortiera imburrata e infarinata. Con la pasta in eccesso ricavate alcune striscioline larghe 2 cm circa.

Farcite la torta con la confettura, distribuendola in modo uniforme, quindi disponetevi sopra le striscioline di pasta, incrociandole a grata.

Cuocete la torta nel forno già caldo a 180 °C per circa 40 minuti. Sfornatela, lasciatela raffreddare e servite.

LA VARIANTE

▶ Per una crostata più ricca, invece di decorarne la superficie con le striscioline a grata, cospargetela, una volta tolta dal forno, con grosse scaglie di cioccolato fondente e mandorle a filetti, che avrete fatto leggermente tostare in una padella antiaderente senza condimento.

Crostata alla crema

Ingredienti per 6 persone

Per la pasta frolla ✳ 170 g di farina ✳ 100 g di burro
✳ 1 tuorlo ✳ 40 g di zucchero
✳ la scorza grattugiata di 1/2 limone biologico
✳ 1/2 bustina di vanillina
Per la crema ✳ 3 dl di panna ✳ 3 uova e 1 tuorlo
✳ la scorza di 1 arancia biologica ✳ 50 g di zucchero
Per la guarnizione ✳ 1,5 dl di panna

DIFFICOLTÀ
Bassa

PREPARAZIONE
40 minuti
più 30 minuti
di riposo
della pasta
e 1 ora di
raffreddamento
della crostata

COTTURA
40 minuti

VINO
Cinque Terre
Sciacchetrà
(bianco,
Liguria)

Greco di
Bianco
(bianco,
Calabria)

Preparate la pasta, lavorando 150 g di farina con 80 g di burro, la vanillina, lo zucchero, il tuorlo, la scorza di limone, poi formate un panetto e lasciatelo riposare in frigorifero per almeno 30 minuti.

Preparate la crema sbattendo le uova e il tuorlo con lo zucchero, la panna e la scorza dell'arancia, lavata e grattugiata.

Stendete la pasta con uno spessore di 3-4 mm e foderatevi una tortiera imburrata e infarinata. Bucherellatene il fondo con i rebbi di una forchetta e versatevi la crema, livellandola con una spatola. Cuocete la crostata nel forno già caldo a 170 °C per 40 minuti circa, poi sfornatela, lasciatela raffreddare e sformatela.

Preparate la guarnizione. Montate la panna, trasferitela in una tasca da pasticciere con bocchetta liscia e formate 2 coroncine lungo il bordo e al centro della torta. Guarnite l'interno di questa corona con un grosso ciuffo, e conservate la torta in frigorifero fino al momento di servirla.

461

Crostata alla crema di mandarini

Ingredienti per 8 persone

Per la pasta ❋ 200 g di biscotti secchi
❋ 100 g di burro ❋ 20 g di farina
❋ 1 cucchiaio di miele fluido
❋ 2 cucchiai di Aurum ❋ 1 albume
Per la crema ❋ 1 kg di mandarini
❋ la scorza grattugiata di 2 mandarini biologici
❋ 3 uova ❋ 80 g di zucchero
❋ 150 dl di panna

DIFFICOLTÀ
Bassa

PREPARAZIONE
30 minuti
più 1 ora di
raffreddamento
della crostata

COTTURA
45 minuti

VINO
Malvasia
delle Lipari
(bianco,
Sicilia)

Gambellara
Recioto
(bianco,
Veneto)

Passate i biscotti al mixer riducendoli in polvere, quindi raccoglieteli in una terrina con 80 g di burro a temperatura ambiente, il miele, l'Aurum e l'albume. Lavorate gli ingredienti con un cucchiaio di legno finché saranno ben amalgamati. Con il composto ottenuto foderate una tortiera imburrata e infarinata, stendendolo con le mani.

Preparate la crema. In una ciotola, sbattete le uova con lo zucchero, poi aggiungetevi la scorza grattugiata, il succo della metà dei mandarini e la panna. Mescolate e versate la crema nella tortiera preparata.

Decorate la crostata con gli spicchi dei mandarini rimasti e cuocetela nel forno già caldo a 190 °C per circa 45 minuti. A cottura ultimata, sfornatela, lasciatela raffreddare completamente e servite.

L'INGREDIENTE

▶ **Aurum.** Liquore ottenuto dalla miscelazione di distillati di diversi vini, intensamente aromatizzato all'arancia. Il suo nome è stato inventato da Gabriele D'Annunzio.

Crostata alla crema di pistacchi

Ingredienti per 8 persone

Per la pasta ❋ 145 g di farina ❋ 70 g di burro
❋ la scorza grattugiata di 1/2 limone biologico
❋ 30 g di zucchero ❋ 1 tuorlo ❋ 1/2 bustina di vanillina
Per la crema ❋ 5 dl di latte ❋ 5 tuorli ❋ 100 g di zucchero
❋ 20 g di cedro candito ❋ 100 g di pistacchi pelati e tritati
❋ 1 cucchiaino di Kirsch ❋ 40 g di farina
Per la guarnizione ❋ 40 g di cioccolato fondente
❋ 30 g di pistacchi pelati ❋ 10 g di zucchero a velo

DIFFICOLTÀ
Bassa

PREPARAZIONE
30 minuti
più 30 minuti
di riposo
della pasta
e 1 ora di
raffreddamento
della crostata

COTTURA
50 minuti

VINO
Moscato
di Pantelleria
(bianco,
Sicilia)

Golfo
del Tigullio
Moscato
Passito
(bianco,
Liguria)

Preparate la pasta lavorando 125 g di farina con 50 g di burro, lo zucchero, il tuorlo e la scorza di limone, poi lasciatela riposare per 30 minuti.

Nel frattempo, preparate la crema sbattendo i tuorli con lo zucchero e incorporandovi poi i pistacchi, la farina e il latte caldo. Portate a ebollizione e continuate la cottura per circa 8 minuti, a fuoco bassissimo, mescolando ogni tanto. Lasciate raffreddare la crema e aggiungetevi il Kirsch e il cedro candito tritato.

Stendete la pasta allo spessore di circa 3 mm e foderatevi una tortiera imburrata e infarinata. Bucherellatene il fondo e versatevi la crema di pistacchi, quindi cuocete la crostata nel forno già caldo a 180 °C per circa 30 minuti. Sfornate e fate raffreddare.

Sformate la crostata su un piatto da portata e spolverizzatela con lo zucchero a velo. Fate fondere il cioccolato a bagnomaria e versatelo in un cornetto di carta da forno, poi, premendolo, decorate la torta disegnando un albero con tanti rami. Formate i fiori con i pistacchi divisi a metà e servite.

Crostata alla crema di ricotta e cioccolato

Ingredienti per 8 persone
* 300 g di pasta frolla * 500 g di ricotta * 2 uova
* 1 cucchiaino di canella in polvere * 1 bustina di vanillina
* 125 g di zucchero
* 10 g di zucchero a velo * 20 g di burro
* 300 g di cioccolato fondente * sale

DIFFICOLTÀ
Bassa

PREPARAZIONE
20 minuti
più il tempo di
preparazione
della pasta frolla
e 1 ora
e 30 minuti di
raffreddamento
della crostata

COTTURA
1 ora e
15 minuti

VINO
Elba Aleatico
(rosso,
Toscana)

Monica
di Cagliari
Liquoroso
(rosso,
Sardegna)

Stendete la pasta frolla in una sfoglia sottile e foderatevi uno stampo a cerniera imburrato, bucherellando il fondo con i rebbi di una forchetta.

Sciogliete il cioccolato a bagnomaria. In una terrina sbattete i tuorli con lo zucchero, poi unitevi la vanillina, la cannella, la ricotta e in seguito il cioccolato fuso, che avrete lasciato intiepidire.

Montate a neve fermissima gli albumi con un pizzico di sale, incorporateli delicatamente al composto di uova e versate la crema nella base di pasta. Cuocete la crostata nel forno già caldo a 180 °C per circa 1 ora; poi lasciatela intiepidire, sformatela e spolverizzate la superficie con lo zucchero a velo. Lasciatela raffreddare e servite.

DEFINIZIONE

▶**Stampo a cerniera.** Utilissimo nei casi in cui la crostata non può essere capovolta per sformarla, questo stampo ha un bordo liscio ad anello chiuso da una cerniera metallica. Aprendo la cerniera, l'anello si allarga, staccandosi dalla pasta e dal fondo dello stampo, in modo da rendere più agevole prelevare la crostata.

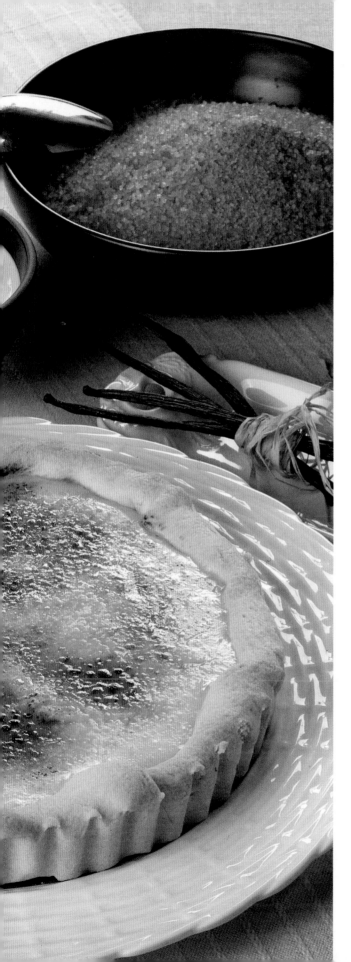

Crostata alla crème brûlée con zucchero di canna

Ingredienti per 8 persone

Per la pasta ❋ 200 g di farina ❋ 25 g di zucchero
❋ 140 g di burro

Per il ripieno ❋ 50 g di zucchero di canna ❋ 4 tuorli
❋ 50 g di zucchero ❋ 4 dl di panna
❋ 1 cucchiaino di essenza di vaniglia

DIFFICOLTÀ
Bassa

PREPARAZIONE
30 minuti
più 50 minuti
di riposo
della pasta
e 2 ore di
raffreddamento
della crostata

COTTURA
30 minuti

VINO
Oltrepò Pavese
Sangue
di Giuda
(rosso,
Lombardia)

Vernaccia di
Serrapetrona
Dolce
(rosso,
Marche)

Preparate la pasta lavorando 180 g di farina con 120 g di burro, lo zucchero e 1 cucchiaio d'acqua, poi formate un panetto e lasciatelo riposare in frigorifero per 30 minuti.

Stendete la pasta e foderatevi una tortiera imburrata e infarinata; bucherellatene il fondo con una forchetta e mettete in frigorifero per 20 minuti.

Coprite la pasta con carta da forno e legumi secchi e cuocetela nel forno già caldo a 190 °C per 15 minuti, poi scopritela e proseguite la cottura per altri 10 minuti circa. Sfornatela e lasciate raffreddare.

Nel frattempo, preparate il ripieno. Sbattete in una terrina i tuorli con lo zucchero. Portate quasi a bollore in un tegame la panna con l'essenza di vaniglia e versatele sul composto di uova, mescolando. Mettete tutto in una casseruola e fate addensare la crema a fuoco basso, avendo cura di non farla bollire.

Fate intiepidire la crema, poi versatela nella base di pasta, spolverizzatela con lo zucchero di canna e passatela sotto il grill per 2-3 minuti. Fatela raffreddare e mettetela in frigorifero per 2 ore prima di servire.

Crostata alla marmellata di agrumi

Ingredienti per 6 persone
* 220 g di farina * 140 g di burro
* 130 g di marmellata d'arance
* 130 g di marmellata di limoni
* 80 g di zucchero * sale

DIFFICOLTÀ
Bassa

PREPARAZIONE
30 minuti
più 30 minuti
di riposo
della pasta

COTTURA
35 minuti

VINO
Moscato
di Siracusa
(bianco,
Sicilia)

Alto Adige
Gewürztraminer
Vendemmia
Tardiva
(bianco,
Trentino-Alto
Adige)

Disponete a fontana sulla spianatoia 200 g di farina e raccoglietevi al centro 120 g di burro ammorbidito a temperatura ambiente e ridotto a pezzetti, lo zucchero e un pizzico di sale. Lavorate quindi energicamente con le mani fino a ottenere un impasto morbido ed elastico. Formate un panetto e lasciatelo riposare in frigorifero per circa 30 minuti.

Riprendete la pasta, ponetela sulla spianatoia e, servendovi di un matterello, stendetela in una sfoglia sottile. Imburrate una teglia rotonda del diametro di circa 22-24 cm, infarinatela e foderatela con la sfoglia preparata, tenendone un poco da parte.

Spalmate al centro della base di pasta la marmellata d'arance e tutt'attorno quella di limoni. Decorate quindi a piacere la superficie con la pasta rimasta, cuocete la crostata nel forno già caldo a 180 °C per 35 minuti e infine servitela.

Crostata alla ricotta con uva sultanina e pinoli

Ingredienti per 6 persone
✳ 200 g di farina ✳ 140 g di burro ✳ 100 g di zucchero
✳ 3 uova e 1 tuorlo ✳ 1 cucchiaio di Marsala
✳ 500 g di ricotta ✳ 50 g di uva sultanina ✳ 10 g di pinoli
✳ la scorza grattugiata di 1 limone biologico

DIFFICOLTÀ
Bassa

PREPARAZIONE
30 minuti
più 20 minuti
di ammollo
dell'uva
sultanina
e 15 minuti di
riposo della
pasta

COTTURA
1 ora e
5 minuti

VINO
Aleatico
di Gradoli
(rosso,
Lazio)

Alto Adige
Moscato Rosa
(rosso,
Trentino-Alto
Adige)

Fate ammorbidire l'uva sultanina in una ciotola con acqua tiepida.

Preparate la pasta lavorando la farina con 120 g di burro, 30 g di zucchero, il Marsala e 1 tuorlo, quindi formate un panetto sodo, avvolgetelo nella pellicola e lasciatelo riposare in frigorifero per 15 minuti.

Stendete 3/4 dell'impasto e foderatevi una tortiera imburrata, poi mettetelo nel forno già caldo a 180 °C per 15 minuti.

In una terrina lavorate la ricotta con lo zucchero rimasto, l'uva sultanina strizzata, i pinoli, i 3 tuorli rimasti e la scorza di limone. Montate gli albumi a neve, incorporateli all'impasto e versate il tutto sopra la pasta nella tortiera.

Con la pasta tenuta da parte formate tante strisce e disponetele a grata sopra la crostata. Cuocetela nel forno già caldo a 180 °C per 50 minuti. Servitela accompagnandola a piacere con salsa al cioccolato.

LA RICETTA TRADIZIONALE

▶ La "crostata di seirass" del Cuneese ha un ripieno identico a quello di questa preparazione, ma invece dei pinoli, contiene ricotta e uva sultanina ammollata e un pezzo di torrone sbriciolato.

Crostata alle fragole

Ingredienti per 6 persone
* 170 g di farina * 110 g di burro * 75 g di zucchero
* 100 g di panna * 400 g di fragole * 1 uovo
* 20 g di zucchero a velo * 5 cucchiai di Cointreau
* la scorza grattugiata di 1 limone biologico
* 20 g di pangrattato * 150 g di gelatina di ribes
* 1 cucchiaio di vino bianco * 12 pistacchi pelati
* 1/2 bustina di lievito per dolci * sale

DIFFICOLTÀ
Bassa

PREPARAZIONE
30 minuti
più 30 minuti
di riposo
della pasta

COTTURA
25 minuti

VINO
Recioto della
Valpolicella
(rosso,
Veneto)

Montefalco
Sagrantino
Passito
(rosso,
Marche)

Impastate 150 g di farina con il lievito, lo zucchero, un pizzico di sale, la scorza di limone, l'uovo, il vino e 100 g di burro ammorbidito. Lasciate riposare la pasta per circa 30 minuti.

Lavate le fragole, unitevi lo zucchero a velo e il liquore e tenetele al fresco. Imburrate una tortiera, spolverizzatela con il pangrattato e foderatela con la pasta. Coprite con carta da forno e legumi secchi, quindi cuocete nel forno già caldo a 180 °C per 15 minuti. Scoprite infine la pasta e proseguite la cottura per 10 minuti.

Distribuite sulla crostata la gelatina, poi le fragole, la panna, montata a parte, qualche pistacchio e servite.

Crostata alle paste aromatiche

Ingredienti per 6 persone
* 250 g di pasta frolla * 100 g di pistacchi
* 80 g di zucchero * 350 g di ricotta romana
* 60 g di uva sultanina * 1 dl di Brandy
* la scorza di 1 arancia grattugiata * 1 dl di panna
* 5 albicocche secche * 20 g di burro
* 2 uova * 30 g di zucchero
* 20 g di caffè solubile * 20 g di farina

DIFFICOLTÀ
Bassa

PREPARAZIONE
30 minuti
più il tempo di
preparazione
della pasta
frolla, 20 minuti
di ammollo
dell'uva
sultanina
e 1 ora di
raffreddamento
della crostata

COTTURA
40 minuti

VINO
Ramandolo
(bianco,
Friuli-Venezia
Giulia)

Verdicchio
di Matelica
Passito
(bianco,
Marche)

Fate ammorbidire l'uva sultanina con 4 cucchiai di Brandy.

Scottate i pistacchi in acqua bollente, pelateli, poi passateli al mixer con 2 cucchiai di zucchero. Unite al composto il Brandy rimasto e tenetelo da parte.

In una terrina lavorate la ricotta con le uova, poi incorporatevi lo zucchero rimasto, il caffè diluito nella panna e la scorza d'arancia. Aggiungete l'uva sultanina strizzata e le albicocche a filetti e mescolate.

Stendete la pasta frolla e foderatevi uno stampo rotondo imburrato e infarinato, quindi ripiegate il bordo di pasta su se stesso premendolo leggermente e praticatevi con il coltello tanti tagli distanti circa 1 cm l'uno dall'altro.

Bucherellate il fondo della crostata con i rebbi di una forchetta e distribuitevi prima la pasta di pistacchi, poi quella al caffè.

Cuocete la torta nel forno già caldo a 190 °C per 40 minuti, poi fatela intiepidire leggermente, sformatela e servitela dopo averla lasciata raffreddare completamente.

Crostata alle pere

Ingredienti per 6 persone

* ❋ 170 g di farina ❋ 70 g di zucchero
* ❋ 1/2 cucchiaio di scorza grattugiata di limone biologico
* ❋ 90 g di burro
* ❋ 1 cucchiaio di biscotti secchi in briciole
* ❋ 3 tuorli ❋ sale

Per il ripieno ❋ 2 dl di crema pasticciera
❋ 20 g di burro ❋ 30 g di zucchero ❋ 3 pere

DIFFICOLTÀ
Bassa

PREPARAZIONE
30 minuti
più 30 minuti
di riposo
della pasta,
1 ora di
raffreddamento
della crostata
e il tempo di
preparazione
della crema
pasticciera

COTTURA
40 minuti

VINO
Recioto
di Soave
(bianco,
Veneto)

Molise Moscato
Passito (bianco,
Molise)

Preparate la pasta, lavorando 150 g di farina con 70 g di burro, 70 g di zucchero, i tuorli, la scorza di limone e un pizzico di sale, poi lasciatela riposare in frigorifero per 30 minuti.

Nel frattempo, preparate il ripieno. Sbucciate le pere, privatele del torsolo e tagliatele a dadini. Fatele insaporire in una padella antiaderente con il burro e lo zucchero per 7-8 minuti, poi lasciatele raffreddare.

Togliete la pasta dal frigorifero e stendetela sulla spianatoia infarinata.

Imburrate una tortiera e cospargetela con le briciole di biscotto, quindi foderatela con la pasta. Bucherellate il fondo della pasta con i rebbi di una forchetta, poi copritelo con un disco di carta da forno e un peso. Cuocete nel forno già caldo a 180 °C per circa 15 minuti, quindi scoprite la pasta e cuocete per altri 10 minuti, o almeno finché apparirà ben dorata.

Fate raffreddare completamente la torta, poi distribuitevi sopra la crema in uno strato uniforme, completate con le pere e servite.

L'INGREDIENTE

▶ **Pere.** Questo frutto dolce e succoso ha un limitato utilizzo in pasticceria a causa della polpa poco compatta, che tende a spappolarsi durante la lavorazione. Per la ricetta proposta qui, potete scegliere le pere Kaiser o, ancora meglio, le pere Martine, dai frutti piccoli e irregolari, predilette dalla cucina tradizionale piemontese.

Crostata con crema alle mele

Ingredienti per 8 persone

❈ 300 g di pasta frolla
❈ 1 kg di mele
❈ 20 g di farina ❈ 70 g di burro
❈ il succo di 1 limone
❈ 3 savoiardi sbriciolati
❈ 4 fogli di gelatina ❈ 100 g di zucchero
❈ 1 bustina di vanillina
❈ 4 cucchiai liquore di pere

DIFFICOLTÀ
Bassa

PREPARAZIONE
30 minuti
più il tempo di
preparazione
della pasta
frolla,
15 minuti
di ammollo
della gelatina
e 1 ora di
raffreddamento
della crostata

COTTURA
45 minuti

VINO
Trentino
Moscato Giallo
(bianco,
Trentino-Alto
Adige)

Greco
di Bianco
(bianco,
Calabria)

Mettete la gelatina in ammollo in acqua fredda per 15 minuti circa.

Stendete la pasta frolla e foderatevi una tortiera imburrata e infarinata. Coprite con un disco di carta da forno, poi con i legumi secchi e cuocete la base nel forno già caldo a 180 °C per 30 minuti circa.

Sbucciate le mele, tagliatele a spicchi e bagnatele con il succo di limone, quindi cuocetele in un tegame con 50 g di burro finché saranno tenere. Passatele al passaverdure e unitevi lo zucchero e la vanillina. Strizzate la gelatina e fatela sciogliere con il liquore, poi incorporatela alle mele.

Cospargete la crostata con i savoiardi e distribuitevi sopra la crema di mele. Decorate, a piacere, con panna montata e frutta e lasciate raffreddare prima di servire.

IL CONSIGLIO

▶ Perché le mele diventino abbastanza tenere da potersi ridurre in crema, occorreranno circa 15 minuti. Durante questo tempo, aggiungete pochissima acqua solo se vi accorgete che stanno asciugando troppo.

Crostata con creme cotte

Ingredienti per 8 persone

Per la pasta ❈ 270 g di farina ❈ 140 g di burro
❈ 70 g di zucchero ❈ 1 tuorlo ❈ 1/2 bustina di vanillina
❈ la scorza grattugiata di 1 arancia biologica
Per la crema ❈ 4 tuorli ❈ 1/2 bustina di vanillina ❈ 5 dl di latte
❈ 80 g di zucchero ❈ 150 g di albicocche fresche
❈ 40 g di farina ❈ la scorza grattugiata di 1 limone biologico
❈ 2 cucchiai di Rum ❈ 1 cucchiaino di cannella in polvere
❈ 50 g di cioccolato fondente grattugiato

DIFFICOLTÀ
Elevata

PREPARAZIONE
50 minuti
più 30 minuti
di riposo
della pasta

COTTURA
50 minuti

VINO
Moscato
Passito
di Strevi
(bianco,
Piemonte)

Moscato
di Trani Dolce
(bianco,
Puglia)

Preparate la pasta lavorando 250 g di farina con 120 g di burro, la vanillina, lo zucchero, il tuorlo e la scorza d'arancia, poi lasciatela riposare per 30 minuti in frigorifero.

Sbattete i tuorli con lo zucchero e unitevi la farina, la vanillina e il latte, scaldato con la scorza di limone. Cuocete la crema per 7-8 minuti, poi dividetela in 4 parti uguali; aggiungete a una il cioccolato, a un'altra la cannella, alla terza il Rum e all'ultima le albicocche scottate, pelate e passate al mixer.

Stendete la pasta e ritagliatela a forma di fiore con 4 petali regolari, tenendo da parte i ritagli.

Adagiate il fiore così ottenuto sopra una placca imburrata e infarinata. Con i ritagli formate tanti cordoncini e appoggiateli sui bordi della pasta, premendoli leggermente con una forchetta.

Riempite ciascun petalo con una delle creme preparate, quindi cuocete la torta nel forno già caldo a 180 °C per 40 minuti circa. Servitela in tavola tiepida o fredda, a piacere.

Crostata con crema di mandorle

Ingredienti per 6 persone

Per la pasta ❁ 170 g di farina ❁ 100 g di burro
❁ 50 g di mandorle sgusciate, tostate e tritate ❁ 1 tuorlo
❁ 50 g di zucchero ❁ 1/2 bustina di lievito per dolci
❁ la scorza grattugiata di 1/2 limone biologico
Per la crema ❁ 50 g di mandorle tostate
❁ 50 g di burro ❁ 50 g di zucchero ❁ 1 uovo
❁ 10 g di farina ❁ 1 cucchiaio di Rum
❁ 1 pizzico di vanillina
Per la guarnizione ❁ 40 g di mandorle pelate
❁ 1 cucchiaio di gelatina di albicocche
❁ 1 arancia biologica

DIFFICOLTÀ
Media

PREPARAZIONE
40 minuti
più 2 ore
di riposo
della pasta
e 1 ora di
raffreddamento
della crostata

COTTURA
40 minuti

VINO
Moscato
di Pantelleria
(bianco,
Sicilia)

Valle d'Aosta
Nus Malvoisie
Passito
(bianco,
Valle d'Aosta)

Preparate la pasta, lavorando 150 g di farina con 80 g di burro, le mandorle in polvere, lo zucchero, il tuorlo, la scorza di limone e il lievito, poi lasciatela riposare per circa 2 ore.

Preparate la crema. Lavorate in una ciotola il burro con lo zucchero; quindi incorporatevi l'uovo, le mandorle finemente tritate, la farina, il Rum e la vanillina.

Stendete la pasta alle mandorle allo spessore di 2-3 mm, foderatevi una tortiera imburrata e infarinata e versatevi sopra la crema di mandorle. Cuocete la crostata nel forno già caldo a 180 °C per circa 40 minuti, poi lasciatela raffreddare.

Lavate l'arancia e tagliatela a rondelle sottili, distribuitele a raggiera sopra la crostata sovrapponendole un poco. Spennellatele con la gelatina di albicocche stemperata in 1 cucchiaio d'acqua bollente, quindi decorate il bordo del dolce con le mandorle divise a metà e il centro con qualche mandorla spezzettata.

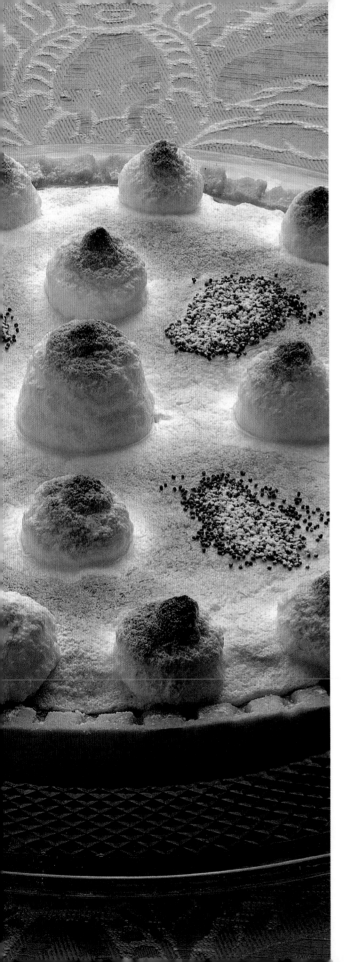

Crostata con crema di papavero

Ingredienti per 6 persone

Per la pasta ❋ 170 g di farina ❋ 90 g di burro

❋ 70 g di zucchero ❋ 1 tuorlo

❋ la scorza grattugiata di 1/2 limone biologico ❋ sale

Per il ripieno ❋ 2,5 dl di latte ❋ 70 g di zucchero

❋ 1/2 bustina di vanillina ❋ 20 g di fecola di mais

❋ 10 g di semi di papavero ❋ 2 tuorli

❋ 1 cucchiaio di confettura di albicocche

Per la guarnizione ❋ 1 albume

❋ la scorza grattugiata di 1 limone biologico

❋ 70 g di zucchero ❋ 10 g di zucchero a velo

❋ 10 g di semi di papavero

DIFFICOLTÀ
Media

PREPARAZIONE
40 minuti
più 30 minuti
di riposo
della pasta

COTTURA
30 minuti

VINO
Alto Adige
Moscato Giallo
(bianco,
Trentino-Alto
Adige)

Controguerra
Moscato
(bianco,
Abruzzo)

Preparate la pasta, lavorando 150 g di farina con 70 g di burro, lo zucchero, il tuorlo, la scorza di limone e un pizzico di sale, poi fatela riposare per 30 minuti.

Stendete la pasta e foderatevi una tortiera imburrata e infarinata. Bucherellate il fondo e cuocete nel forno già caldo a 180 °C per 20 minuti.

Preparate il ripieno. Lavorate i tuorli con lo zucchero e incorporatevi la fecola di mais, la vanillina e il latte bollente. Cuocete per 1-2 minuti dal momento dell'ebollizione, sempre mescolando; poi amalgamatevi i semi di papavero.

Spennellate il fondo della pasta con la confettura di albicocche stemperata in 1 cucchiaio d'acqua bollente e distribuitevi la crema preparata.

Per la guarnizione, montate a neve l'albume, unitevi lo zucchero e la scorza, stendete sulla torta a ciuffetti, cospargete con i semi di papavero e passatelo sotto il grill. Spolverizzate di zucchero a velo e servite.

Crostata con frutti di bosco e ricotta

Ingredienti per 8 persone

Per la pasta ❋ 220 g di farina ❋ 170 g di burro

❋ 150 g di zucchero ❋ 3 tuorli sodi ❋ 1 limone biologico

Per il ripieno ❋ 300 g di ricotta romana ❋ 200 g di yogurt intero naturale

❋ 130 g di zucchero ❋ 3 uova ❋ 10 g di farina

Per la decorazione ❋ 50 g di ribes ❋ 50 g di mirtilli ❋ 30 g di fragoline di bosco

❋ 8 foglie di menta ❋ 40 g di gelatina di albicocche ❋ 10 g di zucchero a velo

DIFFICOLTÀ
Elevata

PREPARAZIONE
40 minuti
più 1 ora
di riposo
della pasta
e 1 ora di
raffreddamento
della crostata

COTTURA
1 ora

VINO
Brachetto
d'Acqui
(rosso,
Piemonte)

Vernaccia di
Serrapetrona
Dolce
(rosso,
Marche)

Preparate la pasta. Lavate il limone, asciugatelo e grattugiatene la parte gialla della scorza, poi spremetene il succo e tenetelo da parte. Lavorate 200 g di farina con 150 g di burro ammorbidito e tagliato a pezzetti, la scorza di limone, lo zucchero e i tuorli sodi. Formate una palla, avvolgetela in un telo e lasciatela riposare per 1 ora in frigorifero.

Riprendete la pasta, stendetela con il matterello in una sfoglia dello spessore di 3 mm circa e foderatevi una tortiera imburrata e infarinata. Bucherellatene il fondo con i rebbi di una forchetta, poi cuocete la crostata nel forno già caldo a 190 °C per 15 minuti circa. Toglietela dal forno e lasciatela intiepidire.

Nel frattempo, preparate il ripieno. Passate la ricotta al setaccio, mettetela in una terrina e lavoratela con lo yogurt, lo zucchero e la farina; infine unite le uova, uno alla volta, e 1 cucchiaio di succo di limone. Quando il composto sarà ben amalgamato, versatelo nella base di pasta, livellandone la superficie con una spatola. Rimettete quindi la crostata nel forno già caldo a 180 °C per 45 minuti circa. A cottura ultimata, toglietela dal forno, lasciatela raffreddare completamente e sformatela.

Preparate la decorazione. Lavate rapidamente in acqua ghiacciata i frutti di bosco e la menta e asciugateli. In un tegamino portate a ebollizione la gelatina di albicocche con 2 cucchiai d'acqua e spennellate la superficie della torta. Ritagliate in un cartoncino 5 quadrati di 4 cm di lato. Adagiate 1 quadrato al centro della torta e gli altri 4 tutt'attorno, in corrispondenza degli angoli di quello centrale, quindi con un colino spolverizzate di zucchero a velo la superficie della torta.

Eliminate i quadrati di cartoncino e con una pinzetta allineate nel riquadro al centro le fragoline, in due riquadri opposti i mirtilli e il ribes negli ultimi due. Spennellate i frutti di bosco con la gelatina rimasta, completate con la menta e tenete in frigorifero il dolce fino al momento di portarlo in tavola.

LA VARIANTE

▶ Potete sostituire lo yogurt naturale con una uguale quantità di panna fresca. Il gusto del dolce risulterà più ricco e pieno.

Crostata con il cioccolato

Ingredienti per 6 persone
❈ 175 g di farina ❈ 1 bustina di lievito per dolci
❈ 140 g di burro ❈ 60 g di zucchero
❈ 1 tuorlo ❈ 1,5 dl di panna
❈ 1,5 dl di latte ❈ 2 uova
❈ 225 g di cioccolato fondente
Per la guarnizione ❈ 115 g di zucchero di canna
❈ 75 g di noci tostate
❈ 120 g di cioccolato fondente
❈ 90 g di amaretti ❈ 1 cucchiaino di cacao

DIFFICOLTÀ
Media

PREPARAZIONE
40 minuti
più 30 minuti
di riposo
della pasta
e 1 ora di
raffreddamento
della crostata

COTTURA
45 minuti

VINO
Aleatico
di Gradoli
Liquoroso
(rosso,
Lazio)

Aleatico
di Puglia
Liquoroso
(rosso,
Puglia)

Preparate la pasta, lavorando la farina con 120 g di burro, lo zucchero, il tuorlo, il lievito e, se necessario, un poco d'acqua fredda; poi lasciatela riposare per 30 minuti.

Stendete la pasta e foderatevi uno stampo a cerniera di 22-24 cm circa di diametro, precedentemente imburrato. Bucherellate la base con una forchetta, copritela con la carta da forno e riempitela con legumi secchi. Fate cuocere la crostata nel forno già riscaldato a 190 °C per 15 minuti, poi scopritela e fatela raffreddare.

Versate la panna e il latte in un tegame e portateli a ebollizione, quindi incorporatevi il cioccolato e le uova sbattute e versate la crema nella base di pasta.

Rimettete la crostata nel forno già caldo a 180 °C per altri 15 minuti, poi sfornatela e lasciatela raffreddare per 1 ora circa.

Al momento di servire, passate tutti gli ingredienti per la guarnizione nel mixer, distribuite il composto ottenuto sulla torta e servite.

Crostata con le banane

Ingredienti per 6 persone
Per la pasta ❈ 170 g di farina
❈ 90 g di burro
❈ 50 g di zucchero
❈ la scorza grattugiata di 1/2 limone biologico
❈ 1 tuorlo ❈ sale
Per il ripieno ❈ 1 kg di banane
❈ 300 g di zucchero ❈ 2 cucchiai di vino bianco
Per la guarnizione ❈ 50 g di cioccolato fondente tritato
❈ 30 g di mandorle sfilettate e tostate

DIFFICOLTÀ
Media

PREPARAZIONE
30 minuti
più 1 ora
di riposo
della pasta e
30 minuti di
macerazione
delle banane

COTTURA
45 minuti

VINO
Recioto
di Soave
(bianco,
Veneto)

Nasco
di Cagliari
Dolce
(bianco,
Sardegna)

Preparate la pasta, lavorando 150 g di farina con 70 g di burro, lo zucchero, il tuorlo, un pizzico di sale e la scorza del limone, poi lasciatela riposare per 1 ora.

Foderate con la pasta uno stampo imburrato e infarinato. Bucherellatene il fondo, copritelo con un foglio di alluminio e riempitelo di legumi secchi. Cuocete nel forno già caldo a 180 °C per 20 minuti.

Preparate il ripieno. Bollite per 2 minuti lo zucchero, tenendone da parte 1 cucchiaio, in 1 dl d'acqua. Sbucciate le banane, pareggiatele, dividetele a tronchetti di 6 cm e fatele macerare nello sciroppo per 30 minuti.

Tritate i ritagli di banana e cuoceteli per 8 minuti con il vino e lo zucchero tenuto da parte. Distribuite il purè ottenuto sulla crostata e disponetevi sopra i tronchetti di banana sgocciolati, spennellandoli con lo sciroppo. Decorate con le mandorle, fissandole con il cioccolato fuso e servite.

Crostata con mele e uva sultanina

Ingredienti per 8 persone

Per la pasta ❋ 320 g di farina

❋ 120 g di burro

❋ 80 g di zucchero

❋ 1 bustina di lievito per dolci

❋ 1 uovo ❋ sale

Per il ripieno ❋ 800 g di mele

❋ 50 g di zucchero

❋ 50 g di uva sultanina già ammollata

❋ 2 biscotti savoiardi ❋ il succo di 1/2 limone

DIFFICOLTÀ
Bassa

PREPARAZIONE
30 minuti

COTTURA
50 minuti

VINO
Alto Adige
Müller Thurgau
Vendemmia
Tardiva
(bianco,
Trentino-Alto
Adige)

Moscadello
di Montalcino
Vendemmia
Tardiva
(bianco,
Toscana)

Preparate il ripieno. Sbucciate le mele, tagliatele a dadini e cuocetele per 10 minuti con lo zucchero, il succo di limone e l'uva sultanina.

Preparate la pasta, lavorando 300 g di farina con 100 g di burro, lo zucchero, il lievito, un pizzico di sale e l'uovo. Stendete 2/3 della pasta e foderatevi una tortiera imburrata e infarinata. Bucherellate il fondo con una forchetta, cospargetelo con i savoiardi sbriciolati, quindi distribuitevi sopra il ripieno. Stendete la pasta rimasta, tagliatela a striscioline larghe 1,5 cm e disponetele a grata sul ripieno.

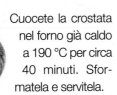

Cuocete la crostata nel forno già caldo a 190 °C per circa 40 minuti. Sformatela e servitela.

L'INGREDIENTE

▶ **Savoiardi.** Biscotti secchi dalla consistenza spumosa e friabile; in virtù della loro facilità a inzupparsi sono spesso utilizzati per la preparazione di dolci al cucchiaio. Possono essere sostituiti con i pavesini o con pan di Spagna.

Crostata con mirtilli in gelatina

Ingredienti per 6 persone

Per la pasta ❋ 170 g di farina

❋ 100 g di burro ❋ 1 tuorlo

❋ 40 g di zucchero

❋ la scorza grattuggiata di 1/2 limone biologico

❋ 1/2 bustina di vanillina

Per il ripieno ❋ 300 g di mirtilli

❋ 50 g di zucchero

❋ 3 g di gelatina in fogli

❋ 1 cucchiaio di gelatina di albicocche

DIFFICOLTÀ
Media

PREPARAZIONE
40 minuti
più 30 minuti
di riposo
della pasta
e 30 minuti di
raffreddamento
del ripieno

COTTURA
25 minuti

VINO
Malvasia
di Casorzo
d'Asti
(rosso,
Piemonte)

Aleatico
di Gradoli
(rosso,
Lazio)

Preparate la pasta. Lavorate 150 g di farina con 75 g di burro, lo zucchero, il tuorlo, la vanillina e la scorza di limone, poi lasciatela riposare per 30 minuti. Stendetela in una sfoglia sottile e foderatevi una tortiera imburrata e infarinata. Bucherellate il fondo, copritelo con carta da forno e legumi secchi, quindi cuocete nel forno già caldo a 180 °C per 20 minuti.

Preparate il ripieno. Cuocete i mirtilli per 5 minuti in un tegame con lo zucchero, quindi lasciateli sgocciolare per 20 minuti in un colino, raccogliendo lo sciroppo in una terrina.

Nel frattempo, fate ammorbidire la gelatina in una ciotola con acqua fredda, poi sgocciolatela, scioglietela a bagnomaria e unitela allo sciroppo.

Versate il composto in una teglia, formando uno strato spesso 5 mm; fatelo solidificare in frigorifero e tagliatelo a dadini. Portate a ebollizione in un tegamino la gelatina di albicocche con 1 cucchiaio d'acqua e spennellatevi l'interno della crostata. Versatevi i mirtilli, cospargeteli con i dadini di gelatina e servite.

Crostata con mousse di cioccolato

Ingredienti per 8 persone
* ❋ 200 g di pasta sfoglia
* ❋ 200 g di cioccolato bianco
* ❋ 250 g di fragole ❋ 60 g di zucchero
* ❋ 3 uova ❋ 1,5 dl di panna
* ❋ 3 cucchiai di liquore all'arancia ❋ sale

DIFFICOLTÀ
Media

PREPARAZIONE
30 minuti
più il tempo di
preparazione
della pasta
sfoglia,
4 ore di
raffreddamento
della mousse,
30 minuti
di macerazione
delle fragole
e 1 ora di
raffreddamento
della crostata

COTTURA
30 minuti

VINO
Montefalco
Sagrantino
Passito
(rosso,
Umbria)

Recioto della
Valpolicella
(rosso,
Veneto)

Montate la panna, tenendone da parte 1 cucchiaio. Fate fondere il cioccolato a bagnomaria con la panna tenuta da parte, lasciatelo intiepidire e incorporatevi 2 tuorli, 2 albumi montati a neve con un pizzico di sale e la panna montata. Lasciate la mousse in frigorifero per 4 ore.

Stendete la pasta in una sfoglia sottile e foderatevi uno stampo ricoperto di carta da forno. Bucherellate il fondo, spennellate la pasta con l'uovo rimasto, leggermente sbattuto, e copritela con carta da forno. Riempite con i legumi secchi e cuocete nel forno già caldo a 220 °C per 20 minuti, poi lasciate raffreddare.

Lavate le fragole, tagliatele a metà e cospargetele con lo zucchero e il liquore, quindi lasciatele macerare. Mettete la mousse in una tasca da pasticciere, farcitevi la crostata e decoratela con le fragole preparate, affondandole nella mousse.

DEFINIZIONE

▶ **Tasca da pasticciere.** Di tessuto impermeabile e facilmente lavabile, è più capiente della siringa, perciò si presta meglio di quest'ultima alla farcitura con consistenti quantità di ripieno. In questo caso usatene una di almeno 30 cm di lunghezza.

Crostata con uva e clementine

Ingredienti per 8 persone
* ❋ 300 g di pasta frolla ❋ 1 grappolo di uva rosata
* ❋ 600 g di clementine ❋ 20 g di farina ❋ 20 g di burro
* ❋ 1 cucchiaio di gelatina di albicocche
* *Per la crema* ❋ 2,5 dl di latte ❋ 50 g di zucchero
* ❋ 3 tuorli ❋ 25 g di farina ❋ la scorza di 1/2 limone biologico

DIFFICOLTÀ
Media

PREPARAZIONE
30 minuti
più il tempo di
preparazione
della pasta frolla
e 1 ora di
raffreddamento
della crostata

COTTURA
30 minuti

VINO
Malvasia
delle Lipari
(bianco,
Sicilia)

Friuli Isonzo
Verduzzo
Friulano
(bianco,
Friuli-Venezia
Giulia)

Stendete la pasta e foderatevi una tortiera imburrata e infarinata. Bucherellate il fondo con i rebbi di una forchetta, coprite con un foglio di carta da forno e legumi secchi e cuocete nel forno già riscaldato a 180 °C per circa 30 minuti.

Nel frattempo, preparate la crema. Portate a ebollizione in un tegamino il latte con la scorza di limone. Lavorate in una terrina i tuorli con lo zucchero, poi unitevi la farina e il latte, filtrato poco alla volta attraverso un colino. Trasferite il composto in una casseruola, portate a ebollizione e cuocete la crema per qualche minuto, poi toglietela dal fuoco e lasciatela raffreddare.

Lavate l'uva, staccatene gli acini e asciugateli. Sbucciate le clementine, dividetele in spicchi e private ogni spicchio della pellicina bianca.

Distribuite uniformemente la crema nella crostata e disponetevi sopra in modo armonico gli spicchi di clementine e l'uva. Spennellate la frutta con la gelatina di albicocche, che avrete portato a ebollizione in un tegamino con 1 cucchiaio d'acqua. Lasciate raffreddare completamente la crostata, prima di servirla.

Crostata con uva, datteri e pinoli

Ingredienti per 8 persone

❋ 300 g di pasta frolla

❋ 100 g di datteri

❋ 1 grappolo di uva bianca molto dolce

❋ 150 g di fichi secchi

❋ 10 g di uva sultanina già ammollata e strizzata

❋ 30 g di farina

❋ 10 g di pinoli

❋ 20 g di burro

❋ 5,5 dl di vino bianco

❋ 10 g di zucchero a velo

DIFFICOLTÀ
Bassa

PREPARAZIONE
20 minuti
più il tempo di
preparazione
della pasta
frolla

COTTURA
45 minuti

VINO
Ramandolo
(bianco,
Friuli-Venezia
Giulia)

Moscato
Passito
di Pantelleria
(bianco,
Sicilia)

Lavate gli acini d'uva, divideteli a metà e privateli dei semi. Dividete i datteri in quattro parti ed eliminatene il nocciolo. Tagliate a listarelle i fichi secchi.

Sulla spianatoia leggermente infarinata, stendete la pasta frolla allo spessore di 3-4 mm. Foderatevi una tortiera imburrata e infarinata e punzecchiate la base della pasta con i rebbi di una forchetta.

Mettete in quattro tegamini separati l'uva, i datteri, i fichi secchi e l'uva sultanina, copriteli a filo con il vino e cuoceteli per 4-5 minuti a fuoco vivace; poi sgocciolateli bene.

Distribuite sopra alla base di pasta frolla prima l'uva, poi i datteri, i fichi e infine l'uva sultanina e i pinoli. Cuocete la crostata nel forno già caldo a 190 °C per 40 minuti circa; quindi servitela tiepida, cosparsa con una spolverata di zucchero a velo.

Crostata d'arancia alle due creme

Ingredienti per 6 persone

Per la pasta ❋ 200 g di farina ❋ 50 g di burro

❋ 4 cucchiai di latte ❋ 1 tuorlo ❋ 50 g di zucchero

❋ la scorza grattugiata di 1/2 arancia biologica

Per la crema bianca ❋ 3 dl di latte ❋ 2 fogli di colla di pesce (6-7 g)

❋ 2 cucchiai di liquore all'arancia ❋ 50 g di zucchero

Per la crema gialla ❋ 4 dl di latte ❋ 3 tuorli ❋ 60 g di zucchero

❋ il succo di 1 arancia ❋ 3 fogli di colla di pesce (9-10 g)

Per la gelatina ❋ 1 dl di succo d'arancia

❋ 1 foglio di colla di pesce (3 g)

Per farcire ❋ 2 arance pelate al vivo a spicchi

DIFFICOLTÀ
Elevata

PREPARAZIONE
1 ora
più 30 minuti
di riposo
della pasta
e 1 ora
e 30 minuti di
raffreddamento
della crostata

COTTURA
30 minuti

VINO
Greco
di Bianco
(bianco,
Calabria)

Elba Moscato
(bianco,
Toscana)

Preparate la pasta, lavorando la farina con il burro, lo zucchero, il tuorlo, il latte e la scorza d'arancia, poi fatela riposare per 30 minuti. Stendetela e foderatevi una tortiera, bucherellatela, copritela con carta da forno e riempitela con un peso. Cuocete la crostata nel forno già caldo a 180 °C per 20 minuti circa.

Preparate la crema bianca. Scaldate il latte con lo zucchero, poi unitevi il liquore e la colla di pesce ammollata in acqua fredda e strizzata.

Preparate la crema gialla. Sbattete i tuorli con lo zucchero, poi unite il latte bollente e la colla di pesce ammorbidita in acqua fredda e strizzata. Portate a bollore, quindi lasciate intiepidire e versate il succo d'arancia.

Versate sul fondo della crostata la crema bianca e fate solidificare in frigorifero. Distribuitevi gli spicchi d'arancia, versatevi sopra la crema gialla e rimettete in frigo. Preparate la gelatina con il succo d'arancia e la colla di pesce e distribuitela sulla crostata; fate raffreddare e servite.

Crostata d'autunno con uva e mirtilli

Ingredienti per 6 persone

Per la pasta ❁ 170 g di farina ❁ 105 g di burro

❁ 1 tuorlo ❁ 40 g di zucchero

❁ la scorza grattugiata di 1/2 limone biologico

❁ 1/2 bustina di vanillina

Per la crema ❁ 1/4 di l di latte ❁ 2 tuorli

❁ 50 g di zucchero ❁ 25 g di farina

❁ la scorza di 1/2 limone biologico

Per la guarnizione ❁ 1 banana ❁ 1 grappolo d'uva bianca

❁ 100 g di mirtilli ❁ 1 cucchiaio di gelatina di albicocche

❁ 1 cucchiaio di succo di limone

DIFFICOLTÀ
Media

PREPARAZIONE
40 minuti
più 30 minuti
di riposo
della pasta
e 30 minuti di
raffreddamento
della crema

COTTURA
30 minuti

VINO
Moscadello
di Montalcino
(bianco,
Toscana)

Alto Adige
Moscato Giallo
(bianco,
Trentino-Alto
Adige)

Preparate la pasta. Lavorate 150 g di farina con 85 g di burro, lo zucchero, la vanillina, il tuorlo e la scorza di limone e poi fatela riposare per 30 minuti. Stendete la pasta e foderate una tortiera imburrata e infarinata, quindi bucherellate il fondo con la forchetta, copritela con carta da forno e i legumi secchi. Cuocete la crostata nel forno già caldo a 180 °C per 20 minuti.

Preparate la crema. Sbattete i tuorli con lo zucchero e unitevi la farina e il latte bollito con la scorza di limone e filtrato. Cuocete per 7-8 minuti, quindi fate raffreddare.

Per la guarnizione. Tagliate la banana a rondelle sottili e irroratela con il succo di limone. Lavate i chicchi d'uva e i mirtilli. Versate nella crostata la crema, livellatela e distribuitevi sopra la frutta, alternandola in cerchi concentrici e spennellate con la gelatina di albicocche diluita sul fuoco con 1 cucchiaio d'acqua.

Crostata d'inverno

Ingredienti per 6 persone

Per la pasta ❊ 270 g di farina ❊ 125 g di zucchero
❊ 195 g di burro ❊ 2 tuorli ❊ 1/2 bustina di vanillina
Per il ripieno ❊ 50 g di nocciole pelate
❊ 20 g di ciliegine candite ❊ 50 g di mandorle pelate
❊ 70 g di gherigli di noci ❊ 150 g di albicocche essiccate
❊ 2 cucchiai di marmellata di albicocche
❊ 1 cucchiaio di gelatina di albicocche

DIFFICOLTÀ
Media

PREPARAZIONE
30 minuti
più 30 minuti
di ammollo
delle albicocche,
30 minuti
di riposo
della pasta
e 1 ora di
raffreddamento
della crostata

COTTURA
35 minuti

VINO
Moscato
di Trani
Liquoroso
(bianco,
Puglia)

San Gimignano
Vin Santo
(bianco,
Toscana)

Fate ammorbidire le albicocche in una terrina con acqua tiepida.

Preparate la pasta. Fate ammorbidire 175 g di burro e dividetelo a pezzetti, poi lavoratelo con lo zucchero, fino a ottenere un composto gonfio e spumoso. Amalgamatevi i tuorli, 250 g di farina, la vanillina e formate un panetto che lascerete riposare nella parte meno fredda del frigorifero per 30 minuti circa.

Riprendete la pasta, stendetela in una sfoglia sottile e foderatevi una tortiera imburrata e infarinata. Bucherellate il fondo con i rebbi di una forchetta, distribuitevi uniformemente la marmellata e adagiatevi sopra le albicocche sgocciolate, i gherigli di noce, le nocciole, le mandorle e le ciliegine candite divise a metà.

Mettete la crostata nel forno già caldo a 180 °C e fatela cuocere per 30 minuti circa, poi toglietela dal forno e lasciatela raffreddare completamente prima di sformarla.

Portate a ebollizione in un tegamino la gelatina di albicocche con 1 cucchiaio d'acqua, lasciatela raffreddare e spennellate in modo uniforme la superficie della crostata, poi servite.

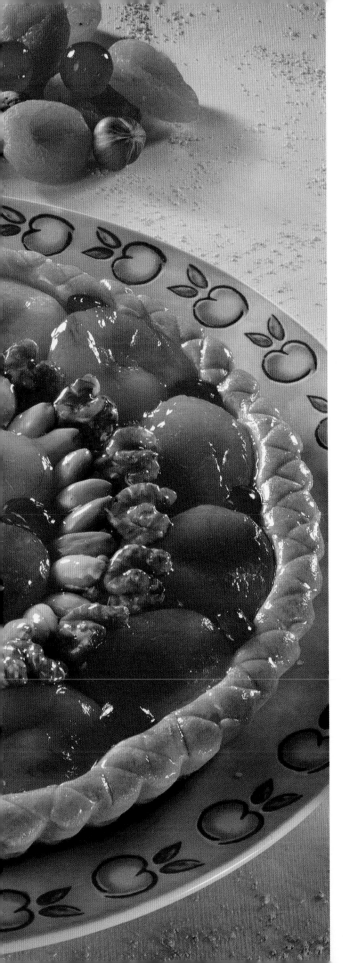

Crostata d'uva

CROSTATE

Ingredienti per 8 persone

✻ 400 g di pasta frolla ✻ 50 g di zucchero
✻ 400 g di acini di uva mista (bianca e nera)
✻ la scorza grattugiata di 1 arancia biologica
✻ 20 g di farina ✻ 60 g di farina di mandorle
✻ 100 g di marrons glacés ✻ 20 g di burro
✻ 0,5 dl di Maraschino ✻ 20 g di granella di zucchero
✻ 2 uova e 1 albume ✻ 2 dl di panna

DIFFICOLTÀ
Bassa

PREPARAZIONE
20 minuti
più il tempo di
preparazione
della pasta frolla

COTTURA
40 minuti

VINO
Moscato d'Asti
(bianco,
Piemonte)

Moscato
Passito
di Pantelleria
(bianco,
Sicilia)

Sulla spianatoia leggermente infarinata, stendete con il matterello la pasta frolla in una sfoglia piuttosto sottile e foderatevi una tortiera del diametro di 28 cm, imburrata e infarinata. Lavate l'uva sotto acqua fredda corrente e asciugatela.

Con i rebbi di una forchetta bucherellate la pasta sul fondo e spennellatela con l'albume, quindi distribuitevi sopra i marrons glacés sbriciolati, poi gli acini d'uva sgranati.

Sbattete i tuorli con lo zucchero fino a ottenere un composto spumoso, poi amalgamatevi la scorza d'arancia, la farina di mandorle, il liquore, la panna montata a parte e infine gli albumi montati a neve. Versate la crema sull'uva e i marrons glacés e cuocete la crostata nel forno già caldo a 190 °C per circa 40 minuti. Lasciate raffreddare e spolverizzate la crostata con la granella di zucchero.

IL CONSIGLIO

▶ Per questa deliziosa crostata, ottima anche il giorno dopo, è bene prevedere una tortiera di porcellana da fuoco o di pirex, poiché la torta dovrà essere servita dentro il recipiente di cottura.

Crostata deliziosa alla frutta

Ingredienti per 8 persone

❋ 400 g di pasta frolla ❋ 400 g di pere sciroppate
❋ 4 dl di latte ❋ 80 g di zucchero ❋ 50 g di savoiardi
❋ 70 g di burro ❋ 70 g di farina ❋ 30 g di amaretti
❋ 3 fette di ananas sciroppato ❋ 7-8 datteri snocciolati
❋ cannella in polvere ❋ sale

DIFFICOLTÀ
Bassa

PREPARAZIONE
20 minuti
più il tempo di
preparazione
della pasta frolla

COTTURA
50 minuti

VINO
Valle d'Aosta
Chambave
Moscato
Passito
(bianco,
Valle d'Aosta)

Frascati
Cannellino
(bianco,
Lazio)

Stendete la pasta frolla in una sfoglia sottile e rivestitevi uno stampo imburrato e infarinato. Bucherellatene il fondo e distribuitevi i savoiardi tritati finemente insieme agli amaretti.

In una casseruolina sciogliete 50 g di burro e unitevi 50 g di farina, mescolando; quindi versatevi il latte bollente e portate la crema all'ebollizione. Insaporite con un pizzico di sale e di cannella, poi togliete dal fuoco e incorporate 80 g di zucchero, mescolando con una certa energia. Versate la crema ottenuta sopra i biscotti sbriciolati.

Sgocciolate le mezze pere sciroppate e affondatele leggermente nella crema, distanziandole l'una dall'altra. Ponete al centro una fetta di ananas con attorno le altre due, divise a metà. Tra una mezza pera e l'altra e nel foro della fetta d'ananas ponete un dattero snocciolato. Cuocete la crostata nel forno già caldo a 190 °C per circa 40 minuti e servite.

LA VARIANTE

▶ Se servite questa crostata come merenda per i bambini, rendetela ancora più golosa farcendola con una crema al cioccolato. Vi basterà aggiungere alla ricetta qui proposta qualche cucchiaio di cacao zuccherato.

Crostata di albicocche

Ingredienti per 6 persone

Per la pasta ❋ 170 g di farina ❋ 50 g di mandorle tritate
❋ 50 g di zucchero ❋ 100 g di burro ❋ cannella in polvere
❋ la scorza grattugiata di 1/2 limone biologico ❋ 1 uovo
Per il ripieno ❋ 700 g di albicocche ❋ 1 dl di vino bianco
❋ 50 g di zucchero

DIFFICOLTÀ
Bassa

PREPARAZIONE
30 minuti
più 30 minuti
di riposo
della pasta

COTTURA
1 ora

VINO
Trentino
Traminer
Aromatico
Vendemmia
Tardiva
(bianco,
Trentino-Alto
Adige)

Moscadello
di Montalcino
Vendemmia
Tardiva
(bianco,
Toscana)

Preparate la pasta, lavorando 150 g di farina con 80 g di burro, lo zucchero, le mandorle, un pizzico di cannella, il tuorlo e la scorza di limone. Formate un panetto e lasciatelo riposare in un luogo fresco per almeno 30 minuti.

Preparate il ripieno. Lavate le albicocche e scottatele per 1 minuto in acqua bollente, poi sgocciolatele, pelatele e snocciolatele. Raccoglietele in una padella, irroratele con il vino e cospargetele con lo zucchero, quindi cuocetele per 10 minuti dal momento dell'ebollizione. Toglietele dal fuoco e passatele al mixer.

Stendete la pasta con il matterello e foderatevi una tortiera imburrata e infarinata, tenendo da parte i ritagli. Bucherellate il fondo della pasta e distribuitevi il composto di albicocche in uno strato uniforme.

Stendete i ritagli di pasta e ricavatevi tante strisce di 2 cm circa. Incrociatele a grata sul ripieno e spennellatele con l'albume leggermente sbattuto.

Cuocete la crostata nel forno già caldo a 190 °C per 50 minuti, finché avrà assunto un bel colore dorato. Lasciatela raffreddare prima di sformarla e servite.

Crostata di albicocche e ribes

Ingredienti per 6 persone

Per la pasta ❋ 170 g di farina ❋ 25 g di zucchero
❋ 145 g di burro
Per il ripieno ❋ 200 g di burro
❋ 200 g di zucchero ❋ 1 uovo e 2 tuorli
❋ 50 g di farina
❋ 175 g di mandorle tritate
❋ 4 cucchiai di panna ❋ 125 g di ribes
❋ 400 g di albicocche sciroppate sgocciolate divise a metà

DIFFICOLTÀ
Media

PREPARAZIONE
40 minuti
più 1 ora e 5
minuti
di riposo
della pasta

COTTURA
1 ora e
25 minuti

VINO
Recioto
di Soave
(bianco,
Veneto)

Molise
Moscato
Passito
(bianco,
Molise)

Preparate la pasta. Ponete in una terrina 150 g di farina, lo zucchero e 125 g di burro a tocchetti e lavorate gli ingredienti fino a ottenere un composto granuloso. Aggiungete 1 cucchiaio d'acqua e impastate con le mani, formando un panetto che farete riposare per circa 30 minuti in frigo.

Stendete la pasta e foderatevi una tortiera del diametro di 22-24 cm imburrata e infarinata. Bucherellatene il fondo con i rebbi di una forchetta e mettete nuovamente in frigorifero per 30 minuti circa.

Coprite la pasta con un foglio di carta da forno e i legumi secchi e cuocetela nel forno già caldo a 190 °C per 15 minuti, poi togliete la carta e i legumi e proseguite la cottura per altri 10 minuti.

Preparate il ripieno. Montate in una ciotola il burro con lo zucchero, poi incorporatevi l'uovo, i tuorli, la farina, le mandorle e la panna, montata a parte. Disponete le mezze albicocche e il ribes lavato sulla base di pasta, ricopriteli con il composto e cuocete la crostata nel forno già caldo a 180 °C per 40 minuti. Servite la torta tiepida o fredda.

Crostata di amarene

Ingredienti per 6 persone

Per la pasta ❋ 320 g di farina
❋ 150 g di zucchero a velo
❋ 160 g di burro
❋ 2 uova e 1 tuorlo
❋ il succo di 1 limone ❋ sale
Per il ripieno ❋ 350 g di amarene
❋ 120 g di zucchero
❋ cannella in polvere

DIFFICOLTÀ
Media

PREPARAZIONE
45 minuti

COTTURA
1 ora e
45 minuti

REGIONE
Lazio

VINO
Aleatico
di Gradoli
(rosso,
Lazio)

Malvasia di
Casorzo d'Asti
(rosso,
Piemonte)

Preparate il ripieno. Lavate le amarene, snocciolatele e raccoglietele in una pentola di acciaio inossidabile. Unitevi lo zucchero, un pizzico di cannella e, mescolando accuratamente con un cucchiaio di legno, cuocete per circa 1 ora, o fino a quando il composto avrà assunto la consistenza di una confettura.

Preparate la pasta. Disponete 300 g di farina a fontana sulla spianatoia e raccoglietevi al centro 140 g di burro ammorbidito a pezzetti, lo zucchero a velo, le uova intere e un pizzico di sale. Lavorate energicamente gli ingredienti per 10 minuti, poi incorporatevi il succo di limone e tornate a lavorare l'impasto per 10 minuti.

Stendete la pasta, tenendone un po' da parte, foderate una tortiera imburrata e infarinata. Versatevi le amarene cotte con lo zucchero. Ricavate dall'impasto avanzato tante striscioline della larghezza di 2 cm, disponetele sul ripieno in modo che formino una grata e spennellatele con il tuorlo rimasto. Cuocete la crostata nel forno già caldo a 180 °C per circa 45 minuti e servite il dolce tiepido o freddo a piacere.

Crostata di amarene e crema di vaniglia

Ingredienti per 6 persone
❋ 1 base di pasta frolla già cotta del diametro di cm 24
❋ 300 g di amarene snocciolate
❋ 30 g di zucchero
❋ 4 cucchiai di confettura di lamponi
❋ 2 cucchiai di vino rosso
❋ 2,5 dl di crema alla vaniglia
❋ 80 g di mandorle tostate e tritate
❋ 10 g di zucchero a velo

DIFFICOLTÀ
Bassa

PREPARAZIONE
30 minuti
più il tempo di
preparazione
della pasta frolla
e il tempo di
preparazione
della crema
alla vaniglia

COTTURA
1 ora e
10 minuti

VINO
Alto Adige
Moscato Rosa
(rosso,
Trentino-Alto
Adige)

Cesanese
del Piglio Dolce
(rosso,
Lazio)

Lavate le amarene, raccoglietele in un tegame di coccio con lo zucchero e il vino e lasciatele sobbollire per circa 1 ora. Quando lo sciroppo sarà ben ristretto, spegnete il fuoco e lasciate raffreddare.

Stendete la confettura di lamponi sul fondo del disco di pasta frolla e distribuitevi sopra le amarene cotte. Ricopritele con la crema alla vaniglia ben densa, livellandone la superficie con una spatola.

Cospargete la torta con le mandorle tritate e passatela nel forno già caldo a 220 °C per 5-6 minuti. Sfornatela, spolverizzatela di zucchero a velo e servitela in tavola.

IL CONSIGLIO

▶ Questa è la crostata ideale per chi ha poco tempo. Il disco di pasta frolla si può infatti trovare già pronto in pasticceria o nei supermercati, così come la crema alla vaniglia. Quest'ultima comunque può essere sostituita da un secondo strato di confettura (o, meglio, di gelatina) di lamponi. Volendo, potete accompagnarla con panna montata.

Crostata di amaretti al cioccolato

Ingredienti per 6 persone
Per la pasta ❋ 50 g di farina ❋ 120 g di burro
❋ 100 g di zucchero di canna
❋ 1 bustina di vanillina ❋ 150 g di amaretti
❋ 100 g di mandorle ❋ sale
Per il ripieno ❋ 300 g di cioccolato fondente
❋ 2 uova ❋ 3 cucchiai di liquore all'amaretto
❋ 20 g di zucchero ❋ 1,5 dl di panna
Per la guarnizione ❋ 1 dl di panna ❋ 150 g di lamponi

DIFFICOLTÀ
Media

PREPARAZIONE
30 minuti
più 20 minuti di
raffreddamento
della crema e
5-6 ore di
raffreddamento
della crostata

COTTURA
35 minuti

VINO
Montefalco
Sagrantino
Passito
(rosso,
Umbria)

Recioto della
Valpolicella
(rosso,
Veneto)

Preparate la pasta, lavorando 30 g di farina con 100 g di burro fuso a parte, lo zucchero, la vanillina, un pizzico di sale, gli amaretti e le mandorle tritati. Foderate con il composto una tortiera imburrata e infarinata e coprite con carta da forno e un peso. Cuocete nel forno già caldo a 180 °C per 15 minuti, quindi scoprite la pasta e continuate la cottura per altri 10 minuti. Lasciate raffreddare.

Nel frattempo, preparate il ripieno. Fate fondere il cioccolato in una casseruola con la panna, poi incorporatevi i tuorli lavorati con lo zucchero e cuocete finché la crema velerà il cucchiaio, senza mai raggiungere l'ebollizione. Versatela in una ciotola e lasciatela raffreddare, poi unitevi il liquore all'amaretto e gli albumi montati a neve.

Sformate la crostata sul piatto da portata, distribuitevi la crema al cioccolato e conservate il dolce in frigorifero per 5-6 ore.

Al momento di servire, formate con i lamponi una coroncina lungo il bordo e un fiore al centro della torta. Montate la panna e distribuitela a ciuffetti sopra la crema al cioccolato.

Crostata di ananas

Ingredienti per 6 persone

❊ 270 g di farina ❊ 125 g di zucchero ❊ 145 g di burro ❊ 1 dl di latte
❊ 2 dl di succo di ananas ❊ 6 fette di ananas sciroppato ❊ 6 savoiardi
❊ 2 cucchiai di marmellata di ciliegie ❊ 2 uova ❊ 0,5 dl di Cherry Brandy
❊ la scorza grattugiata di 1/2 limone biologico ❊ sale

DIFFICOLTÀ
Media

PREPARAZIONE
30 minuti
più 30 minuti
di riposo
della pasta

COTTURA
30 minuti

VINO
Alto Adige
Moscato Giallo
(bianco,
Trentino-Alto
Adige)

Moscato
di Noto
Naturale
(bianco,
Sicilia)

Setacciate 250 g di farina sulla spianatoia e aggiungetevi 125 g di burro ammorbidito e tagliato a pezzetti, il latte e un pizzico di sale. Impastate il tutto fino a ottenere un composto omogeneo; raccoglietelo a palla e lasciatelo riposare in frigorifero per 30 minuti.

Sbattete le uova con lo zucchero e la scorza di limone e incorporatevi il succo d'ananas. Stendete la pasta in una sfoglia non troppo sottile e ricoprite il fondo e le pareti di una tortiera imburrata e infarinata.

Bucherellate in più punti il fondo della pasta con i rebbi di una forchetta, quindi distribuitevi la marmellata di ciliegie e sbriciolatevi sopra i savoiardi spruzzati di Cherry Brandy. Versate nella base il composto a base di uova, zucchero e succo di ananas e sopra distribuite le fette di ananas sciroppato.

Mettete la crostata nel forno già caldo a 200 °C e cuocetela per circa 30 minuti. Sfornatela, lasciatela intiepidire e servitela su un piatto da portata.

1 Sbattete le uova con lo zucchero, utilizzando una frusta e unitevi la scorza di limone e il succo d'ananas.

2 Bucherellate in più punti il fondo della pasta distesa nella tortiera.

3 Completate il ripieno con il composto di uova e il succo e ricoprite con le fette d'ananas sciroppato.

Crostata di banane al caramello

Ingredienti per 6 persone

❋ 250 g di pasta frolla ❋ 2 banane ❋ 6 tuorli
❋ 150 g di zucchero ❋ 2,5 dl di latte ❋ 60 g di farina
❋ 20 g di burro ❋ 1 bustina di vanillina ❋ 2,5 dl di panna
❋ la scorza di 1 limone biologico
Per la guarnizione ❋ 1 banana ❋ 2 cucchiai di succo di limone
❋ 2 dl di panna montata ❋ 1 cucchiaio di gelatina di albicocche

DIFFICOLTÀ
Media

PREPARAZIONE
30 minuti
più il tempo di
preparazione
della pasta frolla

COTTURA
45 minuti

VINO
Oltrepò Pavese
Moscato
(bianco,
Lombardia)

Chianti
Classico
Vin Santo
(bianco,
Toscana)

Stendete la pasta e foderatevi una tortiera imburrata; copritela con carta da forno e legumi secchi e cuocetela nel forno a 180 °C per 20 minuti.

Preparate il caramello bollendo 100 g di zucchero in 2 dl d'acqua per 5 minuti e mescolandovi fuori dal fuoco la panna. Sbattete i tuorli con lo zucchero rimasto e unitevi la farina, la vanillina, il latte bollito con la scorza e poi filtrato, e il caramello. Cuocete per 7-8 minuti, poi versate metà crema sulla torta, distribuitevi le banane a rondelle e coprite con quella rimasta. Disponete la banana a rondelle, passata nel succo di limone, spennellatela con la gelatina di albicocche. Decorate a piacere con la panna montata e il caramello.

Crostata di castagne e pere

Ingredienti per 6 persone

Per la pasta ❋ 220 g di farina di castagne
❋ 120 g di burro ❋ 1 bustina di vanillina
❋ 4 cucchiai di latte ❋ 50 g di zucchero ❋ 1 tuorlo
Per il ripieno ❋ 1/2 kg di pere
❋ 60 g di mandorle pelate ❋ 1 dl di latte
❋ 2 cucchiai di Kirsch ❋ 2 uova ❋ 50 g di zucchero

DIFFICOLTÀ
Media

PREPARAZIONE
30 minuti
più 30 minuti
di riposo
della pasta

COTTURA
40 minuti

VINO
Recioto
di Soave
(bianco,
Veneto)

Moscato
di Trani Dolce
(bianco,
Puglia)

Setacciate 200 g di farina di castagne con la vanillina e lavoratela con 100 g di burro, il latte, il tuorlo e lo zucchero. Formate un panetto, avvolgetelo in un foglio di pellicola trasparente e fatelo riposare per circa 30 minuti.

Preparate il ripieno. In una terrina sbattete le uova con lo zucchero, fino a ottenere un composto spumoso, poi incorporatevi le mandorle tritate, il latte e il Kirsch, amalgamando bene il tutto.

Lavate le pere, sbucciatele, privatele del torsolo e riducetele a fettine sottili. Stendete la pasta con il matterello allo spessore di circa 4 mm e foderatevi una tortiera imburrata e infarinata. Disponetevi a raggiera le fettine di pera e versatevi sopra la crema al Kirsch in uno strato uniforme. Cuocete la torta nel forno già caldo a 180° per circa 40 minuti, lasciatela raffreddare e servite.

LA VARIANTE

▶ Esiste una versione altrettanto diffusa e apprezzata di questa torta, in cui le fettine di pera sono ricoperte semplicemente da cioccolato fuso. In questo caso, la crostata è chiusa con un secondo disco di pasta.

Crostata di cioccolato al profumo d'arancia

Ingredienti per 6 persone

Per la pasta ❋ 170 g di farina ❋ 100 g di burro ❋ 40 g di zucchero ❋ 1 tuorlo
❋ la scorza grattugiata di 1/2 limone biologico ❋ 1 pizzico di vanillina
Per la crema ❋ 6 tuorli ❋ 150 g di zucchero ❋ 40 g di farina ❋ 1 bustina di vanillina
❋ la scorza di 2 arance biologiche ❋ 1 cucchiaio di Grand Marnier ❋ 1/2 l di latte
Per la mousse al cioccolato ❋ 125 g di cioccolato fondente
❋ 60 g di burro ❋ 20 g di zucchero ❋ 2 dl di panna

DIFFICOLTÀ
Media

PREPARAZIONE
40 minuti
più 2 ore
di riposo
della pasta
e 20 minuti di
raffreddamento
della crema

COTTURA
50 minuti

VINO
Montefalco
Sagrantino
Passito
(rosso,
Umbria)

Recioto della
Valpolicella
(rosso,
Veneto)

Preparate la pasta, lavorando 150 g di farina con 80 g di burro, lo zucchero, il tuorlo, la vanillina e la scorza di limone, poi fatela riposare in luogo fresco per 2 ore circa.

Preparate la crema. Sbattete i tuorli con lo zucchero e metà scorza d'arancia, poi unitevi la farina, la vanillina e il latte, bollito con il resto della scorza e filtrato. Cuocete la crema per 7-8 minuti, quindi lasciatela raffreddare e unitevi il Grand Marnier.

Stendete la pasta e foderatevi una tortiera imburrata e infarinata. Bu-cherellatela con una forchetta, copritela con carta da forno e legumi secchi e cuocetela nel forno già caldo a 180 °C per 10 minuti circa. Scopritela, versatevi la crema e continuate la cottura per 20 minuti.

Preparate la mousse. Fate fondere il cioccolato con lo zucchero, poi incorporatevi il burro e, molto delicatamente, la panna, montata a parte. Mettete la mousse in una tasca da pasticciere con bocchetta dentellata e decorate a piacere la superficie della crostata. Conservatela in frigorifero fino al momento di servirla.

Crostata di cioccolato e ricotta

Ingredienti per 6 persone

Per la pasta ❋ 170 g di farina ❋ 1 tuorlo

❋ 70 g di mandorle tritate ❋ 50 g di zucchero

❋ 100 g di burro ❋ la scorza di 1/2 limone biologico

Per il ripieno ❋ 200 g di ricotta romana ❋ 50 g di zucchero

❋ 1 cucchiaio di liquore alla crema di cacao

❋ 1 cucchiaio di liquore all'amaretto ❋ 1 bustina di vanillina

❋ 2 dl di panna ❋ 30 g di cacao amaro

Per la guarnizione ❋ 50 g di scorza d'arancia candita ❋ 1 uovo

DIFFICOLTÀ
Media

PREPARAZIONE
40 minuti
più 30 minuti
di riposo
della pasta

COTTURA
40 minuti

VINO
Elba Aleatico
(rosso,
Toscana)

Recioto della
Valpolicella
(rosso,
Veneto)

Preparate la pasta, lavorando 150 g di farina con 80 g di burro, le mandorle, lo zucchero, il tuorlo e la scorza di limone, e lasciatela riposare per 30 minuti.

Nel frattempo, preparate la farcia. Lavorate la ricotta con il cacao, lo zucchero, la vanillina e i liquori, poi incorporatevi la panna montata.

Stendete la pasta e foderatevi una tortiera imburrata e infarinata, tenendo da parte i ritagli; bucherellate il fondo e distribuite sopra la farcia.

Formate con i ritagli tanti cordoncini grossi come una matita e curvateli ottenendo altrettante ciambelline, poi tagliatele a metà e disponetele tutto intorno al bordo, incrociandole fra di loro. Adagiate al centro un dischetto di pasta e spennellate le decorazioni con l'uovo sbattuto. Cuocete la torta nel forno già caldo a 180 °C per circa 40 minuti.

Preparate la guarnizione. Tagliate dalla scorza d'arancia candita un dischetto e tante mezzelune; adagiate il primo al centro e le altre accanto alle mezze ciambelline, poi servite la crostata.

Crostata di clementine

Ingredienti per 6 persone

Per la pasta ❋ 220 g di farina

❋ 120 g di burro ❋ 1 tuorlo ❋ 80 g di zucchero

❋ la scorza di 1/2 limone biologico ❋ 1/2 bustina di vanillina

Per la crema ❋ 2,5 dl di latte ❋ 2 tuorli ❋ 50 g di zucchero

❋ 25 g di farina ❋ la scorza grattugiata di 1/2 limone

❋ 1 cucchiaio di Kirsch

Per la guarnizione ❋ 600 g di clementine

❋ 2 cucchiai di gelatina di albicocche

DIFFICOLTÀ
Elevata

PREPARAZIONE
40 minuti
più 30 minuti
di riposo
della pasta
e 20 minuti di
raffreddamento
della crema

COTTURA
40 minuti

VINO
Moscato
di Pantelleria
(bianco,
Sicilia)

Frascati
Cannellino
(bianco,
Lazio)

Preparate la pasta, lavorando 200 g di farina con 100 g di burro, lo zucchero, il tuorlo, la vanillina e la scorza di limone, poi lasciatela riposare per 30 minuti in frigorifero.

Stendete la pasta, foderatevi una tortiera imburrata e infarinata, bucherellatene il fondo e ricopritela con un foglio di carta da forno e legumi secchi. Cuocetela nel forno già caldo a 180 °C per 20 minuti, quindi eliminate la carta e i legumi.

Preparate la crema. Sbattete i tuorli con lo zucchero, poi incorporatevi la farina e il latte bollito con la scorza di limone e filtrato. Cuocete la crema per 7-8 minuti, mescolando ogni tanto, quindi toglietela dal fuoco, lasciatela raffreddare e aggiungetevi il Kirsch.

Distribuite la crema sulla pasta preparata e adagiatevi sopra gli spicchi di clementina pelati al vivo, disponendoli in centri concentrici a iniziare dal bordo. Portate a ebollizione la gelatina di albicocche in un pentolino con 1 cucchiaio d'acqua e spennellatevi la superficie della crostata. Lasciatela intiepidire e servite in tavola.

Crostata di confettura di castagne

Ingredienti per 6 persone

Per la pasta ❊ 320 g di farina
❊ 170 g di burro ❊ 150 g di zucchero
❊ 3 tuorli ❊ sale
Per il ripieno ❊ 8 cucchiai colmi di confettura di castagne
❊ 100 g di gherigli di noce tritati grossolanamente
❊ 50 g di cioccolato fondente grattugiato
❊ 0,5 dl di Rum

DIFFICOLTÀ
Bassa

PREPARAZIONE
30 minuti
più 30 minuti
di riposo
della pasta

COTTURA
40 minuti

VINO
Valle d'Aosta
Chambave
Moscato
Passito
(bianco,
Valle d'Aosta)

Greco
di Bianco
(bianco,
Calabria)

Lavorate 300 g di farina con 150 g di burro, lo zucchero, i tuorli e un pizzico di sale, poi lasciate riposare l'impasto in frigorifero per 30 minuti.

Nel frattempo, diluite la confettura di castagne con il Rum e aggiungetevi il cioccolato e i gherigli di noce.

Stendete la pasta in una sfoglia non troppo sottile e foderatevi uno stampo di 26 cm circa di diametro, imburrato e infarinato. Bucherellate il fondo della pasta con una forchetta e versatevi sopra il ripieno, livellandolo con una spatola.

Cuocete la crostata nel forno già caldo a 200 °C per 40 minuti. Servitela tiepida o fredda, a piacere.

Crostata di corn flakes e frutta fresca

Ingredienti per 6 persone

❊ 120 g di farina ❊ 1 uovo ❊ 100 g di burro
❊ 70 g di zucchero ❊ 100 g di corn flakes
❊ 600-700 g di frutta assortita (kiwi, peschenoci, albicocche, lamponi, fragole)
❊ 3 cucchiai di gelatina di albicocche
❊ 20 g di uva sultanina già ammollata e strizzata
❊ 1/2 bustina di lievito per dolci

DIFFICOLTÀ
Bassa

PREPARAZIONE
30 minuti

COTTURA
20 minuti

VINO
Recioto della
Valpolicella
Spumante
(rosso,
Veneto)

Vernaccia di
Serrapetrona
Dolce
(rosso,
Marche)

Lavorate 80 g di burro con lo zucchero, poi incorporatevi l'uovo, 100 g di farina, il lievito, l'uva sultanina e i corn flakes. Distribuite il composto in una tortiera imburrata e infarinata, livellatela allo spessore di 1 cm e cuocetelo nel forno già caldo a 180 °C per 20 minuti circa. Lasciatela intiepidire e sformatela.

Nel frattempo lavate e asciugate la frutta, quindi dividete in spicchi le peschenoci, le albicocche e le fragole e riducete a rondelle i kiwi.

Portate a ebollizione la gelatina di albicocche in un tegame con 2 cucchiai d'acqua e spennellatevi la crostata, tenendone un poco da parte. Distribuitevi la frutta preparata, alternandola, spennellate con la gelatina di albicocche rimasta e servite.

L'INGREDIENTE

▶ **Corn flakes.** Detti impropriamente in italiano "fiocchi di mais", sono in realtà grani di mais cotti, schiacciati e tostati, spesso con aggiunta di malto d'orzo o zucchero. In questa ricetta potete utilizzare anche la versione di riso o grano.

Crostata di fichi
e farina di mais

Ingredienti per 6 persone

Per la pasta ❈ 150 g di farina di mais ❈ 75 g di farina
❈ 100 g di zucchero ❈ 7 cucchiai di olio extravergine d'oliva
❈ 1 uovo ❈ 20 g di burro ❈ sale
Per il ripieno ❈ 300 g di fichi secchi morbidi
❈ 50 g di uva sultanina già ammollata ❈ 50 g di miele ❈ 50 g di fecola di patate
❈ cannella in polvere ❈ noce moscata ❈ il succo di 1 limone

DIFFICOLTÀ
Media

PREPARAZIONE
30 minuti
più 30 minuti
di riposo
della pasta

COTTURA
55 minuti

VINO
Gioia del Colle
Aleatico Dolce
(rosso,
Puglia)

Malvasia
di Casorzo
d'Asti
(rosso,
Piemonte)

Preparate la pasta, lavorando le farine con l'olio, l'uovo, un pizzico di sale ed eventualmente un poco d'acqua, poi formate un panetto e lasciatelo riposare per 30 minuti in un luogo fresco.

Raccogliete i fichi e l'uva sultanina in un tegame, copriteli a filo con acqua e cuoceteli per 20 minuti; poi irrorateli con il succo del limone e sgocciolate la frutta, conservandone il liquido che filtrerete.

Stemperate la fecola in 2 dl del liquido filtrato, mettete sul fuoco e fate addensare, quindi unite un pizzico di cannella, una grattata di noce moscata e il miele.

Stendete la pasta e foderatevi uno stampo imburrato; distribuite sul fondo il composto di fichi e uva sultanina, versatevi il liquido addensato con la fecola e passate la crostata nel forno già caldo a 200 °C per circa 30 minuti. Fate raffreddare e servite.

495

Crostata di fichi e mandorle

Ingredienti per 6 persone

❋ 400 g di pasta frolla ❋ 12 fichi piuttosto maturi ❋ 2 dl di Vin Santo
❋ 100 g di mandorle ❋ 1 dl di panna ❋ 50 g di zucchero a velo
❋ 1 bustina di vanillina ❋ 20 g di burro ❋ 20 g di farina

DIFFICOLTÀ
Bassa

PREPARAZIONE
20 minuti
più il tempo di
preparazione
della pasta
frolla,
più 2 ore
di macerazione
dei fichi
e 1 ora di
raffreddamento
della pasta

COTTURA
30 minuti

VINO
San Gimignano
Vin Santo
(bianco,
Toscana)

Trentino
Vin Santo
(bianco,
Trentino-Alto
Adige)

Sbucciate i fichi, divideteli a metà e disponeteli in un piatto fondo, quindi lasciateli macerare per 2 ore con il Vin Santo.

Aiutandovi con il matterello, stendete la pasta frolla in una sfoglia non troppo sottile e foderatevi il fondo e le pareti di una tortiera del diametro di 26 cm, imburrata e spolverizzata di farina.

Bucherellate il fondo della pasta con i rebbi di una forchetta, ricoprite con un foglio di carta da forno e versatevi dei fagioli secchi. Cuocete la base di pasta nel forno già caldo a 180 °C per 20 minuti circa, poi estraete il dolce dal forno, liberatelo dei fagioli e della carta e cuocetelo per altri 10 minuti, o finché sarà leggermente dorato.

Lasciate raffreddare completamente la base di pasta frolla, poi distribuite sul fondo la panna montata con lo zucchero a velo e la vanillina. Disponetevi sopra i mezzi fichi sgocciolati dal vino e cospargete la superficie con le mandorle leggermente tostate e tagliate a filetti, poi servite.

1 Tagliate i fichi a metà e lasciateli macerare nel Vin Santo.

2 Disponete la pasta su una tortiera, infarinata e imburrata, foderando sia il fondo che le pareti.

3 Ricoprite l'impasto con la panna montata.

Crostata di fragole allo yogurt

Ingredienti per 6 persone

* ❋ 420 g di farina
* ❋ 200 g di zucchero
* ❋ 2 tuorli
* ❋ 125 g di yogurt
* ❋ 140 g di burro
* ❋ 0,6 dl di latte
* ❋ 30 g di zucchero a velo vanigliato
* ❋ 2-3 cucchiai di gelatina di fragole
* ❋ 250 g di fragole fresche di media grossezza

DIFFICOLTÀ
Media

PREPARAZIONE
30 minuti
più 1 ora
e 30 minuti
di riposo
della pasta

COTTURA
35 minuti

VINO
Brachetto
d'Acqui
(rosso,
Piemonte)

Aleatico
di Gradoli
(rosso,
Lazio)

Preparate la pasta, lavorando 400 g di farina con 120 g di burro, fuso a parte, il latte, lo yogurt, i tuorli e lo zucchero, poi lasciatela riposare al fresco per circa 1 ora e 30 minuti.

Nel frattempo lavate le fragole e tagliatele a metà. Stendete la pasta in una sfoglia sottile e foderatevi una teglia imburrata e infarinata. Distribuite sulla base la gelatina di fragole diluita con 2 cucchiai d'acqua calda, quindi formate un cordone con i ritagli di pasta e sistematelo tutt'attorno ai bordi.

Cuocete la crostata nel forno già caldo a 200 °C per 20 minuti, poi sfornatela, ricopritene la superficie con le fragole e proseguite la cottura a 160 °C per 15 minuti. Servitela fredda, spolverizzata di zucchero a velo.

DEFINIZIONE

▶ **Gelatina di frutta**. È così definita una conserva particolarmente fluida e trasparente, costituita da zuccheri gelificati e succo di frutta. Più impermeabile della marmellata, è ideale per rivestire la base delle crostate.

Crostata di frutta al Brandy

Ingredienti per 6 persone

Per la pasta ❋ 170 g di farina ❋ 30 g di zucchero
❋ 100 g di burro ❋ 1 tuorlo ❋ 1 bustina di vanillina
Per il ripieno ❋ 4 mele Smith ❋ 4 cucchiai di succo d'arancia
❋ 4 cucchiaini di scorza grattugiata d'arancia biologica
❋ 100 g di zucchero di canna ❋ 70 g di albicocche essiccate
❋ 200 g di uva sultanina ❋ 1/2 cucchiaino di cannella in polvere
❋ 60 g di gherigli di noce ❋ 1 cucchiaio di gelatina di albicocche
❋ 1/2 cucchiaino di noce moscata grattugiata
❋ 1 bustina di vanillina ❋ 2 cucchiai di Brandy
❋ 1/2 cucchiaino di chiodi di garofano in polvere

DIFFICOLTÀ
Media

PREPARAZIONE
40 minuti
più 30 minuti
di riposo
della pasta
e 20 minuti
di ammollo
dell'uva
sultanina.

COTTURA
1 ora e
5 minuti

VINO
Alto Adige
Pinot Bianco
Vendemmia
Tardiva
(bianco,
Trentino-Alto
Adige)

Moscadello
di Montalcino
Vendemmia
Tardiva
(bianco,
Toscana)

Preparate la pasta, lavorando 150 g di farina con 80 g di burro, lo zucchero, il tuorlo, la vanillina, poi lasciatela riposare per almeno 30 minuti. Stendete la pasta in una sfoglia sottile e foderatevi una tortiera imburrata e infarinata. Bucherellatela e cuocetela nel forno già riscaldato a 180 °C per 10 minuti circa.

Nel frattempo, fate ammorbidire l'uva sultanina in acqua tiepida poi strizzatela. Sbucciate le mele, tagliatele a pezzi e passatele al mixer. Tritate le albicocche e le noci.

Raccogliete in un tegame le mele, il succo e la scorza d'arancia, lo zucchero di canna, l'uva sultanina, le albicocche, la vanillina, la cannella, la noce moscata e i chiodi di garofano in polvere. Coprite e cuocete a fuoco dolce per 25 minuti, poi fate evaporare il liquido, aggiungete le noci tritate e il Brandy e versate il tutto nella tortiera.

Cuocete la crostata nel forno già caldo a 180 °C per 30 minuti, spennellatela con la gelatina diluita con poca acqua calda e servite.

Crostata di frutta cotta

Ingredienti per 8 persone

✿ 400 g di pasta frolla ✿ 500 g di mele Golden o renette
✿ 500 g di pere Kaiser ✿ 200 g di zucchero ✿ 70 g di burro
✿ 2 chiodi di garofano ✿ 20 g di farina

DIFFICOLTÀ
Bassa

PREPARAZIONE
20 minuti
più il tempo di
preparazione
della pasta frolla
e 1 ora di
raffreddamento
della crostata

COTTURA
40 minuti

VINO
Valle d'Aosta
Chambave
Moscato
Passito
(bianco,
Valle d'Aosta)

Frascati
Cannellino
(bianco,
Lazio)

Sbucciate le mele e le pere e tagliatele a spicchi. Sciogliete in un tegame 25 g di burro e fatevi insaporire le pere con un chiodo di garofano; quindi cuocetele su fuoco dolcissimo e a recipiente coperto finché saranno tenere. Cospargete gli spicchi con metà dello zucchero e alzate la fiamma, facendo addensare il fondo. Cuocete nello stesso modo gli spicchi di mela.

Stendete la pasta e rivestitevi uno stampo del diametro di 26 cm imburrato e infarinato, eliminando l'eccedenza di pasta sul bordo.

Con la pasta avanzata formate un lungo rotolino e disponetelo tutt'attorno al bordo della crostata, pressandolo con le dita. Con una forchetta bucherellate la pasta sul fondo e cuocetela nel forno già caldo a 190 °C per circa 20 minuti, o finché sarà ben dorata.

Toglietela dal forno, lasciatela intiepidire e, con delicatezza, sformatela su un piatto da portata. Sistematevi gli spicchi di mela e pera in corone concentriche, alternandoli; quindi spennellate la frutta con lo sciroppo di cottura rimasto e servite.

1 Fate cuocere le pere in un tegame largo a sufficienza per contenerle in un solo strato.

2 Sformate la base di pasta con molta delicatezza, per evitare che si rompa o si sbricioli.

3 Per la decorazione alternate gli spicchi di pera e di mela, formando una corona circolare.

Crostata di frutta croccante

Ingredienti per 6 persone
* 300 g di pasta frolla
* 250 g di lamponi * 450 g di susine
* 150 g di zucchero
* 125 g di farina * 115 g di burro
* 2 dl di panna
* 100 g di frutta secca mista tritata
* 1 cucchiaino di cannella in polvere

DIFFICOLTÀ
Media

PREPARAZIONE
30 minuti
più il tempo di
preparazione
della pasta

COTTURA
25 minuti

VINO
Recioto della
Valpolicella
(rosso,
Veneto)

Cesanese
del Piglio Dolce
(rosso,
Lazio)

Stendete la pasta sulla spianatoia leggermente infarinata e foderatevi uno stampo a cerniera, imburrato e infarinato, del diametro di 24 cm.

Lavate le susine, privatele del nocciolo e riducetele a pezzetti. Lavate anche i lamponi e raccoglieteli in una ciotola con le susine, mescolandovi 75 g di zucchero. Distribuite quindi la frutta sulla base di pasta.

Mettete in una terrina la farina, lo zucchero e il burro rimasti e amal-
gamate bene il tutto con le mani fino a ottenere un impasto granuloso, quindi incorporatevi la frutta secca e la cannella.

Spargete il composto ottenuto sulla frutta nella tortiera, schiacciandolo con il dorso di un cucchiaio, poi cuocete la crostata nel forno già caldo a 190 °C per 25 minuti, finché la copertura sarà leggermente dorata. Lasciate raffreddare la torta e servitela a fette con la panna, montata a parte.

L'INGREDIENTE

▶ **Frutta secca.** In questo caso non si intende la frutta essiccata, bensì la frutta "a guscio", come mandorle, noci, nocciole, pistacchi, castagne e così via. La loro presenza eleva notevolmente il contenuto calorico di questa torta, che è bene consumare con giudizio.

Crostata di frutta in fiore

Ingredienti per 6 persone
❀ 300 g di pasta frolla
Per la crema ❀ 50 g di zucchero ❀ 2,5 dl di latte ❀ 2 tuorli
❀ 50 g di farina ❀ 20 g di burro
❀ la scorza grattugiata di 1/2 limone biologico
Per la guarnizione ❀ 200 g di lamponi ❀ 100 g di fragole
❀ 1 pesca bianca ❀ 1 pesca gialla ❀ 2 cucchiai di mirtilli
❀ 2 cucchiai di gelatina di albicocche

DIFFICOLTÀ
Elevata

PREPARAZIONE
1 ora
più il tempo di
preparazione
della pasta frolla
e 1 ora di
raffreddamento
della base

COTTURA
35 minuti

VINO
Brachetto
d'Acqui
(rosso,
Piemonte)

Vernaccia di
Serrapetrona
Dolce
(rosso,
Marche)

Preparate la crema pasticciera amalgamando bene, su fuoco basso, il latte, i tuorli, lo zucchero, 30 g di farina e la scorza di limone.

Stendete la pasta e adagiatela su una placca da forno imburrata e infarinata. Ritagliate in un cartoncino un fiore a 6 petali grande come la torta, posizionatelo sulla pasta e ritagliatela seguendo la sagoma.

Con i ritagli di pasta formate un cordoncino e appoggiatelo lungo il bordo dei petali, premendo leggermente. Con una parte del cordoncino formate un piccolo cerchio al centro del fiore.

Bucherellate la pasta e cuocetela nel forno già caldo a 180 °C per circa 20 minuti, poi fatela raffreddare e distribuitevi sopra la crema.

Lavate la frutta, tagliando le fragole e le pesche a fettine. Distribuite i lamponi sulla parte finale dei petali e proseguite con le fragole, mettendole in 2 cerchi sovrapposti. Disponete le fettine di pesca gialla e di pesca bianca in modo da delineare i petali. Sistemate al centro i mirtilli e spennellate la frutta con la gelatina di albicocche, poi servite.

Crostata di kiwi alla crema

Ingredienti per 6 persone
Per la pasta ❀ 170 g di farina ❀ 90 g di burro
❀ 70 g di zucchero ❀ 1 tuorlo
❀ la scorza grattugiata di 1 limone biologico
❀ un pizzico di sale
Per il ripieno ❀ 300 g di kiwi maturi
❀ 100 g di duroni privi di picciolo
❀ 50 g di crema pasticciera ❀ 40 g di gelatina di albicocche

DIFFICOLTÀ
Media

PREPARAZIONE
30 minuti
più il tempo di
preparazione
della crema,
30 minuti
di riposo
dell'impasto
e 1 ora di
raffreddamento
della base

COTTURA
20 minuti

VINO
Alto Adige
Moscato Giallo
(bianco,
Trentino-Alto
Adige)

Preparate la pasta, lavorando 150 g di farina con 70 g di burro, lo zucchero, il tuorlo, la scorza e il sale, poi fatela riposare per 30 minuti.

Stendete la pasta, foderatevi una tortiera imburrata e infarinata e bucherellatela, quindi cuocetela nel forno già caldo a 200 °C per 20 minuti e fatela raffreddare.

Distribuite sulla base la crema pasticciera e disponetevi in modo armonico i duroni lavati e i kiwi privati della pelle e tagliati a fette dello spessore di circa 3 mm. Sciogliete la gelatina di albicocche con 1 cucchiaio d'acqua calda e spennellate la superficie della crostata.

Crostata di lamponi e frutta secca

Ingredienti per 6 persone

❋ 270 g di pasta sfoglia ❋ 200 g di lamponi ❋ 3 albumi
❋ 50 g di mandorle tostate ❋ 60 g di nocciole tostate
❋ 85 g di zucchero ❋ la scorza di 1 limone biologico
Per la guarnizione ❋ 50 g di lamponi
❋ 20 g di zucchero a velo

DIFFICOLTÀ
Media

PREPARAZIONE
20 minuti
più il tempo di
preparazione
della pasta
sfoglia
e 1 ora di
raffreddamento
della crostata

COTTURA
40 minuti

VINO
Malvasia
di Casorzo
d'Asti Passito
(rosso,
Piemonte)

Montefalco
Sagrantino
passito
(rosso,
Umbria)

Tritate le mandorle con le nocciole e mescolatevi 70 g di zucchero, gli albumi e la scorza del limone.

Con il matterello stendete la pasta in una sfoglia spessa 2-3 mm e foderatevi una tortiera spennellata d'acqua. Pareggiate i bordi, bucherellate il fondo con i rebbi di una forchetta e spolverizzate con lo zucchero rimasto, poi distribuitevi sopra, in un solo strato, i lamponi lavati e asciugati. Versate infine il composto di frutta secca preparato e stendetelo con una spatola in uno strato uniforme.

Mettete la tortiera nel forno già caldo a 180 °C e cuocete la crostata per 40 minuti circa, quindi toglietela dal forno, lasciatela raffreddare completamente e spolverizzatene tutta la superficie con lo zucchero a velo. Lavate e asciugate i lamponi per la guarnizione e sistemateli sulla torta in modo armonico, poi servitela.

> ## DEFINIZIONE
>
> ▶ **Spatola.** Dotata di una lama metallica lunga e rettangolare, non tagliente e flessibile, la spatola è l'utensile più comodo per distribuire creme o pareggiare superfici. Se non ne disponete, utilizzate al suo posto un coltello dalla punta arrotondata.

Crostata di lamponi e mirtilli

Ingredienti per 6 persone

❋ 200 g di lamponi ❋ 200 g di mirtilli ❋ 300 g di farina
❋ 150 g di zucchero ❋ 20 g di zucchero a velo ❋ 5 tuorli
❋ sale ❋ 120 g di burro morbido
Per la crema ❋ 100 g di zucchero ❋ 25 g di farina
❋ 4 dl di latte ❋ 4 tuorli

DIFFICOLTÀ
Media

PREPARAZIONE
30 minuti
più 30 minuti
di riposo
della pasta
e 1 ora di
raffreddamento
della crostata

COTTURA
50 minuti

VINO
Recioto della
Valpolicella
(rosso,
Veneto)

Aleatico
di Gradoli
(rosso,
Lazio)

Disponete la farina a fontana sulla spianatoia e raccoglietevi al centro lo zucchero, 100 g di burro a pezzetti, i tuorli e il sale. Lavorate gli ingredienti fino a formare un panetto che lascerete riposare per 30 minuti circa.

Preparate la crema. In una casseruola portate a ebollizione 3 dl di latte con lo zucchero. Lavorate in una terrina i tuorli con la farina, incorporandovi il restante latte freddo; quindi unite al composto anche il latte bollente, lentamente e mescolando in continuazione. Trasferite di nuovo il tutto nel recipiente di cottura del latte, scaldatelo e spegnete la fiamma prima che riprenda il bollore.

Aiutandovi con il matterello stendete la pasta in una sfoglia sottile e foderatevi una tortiera imburrata. Coprite con un foglio di carta da forno e uno strato di legumi secchi, in modo che la pasta non si gonfi in cottura, e cuocete nel forno già caldo a 180 °C per 40 minuti.

Sfornate la base, lasciatela raffreddare e trasferitela su un piatto da portata, quindi distribuitevi uno strato di crema e sopra disponete i frutti di bosco. Cospargete la superficie della crostata di zucchero a velo e servite.

Crostata di limone e cioccolato

Ingredienti per 6 persone

Per la pasta ❋ 115 g di farina ❋ 25 g di cacao

❋ 25 g di mandorle tritate

❋ 100 g di burro ❋ 1 uovo

❋ 50 g di zucchero di canna

Per il ripieno ❋ 4 uova e 1 tuorlo

❋ 1,5 dl di panna ❋ 200 g di zucchero di canna

❋ il succo e la scorza grattugiata di 2 limoni biologici

DIFFICOLTÀ
Media

PREPARAZIONE
30 minuti
più 30 minuti
di riposo
della pasta

COTTURA
1 ora e
15 minuti

VINO
Recioto
di Soave
(bianco,
Veneto)

Molise
Moscato
Passito
(bianco,
Molise)

Preparate la pasta, lavorando la farina con 80 g di burro, lo zucchero, l'uovo, il cacao e le mandorle, poi stendetela e foderatevi uno stampo del diametro di 22 cm. Coprite e lasciate riposare in frigorifero per almeno 30 minuti.

Bucherellate la base, quindi foderatela con carta da forno e riempitela di legumi secchi. Cuocete per circa 15 minuti nel forno già caldo a 190 °C, poi rimuovete la carta e i fagioli e cuocete per altri 10 minuti. Lasciate intiepidire.

Sbattete le uova e il tuorlo con lo zucchero, poi incorporatevi la panna e infine la scorza e il succo di limone. Versate il ripieno nella base di pasta e cuocete per 50 minuti nel forno già caldo a 150 °C, finché si sarà rappreso. Lasciate intiepidire la torta nello stampo, quindi sformatela e servite.

IL CONSIGLIO

▶ A piacere, potete servire questa crostata accompagnandola con una salsa di frutta. Passate al mixer 400 g di frutti di bosco con 120 g di zucchero e poca acqua, filtrate con un colino e servite in una salsiera.

Crostata di mandorle

Ingredienti per 6 persone

Per la pasta ❋ 320 g di farina ❋ 120 g di burro
❋ 80 g di zucchero ❋ 2 uova e 1 tuorlo
❋ la scorza grattugiata di 1/2 limone biologico
Per il ripieno ❋ 300 g di mandorle tritate ❋ 6 albumi
❋ 150 g di zucchero a velo ❋ 1/2 bustina di vanillina
❋ la scorza grattugiata di 1/2 limone biologico
Per la guarnizione ❋ 1 bustina di zucchero a velo

DIFFICOLTÀ
Media

PREPARAZIONE
30 minuti
più 30 minuti
di riposo
della pasta

COTTURA
45 minuti

VINO
Moscato
di Siracusa
(bianco,
Sicilia)

Erbaluce
di Caluso
Passito
(bianco,
Piemonte)

Preparate la pasta. Disponete 300 g di farina a fontana sulla spianatoia. Rompete le uova in una ciotola; unitevi il tuorlo, lo zucchero, la scorza del limone e sbattete con una forchetta; quindi versate la miscela al centro della fontana, aggiungete 100 g di burro e lavorate rapidamente. Lasciate riposare la pasta per 30 minuti, coperta da un telo.

Preparate il ripieno. Montate gli albumi a neve, quindi incorporatevi le mandorle, lo zucchero a velo, la scorza di limone e la vanillina, amalgamando bene il tutto.

Riprendete la pasta e stendetela con il matterello in una sfoglia sottile. Ungete una tortiera con il burro rimasto, cospargetela con la farina rimasta e foderatela con la sfoglia, pizzicando tutt'attorno al bordo per formare un cordone. Versate nella tortiera il ripieno e livellatene la superficie, poi cuocete la crostata nel forno già caldo a 200 °C per circa 45 minuti.

Lasciate intiepidire la crostata, quindi sformatela su un piatto da portata e cospargetela con lo zucchero a velo prima di servirla.

Crostata di mandorle e ricotta

Ingredienti per 6 persone

Per la pasta frolla ❋ 270 g di farina ❋ 110 g di zucchero ❋ 145 g di burro ❋ 1 uovo e 1 tuorlo ❋ 1 pizzico di vanillina ❋ sale

Per il ripieno ❋ 200 g di ricotta ❋ 20 g di farina ❋ 100 g di mandorle ❋ 2 mandorle amare ❋ 150 g di zucchero ❋ 1 uovo e 1 tuorlo ❋ la scorza grattugiata di 1 limone biologico

Per la guarnizione ❋ 8 mandorle pelate ❋ 10 g di zucchero a velo

DIFFICOLTÀ
Media

PREPARAZIONE
30 minuti
più 30 minuti
di riposo
della pasta

COTTURA
35 minuti

REGIONE
Campania

VINO
Sannio Passito
(bianco,
Campania)

Colli Euganei
Fior d'Arancio
Passito
(bianco,
Piemonte)

Preparate la pasta, lavorando 250 g di farina con 125 g di burro, lo zucchero, l'uovo, il tuorlo, la vaniglia e un pizzico di sale, poi lasciatela riposare per almeno 30 minuti.

Preparate il ripieno. Tritate le mandorle, comprese quelle amare. In una ciotola, mescolate la ricotta con lo zucchero, la farina, le mandorle tritate, l'uovo, il tuorlo, la scorza di limone, amalgamando il tutto con un cucchiaio di legno fino a ottenere una crema omogenea.

Stendete la pasta e foderatevi una tortiera imburrata e infarinata, quindi distribuitevi il ripieno. Dalla pasta rimasta ricavate tante striscioline e disponetele a grata sopra il ripieno, poi decorate a piacere con le mandorle pelate, intere.

Cuocete la crostata nel forno già caldo a 180 °C per 20 minuti, quindi abbassate la temperatura a 160 °C e cuocete per altri 15 minuti. Cospargetela di zucchero a velo e servitela fredda o tiepida, a piacere.

LA RICETTA TRADIZIONALE

▶ Nella versione campana canonica, il ripieno è leggermente meno dolce; la dose di zucchero è infatti la metà esatta di quella di ricotta. Inoltre, si tende a profumarlo con scorza d'arancia e ad aggiungervi pinoli interi.

Crostata di mele tradizionale

Ingredienti per 6 persone

❄ 320 g di farina

❄ 220 g di burro

❄ 3 mele

❄ 100 g di zucchero

❄ 200 g di marmellata di mele molto densa

❄ 2 cucchiai di gelatina di albicocche

DIFFICOLTÀ
Media

PREPARAZIONE
30 minuti
più 30 minuti
di riposo
della pasta

COTTURA
40 minuti

VINO
Trentino
Moscato Giallo
(bianco,
Trentino-Alto
Adige)

Orvieto
Amabile
(bianco,
Umbria)

Setacciate 300 g di farina sulla spianatoia, aggiungetevi 200 g di burro ammorbidito e lo zucchero, quindi impastate rapidamente, lavorando gli ingredienti quanto basta per amalgamarli bene.

Formate una palla e lasciatela riposare per almeno 30 minuti, coperta da un telo, nella parte meno fredda del frigorifero.

Riprendete la pasta, stendetela in una sfoglia sottile e foderatevi una tortiera imburrata e infarinata. Con i ritagli formate un cordoncino e sistematelo attorno alla base.

Affettate le mele e tagliatele a spicchi sottili. Distribuite sul disco di pasta la marmellata e sopra questa le fettine di mela, disposte a cerchi concentrici. Spennellate la superficie della frutta con la gelatina di albicocche, diluita in poca acqua bollente, e cuocete la crostata nel forno già caldo a 180 °C per circa 40 minuti, poi servite.

Crostata di mele cotogne

Ingredienti per 6 persone

❀ 170 g di farina ❀ 90 g di burro
❀ 270 g di zucchero ❀ 3 tuorli
❀ 2 cucchiai di miele
❀ 500 g di mele cotogne
❀ la scorza grattugiata di 1 limone biologico
❀ 1 cucchiaio di succo di limone ❀ sale

DIFFICOLTÀ
Media

PREPARAZIONE
40 minuti
più 30 minuti
di riposo
della pasta

COTTURA
1 ora e
20 minuti

REGIONE
Marche

VINO
Vernaccia di
Serrapetrona
Dolce
(rosso,
Marche)

Brachetto
d'Acqui
(rosso,
Piemonte)

Preparate la pasta, lavorando 150 g di farina con 70 g di burro, 70 g di zucchero, 2 tuorli, la scorza di limone, il miele e poco sale, poi lasciatela riposare per 30 minuti.

Sbucciate le mele cotogne, riducetele a pezzetti e cuocetele con lo zucchero rimasto per 30 minuti circa, quindi passatele al mixer.

Stendete la pasta e foderatevi una tortiera imburrata e infarinata. Bucherellatela e distribuitevi la composta.

Dalla pasta avanzata ricavate tante listarelle, disponetele a griglia sulla composta e spennellatele con il tuorlo. Cuocete la crostata nel forno già caldo a 190 °C per 50 minuti, lasciatela intiepidire e servitela.

Crostata di mele e pere

Ingredienti per 6 persone

❀ 170 g di farina ❀ 150 g di burro
❀ 200 g di zucchero
❀ 1 uovo ❀ 2 dl di latte
❀ 900 g di mele ❀ 600 g di pere
❀ la scorza grattugiata di 1 limone biologico
❀ 1/2 bustina di lievito per dolci

DIFFICOLTÀ
Bassa

PREPARAZIONE
30 minuti

COTTURA
1 ora

REGIONE
Lombardia

VINO
Oltrepò Pavese
Moscato
(bianco,
Lombardia)

Moscadello
di Montalcino
Frizzante
(bianco,
Toscana)

In un tegamino, fate fondere 70 g di burro a fuoco bassissimo. Mescolate in una terrina 150 g di farina, l'uovo, 120 g di burro fuso, 100 g di zucchero, il lievito, la scorza del limone grattugiata e il latte necessario a ottenere un impasto morbido.

Imburrate e infarinate una tortiera. Sbucciate le mele e le pere, privatele del torsolo e riducetele a fettine sottili.

Aiutandovi con un matterello, stendete la pasta allo spessore di circa 1,5 cm e foderatevi la tortiera. Disponete sulla base di pasta le fettine di frutta, cospargetele con lo zucchero rimasto e distribuite qua e là qualche fiocchetto di burro.

Cuocete la crostata nel forno già caldo a 200 °C per 1 ora, abbassando la temperatura a 180 °C dopo 15 minuti. Sfornatela e servitela tiepida o fredda.

LA VARIANTE

▶ Potete arricchire questa crostata cospargendone la superficie con pinoli o altra frutta secca a pezzetti e uva sultanina, precedentemente lasciata a bagno per 30 minuti in un poco di Rum o Brandy.

Crostata di mele
e uva bianca

Ingredienti per 6 persone

Per la pasta ❋ 220 g di farina ❋ 120 g di burro ❋ 60 g di zucchero ❋ 2 tuorli
❋ la scorza grattugiata di 1 limone biologico ❋ sale

Per la crema ❋ 4 tuorli ❋ 40 g di zucchero ❋ 40 g di farina
❋ 1,5 dl di Marsala ❋ 1,5 dl di vino bianco

Per la guarnizione ❋ 1 grappolo d'uva bianca ❋ il succo di 1 limone ❋ 2 mele
❋ 2 cucchiai di gelatina di mele cotogne (o di albicocche)

DIFFICOLTÀ
Media

PREPARAZIONE
30 minuti
più 30 minuti
di riposo
della pasta,
20 minuti di
raffreddamento
della crema
e 1 ora di
raffreddamento
della crostata

COTTURA
20 minuti

VINO
Moscato
di Trani
Liquoroso
(bianco,
Puglia)

Oltrepò Pavese
Moscato
Liquoroso
(bianco,
Lombardia)

Preparate la pasta, lavorando 200 g di farina con 100 g di burro, lo zucchero, i tuorli, la scorza di limone e un pizzico di sale, poi lasciatela riposare per 30 minuti circa.

Stendete la pasta e foderatevi una tortiera imburrata e infarinata. Bucherellatela, ricopritela con un foglio di carta da forno e legumi secchi e cuocetela nel forno già caldo a 180 °C per circa 20 minuti. Togliete la crostata dal forno, eliminate la carta e i legumi e lasciatela raffreddare, prima di sformarla.

Nel frattempo preparate la crema. Sbattete i tuorli con lo zucchero, unite la farina, il vino e il Marsala. Cuocetela per 6 minuti e fatela raffreddare. Sbucciate le mele, tagliatele a fette e passatele nel succo di limone. Lavate l'uva, asciugatela e staccatene gli acini.

Distribuite la crema sulla crostata e disponetevi l'uva e le fettine di mela. Diluite la gelatina di mele cotogne con 2 cucchiai d'acqua bollente e spennellate la frutta. Servite in tavola.

Crostata di mele
flambé al Calvados

Ingredienti per 6 persone

Per la pasta ❃ 270 g di farina ❃ 145 g di burro ❃ sale

Per il ripieno ❃ 800 g di mele ❃ 150 g di zucchero

❃ 50 g di burro ❃ 2 dl di Calvados

❃ 1 cucchiaio di cannella in polvere

DIFFICOLTÀ
Media

PREPARAZIONE
30 minuti
più 30 minuti
di riposo
della pasta
e 1 ora di
raffreddamento
della crostata

COTTURA
45 minuti

VINO
Moscato
Passito
di Pantelleria
(bianco,
Sicilia)

Preparate la pasta, lavorando 250 g di farina con 125 g di burro, un pizzico di sale e 1 dl d'acqua, poi lasciatela riposare per 30 minuti.

Riprendete la pasta, stendetela in una sfoglia dello spessore di 3-4 mm e foderatevi una tortiera imburrata e infarinata. Bucherellatene il fondo con i rebbi di una forchetta, quindi ricopritela con un disco di carta da forno e legumi secchi.

Cuocete la base di pasta nel forno già caldo a 190 °C per 30 minuti, poi

toglietela, lasciatela raffreddare completamente e sformatela.

Sbucciate le mele, riducetele a spicchi e rosolatele in una casseruola con il burro, 100 g di zucchero, metà della cannella, 2 cucchiai d'acqua e 1 cucchiaio di Calvados. Disponetele quindi sulla crostata, spolverizzandole con un pizzico di zucchero e la cannella rimasta.

Scaldate in un tegamino il Calvados e lo zucchero rimasti, versate sulla crostata, fiammeggiate e servite.

L'INGREDIENTE

▶ **Calvados.** Prodotto nell'omonima regione francese dalla distillazione del sidro, questo pregiato liquore ha una gradazione attorno ai 60°, colore ambrato e gusto vellutato. Per questa ricetta non occorre utilizzare la qualità con vent'anni di invecchiamento o più, è sufficiente il tipo più comune, invecchiato 6-7 anni.

Crostata di mele, miele e rosmarino

Ingredienti per 6 persone

❋ 1 fondo di pasta sfoglia ❋ 1 rametto di rosmarino
❋ 6 mele Golden Delicious ❋ 1 cucchiaio di miele di rosmarino
❋ 40 g di zucchero ❋ 60 g di burro
❋ 20 g di zucchero a velo

DIFFICOLTÀ
Bassa

PREPARAZIONE
30 minuti
più il tempo
di preparazione
della pasta
sfoglia

COTTURA
40 minuti

VINO
Greco
di Bianco
(bianco,
Calabria)

Alto Adige
Moscato Giallo
(bianco,
Trentino-Alto
Adige)

Lavate il rosmarino e tritatelo. Sbucciate 2 mele, riducetele a dadini e raccoglietele in una casseruola con il miele, il rosmarino tritato e qualche cucchiaio d'acqua. Coprite e cuocete per 10 minuti, poi incorporate alla composta 20 g di burro. Passate quindi al mixer fino a ottenere un purè omogeneo.

Foderate una tortiera con la sfoglia e cuocetela in forno già caldo a 180 °C per 20 minuti. Quando il purè di mele sarà freddo, distribuitelo sul fondo di pasta sfoglia e livellatelo con una spatola. Dividete a metà le 4 mele rimaste, eliminate il torsolo e affettatele sottilmente, poi distribuitele in modo armonico sulla torta.

Spennellate la frutta con il burro rimasto, fuso a parte, e cospargetela con lo zucchero. Mettete quindi la crostata nel forno già caldo a 180 °C e cuocetela per 25 minuti.

Sfornate la crostata e spolverizzatela con lo zucchero a velo. Passatela sotto il grill del forno per 2 minuti e servitela subito.

Crostata di mele miste

Ingredienti per 6 persone

Per la pasta ✻ 220 g di farina ✻ 50 g di zucchero ✻ 120 g di burro ✻ 1 tuorlo

Per il ripieno ✻ 2 mele Granny Smith ✻ 2 mele Golden ✻ 1 cucchiaino di Calvados ✻ 60 g di burro ✻ 100 g di zucchero ✻ 1 cucchiaino di cannella in polvere ✻ 2 uova ✻ 1 cucchiaino di farina ✻ 1 dl di succo di limone ✻ 75 g di uva sultanina

DIFFICOLTÀ
Media

PREPARAZIONE
30 minuti più 20 minuti di ammollo dell'uva sultanina, e 30 minuti di riposo della pasta

COTTURA
1 ora

VINO
Alto Adige Traminer Aromatico Passito (bianco, Trentino-Alto Adige)

Sannio Greco Passito (bianco, Campania)

Preparate la pasta, lavorando 200 g di farina con 100 g di burro, lo zucchero e il tuorlo, poi lasciatela riposare per circa 30 minuti.

Nel frattempo preparate il ripieno. Fate ammorbidire l'uva sultanina in acqua tiepida. Sciogliete il burro in un tegamino. Sbucciate le mele, privatele del torsolo e affettatele, quindi irroratele con il succo di limone.

Riprendete la pasta, stendetela con il matterello in una sfoglia sottile e foderatevi una tortiera imburrata e infarinata, poi bucherellatela con i rebbi di una forchetta.

Mescolate le mele con l'uva sultanina strizzata e distribuitele sulla pasta nella tortiera. Raccogliete in una ciotola il burro fuso, lo zucchero, la cannella, la farina, le uova e il Calvados; sbattete con la frusta per amalgamare e versate il composto sopra le mele.

Cuocete la crostata nel forno già caldo a 180 °C per 1 ora. Sfornatela e servitela fredda.

1 Adagiate la sfoglia di pasta in una tortiera ben imburrata del diametro di circa 26 cm, facendola aderire perfettamente.

2 Versate sulla pasta in modo uniforme le mele con l'uva sultanina.

3 Versate sulla frutta la miscela di burro e zucchero.

Crostata di patate dolci

Ingredienti per 6 persone

❀ 250 g di farina ❀ 220 g di burro

❀ 450 g di patate dolci

❀ 2,5 dl di latte ❀ 3 uova

❀ 30 g di zucchero

❀ 90 g di zucchero di canna

❀ 0,7 dl di miele di acacia

❀ 1 cucchiaino di spezie miste

❀ 2 cucchiai di Rum scuro ❀ sale

DIFFICOLTÀ
Bassa

PREPARAZIONE
30 minuti
più 30 minuti
di riposo
della pasta

COTTURA
1 ora e
20 minuti

VINO
Ramandolo
(bianco,
Veneto)

Molise
Moscato
Passito
(bianco,
Molise)

Preparate la pasta, lavorando la farina con 120 g di burro, lo zucchero semolato, un pizzico di sale e 4-5 cucchiai di acqua. Ricavatene un panetto e poi lasciatelo riposare per 30 minuti.

Nel frattempo lessate le patate dolci e passatele allo schiacciapatate. In una ciotola, sbattete le uova con lo zucchero di canna, poi incorporatevi il composto di patate tiepido, 80 g di burro fuso, il miele, un pizzico di sale, le spezie miste e il Rum.

Stendete la pasta in una sfoglia sottile e rivestitevi uno stampo, precedentemente imburrato e infarinato. Bucherellate il fondo della pasta con i rebbi di una forchetta e ripiegatene i bordi verso l'interno, formando un cordoncino.

Distribuite sulla base il ripieno di patate e cuocete la crostata nel forno già caldo a 180 °C per 50 minuti. Sfornatela, lasciatela intiepidire, trasferitela su un piatto da portata e servitela in tavola.

Crostata di pere al cioccolato

Ingredienti per 6 persone

Per la pasta ❀ 220 g di farina ❀ 30 g di cacao

❀ 150 g di burro ❀ 70 g di zucchero ❀ 1 tuorlo

❀ la scorza di 1/2 limone biologico ❀ 1 pizzico di vanillina

Per le pere ❀ 3 pere mature e sode ❀ 1 baccello di vaniglia

❀ 300 g di zucchero ❀ 1 pezzo di scorza di limone biologico

❀ 1 pezzo di scorza d'arancia biologica

Per la crema ❀ 1 dl di latte ❀ 1 dl di panna ❀ 2 uova

❀ 50 g di zucchero ❀ 100 g di cioccolato fondente

DIFFICOLTÀ
Media

PREPARAZIONE
30 minuti
più 30 minuti
di riposo
della pasta

COTTURA
1 ora e
10 minuti

VINO
Elba Aleatico
(rosso,
Toscana)

Aleatico
di Puglia
Dolce Naturale
(rosso,
Puglia)

Preparate la pasta, lavorando 200 g di farina con 130 g di burro, lo zucchero, il tuorlo, il cacao, la vanillina e la scorza lavata e grattugiata di limone; lasciatela riposare per 30 minuti.

Sbucciate le pere, dividetele a metà e privatele del torsolo e dei semi. Versate in un tegame 1 l d'acqua, unitevi lo zucchero, il baccello di vaniglia, la scorza di limone e quella d'arancia, lasciate sobbollire per 2 minuti, poi immergetevi le mezze pere, cuocetele per 20 minuti e sgocciolatele.

Stendete la pasta e foderatevi una tortiera imburrata e infarinata. Bucherellatela, copritela con un foglio di carta da forno e legumi secchi e cuocetela nel forno già caldo a 180 °C per 20 minuti.

Portate a bollore in un tegamino il latte con la panna e lo zucchero, poi togliete dal fuoco e unitevi il cioccolato tritato e le uova sbattute.

Adagiate le mezze pere sulla crostata con la punta rivolta verso il centro e copritele con la crema. Rimettete la crostata nel forno già caldo a 180 °C per altri 20 minuti, sfornatela e servitela fredda.

Crostata di pere al vino rosso

Ingredienti per 6 persone

* 300 g di pasta frolla
* 4 pere Williams di dimensioni simili
* 4 dl di vino rosso corposo * 70 g di zucchero
* 1 pezzetto di cannella * 3 chiodi di garofano
* la scorza di 1/2 limone biologico
* 20 g di burro * 20 g di farina

DIFFICOLTÀ
Bassa

PREPARAZIONE
20 minuti
più il tempo di
preparazione
della pasta
frolla

COTTURA
55 minuti

VINO
Brachetto
d'Acqui
(rosso,
Piemonte)

Vernaccia di
Serrapetrona
Dolce
(rosso,
Marche)

Sbucciate le pere mantenendo il picciolo e mettetele una vicina all'altra, in posizione verticale, in una casseruola che le contenga perfettamente. Unitevi il vino, 2 dl d'acqua, la scorza di limone, lo zucchero, la cannella e i chiodi di garofano, poi coprite e cuocete per 30 minuti, bagnando ogni tanto le pere con il fondo di cottura.

Sgocciolate le pere e fate restringere il fondo a fuoco vivace; quindi filtratelo e tenetelo da parte.

Stendete la pasta e foderatevi una tortiera imburrata e infarinata; bucherellatela, copritela con un foglio di carta da forno e legumi secchi e cuocetela nel forno già caldo a 180 °C per 25 minuti.

Affettate le pere, lasciandone una intera, e disponetele a cerchi sulla crostata, appoggiando al centro la pera intera. Servite con la salsa tenuta da parte.

LA RICETTA TRADIZIONALE

▶ La crostata di pere piemontese si prepara con una pasta frolla di farina gialla, farina bianca e mandorle. Al fondo di cottura delle pere viene mescolato 1 cucchiaio di cacao e la frutta si adagia su un letto di amaretti.

Crostata di pere con crema alla cannella

Ingredienti per 6 persone

* 200 g di pasta sfoglia * 3 pere * 20 g di zucchero
* 30 g di burro * il succo di 1/2 limone biologico
Per la crema * 3 tuorli * 75 g di zucchero * 2,5 dl di latte
* 1/2 bustina di vanillina * 1/2 limone biologico
* 1/2 cucchiaino di cannella in polvere * 20 g di farina
Per la guarnizione * 2 cucchiai di gelatina di albicocche

DIFFICOLTÀ
Media

PREPARAZIONE
20 minuti
più il tempo di
preparazione
della pasta
sfoglia

COTTURA
40 minuti

VINO
Collio Picolit
(bianco,
Friuli-Venezia
Giulia)

Greco
di Bianco
(bianco,
Calabria)

Sbattete i tuorli con lo zucchero e unitevi la farina, la cannella, la vanillina e il latte bollito con la scorza di limone lavata e filtrato. Cuocete la crema per 8 minuti. Sbucciate le pere, tagliatele a fettine e irroratele con il succo di limone.

Ricavate dalla pasta un disco del diametro di 22 cm e adagiatelo su una placca spennellata d'acqua. Bucherellatelo e distribuitevi la crema, lasciando libero 1 cm attorno. Disponetevi sopra le fettine di pera e cospargetele con lo zucchero e il burro fuso a bagnomaria.

Cuocete per 30 minuti nel forno già caldo a 200 °C; spennellate la torta con la gelatina di albicocche e servite.

Crostata di pere e amaretti

Ingredienti per 6 persone

Per la pasta ❋ 300 g di farina ❋ 170 g di burro ❋ 150 g di zucchero ❋ 3 tuorli ❋ la scorza grattugiata di 1/2 limone biologico ❋ sale

Per il ripieno ❋ 4 pere Kaiser ❋ 150 g di amaretti sbriciolati ❋ 50 g di burro ❋ 4 cucchiai di vino bianco ❋ 40 g di zucchero

Per la crema ❋ 7 dl di latte ❋ 80 g di fecola di patate ❋ 5 tuorli ❋ 1 bustina di vanillina ❋ 150 g di zucchero

DIFFICOLTÀ
Media

PREPARAZIONE
30 minuti
più 30 minuti
di riposo
della pasta

COTTURA
1 ora

VINO
Recioto
di Soave
(bianco,
Veneto)

Elba Moscato
(bianco,
Toscana)

Preparate la pasta, lavorando la farina con 150 g di burro, lo zucchero, i tuorli, la scorza di limone e un pizzico di sale, poi lasciatela riposare in frigorifero per 30 minuti.

Preparate il ripieno. Sbucciate le pere e riducetele a fettine. Sciogliete il burro in una padella e adagiatevi le fettine di pera, spolverizzandole con lo zucchero; aggiungete il vino e cuocete per 10 minuti.

Per la crema, sbattete i tuorli con lo zucchero e la fecola fino a renderli spumosi, poi incorporatevi il latte, scaldato in un pentolino con la vanillina. Versate il composto in una casseruolina e, sempre mescolando, fatelo addensare a fuoco dolce, poi toglietelo dal fuoco e incorporatevi 100 g di amaretti sbriciolati.

Ponete le fettine di pere sulla base di pasta frolla e ricopritele con la crema ben mescolata. Spolverizzate con gli amaretti rimasti e passate il recipiente nel forno già caldo a 180 °C per circa 40 minuti. Lasciate intiepidire la crostata, sformatela e servite.

519

Crostata di pere e ricotta

Ingredienti per 6 persone

❋ 250 g di pasta sfoglia ❋ 3 pere ❋ 1 dl di panna ❋ 150 g di ricotta
❋ 70 g di zucchero ❋ 2 uova ❋ 30 g di mandorle ❋ 20 g di farina
❋ 20 g di burro ❋ 4 cucchiai di vino bianco

DIFFICOLTÀ
Bassa

PREPARAZIONE
30 minuti
più il tempo di
preparazione
della pasta
sfoglia

COTTURA
35 minuti

VINO
Aleatico
di Gradoli
(rosso,
Lazio)

Alto Adige
Moscato Rosa
(rosso,
Trentino-Alto
Adige)

Sbollentate le mandorle e pelatele, quindi tostatele leggermente nel forno già caldo a 180 °C, lasciatele raffreddare e tritatele finemente.

Stendete la pasta sfoglia allo spessore di 2-3 mm e foderatevi una tortiera imburrata e infarinata. Bucherellate ripetutamente la pasta con i rebbi di una forchetta e cospargetene il fondo con le mandorle tostate e tritate.

Sbucciate le pere, dividetele a metà e privatele del torsolo; poi praticatevi con un coltellino ben affilato tante incisioni parallele nel senso della lunghezza, lasciando le fettine unite a un'estremità. Apritele un poco a ventaglio e adagiatele nella tortiera.

Sbattete leggermente in una ciotola le uova con lo zucchero e la panna, poi amalgamatevi anche il vino e la ricotta. Versate il composto sulle pere e cuocete la crostata nel forno già caldo a 180 °C per 30 minuti circa, finché la superficie risulterà leggermente dorata.

Fate raffreddare completamente la crostata, sformatela e servite.

1 Foderate la tortiera dopo averla imburrata e infarinata.

2 Formate uno strato di mandorle tritate sopra la pasta nella tortiera per impedire che le pere bagnino la pasta.

3 Le pere vanno ridotte a fettine sottili, lasciandole però unite per circa 1,5 cm alla base.

Crostata di pesche

Ingredienti per 6 persone
* 200 g di farina * 200 g di zucchero
* 4 pesche gialle * 2 uova
* 200 g di burro
* 1 bustina di lievito per dolci

DIFFICOLTÀ
Bassa

PREPARAZIONE
30 minuti

COTTURA
35 minuti

VINO
Moscato
Passito
di Strevi
(bianco,
Piemonte)

Malvasia
delle Lipari
(bianco,
Sicilia)

Mettete 100 g di burro in una tortiera che possa andare anche sul fuoco e fatelo fondere a calore moderato. Quando sarà ben spumeggiante e color nocciola, versatevi 100 g di zucchero, distribuitelo omogeneamente nella tortiera e togliete dal fuoco.

Lavate le pesche, sbucciatele, dividetele a metà e privatele del nocciolo, quindi riducetele a fettine dello spessore di 2 mm circa e disponetele a raggiera nella tortiera, formando una corona circolare.

Raccogliete il burro e lo zucchero rimasti in una terrina e lavorateli con un cucchiaio di legno. Incorporatevi poi le uova, la farina e il lievito, mescolando fino a ottenere una crema ben amalgamata.

Versate il composto ottenuto sopra le pesche nella tortiera, distribuendolo in modo uniforme; quindi infornate a 180 °C per 30 minuti.

Sfornate la crostata, capovolgetela su un piatto da portata e servitela tiepida o fredda, a piacere.

DEFINIZIONE

▶ **Burro nocciola.** Rappresenta uno degli stadi che raggiunge il burro durante il riscaldamento in padella. Dopo aver assunto una coloritura rossiccia, si scurisce gradatamente, acquisendo anche un aroma caratteristico. Fate la massima attenzione a toglierlo dal fuoco tempestivamente, perché il burro bruciato sviluppa acroleina, una sostanza dannosa per il fegato e di odore sgradevole.

Crostata di pesche al cioccolato

Ingredienti per 6 persone
✽ 800 g di pesche gialle ✽ 170 g di farina ✽ 1 uovo
✽ 100 g di mandorle in polvere ✽ 20 g di cacao ✽ 145 g di burro
✽ 200 g di crema di cioccolato alle nocciole ✽ 100 g di cioccolato fondente
✽ 2 cucchiai di Vermut bianco ✽ 350 g di zucchero ✽ 1 dl di panna ✽ sale

DIFFICOLTÀ
Media

PREPARAZIONE
30 minuti
più 1 ora di
raffreddamento
della crostata

COTTURA
45 minuti

VINO
Recioto della
Valpolicella
(rosso,
Veneto)

Montefalco
Sagrantino
Passito
(rosso,
Umbria)

Lavorate 150 g di farina con 125 g di burro, un pizzico di sale, 70 g di zucchero, il cacao, le mandorle, l'uovo e il Vermut.

Stendete la pasta e foderatevi uno stampo imburrato e infarinato, quindi bucherellatela e copritela con carta da forno e legumi secchi. Cuocete nel forno già caldo a 180 °C per 20 minuti e fate raffreddare.

Sbollentate le pesche, sgocciolatele, sbucciatele e affettatele. Lasciate sobbollire per 10 minuti 6 dl d'acqua con lo zucchero rimasto, quindi tuffatevi le pesche e togliete dal fuoco.

Fate fondere la crema di cioccolato a bagnomaria con 0,5 dl di panna, poi incorporatevi 2 cucchiai dello sciroppo di cottura delle pesche. Versate il composto nella crostata e disponetevi sopra le fettine di pesca in cerchi concentrici.

Fate fondere il cioccolato a bagnomaria con la panna rimasta e versatelo a filo sulla torta, formando tanti ghirigori, poi servite.

Crostata di pesche e mandorle

Ingredienti per 6 persone

Per la pasta frolla ❀ 160 g di farina ❀ 100 g di burro
❀ 50 g di zucchero

Per la crema ❀ 5 dl di latte ❀ 3 tuorli
❀ 130 g di zucchero ❀ 50 g di fecola di patate
❀ 1 bustina di vanillina

Per la guarnizione ❀ 400 g di pesche sciroppate
❀ 100 g di mandorle a filetti

DIFFICOLTÀ
Bassa

PREPARAZIONE
30 minuti
più 30 minuti
di riposo
della pasta
e 1 ora di
raffreddamento
della crostata

COTTURA
20 minuti

VINO
Moscato
di Noto
Naturale
(bianco,
Sicilia)

Ramandolo
(bianco,
Veneto)

Preparate la pasta, lavorando la farina con 80 g di burro e lo zucchero, poi lasciatela riposare in un luogo fresco per almeno 30 minuti.

Nel frattempo, in una casseruola posta su fuoco basso, portate a ebollizione il latte con la vanillina. In una terrina sbattete i tuorli con lo zucchero, poi incorporatevi la fecola e versatevi a filo il latte bollente. Travasate il composto in una casseruola e, sempre mescolando, lasciate addensare la crema.

Stendete la pasta e foderatevi il fondo e i bordi di una tortiera imburrata. Bucherellatela con una forchetta e ricopritela con un foglio di carta da forno e legumi secchi, poi cuocete la base nel forno già caldo a 180 °C per 20 minuti, finché la pasta sarà leggermente dorata.

Sfornate la crostata, liberatela dei legumi e della carta e lasciatela raffreddare. Sformatela su un piatto da portata e versatevi la crema preparata, distribuendola in maniera uniforme. Disponete infine sulla superficie della torta le mezze pesche sciroppate, ben sgocciolate dal liquido di conservazione, cospargete con i filetti di mandorla e servite.

Crostata di peschenoci e mirtilli

Ingredienti per 6 persone

❀ 250 g di pasta frolla ❀ 500 g di peschenoci
❀ 100 g di mirtilli ❀ 1 dl di vino bianco
❀ 20 g di burro ❀ 20 g di farina

Per la crema ❀ 3 tuorli ❀ 80 g di zucchero
❀ 2,5 dl di latte ❀ 20 g di farina ❀ 1/2 bustina di vanillina
❀ la scorza di 1/2 limone biologico ❀ cannella in polvere

Per la guarnizione ❀ 2 cucchiai di gelatina di albicocche

DIFFICOLTÀ
Bassa

PREPARAZIONE
30 minuti
più il tempo di
preparazione
della pasta
frolla,
20 minuti di
raffreddamento
della crema,
15 minuti di
ammollo delle
peschenoci
e 1 ora di
raffreddamento
della crostata

COTTURA
30 minuti

VINO
Alto Adige
Moscato Giallo
(bianco,
Trentino-Alto
Adige)

Moscadello
di Montalcino
(bianco,
Toscana)

Stendete la pasta e foderatevi una tortiera imburrata e infarinata. Bucherellatela, copritela con carta da forno e legumi secchi e cuocetela nel forno già caldo a 180 °C per 20 minuti. Lasciatela raffreddare e sformatela.

Nel frattempo lavate le peschenoci, affettatele e lasciatele a bagno per 15 minuti in una ciotola con il vino. Lavate i mirtilli in acqua ghiacciata e asciugateli con un telo.

Preparate la crema. Portate a ebollizione in un tegamino il latte con la scorza di limone. Sbattete in una terrina i tuorli con lo zucchero, poi incorporatevi la farina, la vanillina, un pizzico di cannella e il latte bollente, versato a filo attraverso un colino. Portate a ebollizione la crema in un tegame e cuocetela per 8 minuti, mescolando; poi fatela raffreddare.

Versate la crema preparata sulla crostata, distribuendola in modo uniforme, e disponetevi sopra armonicamente le fettine di peschenoci sgocciolate e i mirtilli.

In un tegamino portate a ebollizione la gelatina di albicocche con 1 cucchiaio d'acqua, spennellatevi la superficie della crostata e servite.

Crostata di pinoli e cioccolato

Ingredienti per 6 persone

Per la pasta ❋ 225 g di farina ❋ 75 g di burro
❋ 115 g di zucchero a velo ❋ 1 uovo e 2 tuorli ❋ sale
Per il ripieno ❋ 80 g di cioccolato fondente
❋ 6 cucchiai di latte ❋ 2 cucchiai di miele
❋ 120 g di pinoli ❋ 3 uova
❋ 160 g di zucchero
❋ la scorza grattugiata di 2 grosse arance biologiche
❋ 2 cucchiai di succo d'arancia
❋ 50 g di zucchero di canna ❋ 60 g di burro
❋ 1 cucchiaino di essenza di vaniglia

DIFFICOLTÀ
Media

PREPARAZIONE
30 minuti
più 30 minuti
di riposo
della pasta
e 1 ora di
raffreddamento
della crostata

COTTURA
50 minuti

VINO
Moscadello
di Montalcino
Vendemmia
Tardiva
(bianco,
Toscana)

Recioto
di Soave
(bianco,
Veneto)

Preparate la pasta, lavorando 200 g di farina con 50 g di burro, lo zucchero a velo, l'uovo, i tuorli e un pizzico di sale, poi fatela riposare in frigorifero per almeno 30 minuti.

Stendete la pasta e foderatevi uno stampo imburrato e infarinato. Bucherellatela con i rebbi di una forchetta, copritela con un foglio di carta da forno e legumi secchi e cuocetela nel forno già caldo a 200 °C per circa 20 minuti. Sfornatela e lasciatela raffreddare su una gratella.

Nel frattempo preparate il ripieno. Fondete il cioccolato con il burro a bagnomaria, poi incorporatevi tutti gli altri ingredienti mescolando. Versate il composto sulla pasta. Cuocete la crostata nel forno già caldo a 180 °C per 30 minuti e servite.

IL CONSIGLIO

▶ Per una presentazione elegante, una volta sfornata la crostata, lasciatela raffreddare e decoratela con scorze di arancia candita tagliate a filetti e disposte in modo armonico.

Crostata di pistacchi

Ingredienti per 6 persone

Per la pasta ❋ 170 g di farina ❋ 90 g di burro ❋ 2 tuorli
❋ 30 g di zucchero ❋ 1/2 bustina di vanillina
❋ la scorza grattugiata di 1 limone biologico
❋ 1/2 bustina di vanillina
Per il ripieno ❋ 1/2 l di latte ❋ 5 tuorli ❋ 100 g di zucchero
❋ 20 g di cedro candito tritato ❋ 100 g di pistacchi tritati
❋ 1 cucchiaio di Kirsch ❋ 40 g di farina
❋ la scorza di 1/2 limone biologico ❋ 1/2 bustina di vanillina
Per la guarnizione ❋ 70 g di cioccolato fondente
❋ 40 g di pistacchi pelati ❋ 1 dl di panna

DIFFICOLTÀ
Media

PREPARAZIONE
30 minuti
più 30 minuti
di riposo
della pasta,
più 20 minuti di
raffreddamento
della crema
e 2 ore di
raffreddamento
della crostata

COTTURA
50 minuti

VINO
Moscato
di Pantelleria
(bianco,
Sicilia)

Alto Adige
Moscato Giallo
(bianco,
Trentino-Alto
Adige)

Preparate la pasta, lavorando 150 g di farina con 70 g di burro, lo zucchero, i tuorli, la scorza di limone e la vanillina, poi lasciatela riposare in frigorifero per almeno 30 minuti.

Preparate il ripieno. Sbattete i tuorli con lo zucchero, incorporatevi la farina, la vanillina, i pistacchi tritati e il latte, bollito con la scorza di limone e filtrato. Cuocete il composto 8 minuti a fuoco moderato; raffreddate e unitevi il Kirsch e il cedro.

Stendete la pasta e foderatevi una tortiera imburrata e infarinata. Bucherellatela, distribuitevi la crema e cuocete nel forno già caldo a 180 °C per 30 minuti circa. Sfornate la crostata e lasciatela raffreddare.

Preparate la decorazione. Fate fondere il cioccolato a bagnomaria, versatelo in un cornetto di carta da forno e disegnate 2 cerchi lungo il bordo della crostata, tracciando linee orizzontali e verticali, in modo da formare una grata. Montate la panna e ponetene un ciuffetto a ogni incrocio, adagiando un pistacchio sopra ogni ciuffetto. Servite in tavola.

Crostata di prugne

Ingredienti per 6 persone

* 500 g di prugne
* 125 g di farina
* 40 g di nocciole sgusciate
* 10 g di zucchero a velo
* 80 g di burro
* sale

DIFFICOLTÀ
Bassa

PREPARAZIONE
30 minuti
più 2 ore
di riposo
della pasta

COTTURA
35 minuti

REGIONE
Trentino-Alto
Adige

VINO
Trentino
Moscato Rosa
(rosso,
Trentino-Alto
Adige)

Cesanese
del Piglio Dolce
(rosso,
Lazio)

Preparate la pasta. Fate ammorbidire 60 g di burro a temperatura ambiente, tagliatelo a pezzetti e amalgamatelo alla farina. Unite un poco di acqua leggermente salata e lavorate gli ingredienti molto velocemente, formando un panetto sodo. Copritelo con un telo e lasciatelo riposare a temperatura ambiente per 2 ore.

Nel frattempo scottate le nocciole per 1 minuto in acqua bollente, pelatele, asciugatele e tritatele grossolanamente. Lavate e asciugate le prugne, dividetele in due e privatele dei noccioli.

Aiutandovi con un matterello, stendete la pasta in una sfoglia sottile e foderatevi una tortiera imburrata. Bucherellatela con una forchetta e disponetevi le prugne a raggiera, con la parte tagliata rivolta verso l'alto.

Mettete la crostata nel forno già caldo a 220 °C e cuocetela per circa 10 minuti, poi abbassate la temperatura a 180 °C e proseguite la cottura per altri 25 minuti. Circa 10 minuti prima di sfornare, cospargete la torta con le nocciole tritate; quindi toglietela dal forno e lasciatela raffreddare. Servitela spolverizzata con lo zucchero a velo.

Crostata di rabarbaro

Ingredienti per 6 persone

❋ 400 g di pasta frolla ❋ 20 g di farina
❋ 400 g di gambi di rabarbaro
❋ 120 g di zucchero
❋ 50 g di grissini
❋ 50 g di uva sultanina già ammollata
❋ 40 g di burro

DIFFICOLTÀ
Bassa

PREPARAZIONE
20 minuti
più il tempo di
preparazione
della pasta
frolla

COTTURA
50 minuti

VINO
Recioto
di Soave
(bianco,
Veneto)

Molise
Moscato
Passito
(bianco,
Molise)

Mondate i gambi di rabarbaro, lavateli e tagliateli a pezzi, poi cuoceteli per 10 minuti in un tegame a fuoco basso, senza aggiunta d'acqua. Eliminate metà dell'acqua che i gambi avranno emesso e amalgamatevi lo zucchero, 30 g di burro a fiocchetti, l'uva sultanina e i grissini sbriciolati.

Stendete 2/3 della pasta frolla allo spessore di 1 cm circa e foderatevi una tortiera imburrata e infarinata. Distribuitevi quindi il ripieno, livellandolo in superficie con un coltello.

Ricavate dalla pasta avanzata tante striscioline della larghezza di 1,5 cm, disponetele a grata sul ripieno e cuocete la crostata nel forno già caldo a 180 °C per 40 minuti circa.

Sfornate la crostata e lasciatela raffreddare su una gratella, poi trasferitela su un piatto da portata e servitela in tavola.

L'INGREDIENTE

▶ **Rabarbaro.** Di questa pianta medicinale originaria della Siberia si consumano i gambi, apprezzati per il sapore gradevolmente amaro. Per la farcitura della crostata vanno raccolti nel periodo estivo-autunnale, quando sono all'apice della maturazione.

Crostata di ribes alle mandorle

Crostata di ribes, mirtilli e pistacchi

Ingredienti per 6 persone

❊ 300 g di pasta frolla

❊ 250 g di ribes

❊ 250 g di confettura di ribes

❊ 20 g di zucchero ❊ 20 g di farina

❊ 100 g di mandorle tritate

❊ 3 cucchiai di panna

❊ 1 tuorlo ❊ 20 g di burro

❊ 2,5 dl di crema Chantilly

Ingredienti per 6 persone

Per la pasta frolla ❊ 220 g di farina ❊ 50 g di zucchero

❊ 1 tuorlo ❊ 100 g di burro

❊ la scorza grattugiata di 1/2 limone biologico

Per la crema ❊ 200 g di ricotta ❊ 1/4 di l di latte ❊ 3 tuorli

❊ 75 g di zucchero ❊ 20 g di farina ❊ 0,5 dl di Maraschino

❊ 300 g di frutti di bosco assortiti (ribes, mirtilli)

❊ 20 g di pistacchi sgusciati ❊ la scorza di 1/2 limone biologico

❊ 2 cucchiai di gelatina di albicocche

DIFFICOLTÀ
Bassa

PREPARAZIONE
30 minuti
più il tempo di
preparazione
della pasta frolla
e 1 ora di
raffreddamento
della crostata

COTTURA
40 minuti

VINO
Brachetto
d'Acqui
(rosso,
Piemonte)

Vernaccia di
Serrapetrona
Dolce
(rosso,
Marche)

Stendete 2/3 della pasta e foderatevi una tortiera imburrata e infarinata. In una ciotola mescolate le mandorle con il tuorlo, lo zucchero, la panna, quindi distribuite il composto sulla pasta e copritelo con la confettura di ribes.

Con la pasta tenuta da parte, formate tante strisce larghe circa 1 cm e disponetele a griglia piuttosto rada sulla superficie della torta. Cuocete la crostata nel forno già caldo a 180 °C per 40 minuti.

Nel frattempo lavate il ribes, asciugatelo e sgranatelo. Togliete la torta dal forno e lasciatela raffreddare, poi trasferitela su un piatto da portata, distribuite fra le strisce di pasta il ribes fresco e servite subito, accompagnando con crema Chantilly in una salsiera a parte.

DIFFICOLTÀ
Bassa

PREPARAZIONE
30 minuti
più 30 minuti
di riposo
della pasta
e 1 ora di
raffreddamento
della crostata

COTTURA
40 minuti

VINO
Aleatico
di Gradoli
(rosso,
Lazio)

Alto Adige
Moscato Rosa
(rosso,
Trentino-Alto
Adige)

Preparate la pasta, lavorando 200 g di farina con 80 g di burro, lo zucchero, il tuorlo e la scorza di limone, poi lasciatela riposare per 30 minuti.

Nel frattempo preparate la crema pasticciera con la farina, i tuorli, lo zucchero e il latte portato a ebollizione con la scorza di limone e filtrato. Toglietela dal fuoco e incorporatevi la ricotta e il Maraschino.

Lavate i mirtilli e il ribes, asciugateli e sgranate il ribes. Sbollentate i pistacchi, pelateli e spezzettateli.

Stendete la pasta e foderatevi una tortiera imburrata e infarinata. Bucherellatela, copritela con carta da forno e legumi secchi e cuocete nel forno già caldo a 180 °C per 15 minuti. Eliminate la carta e i legumi e proseguite la cottura per 8-10 minuti, quindi togliete la crostata dal forno e lasciatela raffreddare completamente prima di sformarla.

Distribuite nella base la crema alla ricotta e disponetevi sopra i mirtilli, il ribes e i pistacchi, quindi spennellate la frutta con la gelatina di albicocche diluita con 1 cucchiaio d'acqua bollente e servite.

LA VARIANTE

▶ Se avete poco tempo o preferite una crostata più leggera, invece della crema alla panna, distribuite sul fondo della crostata solo mandorle tritate grossolanamente. Coprite con la marmellata e servite la torta con gelato alla crema.

Crostata di ricotta al limone

Ingredienti per 6 persone

❋ 125 g di farina

❋ 185 g di zucchero

❋ 50 g di burro

❋ 2 albumi e 3 tuorli

❋ 500 g di ricotta

❋ 10 g di pangrattato

❋ 2 limoni biologici

❋ sale

DIFFICOLTÀ
Bassa

PREPARAZIONE
30 minuti
più 1 ora
di riposo
della pasta

COTTURA
40 minuti

VINO
Greco
di Bianco
(bianco,
Calabria)

Valle d'Aosta
Chambave
Moscato
Passito
(bianco,
Valle d'Aosta)

Preparate la pasta, lavorando la farina con il burro, 60 g di zucchero, 1 tuorlo, la scorza lavata e grattugiata e il succo di 1 limone, un pizzico di sale; poi lasciatela riposare in frigorifero per 1 ora.

Sbattete in una terrina i tuorli e lo zucchero rimasti, poi incorporatevi la ricotta, la scorza grattugiata e il succo del limone rimasto e gli albumi montati a neve ferma con un pizzico di sale.

Stendete la pasta e foderatevi uno stampo rivestito con carta da forno. Cospargete il fondo con il pangrattato e versatevi dentro la crema di ricotta, livellandola bene.

Cuocete la torta nel forno già caldo a 180 °C per 40 minuti, lasciatela intiepidire su una gratella e servitela.

DEFINIZIONE

▶ **Gratella.** Non è altro che una griglia di dimensioni contenute, utilizzata per il raffreddamento dei dolci. Utile per torte e biscotti, diventa indispensabile per i cioccolatini e la frutta ricoperta di cioccolato.

Crostata di ricotta con uva sultanina

Ingredienti per 6 persone

Per la pasta ❋ 30 g di fecola di patate ❋ 90 g di farina

❋ 85 g di burro ❋ 35 g di zucchero ❋ 1 tuorlo

❋ 1 bustina di vanillina ❋ la scorza di 1 limone biologico

Per il ripieno ❋ 350 g di ricotta romana ❋ 2 uova

❋ 150 g di uva sultanina già ammollata

❋ 100 g di yogurt intero naturale ❋ 100 g di zucchero

❋ 1 pizzico di vanillina ❋ la scorza di 1 limone biologico

Per la guarnizione ❋ 2 dl di panna ❋ 1 dl di succo di limone

❋ la scorza di 1 limone biologico ❋ 4 g di gelatina in fogli

DIFFICOLTÀ
Media

PREPARAZIONE
40 minuti
più 30 minuti
di riposo
della pasta
e 2 ore di
raffreddamento
della crostata

COTTURA
1 ora

VINO
Aleatico
di Gradoli
(rosso,
Lazio)

Recioto della
Valpolicella
(rosso,
Veneto)

Preparate la pasta, lavorando 70 g di farina con la fecola, 65 g di burro, lo zucchero, il tuorlo, la vanillina e la scorza lavata e grattugiata di limone, poi lasciatela riposare per 30 minuti.

Nel frattempo preparate il ripieno. Lavorate in una terrina la ricotta con 80 g di zucchero, quindi incorporatevi lo yogurt, la scorza lavata e grattugiata di limone, la vanillina e i tuorli. Unite infine l'uva sultanina strizzata e gli albumi montati a neve ben ferma con lo zucchero rimasto.

Stendete la pasta e foderatevi una tortiera del diametro di circa 20 cm, imburrata e infarinata. Bucherellatela con una forchetta, distribuitevi sopra il composto e cuocete nel forno già caldo a 170 °C per 1 ora; poi lasciatela raffreddare.

Preparate la guarnizione. Ammorbidite la gelatina in acqua fredda. Portate a ebollizione la panna con la scorza lavata e grattugiata di limone; toglietela dal fuoco e amalgamatevi la gelatina strizzata. Lasciate intiepidire la salsa e unitevi il succo di limone. Versate sulla torta, fate solidificare in frigorifero e servite.

Crostata di ricotta e arance

Ingredienti per 6 persone

Per la pasta ❊ 270 g di farina ❊ 200 g di burro ❊ 1 tuorlo

Per il ripieno ❊ 250 g di ricotta ❊ 2 uova ❊ 60 g di zucchero
❊ la scorza grattugiata di 1 arancia biologica
❊ 30 g di uva sultanina ammollata ❊ 1/2 limone bioogico
❊ 30 g di arancia candita a dadini

Per la guarnizione ❊ 2 arance ❊ 1,5 dl di succo di mandarino
❊ 1,5 dl di succo d'arancia ❊ 35 g di fecola

DIFFICOLTÀ
Bassa

PREPARAZIONE
30 minuti
più 30 minuti
di riposo
della pasta

COTTURA
50 minuti

VINO
Moscato
di Pantelleria
(bianco,
Sicilia)

Moscadello
di Montalcino
Vendemmia
Tardiva
(bianco,
Toscana)

Preparate la pasta, lavorate 250 g di farina, 180 g di burro e il tuorlo, poi lasciatela riposare per 30 minuti.

Mescolate in una terrina la ricotta i tuorli, la scorza lavata e grattugiata degli agrumi, il succo di limone, lo zucchero, l'arancia candita, l'uva sultanina e gli albumi montati a neve.

Stendete la pasta e foderatevi una tortiera imburrata e infarinata. Bucherellatela, distribuitevi la farcia e cuocete nel forno già caldo a 180 °C per 50 minuti.

Cuocete la fecola con il succo di agrumi finché comincerà ad addensarsi. Distribuite sulla torta le fette delle arance pelate al vivo, versatevi sopra la crema preparata e servite.

Crostata di ricotta e fichi

Ingredienti per 6 persone

❊ 300 g di pasta frolla
❊ 12 fichi molto maturi
❊ 150 g di mascarpone
❊ 150 g di ricotta
❊ 20 g di burro
❊ 50 g di zucchero a velo
❊ noce moscata ❊ 20 g di farina

DIFFICOLTÀ
Media

PREPARAZIONE
30 minuti
più il tempo di
preparazione
della pasta frolla
e 1 ora di
raffreddamento
della crostata

COTTURA
30 minuti

VINO
Alto Adige
Gewürztraminer
Vendemmia
Tardiva
(bianco,
Trentino-Alto
Adige)

Moscato
Passito
di Pantelleria
(bianco,
Sicilia)

Aiutandovi con un matterello, stendete la pasta frolla in una sfoglia dello spessore di 3-4 mm e foderatevi una tortiera imburrata e infarinata. Bucherellate il fondo della pasta con i rebbi di una forchetta, copritelo con carta da forno e distribuitevi sopra i legumi secchi.

Cuocete la base nel forno già caldo a 180 °C per circa 30 minuti. Toglietela dal forno, liberatela dei legumi secchi e della carta e lasciatela raffreddare prima di sformarla.

Nel frattempo lavorate in una terrina la ricotta e il mascarpone, poi incorporatevi lo zucchero a velo, una grattata di noce moscata e mescolate fino a ottenere un composto morbido e ben montato. Unite alla crema i fichi sbucciati e tagliati in grossi pezzi, distribuitela sulla torta e servite.

LA VARIANTE

▶ Durante la stagione invernale, quando non sono reperibili fichi freschi, potete preparare questa crostata con fichi secchi ammollati nel Rum oppure con castagne lessate, pelate e fatte insaporite in padella con poco burro e 2 cucchiai di Rum.

Crostata di susine al Maraschino

Ingredienti per 6 persone

❋ 300 g di pasta brisée

❋ 800 g di susine

❋ 0,5 dl di Maraschino

❋ 60 g di zucchero ❋ 20 g di burro

❋ la scorza grattugiata di 1 limone biologico

❋ 1 bustina di vanillina ❋ 20 g di farina

❋ 12 biscotti secchi

DIFFICOLTÀ
Bassa

PREPARAZIONE
30 minuti
più il tempo di
preparazione
della pasta
brisée e
30 minuti di
macerazione
delle susine

COTTURA
30 minuti

VINO
Malvasia
di Casorzo
d'Asti
(rosso,
Piemonte)

Aleatico
di Gradoli
(rosso,
Lazio)

Lavate e asciugate le susine, dividetele a metà, privatele del nocciolo e riducetele a pezzetti. Raccoglietele in una terrina e cospargetele con lo zucchero, la vanillina e la scorza di limone; quindi irroratele con il Maraschino e lasciatele macerare in frigorifero per 30 minuti.

Aiutandovi con un matterello, sulla spianatoia leggermente infarinata stendete la pasta in una sfoglia dello spessore di 3-4 mm e foderatevi una tortiera imburrata e infarinata del diametro di 26 cm circa.

Bucherellate il fondo della pasta con i rebbi di una forchetta, distribuitevi i biscotti secchi sbriciolati finemente e infine disponetevi sopra i pezzetti di susina.

Cuocete la crostata nel forno già caldo a 200 °C per 30 minuti. Fatela raffreddare su una gratella da pasticceria e servite.

Crostata di uva e fichi

Ingredienti per 6 persone

Per la pasta ❋ 170 g di farina ❋ 100 g di burro
❋ 40 g di mandorle tritate ❋ 60 g di zucchero ❋ 1 tuorlo
❋ la scorza grattugiata di 1 limone biologico ❋ sale
Per la crema ❋ 4 tuorli ❋ 40 g di farina
❋ 40 g di zucchero ❋ 3 dl di vino bianco
Per la guarnizione ❋ 1 grappolino d'uva bianca ❋ 6 fichi
❋ 1 grappolino d'uva nera ❋ 2 cucchiai di gelatina di frutta

DIFFICOLTÀ
Bassa

PREPARAZIONE
30 minuti
più 30 minuti
di riposo
della pasta,
20 minuti di
raffreddamento
della crema
e 1 ora di
raffreddamento
della crostata

COTTURA
25 minuti

VINO
Cinque Terre
Sciacchetrà
(bianco,
Liguria)

Nasco
di Cagliari
Liquoroso
(bianco,
Sardegna)

Preparate la pasta, lavorando 150 g di farina con 80 g di burro, lo zucchero, il tuorlo, la scorza di limone, le mandorle e un pizzico di sale, poi lasciatela riposare per 30 minuti.

Stendete la pasta e foderatevi una tortiera rettangolare imburrata e infarinata. Bucherellatela con una forchetta e fatela cuocere nel forno già caldo a 200 °C per 20 minuti; quindi sfornatela e lasciatela raffreddare.

Nel frattempo preparate la crema. Sbattete i tuorli con lo zucchero, poi incorporatevi, poco alla volta e sempre mescolando, la farina e il vino scaldato a parte. Versate il composto in un tegame, portate a ebollizione e fate cuocere per 2 minuti, mescolando. Togliete infine dal fuoco e lasciate raffreddare la crema.

Lavate i fichi e tagliateli a spicchi. Lavate l'uva e staccatene gli acini. Sformate la torta su un piatto da portata e distribuitevi sopra la crema, stendendola in uno strato uniforme; quindi disponetevi gli acini d'uva seguendo il bordo e ponetevi al centro gli spicchi di fico. Spennellate la superficie della crostata con la gelatina di frutta diluita con 1 cucchiaio d'acqua bollente e servite in tavola.

Crostata di uva e mandaranci

Ingredienti per 6 persone

❋ 220 g di farina ❋ 120 g di burro
❋ 100 g di zucchero ❋ 2 tuorli
❋ la scorza grattugiata di 1 limone biologico
❋ 2 cucchiai di Marsala
❋ 200 g di uva nera ❋ 3 mandaranci grossi
❋ 2 cucchiai di marmellata di albicocche
❋ 2 cucchiai di Maraschino

DIFFICOLTÀ
Bassa

PREPARAZIONE
30 minuti
più 30 minuti
di riposo
della pasta
e 1 ora di
raffreddamento
della crostata

COTTURA
35 minuti

VINO
Moscato
di Siracusa
(bianco,
Sicilia)

Valle d'Aosta
Chambave
Moscato
Passito
(bianco,
Valle d'Aosta)

Preparate la pasta, lavorando 200 g di farina con 100 g di burro, lo zucchero, i tuorli, la scorza di limone e il Marsala, poi lasciatela riposare in frigorifero per 30 minuti circa.

Stendete la pasta e foderatevi una tortiera imburrata e infarinata. Bucherellatela e cuocetela nel forno già caldo a 180 °C per 35 minuti circa, quindi fatela raffreddare e sformatela.

Sbucciate i mandaranci e staccatene gli spicchi. Lavate e asciugate gli acini d'uva. Stendete sopra la pasta uno strato leggero di marmellata di albicocche e disponete a cerchi alternati gli spicchi dei mandaranci e gli acini d'uva lavati e asciugati.

In una casseruolina, scaldate la marmellata rimasta con il Maraschino e spennellatela sulla superficie della crostata, poi servite.

IL CONSIGLIO

▶ Potete servire questa crostata da sola, con il tè di metà pomeriggio, oppure presentarla come un ricco dessert a fine pasto, accompagnata con panna montata o con gelato alla crema aromatizzato con qualche goccia di Maraschino.

Crostata di zucca gialla

Ingredienti per 6 persone

✷ 300 g di pasta frolla

Per il ripieno ✷ 1 kg di zucca gialla ✷ 150 g di zucchero

✷ 3 uova ✷ 40 g di farina ✷ 1 cucchiaio di cannella in polvere

✷ noce moscata ✷ 2 chiodi di garofano in polvere

✷ la scorza grattugiata di 1 limone biologico

✷ 1 dl di latte ✷ 2 amaretti ✷ 20 g di burro

Per la guarnizione ✷ 40 g di zucca candita

✷ 3 cucchiai di panna ✷ qualche fogliolina di menta

DIFFICOLTÀ
Media

PREPARAZIONE
30 minuti
più il tempo di
preparazione
della pasta frolla
e 1 ora di
raffreddamento
della crostata

COTTURA
1 ora e
20 minuti

REGIONE
Lombardia

VINO
Oltrepò Pavese
Moscato
(bianco,
Lombardia)

Controguerra
Moscato
(bianco,
Abruzzo)

Preparate il ripieno. Private la zucca della scorza, tagliatela a fette molto spesse e cuocetela nel forno già caldo a 200 °C per 30 minuti. Passatela al passaverdura e amalgamate il purè ottenuto con lo zucchero, 30 g di farina, la scorza di limone e un pizzico di noce moscata, chiodi di garofano e la cannella. Incorporatevi infine le uova e il latte.

Stendete la pasta e foderatevi una tortiera imburrata e infarinata. Bucherellatela, cospargetela con gli amaretti sbriciolati e distribuitevi la farcia preparata. Cuocete la crostata nel forno già caldo a 180 °C per 50 minuti, poi lasciatela raffreddare.

Nel frattempo, preparate la guarnizione. Con un tagliapasta tondo ricavate dalla zucca candita 9 dischetti del diametro di 1 cm e altrettanti dischetti più piccoli. Montate la panna e mettetela in una tasca da pasticciere con bocchetta dentellata.

Distribuite sulla crostata i dischetti di zucca candita, disponendone uno al centro e gli altri lungo il bordo; poi formate su ogni dischetto un ciuffo di panna e completate con le foglioline di menta. Servite la crostata fredda.

Crostata dolce con spinaci

Ingredienti per 6 persone

* ❋ 250 g di pasta brisée
* ❋ 450 g di spinaci lessati e tritati
* ❋ 50 g di frutta candita a dadini
* ❋ 70 g di farina ❋ 50 g di burro
* ❋ la scorza grattugiata di 1 limone biologico
* ❋ 2,5 dl di latte
* ❋ 50 g di zucchero
* ❋ 3 tuorli ❋ sale

DIFFICOLTÀ
Media

PREPARAZIONE
20 minuti
più il tempo di
preparazione
della pasta
brisée

COTTURA
1 ora

VINO
Pagadebit
di Romagna
Amabile
(bianco,
Emilia-
Romagna)

Orvieto
Classico
Amabile
(bianco,
Umbria)

Sciogliete in una casseruola 30 g di burro, unitevi 50 g di farina e dopo pochi minuti il latte freddo, quindi fate addensare il composto, cuocendolo per 20 minuti.

Incorporate alla crema un pizzico di sale e lo zucchero, poi toglietela dal fuoco e mescolatevi gli spinaci, i tuorli, i canditi e la scorza di limone, mescolando bene con un cucchiaio di legno.

Stendete 2/3 della pasta brisée e foderatevi il fondo e le pareti di una tortiera larga 25 cm, imburrata e infarinata. Versate nella base di pasta il composto preparato e ricopritelo, a grata, con la pasta avanzata ritagliata a strisce. Fate cuocere la crostata nel forno già caldo a 200 °C per circa 40 minuti e servitela tiepida o fredda, a piacere.

L'INGREDIENTE

▶ **Spinaci.** È insolito trovare questa pianta orticola, dalle foglie croccanti e saporite, tra gli ingredienti di un dolce. Ma nel periodo invernale questa deliziosa crostata rappresenta un'alternativa piacevole e salubre alle preparazioni con frutta non di stagione.

Crostata dolce di riso

Ingredienti per 6 persone

Per la pasta ❊ 220 g di farina ❊ 110 g di burro ❊ 4 cucchiai di latte
❊ 1 tuorlo ❊ 50 g di zucchero ❊ la scorza grattugiata di 1/2 arancia biologica
❊ 1 bustina di vanillina

Per il ripieno ❊ 1/2 l di latte ❊ 100 g di riso superfino Arborio ❊ 1 dl di panna
❊ 60 g di zucchero ❊ 80 g di uva sultanina già ammollata ❊ 80 g di datteri tritati
❊ 4 tuorli ❊ 1 cucchiaino di scorza grattugiata d'arancia biologica ❊ acqua di rose
❊ 1/2 cucchiaino di cannella in polvere ❊ 10 g di zucchero a velo

DIFFICOLTÀ
Media

PREPARAZIONE
40 minuti
più 30 minuti
di riposo
della pasta

COTTURA
1 ora

REGIONE
Piemonte

VINO
Moscato d'Asti
(bianco,
Piemonte)

Moscadello
di Montalcino
(bianco,
Toscana)

Preparate la pasta con gli ingredienti indicati lasciando da parte 20 g di burro e fatela riposare 30 minuti.

Stendete la pasta e foderatevi una tortiera imburrata. Bucherellatela, copritela con carta da forno e un peso e cuocetela nel forno a 180 °C per 10 minuti; poi scopritela e cuocete per altri 10 minuti. In un tegame portate a bollore il latte, poi unitevi il riso e cuocetelo per 10 minuti. Unite la panna, lo zucchero, l'uva sultanina, i datteri, la scorza d'arancia, la cannella e portate a bollore.

Mescolate i tuorli con la vanillina e l'acqua di rose, unitevi 2 cucchiai della preparazione di riso e unite tutto al composto sul fuoco per 10 minuti. Versate il ripieno sulla crostata, spolverizzate con lo zucchero a velo, quindi cuocete nel forno già caldo a 180 °C per 20 minuti e servite.

1 Quando il latte avrà raggiunto il bollore, versatevi il riso.

2 Dopo 10 minuti di cottura del riso nel latte, unite nella pentola la panna, lo zucchero e l'uva sultanina.

3 Versate il ripieno a base di riso nella crostata, livellandolo bene con il dorso di un cucchiaio di legno.

Crostata integrale alle prugne

Ingredienti per 6 persone

❋ 100 g di farina integrale ❋ 120 g di farina bianca

❋ 600 g di prugne fresche snocciolate ❋ 3 uova

❋ 2 dl di latte ❋ 90 g di burro

❋ 2 cucchiai di Maraschino

❋ 130 g di zucchero

❋ la scorza di 1 limone biologico

DIFFICOLTÀ
Bassa

PREPARAZIONE
30 minuti
più 30 minuti
di riposo
della pasta
e 30 minuti di
ammollo delle
prugne

COTTURA
40 minuti

VINO
Vernaccia di
Serrapetrona
Dolce
(rosso,
Marche)

Brachetto
d'Acqui
(rosso,
Piemonte)

Preparate la pasta, lavorando la farina integrale e 100 g di farina bianca con 70 g di burro, 60 g di zucchero, 1 uovo e la scorza di limone, poi lasciatela riposare per 30 minuti.

Nel frattempo spezzettate le prugne e mettetele a bagno nel Maraschino. Foderate con la pasta stesa una tortiera imburrata e infarinata; bucherellatela e distribuitevi le prugne. In una terrina sbattete le uova rimaste con lo zucchero avanzato, unitevi il latte e versate il composto sulle prugne.

Con la pasta rimanente formate tanti dischi sottili e decorate a piacere la superficie della crostata. Cuocetela nel forno già caldo a 180 °C per circa 40 minuti, poi sfornatela, lasciatela raffreddare e servitela.

Crostata lievitata con ricotta e frutta

Ingredienti per 6 persone

Per la pasta ❋ 320 g di farina ❋ 140 g di burro

❋ 50 g di zucchero ❋ 2 uova ❋ 15 g di lievito di birra

❋ 4 cucchiai di latte ❋ sale

Per il ripieno ❋ 300 g di ricotta romana ❋ 100 g di zucchero

❋ 2 tuorli ❋ 30 g di farina ❋ 2 cucchiai di panna acida

❋ 1 cucchiaio di scorza grattugiata d'arancia biologica

❋ 1 bustina di vanillina ❋ noce moscata

❋ 10 g di zucchero a velo ❋ sale

Per la guarnizione ❋ 20-24 acini d'uva bianca e nera

❋ 200 g di fragole ❋ 1 banana ❋ 1 kiwi

❋ 10 lamponi ❋ 1 cucchiaio di succo di limone

❋ 100 g di gelatina di albicocche

DIFFICOLTÀ
Elevata

PREPARAZIONE
40 minuti
più 2 ore
di riposo
della pasta

COTTURA
40 minuti

VINO
Alto Adige
Moscato Rosa
(rosso,
Trentino-Alto
Adige)

Aleatico
di Gradoli
(rosso,
Lazio)

Impastate 20 g di farina con il lievito sciolto nel latte tiepido e immergete il panetto ottenuto in acqua tiepida; quindi fatelo lievitare finché verrà a galla raddoppiando di volume. Sgocciolatelo e impastatelo con la farina rimasta, tenendone da parte 1 cucchiaio per la tortiera, lo zucchero, le uova, 120 g di burro e poco sale.

Mettete la pasta in una terrina infarinata, incidetela a croce e lasciatela lievitare finché avrà raddoppiato di volume. Stendetela, foderatevi una tortiera imburrata e infarinata e fate lievitare di nuovo per 25 minuti.

Preparate il ripieno amalgamando alla ricotta tutti gli altri ingredienti e distribuite il composto sulla pasta, cospargendolo con lo zucchero a velo. Cuocete la torta nel forno già caldo a 180 °C per 40 minuti; sformatela e lasciatela raffreddare.

Lavate la frutta, affettatela e irroratela con il succo di limone, poi disponetela a corone sulla crostata. Spennellatele con la gelatina e servite.

Crostata mandorlata all'uva

Ingredienti per 6 persone

Per la pasta ❋ 150 g di farina ❋ 50 g di mandorle tritate ❋ 100 g di burro ❋ 1 uovo
❋ 50 g di zucchero ❋ la scorza grattugiata di 1/2 limone biologico ❋ sale
Per il ripieno ❋ 150 g di formaggio cremoso ❋ 2,5 dl di panna
❋ 8 g di gelatina in fogli ❋ 80 g di zucchero ❋ 1/2 bustina di vanillina
Per la guarnizione ❋ 250 g di uva bianca ❋ 250 g di uva nera
❋ 2 cucchiai di gelatina di albicocche ❋ 50 g di mandorle a lamelle

DIFFICOLTÀ
Media

PREPARAZIONE
40 minuti
più 30 minuti di
raffreddamento
della crostata

COTTURA
25 minuti

VINO
Albana
di Romagna
(bianco,
Emilia-
Romagna)

Greco
di Bianco
(bianco,
Calabria)

Preparate la pasta, lavorando in una terrina 80 g di burro con lo zucchero e un pizzico di sale e incorporandovi poi l'uovo, le mandorle, la farina e la scorza di limone. Stendete la pasta e foderatevi una tortiera imburrata. Bucherellatela, copritela con carta da forno e legumi secchi e cuocete nel forno già caldo a 180 °C per circa 20 minuti.

Preparate il ripieno. Fate ammorbidire la gelatina in acqua fredda; portate a ebollizione 1,5 dl di panna con lo zucchero, toglietela dal fuoco e scioglietevi la gelatina ben strizzata.

In una ciotola lavorate il formaggio con la panna rimasta e la vanillina, quindi unitevi la gelatina, distribuite sulla crostata e tenete in frigorifero per 30 minuti.

Preparate la guarnizione. Tostate leggermente le mandorle nel forno. Staccate gli acini d'uva, lavateli e divideteli a metà, tenendoli attaccati da un lato; poi eliminate i semi e richiudeteli. Distribuite sulla crostata gli acini d'uva bianca e nera alternati; spennellate con la gelatina tutta la superficie e fate aderire lungo il bordo le mandorle; poi servite.

Crostata meringata allo zucchero di canna

Ingredienti per 6 persone

❀ 220 g di farina ❀ 100 g di burro ❀ 1 uovo

❀ 20 g di zucchero ❀ sale

Per la crema ❀ 180 g di zucchero di canna

❀ 20 g di fecola di patate ❀ 2 tuorli ❀ 30 g di burro

❀ 4 dl di latte ❀ 1 dl di panna

Per la meringa ❀ 2 albumi ❀ 1 bustina di vanillina

❀ 30 g di zucchero a velo ❀ sale

DIFFICOLTÀ
Media

PREPARAZIONE
45 minuti
più 30 minuti
di riposo
della pasta

COTTURA
50 minuti

VINO
Erbaluce
di Caluso
Passito
(bianco,
Piemonte)

Sannio
Falanghina
Passito
(bianco,
Campania)

Preparate la pasta. In una ciotola lavorate 80 g di burro, lo zucchero e un pizzico di sale, poi incorporatevi l'uovo e 200 g di farina e fate riposare in frigorifero per 30 minuti.

Stendete la pasta e foderatevi uno stampo imburrato e infarinato. Bucherellatela, copritela con carta da forno e legumi secchi e cuocetela nel forno già caldo a 180 °C per 15 minuti, poi scopritela e proseguite la cottura per altri 10 minuti.

Preparate la crema. Stemperate la fecola con metà del latte freddo, scaldate il latte rimasto e fondete il burro a bagnomaria. Preparate un caramello biondo con lo zucchero di canna e unitevi 1 dl di panna calda. Unite anche il latte caldo e la fecola, cuocete qualche minuto, togliete dal fuoco e aggiungete il burro e i tuorli. Versate la crema sulla base di pasta.

Preparate la meringa. Montate a neve gli albumi con un pizzico di sale, la vanillina e lo zucchero a velo. Versate la meringa sulla crema dandole la forma di una girandola e cuocete nel forno già caldo a 200 °C finché la meringa sarà dorata, poi servite.

Crostata meringata al limone

Ingredienti per 6 persone

Per la pasta ❋ 270 g di farina
❋ 145 g di burro ❋ sale
Per la crema ❋ il succo di 2 limoni biologici
❋ 5 dl di latte ❋ 3 uova
❋ 50 g di zucchero
❋ 20 g di maizena
❋ 20 g di zucchero a velo

DIFFICOLTÀ
Media

PREPARAZIONE
30 minuti
più 1 ora
di riposo
della pasta

COTTURA
30 minuti

VINO
Recioto
di Soave
(bianco,
Veneto)

Moscato
di Trani Dolce
(bianco,
Puglia)

Preparate la pasta, lavorando 250 g di farina con 125 g di burro e un pizzico di sale; fatela riposare in frigorifero per 1 ora. Stendetela e foderatevi uno stampo imburrato e infarinato. Bucherellatela, copritela con carta da forno e fagioli secchi e infornatela a 180 °C per 20 minuti.

Nel frattempo preparate la crema. Sbattete i tuorli con lo zucchero e la maizena, stemperate con il latte freddo e, mescolando, portate a ebollizione. Togliete dal fuoco e versate nella crema il succo dei 2 limoni e un pizzico di scorza lavata e grattugiata.

Sfornate la crostata, scopritela e versatevi la crema, quindi distribuitevi sopra gli albumi montati a neve e spolverizzate con lo zucchero a velo. Ripassate la crostata nel forno per 10 minuti, facendo dorare la meringa sotto il grill, poi servite.

LA VARIANTE

▶ Esistono diverse versioni di farcia al limone. La più comune unisce 2 tuorli, 120 g di zucchero e 1 cucchiaio di fecola, che si diluisce con il succo di 3 limoni, senza aggiunta di latte.

Crostata sfogliata all'ananas

Ingredienti per 6 persone

❉ 300 g di pasta sfoglia
❉ 1/2 ananas del peso di 400 g
❉ 100 g di gelatina di albicocche
❉ qualche ciliegina candita

DIFFICOLTÀ
Media

PREPARAZIONE
30 minuti
più il tempo di
preparazione
della pasta
sfoglia
e 30 minuti di
raffreddamento
della sfogliata

COTTURA
25 minuti

VINO
Alto Adige
Pinot Grigio
Vendemmia
Tardiva
(bianco,
Trentino-Alto
Adige)

Contessa
Entellina
Ansonica
Vendemmia
Tardiva
(bianco,
Sicilia)

Stendete la pasta sfoglia sottile; ricavatene un quadrato di 25 cm di lato e adagiatelo sulla placca leggermente inumidita. Ritagliate, lungo i bordi del quadrato, 4 strisce di pasta della larghezza di circa 1 cm.

Spennellate d'acqua i bordi del quadrato rimasto, adagiatevi sopra le strisce ritagliate, premendole lungo il perimetro, e arrotolatene a spirale le estremità. Bucherellate la superficie della pasta, cuocetela nel forno già caldo a 220 °C per 20 minuti e poi lasciatela raffreddare.

Nel frattempo sbucciate l'ananas e tagliatelo a fette orizzontali spesse 0,5 cm. Privatele della parte dura centrale e dividetele in 4 pezzi ciascuna. Sciogliete la gelatina di albicocche in 2 cucchiai d'acqua bollente.

Trasferite la sfogliata su un piatto da portata e spennellatela con un velo sottile di gelatina; disponetevi sopra in modo decorativo i pezzi di ananas e completate con le ciliegine candite. Spennellate infine tutta la superficie del dolce con la gelatina di albicocche rimasta e portate in tavola.

Crostata sfogliata all'uva

Ingredienti per 6 persone

❀ 300 g di pasta sfoglia

Per la crema ❀ 2 tuorli ❀ 40 g di farina ❀ 5 dl di latte

❀ la scorza grattugiata di 1 limone biologico ❀ 80 g di zucchero

❀ uva bianca e nera ❀ zucchero a velo vanigliato

DIFFICOLTÀ
Media

PREPARAZIONE
30 minuti
più il tempo di
preparazione
della pasta
sfoglia
e 20 minuti di
raffreddamento
della crema

COTTURA
35 minuti

VINO
Moscato d'Asti
(bianco,
Piemonte)

Moscadello
di Montalcino
Frizzante
(bianco,
Toscana)

Stendete la sfoglia su un piano di lavoro leggermente infarinato a uno spessore di circa 2-3 mm.

Adagiate la sfoglia in una teglia da forno rotonda, ripiegando i bordi in modo da ottenere un cordone lungo tutto il bordo. Bucherellate il fondo con una forchetta e coprite con un foglio d'alluminio e i fagioli secchi. Mettete la teglia nel forno già caldo a 180 °C e cuocete per 20 minuti.

Togliete la sfogliata dal forno ed eliminate l'alluminio e i fagioli.

Preparate la crema. In un pentolino sbattete i tuorli con lo zucchero e la farina rimasta, unite la scorza di limone, diluite con il latte e portate a ebollizione mescolando di continuo.

Togliete la crema dal fuoco, lasciatela raffreddare, poi versatela sopra la sfogliata.

Coprite il fondo della sfogliata con gli acini di uva, lavati e asciugati, e spolverizzate il tutto con un leggero strato di zucchero vanigliato. Servite in tavola.

IL CONSIGLIO

▶ Mentre il forno si riscalda infornate anche la teglia; in questo modo, quando poi vi appoggerete la sfoglia, il fondo già caldo della teglia permetterà alla base di cuocere perfettamente.

Crostata sfogliata alle more

Ingredienti per 6 persone

❋ 300 g di pasta sfoglia ❋ 300 g di more ❋ 1 uovo ❋ 60 g di zucchero
Per la crema ❋ 3 tuorli ❋ 50 g di burro fuso ❋ 1 limone biologico
❋ 60 g di zucchero ❋ 15 g di gelatina ❋ 0,6 dl di panna
❋ un rametto di menta fresca

DIFFICOLTÀ
Media

PREPARAZIONE
40 minuti
più il tempo di
preparazione
della pasta
sfoglia
e 30 minuti di
raffreddamento
della crema

COTTURA
40 minuti

VINO
Aleatico
di Gradoli
(rosso,
Lazio)

Recioto della
Valpolicella
(rosso,
Veneto)

Stendete la pasta in una sfoglia sottile, foderate la tortiera spennellata d'acqua e bucherellate la pasta con una forchetta.

In una ciotola sbattete leggermente l'uovo e spennellate con questo la pasta. Lavate rapidamente le more, sgocciolatele e asciugatele. Disponetele sopra la pasta, in modo decorativo, e spolverizzate con lo zucchero.

Mettete la tortiera nel forno già caldo a 220 °C e fate cuocere per 25 minuti, finché la pasta avrà assunto un leggero colore dorato.

Preparate la crema. Amalgamate i tuorli con lo zucchero, il burro, la panna, il succo e un cucchiaio di scorza grattugiata di limone, fate cuocere il composto a bagnomaria finché la crema si sarà addensata, poi lasciate intiepidire. Sciogliete la gelatina in acqua tiepida e incorporatela alla crema mescolando bene. Fate raffreddare, mescolando di tanto in tanto.

Togliete la sfogliata dal forno, sformatela su un piatto da portata e ricopritela con la crema al limone. Guarnitela con alcune foglioline di menta fresca.

548

Crostata sfogliata di fichi freschi

Ingredienti per 6 persone

❄ 300 g di pasta sfoglia ❄ 8-10 fichi freschi ❄ 2,5 dl di latte
❄ 60 g di zucchero ❄ 2 tuorli ❄ 30 g di farina ❄ 50 g di ribes
❄ 1 pezzo di scorza di limone biologico
Per la salsa ❄ 300 g di ribes ❄ 100 g di zucchero

DIFFICOLTÀ
Media

PREPARAZIONE
30 minuti
più il tempo di
preparazione
della pasta
sfoglia
e 30 minuti di
raffreddamento
della crema

COTTURA
30 minuti

VINO
Moscato
di Pantelleria
(bianco,
Sicilia)

Elba Moscato
(bianco,
Toscana)

Portate a bollore il latte con la scorza di limone. Lavorate in una terrina i tuorli con 50 g di zucchero, unite poco alla volta la farina mescolando e versate a filo il latte bollente filtrato. Cuocete quindi a fuoco dolce per 7-8 minuti, togliete la crema dal fuoco e lasciatela raffreddare.

Stendete la pasta sfoglia allo spessore di 3 mm, ricavatene un disco del diametro di 24 cm e un anello dello stesso diametro largo 2 cm. Adagiate il disco sulla placca spennellata d'acqua, sovrapponetevi l'anello, bucherellate il fondo e distribuitevi la crema in uno strato spes-

so 2,5 cm. Tagliate i fichi sbucciati a spicchi e adagiateli sulla crema, disponendoli a raggiera, distribuitevi sopra i chicchi di ribes lavati e asciugati e cospargete con lo zucchero rimasto. Cuocete nel forno a 200 °C per 15 minuti.

Nel frattempo preparate la salsa. Frullate i chicchi di ribes con lo zucchero e passate la salsa al passino. Servite la sfogliata, accompagnandola con la salsa di ribes a parte.

Crostata sfogliata di frutta

Ingredienti per 6 persone
❋ 250 g di pasta sfoglia ❋ 4 peschenoci
❋ 6 albicocche ❋ 100 g di mirtilli
❋ 1 cucchiaio di gelatina di albicocche
❋ 80 g di zucchero ❋ 1 albume
❋ 4 biscotti secchi

DIFFICOLTÀ
Media

PREPARAZIONE
30 minuti
più il tempo di
preparazione
della pasta
sfoglia
e 5 minuti di
raffreddamento
della
preparazione

COTTURA
25 minuti

VINO
Oltrepò Pavese
Sangue
di Giuda
(rosso,
Lombardia)

Vernaccia di
Serrapetrona
Dolce
(rosso,
Marche)

Lavate le albicocche e le pesche, asciugatele, privatele del nocciolo, tagliatele a spicchi e raccoglietele in una ciotola. Aggiungete 60 g di zucchero e i mirtilli lavati e asciugati e mescolate.

Stendete la pasta in una sfoglia sottile, trasferitela in uno stampo, rivestito di carta da forno, lasciandola debordare e bucherellate il fondo con una forchetta. Tritate i biscotti e cospargeteli sulla pasta, lasciando libero un bordo di 3 cm. Disponetevi sopra la frutta e ripiegate il bordo della pasta.

Spennellate la pasta con l'albume leggermente sbattuto, spolverizzatela con lo zucchero rimasto e mettete lo stampo nel freezer per circa 5 minuti.

Mettete lo stampo nel forno già caldo a 200 °C e fate cuocere per 25 minuti, quindi lasciate intiepidire.

Portate a bollore la gelatina di albicocche con 1 cucchiaio d'acqua e stendetela sulla frutta. Servite la crostata fredda.

Crostata sfogliata di pere

Ingredienti per 6 persone
❋ 300 g di pasta sfoglia ❋ 3 pere Williams a fettine sottili
❋ 5 cucchiai di zucchero
❋ il succo di 1/2 limone
❋ 1 cucchiaio di Grappa alle pere
❋ 40 g di burro

DIFFICOLTÀ
Media

PREPARAZIONE
30 minuti
più il tempo di
preparazione
della pasta
sfoglia

COTTURA
30 minuti

VINO
Alto Adige
Moscato Rosa
(rosso,
Trentino-Alto
Adige)

Cesanese
del Piglio
Amabile
(rosso,
Lazio)

Stendete la pasta in una sfoglia sottile, ricavatene un disco del diametro di 24 cm, adagiatelo su una placca spennellata d'acqua e bucherellatelo. Mettete le fettine di pera in una terrina e irroratele con il succo di limone.

Cospargete la pasta con 1 cucchiaio di zucchero, mettetevi sopra le fettine di pera, formando 2 cerchi concentrici. Cospargete con 1 cucchiaio di zucchero e 20 g di burro fuso e cuocete nel forno a 200 °C per 25 minuti. Sfornate e irrorate con la Grappa.

Fate bollire in un tegamino 3 cucchiai d'acqua con lo zucchero rimasto, mescolando. Fuori dal fuoco, unite il burro rimasto a pezzetti, versate sulla sfogliata e servite freddo.

Crostata sfogliata di pesche

Ingredienti per 6 persone

❈ 300 g di pasta sfoglia ❈ 1 cucchiaio di zucchero a velo
Per lo sciroppo ❈ 500 g di zucchero ❈ 1 limone biologico ❈ 1 arancia biologica
Per il ripieno ❈ 1 kg di pesche ❈ 3 tuorli ❈ 80 g di zucchero ❈ 2,5 dl di latte
❈ 25 g di farina ❈ 1/2 bustina di vanillina ❈ la scorza di 1/2 limone biologico
Per la guarnizione ❈ 2 dl di panna ❈ 1 pesca ❈ 2 pistacchi pelati

DIFFICOLTÀ
Media

PREPARAZIONE
30 minuti
più il tempo di
preparazione
della pasta
sfoglia,
30 minuti di
raffreddamento
della crema,
20 minuti di
raffreddamento
delle pesche e
30 minuti di
raffreddamento
della sfogliata

COTTURA
30 minuti

VINO
Asti Spumante
(bianco,
Piemonte)

Pantelleria
Moscato
Spumante
(bianco,
Sicilia)

Preparate il ripieno. In un tegamino portate a bollore il latte con la scorza di limone. Mettete in una terrina i tuorli con lo zucchero e lavorateli con un cucchiaio di legno; unite la farina e la vanillina e poi versate a filo il latte bollente, filtrato attraverso un passino, mescolando. Travasate il composto in una casseruola e cuocete la crema per 8 minuti, mescolando ogni tanto. Togliete dal fuoco e lasciatela raffreddare.

Lavate le pesche, anche quella per la finitura, scottatele in acqua in ebollizione, sgocciolatele e lasciatele intiepidire. Privatele quindi della buccia, eliminate il nocciolo, tagliatele a fette e mettetele in una ciotola.

Preparate lo sciroppo. Portate a ebollizione in un pentolino 1 l d'acqua con lo zucchero, un pezzetto di scorza di limone e un pezzetto di scorza d'arancia e fate sobbollire per 1-2 minuti, mescolando ogni tanto. Togliete dal fuoco e versate a filo lo sciroppo, filtrato attraverso un passino, sulle pesche, quindi lasciatele raffreddare.

Stendete la pasta allo spessore di 3 mm, ricavatene un rettangolo di 16 x 48 cm, adagiatelo sulla placca spennellata d'acqua e bucherellatelo con una forchetta. Mettete la placca nel forno già caldo a 220 °C e fate cuocere per 15 minuti. Togliete la sfogliata dal forno, spolverizzatela con lo zucchero a velo e rimettetela nel forno, lasciando caramellare leggermente lo zucchero. Sfornate e fate raffreddare.

Dividete la pasta sfoglia in 3 quadrati di circa 16 cm di lato. Stendete su un quadrato di pasta metà della crema e disponetevi sopra uno strato di fette di pesca sgocciolate e asciugate. Sovrapponetevi il secondo quadrato di pasta, spalmatelo con uno strato della crema rimasta, coprite con il resto delle fette di pesca e terminate con il terzo quadrato di pasta.

Montate la panna per la finitura, mettetela in una tasca da pasticciere con bocchetta a stella e decorate la superficie della sfogliata con le fette di pesca rimaste e ciuffetti di panna montata; terminate spolverizzando con i pistacchi tritati.

IL CONSIGLIO

▶ Per ottenere una panna perfettamente montata, occorre utilizzare la panna fresca, non quella da cucina, con un contenuto di grassi minimo del 35% e consistenza liquida.

Frolla alla genovese

Ingredienti per 6 persone

Per la pasta ❋ 320 g di farina ❋ 170 g di burro
❋ 100 g di zucchero ❋ 2 tuorli ❋ 1 cucchiaio di Cognac
❋ la scorza grattugiata di 1/2 limone biologico ❋ sale
Per il ripieno ❋ 350 g di confettura di ciliegie
❋ 8 ciliegie candite ❋ 8 pezzetti di cedro canditi

DIFFICOLTÀ
Bassa

PREPARAZIONE
30 minuti
più 30 minuti
di riposo
della pasta

COTTURA
30 minuti

REGIONE
Liguria

VINO
Pornassio
di Ormeasco
Passito
(rosso,
Liguria)

Primitivo
di Manduria
Dolce Naturale
(rosso,
Puglia)

Disponete 300 g di farina a fontana sulla spianatoia e versatevi al centro 150 g di burro a pezzetti, lo zucchero, i tuorli, la scorza di limone, una presa di sale e il Cognac. Lavorate velocemente gli ingredienti con le mani, formando con l'impasto una palla soda; avvolgetela in un foglio di alluminio e lasciatela riposare in un luogo fresco per 30 minuti.

Riprendete la pasta, lavoratela ancora per un poco e con il matterello stendetene 2/3, formando un disco sottile. Imburrate una tortiera del diametro di 24 cm circa, infarinatela e foderatela con il disco di pasta. Formate quindi con parte della pasta avanzata un cordone e sistematelo tutt'attorno al bordo della base, poi distribuite sul fondo la confettura di ciliegie, livellandone la superficie con una spatola.

Con un tagliapasta, ricavate dalla pasta rimasta tante mezzelune, stelle o dischetti e disponeteli sulla confettura. Completate la decorazione con le ciliegie e i pezzetti di cedro canditi. Cuocete la torta nel forno già caldo a 200 °C per 30 minuti circa e lasciatela intiepidire prima di sformarla su un piatto da portata e servirla in tavola.

Frolla meringata di mirtilli

Ingredienti per 8 persone

❋ 300 g di pasta frolla ❋ 350 g di mirtilli
❋ 250 g di crema pasticciera ❋ 3 albumi
❋ 35 g di zucchero ❋ 20 g di farina
❋ 10 g di zucchero a velo
❋ 20 g di burro ❋ sale

DIFFICOLTÀ
Bassa

PREPARAZIONE
30 minuti
più il tempo di
preparazione
della pasta frolla
e il tempo di
preparazione
della crema
pasticciera

COTTURA
50 minuti

VINO
Vernaccia di
Serrapetrona
Dolce
(rosso,
Marche)

Alto Adige
Moscato Rosa
(rosso,
Trentino-Alto
Adige)

Sulla spianatoia leggermente infarinata, stendete la pasta in una sfoglia sottile. Imburrate e infarinate uno stampo del diametro di 24 cm a bordi bassi e scanalati, quindi rivestitelo con la pasta. Coprite con un foglio di carta da forno e legumi secchi e cuocete la crostata nel forno già caldo a 200 °C per 25 minuti circa.

Nel frattempo in una terrina montate a neve fermissima gli albumi con lo zucchero e un pizzico di sale.

Sfornate la base di pasta, eliminando la carta e i legumi. Mondate i mirtilli, lavateli, asciugateli e versateli nella crostata insieme alla crema pasticciera già pronta.

Coprite tutto con la meringa, cospargete con pochissimo zucchero a velo, poi passate nel forno già caldo a 100 °C per 25 minuti circa. Sfornate e servite.

L'INGREDIENTE

▶ **Crema pasticciera.** Si prepara rapidamente lavorando 4 tuorli con 100 g di zucchero e 50 g di farina, e facendo cuocere il tutto per 3 minuti insieme a 5 dl di latte.

Linzer torte

Ingredienti per 6 persone

❀ 370 g di farina ❀ 150 g di zucchero a velo

❀ 120 g di mandorle ❀ 220 g di burro

❀ 2 uova e 1 tuorlo ❀ cannella in polvere

❀ 250 g di confettura di lamponi ❀ una bustina di vanillina

❀ la scorza di 1 limone biologico ❀ sale

DIFFICOLTÀ
Bassa

PREPARAZIONE
30 minuti
più 1 ora
di riposo
della pasta

COTTURA
40 minuti

VINO
Alto Adige
Moscato Rosa
(rosso,
Trentino-Alto
Adige)

Aleatico
di Gradoli
(rosso,
Lazio)

Sbollentate le mandorle, pelatele e tritatele finemente. Mescolate 350 g di farina con le mandorle tritate, lo zucchero a velo, la scorza di limone e un pizzico di sale, di cannella e di vanillina. Impastate quindi il tutto con 1 uovo, 1 tuorlo e 200 g di burro ammorbidito, a pezzetti. Formate con l'impasto una palla, avvolgetela in un foglio di pellicola trasparente e lasciatela riposare per 1 ora al fresco.

Stendete 2/3 della pasta in una sfoglia dello spessore di 5 mm e foderatevi una tortiera imburrata e infarinata. Stendete quindi anche il resto della pasta e ricavatene un cordoncino e tante striscioline della larghezza di 1 cm circa.

Distribuite sul fondo della tortiera la confettura di lamponi, livellatela e appoggiatevi sopra le striscioline di pasta, formando una grata. Sistemate poi il cordoncino lungo tutto il bordo della torta, premendolo leggermente per fissarlo alla base.

Spennellate tutta la pasta con l'uovo rimasto, sbattuto, e cuocete la crostata nel forno già caldo a 170 °C per 40 minuti. Servitela tiepida o fredda a piacere.

Torta della nonna

Ingredienti per 6 persone

Per la pasta ❀ 170 g di farina ❀ 25 g di zucchero

❀ 145 g di burro

Per il ripieno ❀ 350 g di ricotta ❀ 4 cucchiai di panna ❀ 3 uova

❀ 125 g di zucchero ❀ la scorza di 1 arancia biologica

❀ 10 g di zucchero a velo ❀ 100 g di pinoli

DIFFICOLTÀ
Bassa

PREPARAZIONE
30 minuti
più 30 minuti
di riposo
della pasta

COTTURA
50 minuti

VINO
Frascati
Cannellino
(bianco,
Lazio)

Albana
di Romagna
Dolce
(bianco,
Emilia-
Romagna)

Impastate 150 g di farina con 125 g di burro a tocchetti, lo zucchero e 1 cucchiaio d'acqua, quindi avvolgete l'impasto in un foglio di pellicola trasparente e lasciatelo riposare in frigorifero per 30 minuti.

Stendete la pasta e foderatevi una tortiera imburrata e infarinata. Bucherellatela, copritela con carta da forno e legumi secchi e cuocetela nel forno già caldo a 190 °C per circa 15 minuti.

Lavorate in una terrina la ricotta con la panna, le uova, lo zucchero, la scorza grattugiata d'arancia e metà dei pinoli. Sfornate la crostata e versatevi il ripieno, cospargendone la superficie con i restanti pinoli.

Terminate la cottura della crostata nel forno già caldo a 160 °C per circa 35 minuti. Lasciate quindi intiepidire la torta, cospargetela di zucchero a velo e servite.

IL CONSIGLIO

▶ Specialmente se preparate questa torta per offrirla fuori pasto, potete arricchirla unendo all'impasto arance candite tagliate a dadini e gocce di cioccolato fondente. In questo caso cospargete anche la superficie della crostata con gocce di cioccolato.

Torta monferrina bocca di dama

Ingredienti per 6 persone

❈ 320 g di farina ❈ 150 g di zucchero ❈ 170 g di burro
❈ 1/2 bustina di lievito per dolci ❈ 1 uovo e 1 tuorlo
Per il ripieno ❈ 500 g di albicocche cotte ❈ 200 g di amaretti
❈ 0,5 dl di Rum ❈ 150 g di nocciole sgusciate ❈ 2 uova ❈ 120 g di zucchero

DIFFICOLTÀ
Bassa

PREPARAZIONE
30 minuti

COTTURA
45 minuti

REGIONE
Piemonte

VINO
Erbaluce
di Caluso
Passito
(bianco,
Piemonte)

Greco
di Bianco
(bianco,
Calabria)

Lavorate in una terrina 150 g di burro con lo zucchero, poi unitevi 300 g di farina, il lievito, l'uovo e il tuorlo. Stendete l'impasto ottenuto in una sfoglia sottile e foderatevi una tortiera del diametro di 24 cm circa, imburrata e infarinata.

Preparate il ripieno. Portate a ebollizione in un tegamino 3 cucchiai d'acqua con 1 cucchiaio di zucchero; poi togliete dal fuoco, lasciate raffreddare lo sciroppo e aggiungetevi il Rum. Fate tostare leggermente le nocciole nel forno già cal-

do a 180 °C per pochi minuti, quindi privatele della pellicina e tritatele.

Sbriciolate 4 amaretti e distribuiteli sul fondo della sfoglia, quindi disponetevi sopra le albicocche cotte e su queste gli amaretti rimasti. Spennellate con lo sciroppo preparato e cospargete con le nocciole tritate.

Sbattete in una terrina le uova con lo zucchero rimasto e versate il composto ottenuto sulla torta. Cuocete nel forno già caldo a 180 °C per circa 40 minuti e servite.

1 Lavorate il burro con lo zucchero, la farina, il lievito, 1 uovo e 1 tuorlo.

2 Stendete la pasta con il matterello in uno stampo ben imburrato e infarinato.

3 Disponete sulla pasta, cosparsa di amaretti sbriciolati, le albicocche con la parte tagliata rivolta verso il basso.

Indice generale

Indice generale delle scuole

Indice analitico

T

U

Referenze fotografiche © DeA Picture Library / N. Banas, P. Bassanini, I. Feroldi,
P. Ingaldi, K. Kissov, M. Lodi, G. Losito, R. Marcialis, P. Martini, M. Lodi,
G. Pisacane, F. Pizzochero, C. Rezzonico, M. Sarcina, Studio Gamma, G. Ummarino,
M. Viganò, Visual Food

Foto di copertina: Francine Reculez

© DeA Picture Library / Prima Press

Hanno collaborato:
Home economist: Francesca Bagnaschi, Maria Grazia Cantalupo, Nebo;
Marillia Ribeiro; Livia Sala, Sivì; Emanuela Tediosi
Stylist: Silvia Frangi
Piatti di: Rosenthal Italia, Milano; Villeroy & Boch arti della tavola, Milano; Michielotto,
Porto Mantovano (MN); La Porcellana Bianca, Arezzo; Livellara, Milano; Tiffani Group,
Viterbo; Laboratorio Pesaro, Tavullia
Accessori: G. Lorenzi, Milano; Tescoma, Cazzago San Martino (BS); Frabosk casalinghi,
Lumezzane (BS); Pentole Agnelli, Bergamo; Ruffoni, Milano; Le stanze della Memoria,
Milano; Chantal Delorme, Milano; F.lli Bugada, Milano; Bergamaschi e Vimercati, Turate;
Ikea Italia; Giannini, Brescia; Bormioli, Parma; Argenteria Dabbene, Milano
Tovaglie: Bossi, Pavia; Vallesusa, Varese; T&J Vestor, Varese; Bellora, Varese;
Gabrielle Cunicolo, Milano